中华人民共和国法律释义丛书

中华人民共和国
民法总则释义

主　编：李适时

（全国人大常委会法制工作委员会主任）

副主编：张荣顺

（全国人大常委会法制工作委员会副主任）

法律出版社

总　　序

人类文明的历史上，还没有哪一个时代像中国的改革开放40年一样，在历史长河中掀起如此巨大的浪花——它不仅深刻改变了一个国家的面貌与精神气质、使数亿人摆脱贫困，还极大地改变了世界格局。

1978，在那一年的年底，中共中央一次全体会议——十一届三中全会扭转了中国的前进方向，开辟了一个时代。回首过去，我们发现，一些观念从那时开始在中国出现，一些声音从那时开始逐渐响起，一些人物开始登上历史舞台。从这一年开始，随着"加强社会主义民主，健全社会主义法制"历史性任务的提出，"法制"两个字进入了人们的视野；政法机关开始恢复重建；法律院系开始蓬勃发展。一部部法律从庙堂走进了人们的生活，一次次裁决推动着国家前进的脚步。从"有法可依、有法必依、执法必严、违法必究"到"科学立法、严格执法、公正司法、全民守法"；从"法制"到"法治"；从法治观念的形成到"依法治国，建设社会主义法治国家"写进宪法，再到"法治国家、法治政府、法治社会一体建设"，人们对法治的认识步步深入，中国的改革不断向前推进，结出丰硕的果实。在中国共产党的带领下，这个励精图治的古老国度，再一次创造了改革的奇迹。

40年发生了无数故事,40年产生了许多事物。为了纪念这难忘的40年,本社组织编辑出版了一批"纪念改革开放40周年"主题图书。这些图书,将40年来颁布的重要法律及其释义甄选汇集,将法学领域有代表性的学术论文萃取精编,把有关政法机关的重建、法律院系的重生与发展进行展现,将一批被时代改变命运的人物再次唤起。我们希望从法律与法律人的视角,重新审视过去的40年,认真体会这不平凡的40年。

如江河东下,逝者如斯。岁月总会过去,人事总有代谢,但一个不平凡的时代留下的深刻痕迹,永远不会磨灭。"不忘初心,牢记使命",习近平总书记在党的十九大报告中向全党发出的号召,使我们有理由期待,下一个40年,中国将更加惊艳!

法律出版社编辑委员会

2018年10月

出 版 前 言

《中华人民共和国法律释义丛书》是由全国人大常委会法制工作委员会相关人员组织编辑的一套系列丛书。

该套丛书由一系列法律释义组成。邀请有关专家、学者和部分参与立法的同志编著。该丛书坚持以准确地反映立法宗旨和法律条款内容为最基本要求,在每部法律释义中努力做到观点的权威性和内容解释的准确性。

我们相信,该套丛书的陆续出版,将会给广大读者进一步学好法律提供有益的帮助。

重印说明

本次重印，是为改革开放40周年制作的特别纪念版，为了保持内容原貌，未对正文和附录作实质修改。个别法条内容有修订或修正的，以脚注形式作了标注。特此说明。

2018年10月

目　录

第一部分　释　义

第二部分 附 录

第一部分 释 义

第一章 基本规定

编纂民法典是党的十八届四中全会提出的重大立法任务。编纂一部真正属于中国人民的民法典,是新中国几代人的夙愿。新中国成立后,我国曾于1954年、1962年、1979年和2001年先后四次启动民法制定工作。第一次和第二次,由于多种原因而未能取得实际成果。1979年第三次启动,由于刚刚进入改革开放新时期,制定一部完备的民法典条件还不具备,因此,按照“成熟一个通过一个”的工作思路,确定先制定民事单行法。现行的继承法、民法通则、担保法、合同法就是在这种背景下制定的。2001年九届全国人大常委会组织起草了《中华人民共和国民法(草案)》,并于2002年进行了一次审议,经讨论,仍确定继续采取分别制定单行法的办法。2003年十届全国人大以来,又先后制定了物权法、侵权责任法、涉外民事关系法律适用法等。由此可以看出,1979年以来我国民事立法是富有成效的,逐步形成了比较完整的民事法律规范体系,为编纂民法典奠定了较好的法律基础和实践基础。

在党中央统筹推进“五位一体”总体布局和协调推进“四个全面”战略布局的时代背景下,编纂民法典具有重大而深远的意义。第一，编纂民法典是体现党执政为民的根本宗旨，维护最广大人民根本利益的客观需要。尊重和保障人民群众合法权益，是建设中国特色社会主义法治体系、建设社会主义法治国家的基本原则。党的十八届四中全会提出，要实现公民权利保障的法治化。这是总结我国民主法治建设经验教训而得出的重要结论，是我们党根本宗旨的内在要求。我国宪法确立了保障公民人身权利和财产权利的原则。宪法的精神和原则必须在民事法律中予以体现和落实。通过编纂民法典，健全民事法律秩序，就是要加强对民事主体合法权益的保护，更好地维护人民群众的切身利益。第二，编纂民法典是全面推进依法治国，实现国家治理体系和治理能力现代化的重大举措。党的十八届三中全会提出完善和发展中国特色社会主义制度，推进国家治理体系和治理能力现代化。党的十八届四中全会进一步指出依法治国是实现国家治理体系和治理能力现代化的必然要求。民法作为中国特色社会主义法律体系的重要组成部分，是民事领域的基础性、综合性法律，被称为社会生活的百科全书，它规范人身关系和财产关系，涉及社会和经济生活的方方面面，同每个民事主体都密切相关。民法与国家其他领域的法律规范一起，支撑着国家治理体系。通过编纂民法典，完善民事法律规范，就是要构建民事领域的治理规则，提高国家治理能力。第三，编纂民法典是健全社会主义市场经济制度，完善中国特色社会主义法律体系的必然要求。社会主义市场经济本质上是法治经济。完善社会主义市场经济法律制度，是社会主义市场经济运行规律的客观要求，也是保障经济持续健康发展的现实需要。党的十八届四中全会提出，使市场在资源配置中起决定性作用，必须以保护产权、维护契约、统一市场、平等交换、公平竞争等为基本导向。我国民事立法秉持民商合一的传统，通过编纂民法典，完善我国民商事领域的基本规则，为民商事活动提供基本遵循，就是要健全市场秩序，维护交易安全，促进社会主义市场经济健康发展。

编纂民法典是对现行民事法律规范进行系统整合，编纂一部适应中国特色社会主义发展要求，符合我国国情和实际，体例科学、结构严谨、规范合理、内容协调一致的法典。编纂民法典不是制定全新的民事法律，而是对现行的民事法律规范进行科学整理；也不是简单的法律汇编，而是对已经不适应现实情况的规定进行修改完善，对经济社会生活中出现的新情况、新问题作出有针对性的新规定。

编纂民法典的指导思想是，高举中国特色社会主义伟大旗帜，全面贯彻党的十八大和十八届三中、四中、五中、六中全会精神，以马克思列宁主义、毛泽东思想、邓小平理论、“三个代表”重要思想、科学发展观为指导，深入贯彻习近平总书记系列重要讲话精神和治国理政新理念、新思想、新战略，贯彻统筹推进“五位一体”总体布局和协调推进“四个全面”战略布局要求，贯彻新发展理念，编纂一部具有中国特色、体现时代精神的民法典，正确调整民事关系，更好保护民事主体合法权益，维护社会经济秩序，为实现“两个一百年”奋斗目标、实现中华民族伟大复兴中国梦提供有力法治保障。按照上述指导思想，编纂民法典工作遵循以下基本原则：一是坚持正确政治方向。坚持党的领导这一社会主义法治的最根本保证，确保党的领导、人民当家做主、依法治国有机统一，坚定不移走中国特色社会主义法治道路。二是坚持人民主体地位。坚持人民立场这一党的根本政治立场，恪守以民为本、立法为民理念，保证人民依法享有广泛的权利和自由、承担应尽的义务，实现好、维护好、发展好最广大人民根本利益。三是坚持社会主义核心价值观。将社会主义核心价值观融入全过程，弘扬中华民族传统美德，强化规则意识，增强道德约束，倡导契约精神，弘扬公序良俗。四是坚持立法的引领和推动作用。以法典化方式巩固和确认新中国成立以来特别是改革开放以来实践证明是正确的民事立法成果，同时与时俱进，完善和发展我国民事法律规范，引领经济社会发展，更好地平衡社会利益、调节社会关系、规范社会行为。

民法典将由总则编和各分编组成，分编包括物权编、合同编、侵权责任编、婚姻家庭编和继承编等。根据工作部署，编纂工作按照“两步走”的思路进行：第一步，编纂民法典总则编，即制定民法总则；第二步，编纂民法典各分编，拟于2018年整体提请全国人大常委会审议，经全国人大常委会分阶段审议后，争取于2020年将民法典各分编一并提请全国人民代表大会会议审议通过，从而形成统一的民法典。

民法总则是民法典的开篇之作，在民法典中起统领性作用。民法总则规定民事活动必须遵循的基本原则和一般性规则，统领民法典各分编；各分编将在总则的基础上对各项民事制度作出具体规定。民法总则以1986年制定的民法通则为基础，采取“提取公因式”的办法，将民事法律制度中具有普遍适用性和引领性的规定写入，就民法基本原则、民事主体、民事权利、民事法律行为、民事责任和诉讼时效等基本民事法律制度作出规定，既构建了我国民事法律制度的基本框架，也为各分编的规定提供依据。

在民法总则起草过程中，遵循了编纂民法典的指导思想和基本原则，并注意把握以下几点：一是既坚持问题导向，着力解决社会生活中纷繁复杂的问题，又尊重立法规律，讲法理、讲体系。我国仍处于并将长期处于社会主义初级阶段。制定民法总则必须立足于这一基本国情,研究现阶段民事法律实践中存在的问题,以实践需求确定立法重点,用实践智慧破解立法难点。同时,按照民商事法律关系的内在规律,注重与民法典各分编和其他部门法的有机衔接。二是既尊重民事立法的历史延续性,又适应当前经济社会发展的客观要求。我国现行民事法律大部分规则实际可行,为人民群众所熟悉和接受。制定民法总则,必须深入总结这些法律的实施情况,对实践证明正确、可行的,予以继承,维护法律的稳定性;对不适应现实情况的内容和制度进行修改补充,对社会生活迫切需要规范的事项作出创设性规定,增强法律的可执行性,并适度体现前瞻性。三是既传承我国优秀的法律文化传统,又借鉴外国立法的有益经验。中华优秀传统文化的思想精华,包括讲仁爱、重民本、守诚信、崇正义、尚和合、求大同等核心思想理念,与民法的理念和原则是相通的。制定民法总则,必须坚定文化自信,深入挖掘和传承包括中华法律文化在内的中华优秀传统文化的时代价值,让我们的民法总则体现鲜明的民族性。同时,要有世界眼光,善于学习外国的立法经验,借鉴人类法治文明成果,但绝不照搬外国法治理念和模式。

2016 年 6 月、10 月、12 月,全国人大常委会对民法总则草案进行了三次审议,并在 12 月决定提请十二届全国人大五次会议审议。2017 年 3 月,十二届全国人大五次会议对民法总则草案进行了审议,并于 2017 年 3 月 15 日大会表决通过,确定于 2017 年 10 月 1 日起开始施行。民法总则共十一章,包括基本规定、自然人、法人、非法人组织、民事权利、民事法律行为、代理、民事责任、诉讼时效、期间计算、附则,共二百零六条。

第一章是民法总则的"总则",规定的是民法典最为基本的内容。民法总则草案第一章章名原为"基本原则"。有的意见提出,第一章的内容既包括民事法律的基本原则,也包括立法目的、调整范围、法律适用规则等内容,"基本原则"的章名难以涵盖这些内容,有的建议修改为"一般规定",有的建议修改为"基本规定"。综合各方面的意见,第一章的章名最终确定为"基本规定"。

本章共十二条,主要内容包括民法立法目的和依据、调整对象、基本原则、法律适用规则和适用范围。

第一条　为了保护民事主体的合法权益,调整民事关系,维护社会和经济秩序,适应中国特色社会主义发展要求,弘扬社会主义核心价值观,根据宪法,制定本法。

【释义】　本条是关于民法的立法目的和依据的规定。

立法目的是制定法律的根本目标和宗旨。在法律的第1条规定立法的目的和宗旨,符合我国立法的惯例。如合同法第1条规定的立法目的是保护合同当事人的合法权益,维护社会经济秩序,促进社会主义现代化建设;物权法第1条规定的立法目的是维护国家基本经济制度,维护社会主义市场经济秩序,明确物的归属,发挥物的效用,保护权利人的物权;侵权责任法第1条规定的立法目的是保护民事主体的合法权益,明确侵权责任,预防并制裁侵权行为,促进社会和谐稳定。

关于民法的立法目的包括哪些,立法过程中存在不同观点。有的意见认为,民法的立法目的只有一个,就是保障民事主体的民事权益;有的意见认为,包括调整民事关系、维护社会秩序;有的意见认为,还应包括维护人的自由和尊严、增进人民福祉等。

民法通则第 1 条规定的立法目的包括保障公民和法人的合法的民事权益、正确调整民事关系、适应社会主义现代化建设事业发展的需要。本条根据各方面意见，在民法通则规定的立法目的基础上，规定了五个方面的立法目的：

一是保护民事主体的合法权益。民事主体的合法权益包括人身权利、财产权利、兼具人身和财产性质的知识产权等权利，以及其他合法权益。保护公民的各项基本权利是宪法的基本原则和要求，保护民事主体的合法权益是民法的首要目的，也是落实和体现宪法精神的表现。可以说，民法总则的全部规定都是围绕保护民事主体的合法权益而展开的。

二是调整民事关系。民事权益存在于特定社会关系之中，民法保护民事权利，是通过调整民事关系来实现的。调整社会关系是法律的基本功能。一个人无时无刻不与外界发生各种关系，其中最为重要的就是人与人之间的社会关系。社会关系有的涉及市场交换关系，有的涉及家庭生活关系，有的涉及友情关系，不论哪种关系，都需要通过一定的社会规则加以规范，否则将可能陷入混乱。调整社会关系的手段有道德、法律等不同类型，其中法律是现代社会最为重要的调整社会关系的方式。民法调整的仅仅是民事关系，民事关系就是平等主体之间的权利和义务关系。民事关系根据权利义务内容性质的不同，可以分为人身关系、财产关系等，民法通过各种具体制度、规则调整民事主体之间的相互关系，最终的目的就是促进和实现民事主体之间生活秩序的和谐。

三是维护社会和经济秩序。民法保护单个主体的民事权利，调整民事主体之间的关系，从而确立并维护整个社会的民事生活秩序。民法确立维护婚姻、家庭等社会秩序，使民事主体之间的社会关系处于稳定有序的状态。同样,民法通过调整民事主体之间的财产权关系、交易关系,实现对经济秩序的维护,使得民事主体享有合法的财产权,进而能在此基础上与他人开展交易,从而确保整个社会的经济有条不紊地运行。

四是适应中国特色社会主义发展要求。法律是上层建筑,由经济基础决定的,并与经济基础相适应。新中国成立以来,特别是改革开放以来,中国特色社会主义建设取得了举世瞩目的成就,中国特色社会主义法律体系也已形成。随着改革开放的深入推进,市场经济不断发展,人民群众对于提高权利保障的法治化水平的期望越来越高。编纂民法典就是为了满足人民群众的法治需求。社会主义市场经济本质上是法治经济,通过编纂民法典、制定民法总则不断完善社会主义法律体系,健全市场秩序,维护交易安全,促进社会主义市场经济持续健康发展。

五是弘扬社会主义核心价值观。社会主义核心价值观是民族精神和时代精神的高度凝练,是中国特色社会主义法治的价值内核,是中国特色社会主义法治建设的灵魂,是坚持中国特色社会主义法治发展道路的基本遵循。社会主义核心价值观包括富强、民主、文明、和谐,自由、平等、公正、法治,爱国、敬业、诚信、友善。社会主义核心价值观要融入法治建设的全过程,要将社会主义核心价值观的基本要求融入法律,转化为法律规范性要求,将法律法规作为践行社会主义核心价值观的制度载体,使法律法规更好体现国家的价值目标、社会的价值取向、公民的价值追求。编纂民法典,健全民事基本法律制度,可以强化全社会的契约精神。按照党中央关于把社会主义核心价值观融入法治建设的要求,应当强调在民事活动中弘扬中华优秀文化,践行社会主义核心价值观,大力弘扬自由、平等、公正、诚信等社会主义核心价值观。

宪法是国家的根本法，是母法，是其他法律制定的依据。我国立法法明确规定，宪法具有最高的法律效力，一切法律、行政法规、地方性法规、自治条例和单行条例、规章都不得同宪法相抵触。“根据宪法，制定本法”的规定明确了民法总则的立法依据。宪法是民法的立法根据，民法的规定必须体现宪法精神，落实宪法的要求，不得违背宪法。不仅民法的实体内容应当落实宪法的原则和要求，民法制定的立法程序也必须符合宪法关于立法制度和程序的规定。

第二条 民法调整平等主体的自然人、法人和非法人组织之间的人身关系和财产关系。

【释义】 本条是关于民法调整范围的规定。

法律的调整范围就是法律所规范的社会关系类型。一个国家的法律体系总是由不同的法律部门组成，不同的法律部门规制不同的社会关系。法律部门之间分工配合，从而形成有机统一的法律体系。中国特色社会主义法律体系也是如此，是由宪法及宪法相关法、民法、行政法、经济法、社会法、刑法等不同的法律部门共同组成的。

在民法总则开篇就明确规定调整范围，可以让人民群众很直观地知道民法的功能和定位。有些国外民法典也在开篇即规定其调整范围。如《俄罗斯民法典》第 1 条“民事立法所调整的关系”规定的内容有：民事立法规定民事流转参加者的法律地位，所有权和其他物权、智力活动成果的专属权（知识产权）产生的根据和实现的程序，调整合同债和其他债权债务关系，以及调整基于其参加者平等、意思自治和财产自主而产生的其他财产关系和与之相联系的人身非财产关系；民事立法调整从事经营活动的人之间的关系或者有他们参加的关系，民事立法调整所依据的出发点是：经营活动是依照法定程序对其经营活动资格进行注册的人实施的，旨在通过使用财产、出售商品、完成工作和提供服务而不断取得利润，并由自己承担风险的独立自主的活动；民事立法不适用于基于一方对另一方的行政从属关系或权力从属关系而产生的财产关系，其中包括不适用于税收关系及其他财政关系和行政关系，但立法有不同规定的除外。《乌克兰民法典》第1条规定，民事关系包括调整基于其参与平等、意思自治和财产自主而产生的财产关系和与之相联系的人身非财产关系，其中也包括与企业发生的关系。《蒙古国民法典》第1条规定：本法旨在确定民事流转中当事人的法律身份，调整基于其参与者平等、意思自治和财产自主而产生的其他财产关系和与之相联系的人身非财产关系；本法不适用于有行政隶属关系当事人之间的财产关系和人身关系。

民法通则第2条规定，中华人民共和国民法调整平等主体的公民之间、法人之间、公民和法人之间的财产关系和人身关系。民法总则延续了民法通则规定民法调整范围的做法，在本条规定，民法调整平等主体的自然人、法人和非法人组织之间的人身关系和财产关系。民法总则调整的这种关系进行排列组合，包括自然人之间、法人之间、非法人组织之间、自然人和法人之间、自然人和非法人组织之间、法人和非法人组织之间的人身关系和财产关系。

民事主体是民事关系的参与者、民事权利的享有者、民事义务的履行者和民事责任的承担者。本条首先列举了民事主体的具体类型，包括自然人、法人和非法人组织三类。关于民事主体的类型,民法总则起草过程中存在一定的不同意见。有的意见认为,民事主体只包括自然人和法人;有的意见认为,民事主体还包括其他组织、非法人团体或非法人组织。自然人作为民事主体,对此是没有争议的。自然人是最为重要的民事主体,民法通则用的是“公民(自然人)”,民法总则直接规定为自然人,自然人就是通常意义上的人,民法上使用这个概念,主要是与法人相区别。自然人不仅包括中国公民,还包括我国领域内的外国人和无国籍人。法人就是法律上拟制的人,法人是一种社会组织,法律基于社会现实的需要,赋予符合一定条件的组织法人资格,便于这些组织独立从事民事活动,归根到底是为了扩展自然人从事民事活动的广度。民法通则仅规定了自然人和法人两类民事主体。在总则制定过程中,对于是否应当认可自然人、法人之外的第三类民事主体,认可的话第三类民事主体的名称应当是什么,立法过程中有不同的意见。有的意见认为,应当认可自然人、法人之外的第三类民事主体。有的意见认为,民事主体就是自然的人和法律拟制的人即法人两类,不存在其他第三类主体。基于社会实践和多数意见,赋予个人独资企业、合伙企业等不具有法人资格的组织民事主体地位,有利于其开展民事活动,促进经济社会发展,也与其他法律的规定相衔接,民法总则创设了第三类民事主体。

关于第三类民事主体的名称,有的意见认为应称为非法人团体,有的意见认为应称为其他组织,有的意见认为应称为非法人组织。经研究,我国现行法律使用较多的术语是其他组织,其范围不尽一致,内涵和外延都不同。在制度民法总则的过程中,对这些法律规定进行了全面研究,认为有关法律中使用的“其他组织”是适当的,但作为民事主体,统一使用“非法人组织”为宜，这与公司、基金会、协会等名称不一样，但在民法上统一称为“法人”的道理相同。民事主体首先分为自然人和非自然人（组织），非自然人的组织体再进一步划分为法人和与法人相对应的非法人组织。

自然人、法人、非法人组织之间的社会关系多种多样，并非所有社会关系都由民法调整。民法仅调整他们之间的民事关系，即作为平等主体之间自然人、法人、非法人组织之间发生的社会关系。例如，行政机关在从事行政管理活动时，会与自然人或法人形成行政法律关系，这种行政法律关系双方的地位是不平等的，不属于民法调整。机关从事民事活动，如因购买商品而与公司签订买卖合同，民法要求其必须以机关法人的身份进行，此时机关法人与其他民事主体之间的法律地位是平等的，这种买卖合同关系则由民法调整。

民法所调整的民事关系根据权利义务所涉及的内容不同可以分为两大类，即民事主体之间的财产关系和人身关系。人身关系是指民事主体之间基于人格和身份形成的无直接物质利益因素的民事法律关系。人身关系有的与民事主体的人格利益相关，有的与民事主体的特定身份相关。如配偶之间的婚姻关系，父母子女之间的抚养和赡养关系。财产关系是指民事主体之间基于物质利益而形成的民事法律关系。财产关系包括静态的财产支配关系，如所有权关系，还包括动态的财产流转关系，如债权债务关系等。就财产关系所涉及的权利内容而言，财产关系包括物权关系、债权关系等。

民法通过规定基本原则、民事基本制度和具体的民事法律规范，对民事主体之间的人身性和财产性的权利义务关系予以确认、保护、规制，并赋予民事主体在权利受到侵害时相应的救济方式,以确保各种民事法律关系稳定,维护民事生活的和谐有序。

第三条 民事主体的人身权利、财产权利以及其他合法权益受法律保护,任何组织或者个人不得侵犯。

【释义】 本条是关于民事权利及其他合法权益受法律保护的规定。

民事权利及其他合法权益受法律保护是民法的基本精神。民事主体的民事权利及其他合法权益受法律保护的要求在我国诸多法律中都有规定。如宪法第13条规定,公民的合法的私有财产不受侵犯,国家依照法律规定保护公民的私有财产权和继承权。民法通则第5条规定,公民、法人的合法的民事权益受法律保护,任何组织和个人不得侵犯。物权法第4条规定,国家、集体、私人的物权和其他权利人的物权受法律保护,任何单位和个人不得侵犯。合同法第8条第2款规定,依法成立的合同,受法律保护。侵权责任法第2条规定,侵害民事权益,应当依照本法承担侵权责任,本法所称民事权益,包括生命权、健康权、姓名权、名誉权、荣誉权、肖像权、隐私权、婚姻自主权、监护权、所有权、用益物权、担保物权、著作权、专利权、商标专用权、发现权、股权、继承权等人身、财产权益。

民事权利及其他合法权益受法律保护也是外国民法甚至宪法规定的重要内容。《法国民法典》第545条规定,任何人不得被强制转让其所有权,但因公用并在事前受公正补偿的例外。《意大利民法典》第834条规定,不得全部或部分地使任何所有人丧失其所有权,但是为公共利益的需要,依法宣告征用并且给予合理补偿的情况不在此限。《日本国宪法》第29条规定,财产权神圣，法律可以基于公共利益限制财产权，私有财产在正当补偿之下可收归公共所用。《美国宪法》第 5 条修正案规定，没有正当补偿，任何人的私有财产均不得被征用为公共使用。

民事权利及其他合法权益受法律保护是民法的基本精神，也是民事立法的出发点和落脚点。民法总则草案将本条内容规定在第 9 条中，在审议过程中，普遍认为，民事权利及其他合法权益受法律保护是民法的基本精神，统领整部民法典和各民商事特别法，应当进一步突出民事权利受法律保护的理念，将本条的内容规定在前面，以充分体现权利本位、权利导向的立法宗旨。经研究，将本条内容规定在本法第 3 条，以突出强调民事权利及其他合法权益受法律保护的基本精神和重要地位。

民法总则规定，自然人的人身自由、人格尊严受法律保护。民法总则还规定保护民事主体的各种人身权利、财产权利以及其他合法权益。人身权利包括生命权、健康权、姓名权、肖像权、名誉权、荣誉权、隐私权、婚姻自主权、监护权等，财产权利包括所有权、用益物权、担保物权、股权等。民法除保护人身权利和财产权利外，兼具有人身和财产性质的知识产权、继承权等也受法律保护。除列明的民事权利外，民法总则还规定保护其他合法权益，原因在于，有些民事权益法律并未明确规定，但确有必要予以保护的，法律也应当予以保护。民事权利及其他合法权益受法律保护，就要求任何组织或者个人不得侵犯。不得侵犯就是任何组织或者个人不得非法侵占、限制、剥夺他人的民事权利及其他合法权益，也不得干涉他人正常行使民事权利及其他合法权益。当然，这并非意味着民事主体的民事权利可以毫无限制，是绝对自由的。相反，民事主体行使民事权利是要受到法律、公序良俗的约束，民事主体不得滥用民事权利，且国家基于公共利益的需要，在法律权限范围内经法定程序，在给予公平合理补偿的前提下，可以对民事主体的财产予以征收或者征用。

第四条　民事主体在民事活动中的法律地位一律平等。

【释义】　本条是关于平等原则的规定。

平等原则是指民事主体，不论法人、自然人还是非法人组织，不论法人规模大小、经济实力雄厚与否，不论自然人是男、女、老、少、贫、富，不论非法人组织经营什么业务，在从事民事活动时，他们相互之间在法律地位上都是平等的，他们的合法权益受到法律的平等保护。平等原则是民事法律关系区别于行政法律关系特有的原则，也是发展社会主义市场经济的客观要求。

我国宪法规定，中华人民共和国公民在法律面前一律平等。宪法规定的人人平等原则，需要在民法中加以落实。自民法通则第 3 条规定当事人在民事活动中的地位平等后，很多民商事单行法律也都规定了平等原则。如物权法第 3 条第 3 款规定，国家实行社会主义市场经济，保障一切市场主体的平等法律地位和发展权利。合同法第 3 条规定，合同当事人的法律地位平等，一方不得将自己的意志强加给另一方。消费者权益保护法第 4 条规定，经营者与消费者进行交易应当遵循平等原则。合伙企业法第 5 条规定，订立合伙协议、设立合伙企业应当遵循平等原则。

有些外国民法典也规定有平等原则。如《日本民法典》第 2 条规定，解释本法，应以个人尊严及两性实质性平等为宗旨。《俄罗斯民法典》第 1 条第 1 款规定，民事立法的基本原则是确认民事立法所调整的关系的参加者一律平等，财产不受侵犯，合同自由，不允许任何人随意干涉私人事务，必须无阻碍地行使民事权利，保障恢复被侵犯的权利及其司法保护。

民法总则作为民法典各分编和民商事单行法的统率性规定，在继承民法通则规定的基础上，总结吸收各民商事单行法的立法经验，在本条中规定了平等原则。在民法总则起草制定过程中，有的意见提出，应在平等原则中明确规定任何一方不得将自己的意志强加给对方。有的意见提出，应在本条中增加一款，规定法律对未成年人、老年人、残疾人、妇女、消费者、劳动者等自然人有特别保护的，依照其规定。考虑到基本原则的法律条文表述应简洁，突出表明基本原则的核心要义，这一条文规定的平等原则所指就是民事主体在民事活动中法律地位平等。法律地位平等包含民事主体在从事民事活动时不能将意志强加给另一方，还包括其他方面的要求，并不否定法律对特殊民事主体的权利予以特别保护，如果作上述规定反而会限制平等原则的含义。

民事主体的法律地位一律平等首先体现为自然人的权利能力一律平等。权利能力就是自然人享有民事权利、承担民事义务的法律资格，这种法律资格，不因自然人的出身、身份、职业、性别、年龄、民族、种族等而不同，所有自然人从法律人格上而言都是平等的、没有差别的。其次，体现为所有民事主体之间在从事民事活动时双方的法律地位平等。虽然国家行政机关在从事行政管理时，作为管理者与被管理的行政相对人的地位是不平等的，存在隶属关系或管理与被管理的关系。而当机关法人与其他民事主体包括自然人、法人或者非法人组织从事交易时，二者的法律地位则是平等的。同样，如一个资产规模很大的跨国公司，在与一个资产很少的公司开展交易时，尽管二者经济实力悬殊，但在法律上二者是平等的，必须在平等协商的基础上达成交易条款,任何一方不得利用自己的优势地位向对方施加不当压力。民法为了维护和实现民事主体之间法律地位的平等性,确保民事主体之间能平等协商交易条款,还规定当事人一方利用优势地位强加给另一方的不公平的“霸王条款”无效。最后,平等原则的平等还体现为所有民事主体的合法权益受到法律的平等保护。平等保护就是当民事主体权利在法律上都是一视同仁受到保护的。平等保护还意味着民事主体的权利受到侵害时,在法律适用上是平等的,能够获得同等的法律救济。正因如此,我国民事诉讼法规定,民事诉讼当事人有平等的诉讼权利,人民法院审理民事案件对当事人在适用法律上一律平等。

平等原则是民法的前提和基础,是国家立法规范民事法律关系的逻辑起点。民事主体法律地位的平等是民事主体自愿参与从民事活动,自主决定民事活动的权利义务内容,实现意思自治的前提。只有民事活动的当事人之间的法律地位是平等的,当事人之间才能相互尊重对方的自由和意志,进而在平等对话、自由协商的基础上达成共识,实现公平交易。民法总则规定平等原则就是要确认所有民事主体法律地位的这种平等性,以排除特权,防止和避免民事活动当事一方利用某种地位上的优势威胁、限制、压制交易相对方。民事主体之间如果没有平等的法律地位,就不可能有真正的自愿,更遑论实现公平交易。当事人之间地位平等是民法区别于其他法律部门的最为重要的特征。

第五条 民事主体从事民事活动,应当遵循自愿原则,按照自己的意思设立、变更、终止民事法律关系。

【释义】 本条是关于自愿原则的规定。

自愿原则,也称意思自治原则,就是民事主体有权根据自己的意愿，自愿从事民事活动，按照自己的意思自主决定民事法律关系的内容及其设立、变更和终止，自觉承受相应的法律后果。自愿原则体现了民事活动最基本的特征。

民法通则第 4 条规定了自愿原则，不少民商事单行法也将自愿原则规定为基本原则。如合同法第 4 条规定，当事人依法享有自愿订立合同的权利，任何单位和个人不得非法干预。婚姻法第 5 条规定，结婚必须男女双方完全自愿，不许任何一方对他方加以强迫或任何第三者加以干涉。收养法第 2 条规定，收养应当有利于被收养的未成年人的抚养、成长，保障被收养人和收养人的合法权益，遵循平等自愿的原则，并不得违背社会公德。证券法第 4 条规定，证券发行、交易活动的当事人应当遵守自愿原则。劳动合同法第 3 条规定，订立劳动合同应当遵循平等自愿的原则。合伙企业法第 5 条规定，订立合伙协议、设立合伙企业，应当遵循自愿原则。商业银行法第 5 条规定，商业银行与客户的业务往来，应当遵循自愿的原则。

国外民法典也有合同自由、契约自由等类似规定。如《法国民法典》第 1134 条第 1、2 款规定，依法成立的契约在缔结契约的当事人之间有相当于法律的效力，仅得依当事人相互的同意或法律规定的原因取消之。《俄罗斯民法典》第 1 条第 2 款规定，公民（自然人）和法人以其自己的意思并为了自己的利益取得和行使其民事权利，他们在以合同为基础确定自己的权利和义务方面以及在确定不与立法相抵触的任何合同条件方面是自由的。

民法总则起草制定过程中，有的意见提出，意思自治是实施民事法律行为、构建民事法律关系的核心，自愿只是意思自治的一个方面，意思自治比自愿原则的内涵更丰富，应该将自愿原则修改为意思自治原则。有的意见提出，自愿原则已经深入人心，应该继续沿用民法通则规定的自愿原则。考虑到民法通则以及其他民商事单行法规定的都是自愿原则，自愿原则已经为广大人民群众普遍认识和接受，民法总则继续沿用了自愿原则的用法，自愿原则相当于意思自治原则。结合各方面意见，民法总则规定，民事主体从事民事活动，应当遵循自愿原则，按照自己的意思设立、变更和终止民事法律关系，强调民事主体从事民事活动，不仅形式上要自愿，在实质内容上也要自愿。

自愿原则，可以从以下四个方面来理解。首先，民事主体有权自愿从事民事活动。民事主体参加或不参加某一民事活动由其自己根据自身意志和利益自由决定，其他民事主体不得干预，更不能强迫其参加。其次，民事主体有权自主决定民事法律关系的内容。民事主体决定参加民事活动后，可以根据自己的利益和需要，决定与谁建立民事法律关系，并决定具体的权利、义务内容，以及民事活动的行为方式。例如，甲决定给自家买一台电视机，甲可以自主选择到哪个超市或电商选购，选购何种品牌、什么型号和价格的电视机，任何超市或电商都不能强迫甲必须购买其销售的电视机。再次，民事主体有权自主决定民事法律关系的变动。民事法律关系的产生、变更、终止应由民事主体自己根据本人意志自主决定。例如，甲乙双方签订买卖合同后，双方建立了买卖合同法律关系，之后由于发生了合同解除事由，当事人即有权解除合同。最后，民事主体应当自觉承受相应法律后果。与民事主体自愿参加民事活动、自主决定民事法律关系相伴的是，民事主体需要自觉承受相应法律后果。自愿或者说意思自治的必然要求就是，每个人对自己的行为负责。自愿原则要求民事主体在行使权利的同时自觉履行约定或法定的义务,并承担相应的法律后果。

需要进一步说明的是,自愿或者意思自治不是毫无约束的绝对的自由与放任。民事主体实现自愿、自主或意思自治的前提就民事主体之间的平等法律地位。因此,民事主体的自愿是建立在相互尊重的基础上,必须尊重其他民事主体的自主意志。民事主体的意思自治,还受到民法的公平原则、诚信原则、守法原则等基本原则的约束,这些原则要求民事主体从事民事活动,要公平合理、诚实守信,不得违反法律,不得违背公序良俗。

平等原则是民法的前提和基础,自愿原则即意思自治原则则是民法的核心。民法之所以称为“民”法,不仅是因为民法是根据人民的集体意志制定的法律,而且根据民法确立的自愿原则,民事主体在参加民事活动过程中有权根据个人意思确定民事法律关系的内容,且所决定的内容对民事活动的当事人而言具有法律约束力,是民事主体自己为自己定的“法”。可以说,不仅民法的制定要以人民的集体意志为基础,民法的实施同样也需要依赖于人民群众的个体意志才能实现。正因如此,民法上的大量规定都属于任意性规范,民事主体可以根据自己的需要而设定与法律任意性规定不同的具体权利和义务内容,民事主体根据自愿原则确定的民事权利义务关系,对当事人是具有法律效力的,当事人必须执行的。民法学上的民事主体,在经济学领域被称为理性人。理性人意味着民事主体具有认知事物及其规律并为自己利益作出理性判断的能力,意味着民事主体具有在经济社会生活中与他人和平共处的理性和能力。民事主体的理性意味着民事主体作为民事活动的参与者是“三位一体”的,即民事主体是民事权利的享有者、民事义务的履行者、民事责任的承担者。

第六条　民事主体从事民事活动，应当遵循公平原则，合理确定各方的权利和义务。

【释义】 本条是关于公平原则的规定。

公平原则要求民事主体从事民事活动时要秉持公平理念，公正、平允、合理地确定各方的权利和义务，并依法承担相应的民事责任。公平原则体现了民法促进社会公平正义的基本价值，对规范民事主体的行为发挥着重要作用。

我国现行法律中，不少民商事单行法都规定了公平原则。民法通则第4条规定民事活动应当遵循公平原则。合同法第5条规定，当事人应当遵循公平原则确定各方的权利和义务。劳动合同法第3条规定，订立劳动合同应当遵循公平原则。合伙企业法第5条规定，订立合伙协议、设立合伙企业应当遵循平等原则。商业银行法第5条规定，商业银行与客户的业务往来应当遵循平等原则。信托法第5条规定，信托当事人进行信托活动必须遵守法律、行政法规，遵循公平原则。证券投资基金法第4条规定，从事证券投资基金活动应当遵循公平原则。反不正当竞争法第2条规定，经营者在市场交易中应当遵循公平原则。消费者权益保护法第4条规定，经营者与消费者进行交易应当遵循公平原则。域外立法例中，有的国家和地区民法在分则相关编章中规定了公平的要求。《德国民法典》第315条规定，由合同当事人一方确定给付的，有疑义时，必须认为该项确定是依照公平裁量作出的，且所作出的确定只有合乎公平时，才对另一方有约束力。《法国民法典》第1135条规定，合同不仅仅依明示发生义务，根据合同的性质，发生公平原则、习惯或法律施加的义务。《荷兰民法典》第三编"财产法总则"第一章第12条规定，在确定合理性与公平性的要求时，必须参照公认的法律原则、荷兰当今的法律观点和相关的社会利益和私人利益。第六编“债法总则”第一章第 2 条规定:(1)债权人和债务人相互之间必须依合理和公平准则行事;(2)按照法律、习惯或法律行为对债权人和债务人有约束力的规则,在特定情形下,按照合理和公平准则为不能接受的,不予适用。公平原则也逐渐成为国际社会普遍认可的基本原则。如《欧洲合同法通则》第一篇总则第 1:103 条“诚实信用与公平交易”规定:(1)诚实信用与公平交易,是指一种行为准则。这一行为准则具有以下特征:诚实、公开并考虑到相关交易或法律关系的对方当事人的利益。(2)特别是,一方当事人违背对方当事人已经对之产生合理信赖的在先陈述或行为,从而损害对方当事人利益的,即构成对诚实信用与公平交易原则的违反。

民法总则起草制定过程中,有的意见提出,公平原则是法律的最高价值目标,是所有法律的基本原则,且公平原则由于弹性过大在实践中容易被滥用,不必在民法总则中规定。有的意见提出,公平原则仅适用于民事主体之间的财产关系,不适用于民事主体之间的人身关系,不宜作为民法总则的基本原则。公平正义是人类共同追求的基本价值,也是法律追求的基本价值,公平应当成为民法的基本原则。同时民法的各项基本原则是相互补充、相辅相成的,如果不规定公平原则,民法的基本原则就不周延。正因如此,民法通则将其规定为基本原则,合同法、劳动合同法、信托法、反不正当竞争法等诸多民商事单行法也规定公平原则为基本原则。结合各方面意见,民法总则仍将公平原则作为民法的基本原则,规定民事主体从事民事活动,应当遵循公平原则,合理确定各方的权利和义务。

公平原则首先要求民事主体在从事民事活动时,按照公平观念行使权利、履行义务,特别是对于双方民事法律行为,要求一方的权利和义务应当相适应,双方之间的权利和义务应当对等,不能一方承担义务另一方只享有权利,也不能一方享受的权利和义务相差悬殊。公平原则的这种要求在合同法中得到充分体现。如合同法第39条规定,采用格式条款订立合同的,提供格式条款的一方应当遵循公平原则确定当事人之间的权利和义务。第40条规定,提供格式条款一方免除其责任、加重对方责任、排除对方主要权利的条款无效。公平原则还要求民事主体合理承担民事责任,在通常情况下适用过错责任,要求责任与过错的程度相适应,特殊情况下,也可以根据公平原则合理分担责任。如侵权责任法第24条规定,受害人和行为人对损害的发生都没有过错的,可以根据实际情况,由双方分担损失。

公平原则作为民法的基本原则,不仅仅是民事主体从事民事活动应当遵守基本行为准则,也是人民法院审理民事纠纷应当遵守的基本裁判准则。如在山西省长治市某副食果品有限公司与某房地产开发有限公司合作开发房地产合同纠纷案中,由于当事人双方在合作开发房地产项目合同中并未约定有关开放项目新增面积所得利润的分配方式,双方因此引发纠纷。人民法院根据公平原则,参照双方在项目合作中最初约定分配面积分配比例以及在合同履行过程中实际分配面积比例变化等项目情况,确定了新增面积利润的分配比例。

第七条　民事主体从事民事活动,应当遵循诚信原则,秉持诚实,恪守承诺。

【释义】　本条是关于诚信原则即诚实信用原则的规定。

诚信原则要求所有民事主体在从事任何民事活动时,包括行使民事权利、履行民事义务、承担民事责任时，都应该秉持诚实、善意，信守自己的承诺。诚实信用原则要求民事主体在行使权利、履行义务过程中，讲诚实、重诺言、守信用。这对建设诚信社会、规范经济秩序、引领社会风尚具有重要意义。

诚信原则是民法通则规定的基本原则之一。民法通则第4条规定，民事活动应当遵循诚实信用的原则。此后，大部分民商事单行法律都将诚信原则规定为基本原则之一。合同法第6条规定，当事人行使权利、履行义务应当遵循诚实信用原则。消费者权益保护法第4条规定，经营者与消费者进行交易应当遵循诚实信用原则。劳动合同法第3条规定，订立劳动合同应当遵循诚实信用原则。个人独资企业法第4条规定，个人独资企业从事经营活动必须遵守诚实信用原则。合伙企业法第5条规定，订立合伙协议、设立合伙企业应当遵循诚实信用原则。证券法第4条规定，证券发行、交易活动应当遵守诚实信用原则。保险法第5条规定，保险活动当事人行使权利、履行义务应当遵循诚实信用原则。票据法第10条规定，票据的签发、取得和转让应当遵循诚实信用的原则，具有真实的交易关系和债权债务关系。商业银行法第5条规定，商业银行与客户的业务往来应当遵循诚实信用原则。信托法第5条规定，信托当事人进行信托活动必须遵循诚实信用原则。证券投资基金法第4条规定，从事证券投资基金活动应当遵循诚实信用原则。担保法第3条规定，担保活动应当遵循诚实信用的原则。反不正当竞争法第2条规定，经营者在市场交易中，应当遵循诚实信用原则，遵守公认的商业道德。拍卖法第4条规定，拍卖活动应当遵循诚实信用原则。招标投标法第5条规定，招标投标活动应当遵循诚实信用原则。不仅大量民事实体法规定了诚信原则，民事诉讼法也规定了诚信原则。民事诉讼法第 13 条规定，民事诉讼应当遵循诚实信用原则。

诚信原则也是大多数国家和地区民法规定的基本原则，有的在总则中规定诚信原则，有的则在分则相关编章中规定诚实信用的要求。《瑞士民法典》第 1 条第 1 款规定，任何人都必须以诚实、信用的方式行使其权利和履行其义务。《日本民法典》第 1 条第 2 款规定，行使权利及履行义务时，应恪守信义、诚实履行。《韩国民法典》第 2 条第 1 款规定，权利的行使及义务的履行，应恪守信义、诚实履行。《俄罗斯民法典》第 1 条“民法的基本原则”第 3 款规定，民事法律关系参加者在确定、行使和保护民事权利时，以及在履行民事义务时，应该善意地开展活动。《加拿大魁北克民法典》第一章第 6 条规定“任何人均应诚实信用地行使民事权利”，第 7 条规定任何人均不得以损害他人为目的或违背诚实信用的要求以过分且不合理的方式行使权利。我国台湾地区“民法”第 148 条第 2 款规定，行使权利，履行义务，应依诚实及信用方法。法国、德国等国的民法典则在分则中规定了诚实信用的要求。《法国民法典》第 1134 条第 3 款规定，契约应以善意履行之。《德国民法典》第 157 条规定，合同的解释，应遵守诚实和信用的原则，并考虑交易上的习惯。第 242 条规定，债务人应依诚实和信用，并参照交易上的习惯，履行给付。《荷兰民法典》第三编“财产法总则”第一章第 11 条规定，某种法律效力的产生要求一个人具有善意，如果该人知道此种善意必然涉及的事实或法律，或者在给定的情形下该人应当知道该事实或法理，则该人并非以善意行事。该人有合理理由怀疑的，即使无法查询亦并不妨碍其被视为应当知道该事实或法律的人。诚信原则也已成为国际社会普遍认可的基本原则。

如《欧洲合同法通则》第一篇总则第1:103条“诚实信用与公平交易”规定:(1)诚实信用与公平交易,是指一种行为准则。这一行为准则具有以下特征:诚实、公开并考虑到相关交易或法律关系的对方当事人的利益。(2)特别是,一方当事人违背对方当事人已经对之产生合理信赖的在先陈述或行为,从而损害对方当事人利益的,即构成对诚实信用与公平交易原则的违反。

在民法总则起草制定过程中,普遍赞同将诚信原则规定为民法的基本原则,仅在如何规定诚信原则的内容上,有少数不同看法。如有的意见提出,“从事民事活动”的表述过于宽泛,不太确定,建议修改为“行使权利、履行义务”。有的意见提出,权利不得滥用是诚信原则对权利行使的要求,将禁止权利滥用的内容规定在诚信原则中更为合适,建议规定为“民事主体从事民事活动,应当遵循诚实信用原则,不得滥用权利损害他人合法权益”。诚信原则的核心含义就是诚实不欺、善意、信守诺言。综合各方面意见,为更好地揭示诚信原则的内涵,本条规定,民事主体从事民事活动,应当遵循诚信原则,秉持诚实,恪守承诺。

诚信原则作为民法最为重要的基本原则,被称为民法的“帝王条款”,是各国民法公认的基本原则。通常认为,诚实信用原则要求民事主体从事民事活动应当讲诚实、守信用,以善意的方式行使权利、履行义务,不诈不欺,言行一致,信守诺言。具体而言,民事主体应当从以下几个方面遵循诚信原则:民事主体在着手与他人开展民事活动时即应当讲诚实,如实告知交易向对方自己的相关信息,表里如一,不弄虚作假。如合同法上规定的缔约过失责任,针对的就是缔结合同时的不诚实的行为;民事主体在与他人建立民事法律关系后,应当信守诺言、恪守信用,按照自己作出的承诺行使权利、履行义务，言而有信；民事主体应当本着善意的原则，相互配合，保护对方的合理期待与信赖；民事主体应当尊重他人的合法权益，尊重社会公共利益；民事主体应当善意行使权利，不得滥用权利；民事主体不得规避法律，不得故意曲解合同条款，等等。诚信原则的内涵和外延都是概括性的、抽象的，因此诚信原则有很大的适用性，民事主体从事任何民事活动都应当遵守该原则，不论民事主体自己行使权利，或在与他人建立民事法律关系之前、之中、之后都必须始终贯彻诚信原则，按照诚信原则的要求善意行事。

由于诚信原则具有高度抽象性和概括性，使得诚信原则对于民事主体从事民事活动、司法机关进行民事裁判活动都具有重要作用。诚信原则不仅为民事主体开展民事活动进行指导，是民事主体从事民事活动的行为规则，要求民事主体行使权利、履行义务都应善意不欺、恪守信用；同时，诚信原则对司法机关裁判民事纠纷也具有积极作用，在当事人没有明确约定或法律没有具体规定时，司法机关可以根据诚信原则填补合同漏洞、弥补法律空白，平衡民事主体之间、民事主体与社会之间的利益，进而实现社会的公平正义。

第八条　民事主体从事民事活动，不得违反法律，不得违背公序良俗。

【释义】　本条是关于守法与公序良俗原则的规定。

公序良俗是指公共秩序和善良习俗。守法和公序良俗原则要求自然人、法人和非法人组织在从事民事活动时，不得违反各种法律的强制性规定，不违背公共秩序和善良习俗。

守法和公序良俗原则，也是现代民法的一项重要基本原则。

民法通则第6条规定民事活动必须遵守法律;第7条规定民事活动应当尊重社会公德,不得损害社会公共利益,扰乱社会经济秩序。此外,大多数单行民事法律也都规定有守法和公序良俗原则。合同法第7条规定,当事人订立、履行合同,应当遵守法律、行政法规,尊重社会公德,不得扰乱社会经济秩序,损害社会公共利益。物权法第7条规定,物权的取得和行使,应当遵守法律,尊重社会公德,不得损害公共利益和他人合法权益。收养法第2条规定,收养不得违背社会公德。保险法第4条规定,从事保险活动必须遵守法律、行政法规,尊重社会公德,不得损害社会公共利益。公司法第5条规定,公司从事经营活动,必须遵守法律、行政法规,遵守社会公德、商业道德,诚实守信,接受政府和社会公众的监督,承担社会责任。合伙企业法第7条规定,合伙企业及其合伙人必须遵守法律、行政法规,遵守社会公德、商业道德,承担社会责任。个人独资企业法第4条规定,个人独资企业从事经营活动必须遵守法律、行政法规,遵守诚实信用原则,不得损害社会公共利益。

公序良俗原则在大多数国家和地区的民法中也有规定。《法国民法典》第6条规定任何人均不得以特别约定违反涉及公共秩序和善良风俗的法律。第1133条规定,如原因为法律所禁止或原因违反善良风俗或公共秩序时,此种原因为不法的原因。《德国民法典》第138条第1款规定违反善良风俗的行为无效。第134条规定,除基于法律发生其他效果外,违反法律禁止规定的法律行为无效。《日本民法典》第90条规定,以违反公共秩序和善良风俗的事项为标的的法律行为无效。《荷兰民法典》第三编第40条第1、2款规定,内容或应有含义违反善良风俗或公共秩序的法律行为无效,违反强制性法律规定的法律行为无效。我国台湾地区"民法"第 72 条规定,法律行为,有悖于公共秩序或善良风俗者,无效。第 71 条规定,法律行为违反强制或禁止之规定者,无效。

民法总则制定过程中,有的意见提出,应当继续沿用民法通则的规定,即要求民事主体从事民法活动必须遵守法律,应当尊重社会公德,不得损害社会公共利益,扰乱社会经济秩序。有的意见提出,近年来,不少地方立法在不涉及民事法律行为效力的前提下,对民事主体的部分民事活动制定了管理性规范,妥善处理了维护民事权利和保护公共利益的关系,收到了较好的实际效果,建议将"不得违反法律"修改为"不得违反法律、法规"。有的意见提出,现在思想多元、文化多元,"良俗"不好判断,社会上很多过去认为是"良俗"的好习惯,在现代社会评判起来好像都很难,在执法过程当中不好评判,很难掌握好标准,建议对公序良俗作出界定。结合各方面所提出的意见,考虑到民法中的多数规范为任意性规范,民事主体从事民事活动不是必须遵守,但民事主体从事民事活动不得违反法律的强制性规定,故不再规定"必须遵守法律"而规定"不得违反法律"。民法通则规定的"尊重社会公德,不得损害社会公共利益,扰乱社会经济秩序"这种表述,全国人大常委会的有关立法解释中已经使用过"公序良俗"这一更为简洁的表述,而且,公序良俗作为民法的基本原则,是高度抽象的法律规范,具有普遍适用性。至于善良习俗的具体内涵与外延,考虑到这一规定是一种兜底性规定,目的是弥补法律规定的不足,由司法机关在个案中结合实际情况作出具体判断更为科学合理。综合各方面的意见,民法总则规定,民事主体从事民事活动,不得违反法律,不得违背公序良俗。

守法和公序良俗原则又可以细分为两项具体要求:

一是民事主体从事民事活动不得违反法律。不得违反法律中的法律不仅包括民事法律,还包括其他部门法。所谓不得违反法律,就是要求不违反法律的强制性规定。民事主体在从事民事活动时,只要法律未明文禁止,又不违背公序良俗,就可以根据自己的利益和需要创设权利、义务内容。民事主体在从事民事活动时享有较大的自主空间,实现充分的意思自治。由于民法的基本原则之一就是意思自治,民法在通常情况下不会干预民事主体的行为自由,民法的大多数规范都是任意性规范。对于任意性规范,民事主体可以结合自身的利益需要,决定是否纳入自己的意思自治范围。但是,任何人的自由并非毫无限制的,民法同样需要维护社会的基本的生产、生活秩序,需要维护国家的基本价值追求,法律的强制性规范就是为了实现这一目的而制定的,民事主体在从事民事活动时,应当遵守法律的强制性规定。

二是民事主体从事民事活动不得违背公序良俗。不得违背公序良俗原则,就是不得违背公共秩序和善良习俗。公共秩序,是指政治、经济、文化等领域的基本秩序和根本理念,是与国家和社会整体利益相关的基础性原则、价值和秩序,在以往的民商事立法中被称为社会公共利益,在英美法系中也被称为公共政策。善良习俗是指基于社会主流道德观念的习俗,也被称为社会公共道德,是全体社会成员所普遍认可、遵循的道德准则。善良习俗具有一定的时代性和地域性,随着社会成员的普遍道德观念的改变而改变。公共秩序强调的是国家和社会层面的价值理念,善良习俗突出的则是民间的道德观念,二者相辅相成,互为补充。

守法和公序良俗原则中两项不同要求之间,首先要求民事主体从事民事活动不得违反法律。民事主体从事任何民事活动需要遵守法律的强制性规定，对于民法的任意性规定，民事主体是否按照任意性规定从事民事活动，法律并不强制要求，民事主体可以根据自己的选择作出相应的选择和判断。由于民事活动复杂多样，法律不可能预见所有损害社会公共利益、公共道德秩序的行为而作出详尽的禁止性规定。因此，有必要辅之以公序良俗原则，并明确规定违背公序良俗的民事法律行为无效，以弥补法律禁止性规定的不足，实现对民事主体意思自治的必要限制，以弘扬社会公共道德、维护社会公共秩序，实现民事主体的个体利益与社会公共利益的平衡。

第九条　民事主体从事民事活动，应当有利于节约资源、保护生态环境。

【释义】　本条是关于绿色原则的规定。

节约资源、保护生态环境的要求，在我国宪法和许多法律中都有规定。如宪法第9条第2款规定，国家保障自然资源的合理利用，保护珍贵的动物和植物，禁止任何组织或者个人用任何手段侵占或者破坏自然资源。民法通则第124条规定，违反国家保护环境防止污染的规定，污染环境造成他人损害的，应当依法承担民事责任。侵权责任法第八章专门规定了环境污染的民事法律责任，对举证责任分配、第三人过错等内容进行了明确规定。环境保护法第6条规定，一切单位和个人都有保护环境的义务；地方各级人民政府应当对本行政区域的环境质量负责；企业事业单位和其他生产经营者应当防止、减少环境污染和生态破坏，对所造成的损害依法承担责任；公民应当增强环境保护意识，采取低碳、节俭的生活方式，自觉履行环境保护义务。消费者权益保护法第5条规定，国家保护消费者的合法权益不受侵害；国家采取措施，保障消费者依法行使权利，维护消费者的合法权益；国家倡导文明、健康、节约资源和保护环境的消费方式，反对浪费。

绿色原则是贯彻宪法关于保护环境的要求，同时也是落实党中央关于建设生态文明、实现可持续发展理念的要求，将环境资源保护上升至民法基本原则的地位，具有鲜明的时代特征，将全面开启环境资源保护的民法通道，有利于构建生态时代下人与自然的新型关系，顺应绿色立法潮流。正如李建国副委员长在民法总则草案说明中所指出的，民法总则将绿色原则确立为基本原则，规定民事主体从事民事活动，应当有利于节约资源、保护生态环境，这样规定，既传承了天地人和、人与自然和谐共生的我国优秀传统文化理念，又体现了党的十八大以来的新发展理念，与我国是人口大国、需要长期处理好人与资源生态的矛盾这样一个国情相适应。

本条规定的绿色原则与其他原则的表述上有所不同，其他原则使用了“应当遵循”“不得违反”等表述，而本条使用的是“应当有利于”的表述。尽管有这种不同，但作为民法的基本原则，仍具有重要作用：一是确立国家立法规范民事活动的基本导向，即要以节约资源、保护生态环境作为重要的考量因素；二是要求民事主体本着有利于节约资源、保护生态环境的理念从事民事活动，树立可持续发展的观念；三是司法机关在审判民事案件，适用民事法律规定时，要加强对节约资源、保护生态环境的民事法律行为的保护。

第十条　处理民事纠纷，应当依照法律；法律没有规定的，可以适用习惯，但是不得违背公序良俗。

【释义】　本条是关于处理民事纠纷的依据的规定。

处理民事纠纷的依据就是人民法院、仲裁机构在处理民事纠纷时该从何处寻找据以作出裁判的规则。

不少国家和地区的民法都会对处理民事纠纷的裁判依据作出规定,以便为裁判机关提供指南。如《瑞士民法典》第1条“法律的适用”规定:(1)凡依本法文字或释义有相应规定的任何法律问题,一律适用本法。(2)无法从本法得出相应规定时,法官应依据习惯法裁判;如无习惯法时,依据自己如作为立法者应提出的规则裁判。(3)在前一款的情况下,法官应依据公认的学理和惯例。《韩国民法典》第1条规定,关于民事,如无法律规定,依习惯法;如无习惯法则依法理。《意大利民法典》第1至9条对民法的法律渊源作了详细的规定,该国民法的法律渊源包括法律(法律的制定和具有法律效力的政府命令由宪法性法律调整)、条例(总理制定条例的权力由宪法性法律规范。根据特别法的规定,其他权力机关应当在各自权限范围内行使制定条例的权力)、行业规则(行业条例、集体经济协定、集体劳动契约和劳动法院作出的有关集体争议的判决是行业规则)和惯例(在法律和条例调整的范围内,惯例只有在法律和条例援引的情况下才发生效力)。《西班牙民法典》第1条规定,西班牙法的渊源包括法律、惯例(惯例须已被广泛接受并不得违反公共秩序和善的道德规范,司法判例在不仅仅是意向声明的解释性实践时可视同惯例)和法的基本原则(法的基本原则在法律和惯例均欠缺时适用)。我国台湾地区“民法”第1条和第2条也对民法的法律渊源作了规定,民事,法律所未规定者,依习惯;无习惯者,依法理;民事所适用之习惯,以不悖于公共秩序或善良风俗者为限。我国澳门地区民法典第一章“法之渊源”规定,法律为法的直接渊源;不违背善意原则习惯仅在法律有所规定时方予考虑；只有在法律容许或者当事人有约定的法律未禁止约定或者当事人仲裁条款预先约定采用衡平原则的情况下，法院才可以按衡平原则处理案件。

民法总则起草制定过程中，关于如何规定处理民事纠纷的依据的意见比较集中，主要是围绕处理民事纠纷的依据包括哪些，应当如何规定展开讨论，其中包括："法律"的范围，即法律是否包括法律解释、行政法规、地方性法规、自治条例和单行条例、规章等；是否要规定习惯作为民法的法律渊源；是否应当规定法理作为判案的依据；是否保留国家政策的规定等。

综合各方面意见，本条规定，处理民事纠纷，应当依照法律；法律没有规定的，可以适用习惯，但是不得违背公序良俗。

本条是法律适用规则。在条文形成过程中，曾一度将"民事纠纷"修改为"处理民事关系"，最终条文又改回"民事纠纷"。这是考虑本条规定旨在为人民法院、仲裁机构等在处理民事纠纷时提供法律适用规则。至于民事主体之间处理民事法律关系，基于意思自治原则，当事人有很大的自主权，且民法规定很多为任意性规定，法律并未强制要求当事人适用。如合同法第12条规定合同的内容一般包括当事人的名称或者姓名和住所，标的，数量，质量，价款或者报酬，履行期限、地点和方式，违约责任，解决争议的方法。至于当事人是否必须在合同中全面载明这些内容，并无硬性要求，合同的内容由当事人约定。在特定交易环境下，当事人甚至可以约定交易习惯优先于法律的适用。因此，处理民事法律关系的范围比处理民事纠纷的范围广阔许多，法律适用规则也不是完全一样的。

本条规定，人民法院、仲裁机构等在处理民事纠纷时，首先应当依照法律。这里的法律是指广义的法律，包括全国人大及其常委会制定的法律和国务院制定的行政法规,也不排除地方性法规、自治条例和单行条例等。根据我国立法法第 8 条第 8 项规定,民事基本制度只能由全国人民代表大会及其常委会制定的法律规定。行政法规可以根据法律的规定或经法律的授权,针对特定领域的民事关系作出具体的细化规定。此外,有的法律授权地方性法规对某种特定的民事关系作出具体规定。如农村土地承包法第 64 条规定,各省、自治区、直辖市人民代表大会常务委员会可以根据本法,结合本行政区域的实际情况,制定有关土地承包的实施办法。有的法律则授权民族自治地方对特定民事法律关系作出变通规定,如婚姻法第 50 条规定,民族自治地方的人民代表大会有权结合当地民族婚姻家庭的具体情况,制定变通规定。再如继承法第 35 条规定,民族自治地方的人民代表大会可以根据本法的原则,结合当地民族财产继承的具体情况,制定变通的或者补充的规定。

本条还规定,法律没有规定的,可以适用不违背公序良俗的习惯。习惯是指在一定地域、行业范围内长期为一般人确信并普遍遵守的民间习惯或者商业惯例。适用习惯受到两个方面的限制:一是适用习惯的前提是法律没有规定。所谓法律没有规定,就是相关的法律、行政法规、地方性法规对特定民事纠纷未作出规定。二是所适用的习惯不得违背公序良俗。因此,并非所有的习惯都可以用作处理民事纠纷的依据,只有不违背公序良俗的习惯才可以适用,当然适用习惯也不得违背法律的基本原则。

民法总则确认了习惯作为民事法律渊源,主要考虑:一是承认习惯的法源地位与我国现行立法是一致的。合同法、物权法等法律已明确规定习惯可以作为判断当事人权利义务的根据。二是承认习惯的法源地位也符合现实需要。民事生活纷繁复杂,法律很难做到面面俱到,习惯可以在一定程度上弥补法律的不足。在商事领域和社会基层,对将习惯作为法律渊源的需求较为强烈。三是根据习惯裁判更贴近社会生活,有利于定纷止争,且在司法实践中有时确有必要根据习惯处理民事纠纷。

第十一条　其他法律对民事关系有特别规定的,依照其规定。

【释义】　本条是关于一般法与特别法的关系的规定。

立法法第 92 条规定,同一机关制定的法律,特别规定与一般规定不一致的,适用特别规定。在民法总则制定过程中,有的意见提出,立法法已经对特别法与一般法之间的关系作了规定,建议删除本条。考虑到我国制定了诸多民商事单行法,对特定领域的民事法律关系作出规范。民法典出台后,将作为一般法,各民商事单行法作为特别法,根据立法法的规定,特别法的规定将优先适用。本条明确强调特别法优先的法律适用规则,也有助于减少认识上的分歧。

如关于诉讼时效,总则规定的一般诉讼时效期间为三年。而海商法第 260 条规定,有关海上拖航合同的请求权,时效期间为一年,自知道或者应当知道权利被侵害之日起计算。保险法第 26 条第 2 款规定,人寿保险的被保险人或者受益人向保险人请求给付保险金的诉讼时效期间为五年,自其知道或者应当知道保险事故发生之日起计算。上述规定就具有优先适用的地位。

第十二条　中华人民共和国领域内的民事活动,适用中华人民共和国法律。法律另有规定的,依照其规定。

【释义】　本条是关于民法的效力范围的规定。

民法通则第 8 条第 1 款规定，在中华人民共和国领域内的民事活动，适用中华人民共和国法律，法律另有规定的除外。涉外民事关系法律适用法第 3 条规定，当事人依照法律规定可以明示选择涉外民事关系适用的法律。合同法第 126 条第 1 款规定，涉外合同的当事人可以选择处理合同争议所适用的法律，但法律另有规定的除外。涉外合同的当事人没有选择的，适用与合同有最密切联系的国家的法律。海商法第 269 条规定，合同当事人可以选择合同适用的法律，法律另有规定的除外。合同当事人没有选择的，适用与合同有最密切联系的国家的法律。

民法在地域效力范围是指民法在什么空间领域内适用。本条规定在中华人民共和国领域内的民事活动，适用中华人民共和国法律。中华人民共和国领域内包括中华人民共和国领土、领空、领海，以及根据国际法视为我国领域的我国驻外使馆，国籍为中国的船舶、航空器等。在中华人民共和国领域内的民事活动一般来说都得适用我国法律。

本条的但书规定，法律另有规定的，依照其规定。其中最为重要的就是涉外民事关系的法律适用问题，关于涉外民事关系的法律适用，涉外民事关系法律适用法有专门的规定。除此之外，有些单行民事法律也对涉外民事关系的法律适用进行了规定。根据这些涉外民事关系适用的特别规定，在中华人民共和国领域内的涉外民事活动，法律适用应当根据特定的民事法律关系类型不同而具体适用相应的法律规范，并非一概必须适用中国法律。在民法总则制定过程中，有的意见提出，应该规定在中华人民共和国领域外的民事活动，也可以适用中华人民共和国法律。对于中华人民共和国领域外的民事活动是否适用中华人民共和国法律，由于涉及国际私法的法律适用问题，各国国际私法具有相应的规定,且不同的民事法律关系所适用的法律有不同规定,法律适用情况比较复杂。故本条未对此作出规定,但这并不意味着在中华人民共和国领域外的民事活动,就不能适用中华人民共和国法律,需要根据具体情况和所在国法律的具体规定确定。

第二章 自 然 人

自然人是最基本的民事主体,有关自然人的规定是世界各个国家或者地区民法的基础和核心内容。法律对自然人的民事主体地位予以确认,是自然人从事民事活动,依法享有民事权利,承担民事义务的前提。本章保留了民法通则中符合我国国情的合理规则,修改了不符合实践发展的规定,并充分吸收了司法解释中证明行之有效的做法,在基本沿袭民法通则结构的基础上,对具体内容作了较大的扩充。

本章删除了民法通则的"个人合伙"一节。在起草过程中,对于是否删除这一节,有两种意见:一种意见认为,个人合伙纠纷在实践中大量存在,民法总则应当保留民法通则有关个人合伙的规定,以规范其入伙、退伙、债务承担等问题。另一种意见认为,普通的民事合伙是合同关系,应当由合同法调整,商事合伙如合伙企业可以归为"非法人组织",民法总则不应当再规定个人合伙。经研究认为,民法通则对个人合伙作出规定,是为了适应当时经济发展的需要,对实践中存在的合伙行为予以规范。民法通则将个人合伙分为起字号的与不起字号的个人合伙,二者的区别在于起字号的个人合伙从事经营活动需经登记。随着我国民事法律制度的逐步完善,1997 年颁布的合伙企业法对起字号的个人合伙已作了较为全面的规定,基本取代了民法通则关于这类合伙的规定,合同法也可以对民事合伙合同作出规范。

从境外立法例看，多将民事合伙作为合同关系放在债编中加以规定。基于此，民法总则不再专门规定个人合伙。对现有的合伙，可以分两种情况进行处理：一是对于民事合伙，可以考虑在民法典合同编专门规定“合伙合同”，对相关问题作出规范；二是对于商事合伙企业，民法总则已将其纳入“非法人组织”一章予以规范，具体规则仍由合伙企业法等相关单行法规定。

本章共分四节，四十四条。第一节为民事权利能力和民事行为能力，主要规定了自然人的民事权利能力，自然人民事权利能力平等，自然人的出生时间、死亡时间，胎儿利益保护，成年人、未成年人年龄，完全民事行为能力人，限制民事行为能力人，无民事行为能力人，无民事行为能力人、限制民事行为能力人的认定及其法定代理人，自然人住所等。第二节为监护，主要规定了监护人的范围、遗嘱指定监护、协议监护、监护争议解决程序、意定监护、监护人的职责、监护人资格的撤销与恢复、监护终止等。第三节为宣告失踪和宣告死亡，主要规定了宣告失踪条件、下落不明的时间如何计算、失踪人的财产代管、失踪宣告撤销、宣告死亡条件、宣告死亡和宣告失踪的关系、被宣告死亡的人死亡时间确定、宣告死亡的法律效果、撤销死亡宣告及其法律效果等。第四节为个体工商户和农村承包经营户，主要规定了个体工商户、农村承包经营户和个体工商户、农村承包经营户的债务承担。

第一节　民事权利能力和民事行为能力

第十三条　自然人从出生时起到死亡时止，具有民事权利能力，依法享有民事权利，承担民事义务。

【释义】　本条是关于自然人民事权利能力的规定。

民事权利能力是指民事主体享有民事权利、承担民事义务的法律资格。法律规定了自然人民事权利能力,也即确认了自然人的民事主体地位,这是自然人依法享有民事权利、承担民事义务的前提。自然人的民事权利能力既包括自然人享有民事权利的资格,也包括自然人承担民事义务的资格。从含义来说,称为“民事权利义务能力”显得更为全面。采用“民事权利能力”,突出了民法以保护民事权利为核心的立法精神。

“权利能力”是近代德国法学创造的概念。在古代罗马法上,并无“权利能力”概念。在罗马法中,要成为完全的权利义务主体,需要具有三种资格:自由权、市民权、家族权。当时尚未使用“权利能力”来概括这三种资格,而是用人格或者人格权来总称这三种资格。一般认为,《奥地利普通民法典》第一次在立法上使用了“权利能力”的概念,但权利能力的主体限于自然人。德国民法学者加以发展,一是进一步区分了权利能力和行为能力;二是将“人”实现抽象形式化,不仅将权利能力赋予自然人,还将权利能力赋予法人,改变了唯有“自然人”才是“人”的观念。这两点在《德国民法典》中都有明确体现。

民事权利能力具有不可剥夺的特征。民事权利能力始于出生,终于死亡。自然人生存期间,其民事权利能力不因任何原因丧失、消灭。自然人受到刑事处罚、丧失民事行为能力等,都不能导致民事权利能力的减损或者消灭。法律包括公法都不得对自然人的民事权利能力进行限制或者剥夺。自然人即使因被判处刑事处罚而在监狱服刑,或者被判处剥夺政治权利,自然人的民事权利能力这样一种法律资格也不受影响。

民事权利能力与民事权利是既有联系又有区别的两个不同概念。第一,民事权利能力是一种法律资格,是自然人取得民事权利的前提。自然人享有民事权利能力,并不等同于取得实际的民事权利。第二,民事权利能力是法律规定的,民事权利是自然人依据民事法律行为、事实行为、法律规定的事件或者法律规定的其他方式所取得的。第三,民事权利能力与自然人不可分离。自然人一旦出生,即具有民事权利能力,死亡是自然人丧失民事权利能力的唯一法定事由,并且民事权利能力不得以任何方式予以转让,也不能抛弃或者继承。根据民事权利的类型不同,自然人与民事权利之间的关系存在一定差别。对于财产方面的具体民事权利,自然人可以选择享有、转让或者放弃。生命权、健康权等人身权,自然人一旦出生,即依法律规定当然享有,不可以转让,非依法律规定并经法定程序,不得进行限制或者剥夺。

依据本条规定,自然人的民事权利能力始于出生,终于死亡。出生是自然人脱离母体并生存的法律事实。一般认为,出生须具备两项要件:一是胎儿与母体分离,与母体分离之前为胎儿,分离之后即成为法律上的人。二是与母体分离之际保有生命。胎儿与母体分离之际无生命的,是死体。分离之际保有生命的,即是"出生",而不论其出生后生命延续的时间长短。如何判断"出生",学说上有全部露出说、断脐带说、初啼说、独立呼吸说等。关于"死亡"的判断,也存在不同的学说,有呼吸停止说、脉搏停止说、心脏跳动停止说、脑死亡说等。实践中,具体如何判断"出生"和"死亡",涉及医学理论和医学实践发展等问题,本法对此没有规定统一的判断标准。

第十四条　自然人的民事权利能力一律平等。

【释义】　本条是关于自然人民事权利能力平等的规定。

自然人的民事权利能力一律平等,是一种法律资格的平等,指自然人的民事权利能力不因民族、种族、性别、职业、家庭出身、宗教信仰等而有差别。

自然人民事权利能力平等原则经过了漫长的历史发展演变,是人类法律文明进步的结果。在近现代之前,并不是所有的自然人都具有民事权利能力,往往因家族血缘、性别等身份因素的不同而存在差异,例如女性在很多情况下没有资格作为独立的民事主体,不能从事缔结合同等民事活动。现代国家普遍认可自然人的民事权利能力一律平等。

第十五条　自然人的出生时间和死亡时间,以出生证明、死亡证明记载的时间为准;没有出生证明、死亡证明的,以户籍登记或者其他有效身份登记记载的时间为准。有其他证据足以推翻以上记载时间的,以该证据证明的时间为准。

【释义】　本条是关于自然人出生时间和死亡时间的规定。

出生和死亡均是法律事件,能够引起一定的法律关系的产生、变更或者消灭。出生时间和死亡时间的判断具有重要的法律意义。例如,被继承人的死亡时间直接决定继承开始的时间,影响遗产的范围、继承人的范围等。

本条将出生证明、死亡证明记载的时间作为判断自然人出生时间、死亡时间的最基本依据。出生证明,即出生医学证明,记载有新生儿的姓名、性别、出生时间、父母亲姓名等。出生医学证明由国家卫生与计划生育部门统一印制,以省、自治区、直辖市为单位统一编号。国家卫生与计划生育部门主管全国出生医学证明工作,委托各级卫生行政部门负责辖区内出生医学证明的具体事务管理工作。出生医学证明必须由批准开展助产技术服务并依法取得母婴保健技术服务许可证的医疗保健机构签发,并遵循严格的程序规范。出生证明是记载出生时间的原始凭证,具有证明出生时间的准确性和规范性,因此本条将出生证明记载的时间作为判断自然人出生时间的最基本的依据。

死亡证明是指有关单位出具的证明自然人死亡的文书。主要包括以下几类:公民死于医疗单位的,由医疗单位出具死亡医学证明书;公民正常死亡但无法取得医院出具的死亡证明的,由社区、村(居)委会或者基层卫生医疗机构出具证明;公民非正常死亡或者卫生部门不能确定是否属于正常死亡的,由公安司法部门出具死亡证明;死亡公民已经火化的,殡葬部门出具火化证明。死亡证明是记载死亡时间的原始凭证,具有证明死亡时间的准确性和规范性,因此本条将死亡证明记载的时间作为判断自然人死亡时间的最基本的依据。

依据本条规定,没有出生证明、死亡证明的,以户籍登记或者其他有效身份登记记载的时间为准。户籍登记是国家公安机关按照国家户籍管理法律法规,对公民的身份信息进行登记记载的制度。关于出生登记,我国《户口登记条例》第 7 条第 1 款规定:"婴儿出生后一个月以内,由户主、亲属、抚养人或者邻居向婴儿常住地户口登记机关申报出生登记。"第 2 款规定:"弃婴,由收养人或者育婴机关向户口登记机关申报出生登记。"在户主、亲属等持婴儿的出生医学证明向公安机关申报出生登记后,公安机关依据出生医学证明记载的婴儿的姓名、出生时间等信息,进行户籍登记。公民个人收养的婴儿未办理出生登记的,由收养人持民政部门出具的收养登记证向收养人常住户口所在地的公安派出所申报出生登记。社会福利机构抚养的查找不到生父母的弃婴、儿童,由该机构持婴儿、儿童基本情况证明等,向该机构所在地公安派出所申报出生登记。办理户籍登记应当遵循严格的法定程序，户籍登记记载的出生时间因此具有较强的法律效力。本条将户籍登记记载的出生时间，作为判断自然人出生时间的重要依据，没有出生证明的，以户籍登记记载的出生时间为准。

关于死亡登记，根据我国户籍管理制度，自然人死亡后，户主、亲属等应当在规定的时间内向公安机关申报死亡登记，注销户口。我国《户口登记条例》第 8 条规定："公民死亡，城市在葬前，农村在一个月以内，由户主、亲属、抚养人或者邻居向户口登记机关申报死亡登记，注销户口。……"办理户籍登记应当遵循严格的法定程序，户籍登记记载的死亡时间因此具有较强的法律效力。本条将户籍登记记载的死亡时间，作为判断自然人死亡时间的重要依据，没有死亡证明的，以户籍登记记载的死亡时间为准。

本条规定的户籍登记以外的其他有效身份登记，包括我国公民居住证、港澳同胞回乡证、台湾居民的有效旅行证件、外国人居留证等。

1. 公民居住证。随着我国城镇化的快速推进，大量人口离开户籍地就业、就读。为了促进新型城镇化的健康发展，推进城镇基本公共服务和便利常住人口全覆盖，保障公民合法权益，促进社会公平正义，国务院于 2015 年颁布了《居住证暂行条例》。《居住证暂行条例》对居住证的申领条件、登载内容作了规定。《居住证暂行条例》第 2 条规定："公民离开常住户口所在地，到其他城市居住半年以上，符合有合法稳定就业、合法稳定住所、连续就读条件之一的，可以依照本条例的规定申领居住证。"第 4 条规定："居住证登载的内容包括：姓名、性别、民族、出生日期、公民身份号码、本人相片、常住户口所在地住址、居住地住址、证件的签发机关和签发日期。”从各地的地方性法规来看，申请居住证需要提交居民身份证和居民户口簿，居住证记载的关于个人身份的基本内容都是来源于居民身份证和居民户口簿。因此，居住证记载的居民出生日期与户籍登记、身份证记载的出生日期是一致的。为了便利群众从事民事活动，满足实践需求，本条将居住证记载的出生时间也作为判断自然人出生时间的重要依据。

2. 港澳同胞回乡证、台湾居民的有效旅行证件、外国人居留证等。这些身份证件都是我国公安机关或者国家主管机关遵循法定程序签发的，可以作为判断自然人出生时间的重要依据。以外国人居留证件的办理及登记项目为例，出境入境管理法第30条规定：“外国人所持签证注明入境后需要办理居留证件的，应当自入境之日起三十日内，向拟居留地县级以上地方人民政府公安机关出入境管理机构申请办理外国人居留证件。申请办理外国人居留证件，应当提交本人的护照或者其他国际旅行证件，以及申请事由的相关材料，并留存指纹等人体生物识别信息。公安机关出入境管理机构应当自收到申请材料之日起十五日内进行审查并作出审查决定，根据居留事由签发相应类别和期限的外国人居留证件。外国人工作类居留证件的有效期最短为九十日，最长为五年；非工作类居留证件的有效期最短为一百八十日，最长为五年。”第33条规定：“外国人居留证件的登记项目包括：持有人姓名、性别、出生日期、居留事由、居留期限，签发日期、地点，护照或者其他国际旅行证件号码等。外国人居留证件登记事项发生变更的，持证件人应当自登记事项发生变更之日起十日内向居留地县级以上地方人民政府公安机关出入境管理机构申请办理变更。”外国人居留证件是我国公安机关出入境管理机构依照法定程序作出的，其记载的外国人出生时间可以作为判断该外国人出生时间的重要依据。

出生证明、死亡证明以及户籍登记或者其他有效身份登记记载的时间由于各种原因，也有可能出现记载错误的情况。如果有其他证据足以推翻出生证明、死亡证明以及户籍登记或者其他有效身份登记记载的时间的，应以该证据证明的时间为准。

第十六条　涉及遗产继承、接受赠与等胎儿利益保护的，胎儿视为具有民事权利能力。但是胎儿娩出时为死体的，其民事权利能力自始不存在。

【释义】　本条是关于胎儿利益保护的规定。

自然人的民事权利能力始于出生，胎儿尚未与母体分离，不是独立的自然人，不能依据民事权利能力的一般规定进行保护。法律有必要对胎儿利益的保护作出特别规定。

一、境外立法例与我国现行规定

境外立法例主要有以下几种：

一是总括保护，即承认胎儿具有民事权利能力，总括地保护胎儿的利益。例如，《瑞士民法典》第31条规定，子女，只要其出生时尚生存，出生前即具有权利能力。《匈牙利民法典》规定：“人，如活着出生，其权利能力应从受孕时算起，出生前300天作为受孕时间，但是允许证明受孕时间早于或者迟于300天，出生日包括在300天之内。”我国台湾地区“民法”第7条规定，胎儿以将来非死产者为限，关于其个人利益之保护，视为既已出生。

二是个别保护，即原则上不承认胎儿具有民事权利能力，只在涉及赠与、遗产继承、损害赔偿等某些事项上对胎儿的利益进行保护。法国、德国、日本等采取这种立法例。《法国民法典》第906条规定,胎儿在赠与时已存在者,即有承受生前赠与的能力。胎儿在遗嘱人死亡时已存在者,即有受遗赠的能力,但赠与或者遗赠仅对于婴儿出生时能生存者,发生效力。《法国民法典》第725条规定,必须在继承开始时生存之人,始能继承。因此,下列人不能继承:(1)尚未受胎者;(2)出生时未成活的婴儿。《德国民法典》第884条规定,在受害人被害当时,第三人尚未出生的胎儿,亦发生损害赔偿义务。《德国民法典》第1923条规定,在继承开始时尚未出生但已孕育的胎儿,视为在继承开始之前出生。《日本民法典》第721条规定,胎儿,就损害赔偿请求权,视为已出生。《日本民法典》第886条规定:(1)胎儿就继承,视为已出生。(2)前款规定,不适用于胎儿以死体出生情形。《日本民法典》第965条还规定,胎儿继承能力的规定准用于受遗赠人。

三是不承认胎儿具有民事权利能力,主要体现在前苏联民法典。

我国民法通则第9条规定:"公民从出生时起到死亡时止,具有民事权利能力,依法享有民事权利,承担民事义务。"民法通则未对胎儿的民事权利能力作出规定。在继承事项上,我国继承法对胎儿利益的保护作出规定。继承法第28条规定:"遗产分割时,应当保留胎儿的继承份额。胎儿出生时是死体的,保留的份额按法定继承办理。"除了继承事项之外,我国法律没有对胎儿利益保护的其他规定。

二、关于胎儿利益保护与赋予胎儿民事权利能力的关系

关于胎儿的利益保护与赋予胎儿民事权利能力的关系问

题,国内学界存在不同的观点。

有的观点认为,对胎儿利益的保护并不必然以赋予胎儿民事权利能力为前提。承认胎儿民事权利能力的目的主要是解决在继承和侵权中如何保护胎儿利益的问题。在坚持自然人的民事权利能力始于出生,不承认胎儿的民事权利能力的法律框架内,也是可以通过作出特别规定达到对胎儿利益保护的目的。第一,关于继承中的胎儿利益保护问题,我国继承法第 28 条为胎儿保留必要份额的规定可以达到保护胎儿利益的目的。第二,胎儿在未出生之前,其健康生存的利益受到侵害的,是侵权责任问题。胎儿在母体中遭受侵害,应当区分具体情况来加以考虑:如果胎儿出生后是活体的,则可以作为主体独立请求,有权就其受到的损害独立提出赔偿请求,但可以在时效方面作出特别规定,即在出生前诉讼时效中止;如果是死体,则由其母亲提出请求,把对于胎儿的侵害视为对母亲的侵害,母亲可以身体健康权受侵害为由进行主张。

有的观点认为,胎儿利益的保护力度与是否赋予胎儿民事权利能力具有直接的关系。赋予胎儿民事权利能力,胎儿就具有了享有民事权利的法律资格,就可以成为民事权利的主体,对于受到侵害的行为,就可以通过诉讼予以救济,有利于胎儿利益的保护。例如,如果胎儿在母亲怀胎期间遭受侵害,就可以行使损害赔偿请求权,向法院提起人身伤害的侵权之诉;如果在出生之前父亲死亡,胎儿就可以享有继承权,作为第一顺序继承人参与遗产分配,或者在继承权受侵害时,向法院提起侵害继承权的侵权之诉。

本条从法律上明确规定胎儿在特定情形下视为具有民事权利能力。依据本条规定,涉及遗产继承、接受赠与等胎儿利益保护的，胎儿视为具有民事权利能力。采用“视为”一词主要是与本法第13条的规定相对应。本法第13条规定：“自然人从出生时起到死亡时止，具有民事权利能力，依法享有民事权利，承担民事义务。”自然人的民事权利能力始于出生，胎儿尚未出生，本不具有民事权利能力，但又有必要在一定情形下对胎儿的利益进行保护，赋予胎儿民事权利能力，因此本条采用“视为”具有民事权利能力的表述。

三、关于胎儿利益的保护范围

从境外立法例来看，瑞士、匈牙利和我国台湾地区“民法”对胎儿利益采取总括的保护方式，没有限定具体的范围。法国、德国、日本等只在涉及赠与、遗产继承、损害赔偿等某些事项上，对胎儿的利益进行保护。

本条将胎儿利益保护的范围规定为“涉及遗产继承、接受赠与等胎儿利益保护的”。在这些情形下，胎儿视为具有民事权利能力。此处的“遗产继承”不仅包括法定继承，也包括遗嘱继承、遗赠。胎儿是法定继承人的，按照法定继承取得相应的遗产份额；有遗嘱的，胎儿按照遗嘱继承取得遗嘱确定的份额。胎儿不是法定继承人的，被继承人也可以立遗嘱将个人财产赠给胎儿，将来按遗赠办理，胎儿取得遗产继承权。“接受赠与”指赠与人可以将财产赠与给胎儿，胎儿此时视为具有民事权利能力，享有接受赠与的权利。除了遗产继承和接受赠与，实践中还有其他涉及胎儿利益保护的情况，因此本条用了一个“等”字，没有限定具体范围，为今后进行这方面立法留下空间。

四、关于胎儿享有民事权利能力的条件

关于胎儿享有民事权利能力的条件，民法理论上存在两种不同的观点：

一是认为,胎儿在母亲怀胎期间,并无民事权利能力,在胎儿活着出生后,再向前追溯至怀胎期间具有民事权利能力。例如,《瑞士民法典》第31条规定,子女,只要其出生时尚生存,出生前即具有权利能力。

二是认为,胎儿在母亲怀胎期间即具有民事权利能力,但是胎儿出生时为死体的,其民事权利能力则自始不存在。例如,《日本民法典》第886条规定,(1)胎儿就继承,视为已出生。(2)前款规定,不适用于胎儿以死体出生情形。

民法总则草案关于本条的规定也经历了一些变化。民法总则草案在提交全国人大常委会进行初次审议之前,曾以征求意见稿的形式征求意见。征求意见稿的规定采用了上述第一种观点。征求意见稿第15条规定:"涉及胎儿利益保护,胎儿出生时为活体的,其出生前即视为具有民事权利能力。"有些意见提出,将"胎儿出生时为活体的"作为胎儿享有民事权利能力的必要条件,就要等待胎儿活着出生之后才可以向法院起诉。为了更周延地保护胎儿利益,胎儿自母亲怀孕之时起就应当被视为具有民事权利能力,无须待到其出生之时,即可行使继承权等。建议采用上述第二种观点,规定胎儿在母亲怀胎期间即具有民事权利能力,将"胎儿将来出生时为死体",作为溯及怀胎期间消灭其民事权利能力的条件。随后提交全国人大常委会初次审议的民法总则草案在一定程度上吸收了上述建议,对征求意见稿的规定作了修改。民法总则草案一审稿第16条规定:"涉及遗产继承、接受赠与等胎儿利益的保护,胎儿视为具有民事权利能力。但是,胎儿出生时未存活的,其民事权利能力自始不存在。"此后的民法总则草案修改稿和最后通过的民法总则基本维持了一审稿的规定,只是在一审稿的基础上作了相关文字修改。

第十七条　十八周岁以上的自然人为成年人。不满十八周岁的自然人为未成年人。

【释义】 本条是关于成年人与未成年人年龄标准的规定。

随着年龄的增长，成年人已经具有了一定的阅历，也积累了较丰富的社会经验和知识，识别、判断能力较强，并能够充分预见到自己的行为后果，已经可以独立生活和工作。成年不仅意味着其可以独立行使更多的权利，更意味着要独立承担更多的义务，拥有更大自主权的同时，也要对自己的行为后果独立负责。各个国家或者地区根据人们的生理、智力发育情况和社会生活状况等，对成年人年龄标准的规定各不相同。大部分国家或者地区将十八周岁作为成年人的标准。例如，法国、德国、瑞士、意大利等国家均规定年满十八周岁为成年人。日本、韩国、我国台湾地区规定年满二十周岁为成年人。近来日本拟将成年人的年龄下限从二十周岁降低至十八周岁，但是也有一些反对意见认为，十八周岁和十九周岁的年轻人就可以在没有父母同意的情况下，签订贷款或者信用卡合同，将会导致受害消费者的低龄化。由此也可以看出，成年人年龄标准并不是随意确定的，既需要考虑人们的身心发育情况，也需要考虑社会的接受度等各方面因素。我国民法通则将成年人的年龄下限确定为十八周岁，这次民法总则仍然沿袭了民法通则的规定，将成年人年龄确定为十八周岁。这也与我国宪法的相关规定相一致。我国宪法将选举权和被选举权这一重要的政治权利，赋予给年满十八周岁的公民。宪法第34条规定："中华人民共和国年满十八周岁的公民，不分民族、种族、性别、职业、家庭出身、宗教信仰、教育程度、财产状况、居住期限，都有选举权和被选举权；但是依照法律被剥夺政治权利的人除外。"

与“成年人”概念相对的是“未成年人”，不满十八周岁的自然人为未成年人。未成年人的身体、心智发育还没有完全成熟，各个国家或者地区均对未成年人从法律上予以特殊保护，促进其健康成长。我国为了保护未成年人的身心健康，保障未成年人的合法权益，促进未成年人在品德、智力、体质等方面全面发展，制定了一系列关于未成年人保护的法律法规，如未成年人保护法等。国家、社会、学校和家庭都有义务促进未成年人健康成长，保障未成年人的合法权益不受侵犯。

在民法中区分成年人与未成年人的法律意义主要有以下几个方面：一是判断民事法律行为的效力。成年人可以独立实施民事法律行为，未成年人只可以独立实施部分民事法律行为，实施其他民事法律行为要经过法定代理人的同意或者追认。二是确定婚姻家庭关系中的权利义务。婚姻法规定了父母、祖父母、外祖父母或者兄姐等近亲属对未成年人的抚养义务。例如，婚姻法第28条规定：“有负担能力的祖父母、外祖父母，对于父母已经死亡或父母无力抚养的未成年的孙子女、外孙子女，有抚养的义务。”三是设立监护。为了保护未成年人的人身、财产权利及其他合法权益，对未成年人应当设立监护人。父母是未成年人的监护人，未成年人的父母已经死亡或者没有监护能力的，依法由其他有监护能力的人担任监护人。但法律只对丧失或者部分丧失民事行为能力的成年人设立监护，依法确定监护人。

第十八条　成年人为完全民事行为能力人，可以独立实施民事法律行为。

十六周岁以上的未成年人，以自己的劳动收入为主要生活

来源的，视为完全民事行为能力人。

【释义】 本条是关于完全民事行为能力人的规定。

民事行为能力是指民事主体独立参与民事活动，以自己的行为取得民事权利或者承担民事义务的法律资格。民事行为能力与民事权利能力不同，民事权利能力是民事主体从事民事活动的前提，民事行为能力是民事主体从事民事活动的条件。所有的自然人都有民事权利能力，但不一定都有民事行为能力。自然人一经出生即当然享有民事权利能力，但要独立从事民事活动，实施民事法律行为，还必须要具有相应的民事行为能力。自然人的辨识能力因年龄、智力、精神健康等因素不同而有差异。民法总则延续了民法通则的做法，根据自然人辨识能力的不同，将自然人的民事行为能力分为完全民事行为能力、限制民事行为能力和无民事行为能力，学理上称之为“三分法”。完全民事行为能力人具有健全的辨识能力，可以独立进行民事活动；限制民事行为能力人只能独立进行与其辨识能力相适应的民事活动；无民事行为能力人应当由其法定代理人代理实施民事活动。

在起草过程中，有的意见建议，将“三分法”改为“两分法”，即取消无民事行为能力的概念，将民事行为能力分为完全民事行为能力和限制民事行为能力两类。理由是，虽然立法的本意是为了保护无民事行为能力人，但这种保护实际上却剥夺了他们融入社会的权利。人的生理、心理、智力等方面的成熟度存在差异，而且也时刻处在变化当中。限制民事行为能力制度极富弹性，有这样几个优点：一是既允许未成年人和成年精神障碍者独立实施一些与其年龄、智力和精神健康状况相适应的民事法律行为，又能通过限制性规定，给未成年人或成年精神障碍者提供适当的保护；二是兼顾了交易相对人的信赖保护，使得儿童从事简单的民事活动处于稳定的法律状态之中；三是避免了划定年龄界限过于僵化的弊病。

有的意见建议，维持民事行为能力“三分法”的分类方式。理由是，民事行为能力的分类方式不仅是单纯的关于自然人意思能力状况的自然属性问题，更需要结合本国的文化传统、民事生活实践状况、群众接受度等社会因素予以考量。民法通则自1987年实施以来，“三分法”的分类方式已经深入司法实践，具备了较为坚实的司法实践基础，并且对社会形成了明确的导向，得到普遍的认可。此外，无民事行为能力制度有利于更好地保护儿童和严重精神障碍成年人的合法权益，没有充足的依据，不宜轻易改变。

对民事行为能力划分采用“三分法”或者“两分法”，均有相关境外立法例。例如，德国、俄罗斯、我国台湾地区即是采用“三分法”的划分方式，日本、韩国采用“两分法”的划分方式。

经研究，本条仍然延续了民事行为能力“三分法”的分类方式，但也考虑到对未成年人自主意识的尊重，适当下调了限制民事行为能力的未成年人的年龄下限。

依据本条第1款规定，成年人，即年满十八周岁的自然人，具有完全民事行为能力，为完全民事行为能力人，可以独立实施民事法律行为，并独立对民事法律行为的法律后果负责。例如，成年人可以独立签订房屋租赁合同，行使合同约定的权利，履行合同约定的义务。但是，本条规定的成年人指辨认识别能力正常的成年人，对于辨认识别能力不足的成年人则根据具体情况的不同归为限制民事行为能力人或者无民事行为能力人，不属于本条规定的范围。

依据本条第 2 款规定，十六周岁以上的未成年人，如果以自己的劳动收入为主要生活来源，表明其已经具备成年人的辨识能力，可以独立实施民事法律行为，独立承担民事法律行为的后果，因此可以视为完全民事行为能力人。

在起草过程中，有的意见建议，将第 2 款中的十六周岁下调到十五周岁。理由是，考虑到儿童六周岁开始上小学以及义务教育法九年义务教育制度的有关规定，绝大部分未成年人未满十六周岁即初中毕业。将第 2 款中的十六周岁下调到十五周岁，有利于保护这些未成年人的权益。我国 1998 年批准加入的《准予就业最低年龄公约》规定的最低就业年龄即为十五周岁。

有的意见不赞成将本条第 2 款规定的十六周岁下调为十五周岁。理由是，本条第 2 款规定的十六周岁是否应当下调，应当结合未成年人的最低就业年龄等问题综合考虑。我国现行劳动法规定的最低就业年龄为十六周岁。《准予就业最低年龄公约》第 1 条规定："凡本公约对其生效的会员国，承诺执行一项国家政策，以保证有效地废除童工并将准予就业或工作的最低年龄逐步提高到符合年轻人身心最充分发展的水平。"该公约的精神不是要降低最低就业年龄，而是要尽可能地逐步提高最低就业年龄，以有利于保护未成年人的身心健康发展。

经研究，本条第 2 款维持了十六周岁的规定。

第十九条　八周岁以上的未成年人为限制民事行为能力人，实施民事法律行为由其法定代理人代理或者经其法定代理人同意、追认，但是可以独立实施纯获利益的民事法律行为或者与其年龄、智力相适应的民事法律行为。

【释义】 本条是关于限制民事行为能力的未成年人的规定。

本条将限制民事行为能力的未成年人的年龄下限标准由民法通则规定的十周岁下调为八周岁。本条在起草过程中，引起了广泛的社会关注。

提交全国人大常委会审议的民法总则草案一审稿，将限制民事行为能力的未成年人的年龄下限规定为六周岁。全国人大常委会法制工作委员会主任李适时在民法总则草案一审稿的说明中提出，将民法通则规定的限制民事行为能力人的年龄下限标准从“十周岁”降到“六周岁”，主要考虑是：随着经济社会的发展和生活教育水平的提高，未成年人生理心理的成熟程度和认知能力都有所提高，适当降低年龄有利于其从事与其年龄、智力相适应的民事活动，更好地尊重这一部分未成年人的自主意识，保护其合法权益。这一调整也与我国义务教育法关于年满六周岁的儿童须接受义务教育的规定相呼应，实践中易于掌握、执行。

1. 各方面意见

一些全国人大常委会组成人员、全国人大代表、地方以及社会公众提出不同意见，认为将限制民事行为能力人的年龄下限从十周岁调整为六周岁，要有充足的依据。建议适当上调限制民事行为能力的未成年人的年龄下限。理由包括：一是，未成年人生理心理成熟程度和认知能力都有所提高的说法，有些片面。六周岁儿童有了一定的学习能力，开始接受义务教育，但认知能力和辨识能力仍然不足，不具备独立实施民事法律行为的基础。民法通则规定为十周岁有一定的科学依据和实践基础。十周岁的儿童一般进入小学高年级就读，受教育的程度与获取知识的能力有了提高，单独接触社会的机会相对较多，有了一定的社会阅历，能够初步了解自己行为的一般性质和相对后果。二是，未成年人生理、心理的承受程度和认知能力在城市和农村是存在差异的，特别是城市与那些社会环境相对封闭、教育水平相对低下的偏远农村牧区相比较，其差异是比较大的。三是，如果把六周岁作为限制民事行为能力的年龄下限，可能会不利于保护六周岁儿童及其家庭的合法权益，也给欺诈行为留下一定的空间。四是，降低限制民事行为能力的年龄下限标准不是单纯的儿童判断力提高问题，一方面可能将来要跟刑事责任能力对应起来，另一方面调低年龄对保护未成年人的利益是有利还是不利，利多还是利少，需要评估。

有的心理学专家认为，这些年来儿童认知能力有了很大提高，六周岁以上的儿童完全可以自主进行一定的民事活动，例如购买一些小商品等，他们是具有相应的辨别能力的。同时，现在儿童的权利意识也都很强，将限制民事行为能力的年龄下限调整为六周岁，既有利于尊重他们的自主意识，又有利于促进自主能力的培养。也有的心理学家认为，十周岁的儿童与六周岁的儿童在认知能力和判断能力方面，存在一定的差距，建议对下调限制民事行为能力人的年龄标准慎重研究。

不少法学专家和有的教育学专家认为，1986 年民法通则将限制民事行为能力人的年龄下限规定为十周岁，应当是对当时儿童的身心发育情况进行了认真的研究论证，符合当时的实际情况。三十年来，随着学前教育的普及、物质文化生活的极大丰富以及信息化社会的到来，儿童的身心发育情况与当年相比已经不可同日而语，儿童的认知能力、适应能力和自我承担能力都有了很大提高。下调限制民事行为能力的年龄下限是非常必要的。赞成调整为六周岁,或者入学一年后的年龄即七周岁。

有些社会与人口学专家认为,一是六周岁的儿童已经开始上学接受义务教育,在一些时间内脱离了父母,有一定独立处理日常生活事务的机会,自身也已经具有了一定的辨识能力,例如可以用零花钱购买冰棍、一些学习用品等,应当赋予六周岁以上的儿童从事一定民事法律行为的资格。二是对六周岁的儿童从事民事法律行为应当有一定的限制,草案将其范围限制为"与其年龄、智力相适应的民事法律行为"是合适的,从社会学角度来说,也是没有问题的。

2. 境外立法例

从境外立法例来看,也有一些国家和地区规定,年满六周岁或者七周岁的未成年人可以独立作出一定的意思表示,从事与其年龄相适应的一定法律行为,例如购买日常生活用品等法律行为。《德国民法典》第106条规定,满七周岁的未成年人依照第107条至第113条的规定为限制行为能力人。《俄罗斯民法典》第28条第2款规定,年满六周岁不满十四周岁的幼年人有权独立实施下列法律行为:(1)小额的日常生活性法律行为;(2)无须公证证明的或者无须进行任何国家登记的旨在无偿获利的法律行为;(3)为了一定的目的或者为了自由支配而处分由法定代理人提供的或者经法定代理人同意由第三人提供的资金的法律行为。《越南民法典》第22条第1款规定,年满六周岁不满十八周岁的未成年人,设立、实施民事交易必须得到其法定代理人同意,但从事与其年龄相适应的为满足日常生活需要的交易者,不在此限。我国台湾地区"民法"第13条第2款规定,满7岁以上之未成年人,有限制行为能力。第77条规定,限制行为能力人为意思表示及受意思表示,应得法定代理人之允许。但纯获法律上之利益,或依其年龄及身份、日常生活所必需者,不在此限。

此外,一些国家和地区对自然人的民事行为能力采取“两分法”,未成年人均为限制民事行为能力人,没有进一步区分年龄,未成年人可以独立从事一定的民事法律行为。《法国民法典》第388条规定,年龄未满十八周岁的男或女是未成年人。第389-3条第1款规定,在所有民事行为中,法定代理人均代理未成年人,但法律或者习惯允许未成年人实施的民事行为除外。《荷兰民法典》第233条规定,未成年人是未满十八周岁的人,不能登记结婚,也不能注册登记为合伙人。第234条第1款规定,未成年人经过法定代理人的许可,可以以自己的名义从事法律行为。第3款规定,未成年人所从事的法律行为,如果根据常理判断,被认为与其年龄相适应,视为经过法定代理人的许可。《日本民法典》第5条第3款规定,法定代理人以划定目的而允许处分的财产,在其目的范围内,未成年人可以任意处分。对于未划定目的而允许处分的财产进行处分时,亦同。《韩国民法典》第6条规定,法定代理人确定的一定范围内许可处分的财产,未成年人可任意处分。根据日本、韩国民法典的规定,如果父母给一个五周岁的儿童一定的零花钱,该儿童可以用这些零花钱独立从事购买商品等民事活动。

提交全国人大常委会审议的民法总则草案二审稿、三审稿以及最后提交全国人民代表大会审议的民法总则草案仍然维持了限制民事行为能力的未成年人的年龄下限为六周岁的规定。全国人大法律委员会在民法总则草案二审稿的修改情况汇报中提出,法律委员会、法制工作委员会就此听取了部分教育学、心理学、社会学等方面专家的意见,并进一步研究了境外相关立法情况。在此基础上,经反复研究,建议对草案的规定暂不作修改,继续研究。主要考虑:一是随着社会的进步和教育水平的提高,儿童的认知能力、适应能力和自我承担能力也有了很大提高,法律上适当降低限制民事行为能力的未成年人年龄下限标准,符合现代未成年人心理、生理发展特点,有利于未成年人从事与其年龄、智力相适应的民事活动,更好地尊重未成年人的自主意识,保护其合法权益。二是符合国际上的发展趋势。我国参加的联合国《儿童权利公约》规定,各国要采取措施尊重和保护儿童的自我意识。一些国家和地区将限制民事行为能力人的年龄下限规定为六周岁或者七周岁;还有一些国家和地区规定未成年人均为限制民事行为能力人。三是民事行为能力不同于刑事责任能力。我国现行民法通则和刑法对民事行为能力和刑事责任能力的要求就是不同的。民事行为能力的年龄变化并不必然导致刑事责任能力的年龄变化,刑事责任能力年龄标准的调整,应当根据刑事领域的具体情况来确定。

全国人民代表大会审议民法总则草案过程中,一些代表提出,六周岁的儿童虽然有一定的学习能力,开始接受义务教育,但认知和辨识能力仍然不足,在很大程度上还不具备实施民事法律行为的能力,建议改为八周岁为宜。也有的代表建议维持现行十周岁不变;还有的代表赞成下调为六周岁。全国人大法律委员会经研究,按照既积极又稳妥的要求,建议在现阶段将限制民事行为能力人的年龄下限修改为八周岁。民法总则最终将限制民事行为能力人的年龄下限修改为八周岁。

依据本条规定,八周岁以上的未成年人为限制民事行为能力人,心智发育仍然不够成熟,实施民事法律行为一般应当由其法定代理人代理,或者经其法定代理人同意、追认。同意是指事前同意，即限制民事行为能力的未成年人实施民事法律行为要经法定代理人的事前同意；追认指事后追认，即限制民事行为能力的未成年人实施的民事法律行为要经过法定代理人的事后追认，才能对该未成年人发生效力。但是，八周岁以上的未成年人已经具有一定的辨认识别能力，法律应当允许其独立实施一定的民事法律行为。可以独立实施的民事法律行为包括两类：一类是纯获利益的民事法律行为，例如接受赠与等。限制民事行为能力的未成年人通常不会因这类行为遭受不利益，可以独立实施。另一类是与其年龄、智力相适应的民事法律行为，例如八周岁的儿童购买学习用品等。限制民事行为能力的未成年人对实施这类行为有相应的认知能力，可以独立实施。

第二十条　不满八周岁的未成年人为无民事行为能力人，由其法定代理人代理实施民事法律行为。

【释义】　本条是关于无民事行为能力的未成年人的规定。

无民事行为能力是指不具有以自己的行为取得民事权利或者承担民事义务的资格。八周岁以下的未成年人，生理、心理发育仍然很不成熟，对自己行为的辨认识别能力以及行为后果的预见能力仍然非常不够，为了避免他们的权益受到损害，法律将其规定为无民事行为能力人。

依据本条规定，八周岁以下的儿童不具有独立从事民事法律行为的资格，要由其法定代理人代理实施民事法律行为。例如，儿童购买玩具行为，都需要由父母等法定代理人代理实施。

在本条起草过程中，对八周岁以下的儿童是否可以独立实施纯获利益的民事法律行为，有的意见建议明确儿童可以独立实施纯获利益的民事法律行为，在本条增加但书规定“但纯获利益的民事法律行为除外”。理由是，六周岁以下的儿童独立实施的纯获利益的民事法律行为，例如接受赠与、奖励等行为，对儿童的利益并无损害，相反是增加儿童利益，法律应当予以支持。《最高人民法院关于贯彻执行〈中华人民共和国民法通则〉若干问题的意见（试行）》第 6 条规定，无民事行为能力人接受奖励、赠与、报酬，他人不得以行为人无民事行为能力为由，主张以上行为无效。

也有的意见认为，八周岁以下的儿童辨认识别能力仍然非常欠缺，即使是纯获利益的民事法律行为，例如接受赠与的行为，也是需要对该行为以及行为后果有充分认识和判断的。要区分接受赠与的民事法律行为与接受赠与物的行为。低龄儿童接受了别人给的玩具，可以看作事实行为，不等同于儿童实施了接受赠与的民事法律行为。此外，有些纯获利益的行为往往要等到事后根据具体情况才能判断出来，如果所获得的收益远大于所承受的负担，就属于纯获利益。这类民事法律行为对儿童的辨识能力要求更高。如果赋予八周岁以下的儿童可以独立实施这些民事法律行为，容易使这些儿童的合法权益受到侵害。从我国实践情况来看，八周岁以下的儿童处于父母或者其他监护人的全面保护之下，极少有独立实施民事法律行为的机会，由法定代理人全面代理实施民事法律行为是符合我国国情的。

经反复研究讨论，从有利于保护儿童合法权益的角度，本条没有规定八周岁以下的儿童可以独立实施纯获利益的行为。

第二十一条　不能辨认自己行为的成年人为无民事行为能力人，由其法定代理人代理实施民事法律行为。

八周岁以上的未成年人不能辨认自己行为的，适用前款规定。

【释义】 本条是关于无民事行为能力的成年人的规定。

有的自然人虽已年满十八周岁，达到成年人的年龄，但因先天、疾病等原因，辨认识别能力不足，也不能正常预见自己行为的法律后果。为了保护这些辨认识别能力不足的成年人的合法权益，法律有必要对其实施民事法律行为作出特别规定。民法总则根据认识判断能力的不同，对这些成年人作了进一步的区分，分为两类：一是不能辨认自己行为的成年人；二是不能完全辨认自己行为的成年人。不能辨认自己行为的成年人指对普通的事物和行为欠缺基本的认识判断能力，也不能正常预见自己行为的法律后果。不能完全辨认自己行为的成年人是指对比较复杂的行为不能作出正确的认识判断，也不能完全预见到自己行为的法律后果。第一类成年人即为无民事行为能力人，由本条第1款作出规定。第二类成年人为限制民事行为能力人，由第22条作出规定。

需要注意的是，本条第1款中的“不能辨认自己行为”和第22条中的“不能完全辨认自己行为”，是指辨认识别能力不足处于一种持续的状态，不能是暂行性或者短暂的状态，例如因酗酒、滥用麻醉用品或者精神药品，对自己的行为暂时没有辨认识别能力的成年人，不属于本法所称的无民事行为能力人或者限制民事行为能力人。

民法通则规定的无民事行为能力或者限制民事行为能力的成年人的范围为“精神病人”。民法通则第13条第1款规定：“不能辨认自己行为的精神病人是无民事行为能力人，由他的法定代理人代理民事活动。”第2款规定：“不能完全辨认自己行为的精神病人是限制民事行为能力人,可以进行与他的精神健康状况相适应的民事活动;其他民事活动由他的法定代理人代理,或者征得他的法定代理人的同意。”《最高人民法院关于贯彻执行〈中华人民共和国民法通则〉若干问题的意见(试行)》第5条对此作出进一步规定:“精神病人(包括痴呆症人)如果没有判断能力和自我保护能力,不知其行为后果的,可以认定为不能辨认自己行为的人;对于比较复杂的事物或者比较重大的行为缺乏判断能力和自我保护能力,并且不能预见其行为后果的,可以认定为不能完全辨认自己行为的人。”该司法解释一方面对在司法实践中如何判断“不能辨认自己行为”“不能完全辨认自己行为”作出了细化规定,另一方面对“精神病人”的范围作了扩张解释,明确将“痴呆症人”纳入“精神病人”的范围。

现实生活中,存在因一些疾病如阿尔茨海默病(老年痴呆症)等导致不能辨认或者不能完全辨认自己行为的老年人。这些老年疾病不同于精神障碍疾病。如果将无民事行为能力人或者限制民事行为能力人的范围严格限制为“精神病人”,将这些因老年疾病导致不能辨认或者不能完全辨认自己行为的老年人排除在外,容易造成两方面的不利后果:一是对这些老年人将不能依法设定监护人,不利于保护其人身、财产及其他合法权益;二是对这些老年人从事的与其辨认识别能力不符合的民事法律行为,将不能依法被撤销或者认定为无效,损害这些老年人的合法权益。

为了回应实践需求,同时适应我国逐步进入老龄化社会、保护老年人利益的需要,这次民法总则在吸收司法解释规定的基础上,对无民事行为能力人和限制民事行为能力人的范围作了进一步扩张,包括了因先天、疾病等各种原因不能辨认、不能完全辨认自己行为的成年人，既包括智力障碍患者、严重精神障碍患者，也包括阿尔茨海默病患者等。需要注意的是，大部分精神障碍患者中，焦虑症、抑郁症、强迫症等常见精神障碍患者一般是有民事行为能力的。只有患精神分裂症等严重精神障碍者，才可能丧失部分或完全丧失民事行为能力。

本条第 2 款规定的不能辨认自己行为的八周岁以上的未成年人，指患有智力障碍、精神障碍或者因其他疾病等原因导致心智不能正常发育，辨识能力严重不足的未成年人。这些未成年人如果按照正常的年龄以及心智发育程度，可以归入限制民事行为能力人，但因其对自己行为欠缺基本的辨认识别能力，为了防止其合法权益受到侵害，本条第 2 款将其归入无民事行为能力人的范畴。

本条第 1 款和第 2 款规定的无民事行为能力人因对普通的事物和行为欠缺基本的认识判断能力，也不能正常预见自己行为的法律后果，不能独立实施民事法律行为，应当由其法定代理人代理实施民事法律行为。

第二十二条　不能完全辨认自己行为的成年人为限制民事行为能力人，实施民事法律行为由其法定代理人代理或者经其法定代理人同意、追认，但是可以独立实施纯获利益的民事法律行为或者与其智力、精神健康状况相适应的民事法律行为。

【释义】　本条是关于限制民事行为能力的成年人的规定。

因智力障碍、精神障碍以及其他疾病导致不能完全辨认自己行为的成年人，均为限制民事行为能力人。限制民事行为能力的成年人对普通的事物和行为有基本的认识判断能力，但对于比较复杂的事物或者比较重大的行为缺乏判断能力和自我保护能力，并且不能预见其行为后果。限制民事行为能力的成年人实施民事法律行为一般由其法定代理人代理或者经其法定代理人同意、追认，但也可以独立实施一定的民事法律行为。

就独立从事的民事法律行为的范围来看，限制民事行为能力的成年人与限制民事行为能力的未成年人既有相同之处，又有不同之处。相同之处在于这两类限制民事行为能力的自然人均可以独立实施纯获利益的民事法律行为。不同之处在于，限制民事行为能力的未成年人可以独立实施与其年龄、智力相适应的民事法律行为，限制民事行为能力的成年人可以独立实施与其智力、精神健康状况相适应的民事法律行为。未成年人的年龄直接影响着其社会阅历和知识能力，智力仍处于正常发育阶段，还没有完全发育成熟，年龄、智力这两个因素是影响未成年人认知能力的两个最重要因素。与未成年人处于正常的智力发育阶段不同，限制民事行为能力的成年人实施民事法律行为需要考虑的智力因素，包括先天的智力障碍，在正常的智力发育期由于各种原因导致的智力低下，以及智力发育成熟后，由于疾病、意外事故等各种原因引起的智力损伤和老年期的智力明显衰退导致的痴呆等。限制民事行为能力的成年人实施民事法律行为需要考虑的精神健康因素主要指因精神疾病引起的认知判断能力不足的情况，不能正常参与民事活动，从事较为复杂的民事法律行为。

关于“与其智力、精神健康状况相适应”的认定，应当结合限制民事行为能力的成年人的智力、精神健康状况、行为的性质、标的数额等因素综合判断，具体情况具体分析，没有统一的标准。如果该成年人所从事的民事法律行为与其智力、精神健康状况不相适应，需经其法定代理人事前同意或者事后追认；如果该成年人所从事的民事法律行为与其智力、精神健康状况相适应，不需经其法定代理人同意或者追认，即为有效。

第二十三条　无民事行为能力人、限制民事行为能力人的监护人是其法定代理人。

【释义】　本条是关于无民事行为能力人、限制民事行为能力人的法定代理人的规定。

法律对具有监护资格的人、监护人的选任、监护的设立方式、监护职责等都作出了严格、明确的规定。将无民事行为能力人、限制民事行为能力人的监护人规定为法定代理人，有利于保护无民事行为能力人、限制民事行为能力人的人身、财产及其他合法权益。

代理无民事行为能力人、限制民事行为能力人实施民事法律行为是监护人履行监护职责的重要内容。监护人在保护被监护人的身心健康，照顾被监护人的生活，管理和保护被监护人的财产过程中，都必不可少要代理被监护人从事一些民事法律行为，例如签订合同等。赋予监护人法定代理人资格，方便监护人更好地履行监护职责，同时也可以对这种代理行为按照民法总则关于代理的规定加以规范，更好地保护无民事行为能力人、限制民事行为能力人的利益。

第二十四条　不能辨认或者不能完全辨认自己行为的成年人，其利害关系人或者有关组织，可以向人民法院申请认定该成年人为无民事行为能力人或者限制民事行为能力人。

被人民法院认定为无民事行为能力人或者限制民事行为能力人的，经本人、利害关系人或者有关组织申请，人民法院可以

根据其智力、精神健康恢复的状况，认定该成年人恢复为限制民事行为能力人或者完全民事行为能力人。

本条规定的有关组织包括：居民委员会、村民委员会、学校、医疗机构、妇女联合会、残疾人联合会、依法设立的老年人组织、民政部门等。

【释义】 本条是关于认定与恢复无民事行为能力人或者限制民事行为能力人的规定。

一、制度设立的法律意义

本条规定针对的是不能辨认或者不能完全辨认自己行为的成年人。未成年人虽然也有无民事行为能力人或者限制民事行为能力人，但未成年人辨认识别能力不足主要是年龄的原因，随着年龄的增长，社会阅历和知识会不断增加，到了十八周岁自然就成为完全民事行为能力人。而无民事行为能力或者限制民事行为能力的成年人辨认识别能力不足，往往是因为先天因素或者疾病、事故原因造成的，短时期内难以恢复，有的甚至是不可逆转的。将不能辨认或者不能完全辨认自己行为的成年人，认定为无民事行为能力人或者限制民事行为能力人，一是对该成年人就可以依照法定程序选任监护人，保护其人身权益、财产权益及其他合法权益；二是法定代理人可以通过主张该成年人所实施的民事法律行为无效，或者撤销该民事法律行为，避免该成年人的权益受到损害；三是有利于保护交易安全。交易相对人可以事先决定是否与该成年人进行交易。如果在不知情的情况下进行了交易，相对人也可以通过催告法定代理人及时予以追认或者依法撤销该民事法律行为，尽快确定民事法律行为的效力。

依据本条规定，该认定需要向法院提出申请，并需要由法院作出判决，主要原因是无民事行为能力或者限制民事行为能力的认定对成年人的权益影响重大。将成年人认定为无民事行为能力人或者限制民事行为能力人，既是对辨认识别能力不足的成年人的保护，也是对这些成年人自由实施民事法律行为的限制，因此必须通过法定程序进行。此外，这些成年人辨认识别能力缺失的程度也有所不同，一般人难以认定，宜由法院综合各方面情况作出判断。

需要注意的是，民法通则规定的是宣告为无民事行为能力人或者限制民事行为能力人，而本条采用的是认定为无民事行为能力人或者限制民事行为能力人。在本条起草过程中，对于是采用“认定”，还是“宣告”，存在两种不同的意见：一种意见认为，应当采用“认定”，而不是“宣告”。主要理由有：一是民法总则应与民事诉讼法的规定相统一。民事诉讼法在“特别程序”一章中，规定了七种采用特别程序审理的案件，其中一种就是“认定公民无民事行为能力、限制民事行为能力案件”，采用的是“认定”，而不是“宣告”。二是保障残疾人生活正常化已经成为国际上对残疾人保护的新理念，对成年人的无民事行为能力或者限制民事行为能力状况通过法院进行宣告，不符合保护新理念，将会对成年人的日常生活、工作造成不必要的影响。

另一种意见认为，应当继续采用“宣告”，而不是“认定”。主要理由是：第一，民法总则作为民事实体法，没有必要与民事诉讼法的规定相一致。宣告无民事行为能力或者限制民事行为能力，本身是一种民事实体法律制度，认定无民事行为能力或者限制民事行为能力更多强调的是该制度的程序性。第二，保护交易安全也是该制度的一个重要设立目的，应当采用“宣告”一词，便于第三人知悉。我国台湾地区曾就该问题进行过讨论，最终仍然采用的是“宣告”一词。我国台湾地区“民法”中规定的受监护宣告即相当于我国民法总则中的无民事行为能力宣告，第 14 条规定，对于因精神障碍或其他心智缺陷，致不能为意思表示或受意思表示，或不能辨识其意思表示之效果者，法院得因本人、配偶、四亲等内之亲属、最近一年有同居事实之其他亲属、检察官、主管机关或社会福利机构之声请，为监护之宣告。受监护之原因消灭时，法院应依前项声请权人之声请，撤销其宣告。第 15 条规定，受监护宣告之人，无行为能力。

经过认真研究讨论，本条最终采用了“认定”一词。

二、申请主体的范围

1. 利害关系人

利害关系人的情况比较复杂，其具体范围无法通过立法明确规定，应当具体情况具体分析。一般而言，对于第 1 款规定的“利害关系人”的范围，主要包括本人的近亲属、债权债务人等。对于第 2 款规定的“利害关系人”的范围，主要包括本人的监护人、债权债务人等。但具体案件中，这些主体是否都有资格向法院提出申请，也要在个案中根据实际情况作出判断。认定利害关系人是否是适格的申请主体，需要看本人的民事行为能力状况对其是否有重要意义或者影响。例如，本人的债务人如果不是为了确定民事法律行为的效力，也不得向法院申请认定其为无民事行为能力人、限制民事行为能力人。

2. 有关组织

虽然本条第 1 款、第 2 款均规定了“有关组织”，但在起草过程中，首先是在第 2 款中规定了“有关组织”，之后根据各方面意见经过反复研究，才在第 1 款中也增加了“有关组织”。区别对待的原因主要是：第 2 款是认定恢复为限制民事行为能力或者完全民事行为能力，是对成年人民事行为能力状况的提升，在不同程度上解除了对成年人意思能力和行为自由的限制，是对成年人自主意识的尊重。而第1款是认定成年人为无民事行为能力人或者限制民事行为能力人，是对成年人意思能力和行为自由的重大限制，必须严格掌握申请主体的范围。

依据本条第2款规定，被人民法院认定为无民事行为能力人或者限制民事行为能力人的，其智力、精神健康如果恢复正常或者部分恢复，经本人、利害关系人或者有关组织申请，人民法院可以根据其智力、精神健康恢复的状况，认定该成年人恢复为限制民事行为能力人或者完全民事行为能力人。具体包括以下几种情况：由无民事行为能力人恢复为限制民事行为能力人、由限制民事行为能力人恢复为完全民事行为能力人、由无民事行为能力人恢复为完全民事行为能力人。申请的主体不仅包括利害关系人，还有“有关组织”。这是与民法通则的不同之处，民法通则规定的申请主体只限于利害关系人。本条在民法通则规定的基础上增加“有关组织”。

在起草过程中，有的意见认为，本人向法院申请恢复为限制民事行为能力人或者完全民事行为能力人有时会存在一些主观或者客观困难，例如本人没有利害关系人或者利害关系人不愿提出申请，但本人仍然没有能力独立提出申请、参加审理程序等，由有关群团组织或者民政部门等提出申请，有利于帮助这部分成年人实现自主意愿，保护这部分成年人的合法权益。

民法总则草案一审稿、二审稿以及三审稿中，均只是在第2款的申请主体中规定了“有关组织”，第1款的申请主体没有规定“有关组织”，仍然限于利害关系人。对此，有的意见提出，在现实生活中，有些老人、有精神疾病的人可能没有利害关系人，这就有可能会产生因没有人提出民事行为能力认定申请而造成这部分人虽然已经处于无民事行为能力或者限制民事行为能力的状态，但不能依法设立监护、确定监护人的情况，建议在第1款的申请主体中也增加“有关组织”。本条规定吸收了该意见，在第1款的申请主体中增加了“有关组织”。但应当注意的是，认定成年人为无民事行为能力或者限制民事行为能力，对成年人的行为自由影响重大，原则上应当由利害关系人提出，对于“有关组织”向法院提出申请宜作严格掌握，必须是基于保护该成年人合法权益的迫切需要。

本条第3款对“有关组织”的范围作出规定，包括居民委员会、村民委员会、学校、医疗机构、妇女联合会、残疾人联合会、依法设立的老年人组织、民政部门等。这些组织往往具有向法院申请认定成年人民事行为能力状况的意愿、能力或者条件。其中，居民委员会、村民委员会是基层群众性自治组织，负责办理本村或者本居住地区居民的公共事务和公益事业；妇女联合会、残疾人联合会是分别代表和维护妇女权益、残疾人权益的组织；一些依法设立的老年人组织也致力于维护老年人合法权益，这些组织具有保护相关辨识能力不足的成年人合法权益的意愿、能力。学校、医疗机构往往能及时发现了解学生、患者的智力、精神健康现状，具备向法院提出申请的条件，有些情况下，也具有向法院提出申请的意愿。民政部门作为政府重要职能部门，一个重要的职责就是负责社会救助和社会福利方面的工作，由民政部门提出申请符合其部门职责。

第二十五条　自然人以户籍登记或者其他有效身份登记记载的居所为住所；经常居所与住所不一致的，经常居所视为住所。

【释义】 本条是关于自然人住所的规定。

住所是指民事主体进行民事活动的中心场所或者主要场所。自然人的住所一般指自然人长期居住、较为固定的居所。自然人的住所对婚姻登记、宣告失踪、宣告死亡、债务履行地、司法管辖、诉讼送达等具有重要的法律意义。例如,甲与乙发生民间借贷纠纷,甲一般应当向乙方住所地人民法院提起诉讼,乙方住所地直接决定案件的管辖法院。居所指自然人实际居住的一定处所,其与住所的区别是,一个自然人可以同时有两个或多个居所,但只能有一个住所。一般的居所都是自然人临时居住,为暂时性的,住所则为长期固定的。

依据本条规定,自然人以户籍登记或者其他有效身份登记记载的居所为住所。户籍登记是国家公安机关按照国家户籍管理法律法规,对公民的身份信息进行登记记载的制度。我国《户口登记条例》第 6 条规定:“公民应当在经常居住的地方登记为常住人口,一个公民只能在一个地方登记为常住人口。”依据该规定,公民应当在经常居住地的公安机关进行户籍登记,户籍登记记载的居所即是其长期居住、较为固定的居所。

本条中的“其他有效身份登记”主要包括居住证和外国人的有效居留证件等。随着城镇化推进,大量人口离开户籍地工作、学习,这些自然人进行民事活动的中心场所发生明显变化,经常居住地与户籍登记地发生偏离。完全以户籍登记记载的居所为标准判断公民的住所,已经不符合当前实际需要。为了促进新型城镇化的健康发展,推进城镇基本公共服务和便利常住人口全覆盖,保障公民合法权益,促进社会公平正义,国务院于 2015 年颁布了《居住证暂行条例》。《居住证暂行条例》对居住证的申领条件、记载内容等作出规定。《居住证暂行条例》第 2

条规定:“公民离开常住户口所在地,到其他城市居住半年以上,符合有合法稳定就业、合法稳定住所、连续就读条件之一的,可以依照本条例的规定申领居住证。”第4条规定:“居住证登载的内容包括:姓名、性别、民族、出生日期、公民身份号码、本人相片、常住户口所在地住址、居住地住址、证件的签发机关和签发日期。”依据该规定,居住证的持有人往往都在相关城市工作、生活居住半年以上。居住证记载的居住地住址也可以作为公民住所,这有利于促进公民正常从事民事活动,在出现民事纠纷时,便利公民起诉应诉。此外,对外国人、无国籍人等在中国的住所,可以根据我国主管机关遵循法定程序签发的有效居留证件等进行判断。

第二节 监 护

第二十六条 父母对未成年子女负有抚养、教育和保护的义务。

成年子女对父母负有赡养、扶助和保护的义务。

【释义】 本条是关于父母子女之间法律义务的规定。

监护是保障无民事行为能力人和限制民事行为能力人的权益,弥补其民事行为能力不足的法律制度。被监护人包括两类:一类是未成年人;另一类是无民事行为能力人和限制民事行为能力的成年人。据统计,全国目前智力残疾人和精神残疾人共有1000多万人。另外,有相当多的老年人意思能力衰退严重,也需要监护。

监护制度是我国基本的民事法律制度之一,在民法总则乃至整个民法典中都占有重要地位。监护制度与民事主体制度、婚姻家庭制度、民事法律行为制度、代理制度和民事责任制度等均有着密切的联系。民法总则中的监护制度与未成年人保护法、妇女权益保障法、老年人权益保障法等法律对监护的规定共同构建了我国的监护制度法律体系。本节贯彻落实了联合国《儿童权利公约》《残疾人权利公约》的原则和精神，借鉴了境外立法例，立足中国国情和实践，对监护制度作了较大程度的修改完善，构建起以家庭监护为基础、社会监护为补充、国家监护为兜底的监护制度。

一、监护制度在民法典中的位置

民法通则将监护制度规定在"公民（自然人）"一章中，作为民事主体制度的重要内容。民法总则继承了民法通则的做法，在"自然人"一章中对监护制度作了规定。在民法总则起草过程中，就监护制度的立法体例，即监护制度应当放在民法典中的哪一部分，存在一定争议。以下是比较有代表性的三种意见：

第一种意见认为，民法通则把监护内容放在"公民（自然人）"一章，是当时立法的权宜之计。从立法科学性、体系化看，民法总则对监护只宜作简略性的规定，监护的主要内容应该放在亲属法或者婚姻家庭法中进行规定。主要理由如下：一是符合民法典的总分体例。民法总则应当规定民法典中具有共性、总括性和普遍性的内容，监护作为弥补民事主体行为能力的一项制度，可以在总则中用一个或者几个条文作出原则性规定，具体内容可在婚姻家庭编细化展开，既能保持监护制度的独立性，也维护了民法典的整体性和协同性。二是符合监护制度的双重法律属性。现代监护制度兼具私法和公法两种性质。一方面，监护的主体依然以亲属关系为主；另一方面，国家公权力作为监护制度的监督者和最后的责任承担者，确保未成年人和其他无民事行为能力人或者限制民事行为能力人权益的实现。三是符合大陆法系民法典的体系化传统。监护制度是亲权制度的延伸,与亲属法密切相关,很多国家和地区的民法均将监护的主要内容放在亲属编予以规定。四是有利于监护制度的完善与发展。监护制度涉及内容广泛,放在亲属编中,可以规定得更具体、更具有可操作性,克服总则内容过于简约、原则的不足。

第二种意见认为,监护制度的核心功能在于对自然人行为能力进行补足。20世纪中叶以后,人们把自然人放在更核心的地位,整个的规则是以对人的权利的尊重和救济为主要思路,将监护制度放在自然人一章中的行为能力之后,是合适的,具有理论基础性、体系逻辑性和制度衔接性。

第三种意见认为,将监护制度放在民法总则的自然人部分,还是放在婚姻家庭编,从理论上和逻辑体系上看,都可以讲得通,也是行得通的,现在立法的关键是充实监护制度的内容,进一步健全并形成完善的监护制度。

经研究认为,监护制度本质在于弥补自然人民事行为能力的不足,但又与婚姻家庭制度存在一定交叉。在民法总则中还是在婚姻家庭编对监护制度作出规定都是可以的。将监护制度放在民法总则中的主要考虑是:第一,民法总则第一章第一节规定了民事权利能力和民事行为能力,其中将民事行为能力分为完全民事行为能力、限制民事行为能力和无民事行为能力。监护是保障无民事行为能力人和限制民事行为能力人的权益,弥补其民事行为能力不足的法律制度,紧接着自然人民事行为能力制度作出规定,具有逻辑合理性。第二,我国的监护制度不仅包括家庭监护,还包括社会监护和国家监护。如果说在"自然人"一章规定监护制度存在体例问题,在婚姻家庭编中规定社会监护和国家监护也同样存在体例问题。第三,民法通则规定的监护制度已经实施了三十年,实践中出现了很多新情况新问题亟须解决,若放到婚姻家庭编规定,还要经过较长时间才能出台,不利于当前实践需要。

二、关于亲权与监护的关系

亲权是大陆法系国家或者地区普遍采用的制度,指父母基于身份关系对未成年人子女进行教养、保护等权利义务的总和。亲权既是父母的权利,父母作为亲权人可以自主决定、处理有关保护教养子女的事项,同时,亲权又是父母的法定义务,父母抚养、教育和保护未成年子女的义务不得抛弃。而监护的适用前提是亲权人死亡或者亲权人丧失管理权。例如,《德国民法典》第1773条规定,未成年人不在父母照顾之下,或父母在与人身有关的事务中和与财产有关的事务中均无权代理该未成年人的,该未成年人获得一个监护人。《法国民法典》第390条规定,在父母双亲均已去世,或者被剥夺亲权时,即设置监护。《日本民法典》第838条规定,监护于下列情况下开始:(1)未成年人没有对其行使亲权的人,或者行使亲权的人没有管理权;(2)已有监护开始的裁定。

在民法总则起草过程中,关于是否将亲权与监护分离,存在一定的争议。有的意见认为,亲权是基于亲子之间的血缘关系自然产生并受到法律确认的,监护是亲权制度不能发挥作用时的有效补充和延伸,亲权与监护的内容并不完全相同,建议从狭义上使用监护的概念,明确将监护与亲权分离。

经研究认为,在民法通则施行三十多年来,监护的内涵已在很多法律中得以巩固,深入社会管理和司法实践,影响到经济社会生活的方方面面,也已经获得群众的广泛接受。在这种情况下,不宜再改变监护的含义。因此,民法总则规定的“监护”是一个广义概念,既包括未成年人的父母担任监护人,也包括父母之外的其他人担任监护人。亲权与监护的差异,主要在于父母与子女之间的权利义务不完全等同于其他监护人与被监护人之间权利义务,这些可以考虑在婚姻家庭法等相关立法中作出区别规定。

三、关于父母子女之间法律义务

尊老爱幼是中华民族的传统美德,本条从弘扬中华民族的传统美德出发,根据宪法,在婚姻法、未成年人保护法、老年人权益保障法等法律有关规定的基础上,将父母子女之间的法律义务进一步明确化、法定化,强调了家庭责任,有利于促进家庭关系的和睦,从法律上倡导和落实社会主义核心价值观。

在起草过程中,有的意见提出,本条是关于亲属间扶养的权利义务内容,与监护制度并不完全相同,更适宜规定在婚姻家庭编中,建议删除本条。经研究认为,家庭是社会的细胞,是社会稳定的基础,家庭监护是我国监护制度的主要形式。父母对未成年子女的抚养、教育和保护义务,成年子女对父母的赡养、扶助和保护义务,是家庭监护的基础,有必要在民法总则中作出规定。

依据本条规定,父母对未成年子女的抚养、教育和保护义务,主要包括进行生活上的照料,保障未成年人接受义务教育,以适当的方式、方法管理和教育未成年人,保护未成年人的人身、财产不受到侵害,促进未成年人的身心健康发展等。婚姻法、未成年人保护法等对此作出了较为具体的规定。成年子女对父母的赡养、扶助和保护义务,主要包括子女对丧失劳动能力或生活困难的父母,要进行生活上的照料和经济上供养,从精神上慰藉父母，保护父母的人身、财产权益不受侵害。婚姻法、老年人权益保障法等对此作出了较为具体的规定。

第二十七条　父母是未成年子女的监护人。

未成年人的父母已经死亡或者没有监护能力的，由下列有监护能力的人按顺序担任监护人：

（一）祖父母、外祖父母；

（二）兄、姐；

（三）其他愿意担任监护人的个人或者组织，但是须经未成年人住所地的居民委员会、村民委员会或者民政部门同意。

【释义】　本条是关于未成年人的监护人的规定。

本条第1款规定，父母是未成年人的监护人。父母具有抚养、教育和保护未成年子女的法定义务，与未成年子女的关系最为密切，对未成年人的健康成长至关重要。基于此，父母无条件成为未成年人的法定监护人。只有在父母死亡或者没有监护能力的情况下，才可以由其他个人或者有关组织担任监护人。

本条第2款对父母之外的其他个人或者组织担任监护人作出规定。第2款在民法通则相关规定的基础上，主要从两个方面进行了完善：一是规定父母之外具有监护能力的人"按顺序"担任监护人；二是增加规定了有关"组织"担任监护人的规定。

一、关于"按顺序"担任监护人

实践中，有些情况下具有监护资格的人互相推脱，都不愿意担任监护人，导致监护无从设立，无民事行为能力人或者限制民事行为能力人的权益得不到保护。针对以上问题，本条明确具有监护资格的人按照顺序担任监护人，主要目的在于防止具有监护资格的人之间互相推卸责任。如果两个或者两个以上具有监护资格的人，都愿意担任监护人，也可以按照本条规定的顺序确定监护人，或者依照本法第 30 条规定进行协商；协商不成的，按照本法第 31 条规定的监护争议解决程序处理，由居民委员会、村民委员会、民政部门或者人民法院按照最有利于被监护人的原则指定监护人，不受本条规定的“顺序”的限制，但仍可作为依据。

依照本条规定的顺序应当担任监护人的个人认为自己不适合担任监护人，或者认为其他具有监护资格的人更适合担任监护人的，可以依照本法第 30 条规定进行协商；协商不成的，通过本法第 31 条规定的监护争议解决程序处理，由居民委员会、村民委员会、民政部门或者人民法院综合各方面情况，根据最有利于被监护人的原则在依法具有监护资格的人中指定监护人。例如，未成年人的祖父母作为第一顺位的监护人，认为自己年事已高，未成年人的姐姐各方面条件更好，由其姐姐担任监护人更有利于未成年人成长，可以先与其姐姐进行协商，协商不成的，依法通过监护争议程序解决。但在法院依法指定监护人前，未成年人的祖父母不得拒绝履行监护职责。

二、关于“愿意担任监护人的组织”担任监护人

随着我国公益事业的发展，有监护意愿和能力的社会组织不断增多，由社会组织担任监护人是家庭监护的有益补充，也可以缓解国家监护的压力。本条第 2 款第 3 项以及第 28 条第 4 项规定的“愿意担任监护人的组织”是指这类社会组织。但是，监护不同于简单的生活照顾，还要对被监护人的财产进行管理和保护，代理被监护人实施民事法律行为，对未成年被监护人的侵权行为承担责任等，自愿担任监护人的社会组织要具有良好信誉、有一定的财产和工作人员等，这些条件都需要在实践中严

格掌握，由未成年人住所地的居民委员会、村民委员会或者民政部门根据实际情况作出判断。

本条第 2 款第 3 项将民法通则规定的自愿担任监护人的“关系密切的其他亲属、朋友”修改为愿意担任监护人的“个人”，进一步扩大了监护人的范围，尽量避免无人担任监护人的情况。依据本法规定，“愿意担任监护人的个人”成为监护人，也必须经过未成年人住所地的居民委员会、村民委员会或者民政部门同意，要具有监护能力，有利于未成年人健康成长。

本条在起草过程中，还有两个反映较多的意见。第一个是关于“监护能力”的界定。有的意见提出，监护一节多次提到“监护能力”一词，而且将监护能力作为是否具有担任监护人资格的重要标准，但是没有对“监护能力”作出明确的界定，在具体认定上可能会出现争议，建议明确监护能力的认定标准。

经研究认为，具有监护能力首先要具有完全民事行为能力，至于如何判断是否具有监护能力的其他条件，在实践中情况较为复杂，需要综合考虑多种因素，法律可不一一作出界定，在实践中根据具体情况进行判断。《最高人民法院关于贯彻执行〈中华人民共和国民法通则〉若干问题的意见（试行）》第 11 条对此作出了相关规定，即“认定监护人的监护能力，应当根据监护人的身体健康状况、经济条件，以及与被监护人在生活上的联系状况等因素确定”。

第二个反映较多的意见是，建议在本条第 2 款关于具有监护资格的人中增加“其他近亲属”。经研究认为，司法实践中近亲属的范围包括配偶、父母、子女、祖父母、外祖父母、孙子女、外孙子女、兄弟姐妹。未成年人的近亲属范围只有父母、祖父母、外祖父母、兄弟姐妹。本条第 2 款规定的具有监护资格的人的范围已经涵盖了未成年人的所有近亲属，无须再单列一项“其他近亲属”。

第二十八条　无民事行为能力或者限制民事行为能力的成年人，由下列有监护能力的人按顺序担任监护人：

（一）配偶；

（二）父母、子女；

（三）其他近亲属；

（四）其他愿意担任监护人的个人或者组织，但是须经被监护人住所地的居民委员会、村民委员会或者民政部门同意。

【释义】　本条是关于无民事行为能力或者限制民事行为能力的成年人的监护人的规定。

本条在民法通则规定的基础上，增加了具有监护资格的人“按顺序”担任监护人、“愿意担任监护人的组织”担任监护人的规定，并将愿意担任监护人的“关系密切的其他亲属、朋友”修改为愿意担任监护人的“个人”，扩大了监护人的范围。具体说明可以参见第 27 条规定的释义。

本条规定的需要设立监护的成年人为无民事行为能力人或者限制民事行为能力人，包括因智力、精神障碍以及因年老、疾病等各种原因，导致辨识能力不足的成年人。对成年人监护，要正确区分失能与失智的区别。失能是失去生活自理能力，失智即辨识能力不足。失能的成年人未必需要监护，只有失智的成年人需要监护。此外，还应当区分长期照护（护理）和监护的区别：从对象上看，照护的对象既包括失智成年人，也包括失能成年人，监护的对象针对失智成年人；从内容上看，照护仅限于生活上的照料和安全上的保护，不涉及人身权益保护的安排、财产的管理等事项。监护是对失智成年人人身、财产等各方面权益的保护和安排。

本条规定的前三项具有监护资格的人，都是成年被监护人的近亲属。近亲属往往与被监护人具有血缘关系、密切的生活联系和良好的情感基础，更有利于被监护人的身心健康，也更有利于尽职尽责地保护被监护人的合法权益，因此适宜担任监护人。依据本条规定，具有监护资格的人有以下几类：

一是配偶。成年男女达到法定婚龄，通过结婚登记程序，缔结婚姻关系，产生法律权利义务关系。婚姻法第 20 条第 1 款规定："夫妻有互相扶养的义务。"夫妻共同生活，具有相互的扶养义务，对共同的财产享有支配权，具有良好的感情基础，由配偶担任监护人有利于保护被监护人的人身、财产及其他合法权益。

二是父母、子女。父母子女之间既具有天然的情感，又具有法定的抚养、赡养关系，适宜担任监护人。

三是其他近亲属。这包括祖父母、外祖父母、孙子女、外孙子女、兄弟姐妹。本条将"其他近亲属"列为具有监护资格的范围，主要是基于血缘关系、生活联系，以及情感基础等因素，有利于保护被监护人的合法权益。

四是其他愿意担任监护人的个人或者组织，但是须经被监护人住所地的居民委员会、村民委员会或者民政部门同意。"愿意担任监护人的组织"主要指公益组织，其能否担任监护人，在实践中由被监护人住所地的居民委员会、村民委员会或者民政部门根据该组织的设立宗旨、社会声誉、财产或者经费、专职工作人员等情况进行判断。

第二十九条　被监护人的父母担任监护人的，可以通过遗嘱指定监护人。

【释义】　本条是关于遗嘱监护的规定。

父母与子女之间血缘关系最近，情感最深厚，父母最关心子女的健康成长与权益保护，应当允许父母选择自己最信任的、对于保护子女最有利的人担任监护人。遗嘱监护制度有助于满足实践中一些父母在生前为其需要监护的子女作出监护安排的要求，体现了对父母意愿的尊重，也有利于更好地保护被监护人的利益，立法应当予以认可。

依据本条规定，被监护人（包括未成年人、无民事行为能力或者限制民事行为能力的成年人）的父母可以通过立遗嘱的形式为被监护人指定监护人，但前提是被监护人的父母正在担任着监护人，如果父母因丧失监护能力没有担任监护人，或者因侵害被监护人合法权益被撤销监护人资格等不再担任监护人的，父母已不宜再通过立遗嘱的形式为被监护人指定监护人。

境外很多立法例规定了遗嘱监护制度。例如，《德国民法典》第 1776 条（父母的指定权）规定：（1）被监护人的父母所指定为监护人的人，有做监护人的资格。（2）父亲和母亲已指定不同的人的，以最后死亡的父母一方的指定为准。《法国民法典》第 403 条规定：如父母二人中后去世的一方在其本人去世时仍然在行使亲权，选任监护人的个人权利，仍属于该后去世的父或者母，无论其选任的监护人是否是未成年人的亲属。（在这种情况下）指定监护人，只能以订立遗嘱或者以在公证人前做出特别声明的形式为之。由父或者母指定的监护人并无义务接受（负担）监护职责。《日本民法典》第 839 条（未成年人的指定监护人）第 1 款规定：对未成年人最后行使亲权的人，可以用遗嘱指定监护人。但没有管理权的人,不在此限。我国台湾地区"民法"第1093条(遗嘱指定监护人)规定:最后行使、负担对于未成年子女之权利、义务之父或母,得以遗嘱指定监护人。前项遗嘱指定之监护人,应于知悉其为监护人后十五日内,将姓名、住所报告法院;其遗嘱未指定会同开具财产清册之人者,并应申请当地直辖市、县(市)政府指派人员会同开具财产清册。于前项期限内,监护人未向法院报告者,视为拒绝就职。我国澳门地区民法典第1785条(父母指定之监护人)规定:(1)父母得为假使其于将来或成为无行为能力之情况,指定未成年子女之监护人;仅由父亲或者母亲单独行使亲权时,该指定监护人之权力属行使亲权之一方。(2)为未成年子女指定监护人之父亲或者母亲死亡后,如尚存之另一方未在行使亲权中废止该指定,则视该指定产生效力。监护人之指定及其废止,须在遗嘱、公文书或经认证之文书上做出,方为有效。

本条规定的遗嘱指定监护与这些立法例有相同点,也有不同点。相同点是,有权以遗嘱的形式指定监护人的主体仅限于父母,其他任何人都不能以遗嘱的形式指定监护人。不同之处在于,境外立法例仅限于为未成年子女指定监护人,但依据本条规定,父母既可以为未成年子女指定监护人,也可以为成年子女指定监护人。民法总则草案一审稿、二审稿均将遗嘱监护限定于为未成年人指定监护人。在调研中,有的意见提出,现实生活中,对无民事行为能力及限制民事行为能力的成年人,也存在由父母遗嘱为其指定监护人的情形和立法需求,建议扩大遗嘱监护的适用范围,允许父母通过遗嘱为无民事行为能力及限制民事行为能力的成年人指定监护人。经研究,民法总则草案三审稿吸收了该意见。

关于遗嘱指定监护与法定监护的关系，一般来说，遗嘱指定监护具有优先地位。遗嘱指定监护是父母通过立遗嘱选择值得信任并对保护被监护人权益最为有利的人担任监护人，应当优先于本法第27条、第28条规定的法定监护。遗嘱指定监护指定的监护人，也应当不限于本法第27条、第28条规定的具有监护资格的人。但是，遗嘱指定的监护人应当具有监护能力，能够履行监护职责。如果遗嘱指定后，客观情况发生变化，遗嘱指定的监护人因患病等原因丧失监护能力，或者因出国等各种原因不能够履行监护职责，就不能执行遗嘱指定监护，应当依法另行确定监护人。

第三十条　依法具有监护资格的人之间可以协议确定监护人。协议确定监护人应当尊重被监护人的真实意愿。

【释义】　本条是关于协议确定监护人的规定。

协议监护是确定监护人的方式之一，具有一定的司法实践基础。《最高人民法院关于贯彻执行〈中华人民共和国民法通则〉若干问题的意见（试行）》第15条规定："有监护资格的人之间协议确定监护人的，应当由协议确定的监护人对被监护人承担监护责任。"本条在吸收司法实践经验的基础上，对协议监护制度作出规定。民法总则第27条、第28条分别对未成年人、无民事行为能力和限制民事行为能力的成年人规定了具有监护资格的人的范围。在法律已对具有监护资格的人作了严格限定的前提下，允许具有监护资格的人之间协议确定监护人，不会损害被监护人的合法权益。本法第27条、第28条规定了担任监护人的顺序，主要目的在于防止具有监护资格的监护人推卸责任，导致监护人缺位的情况出现。协议监护可以不按照第27条、第

28 条规定的顺序确定监护人。具有监护资格的人之间可以根据各自与被监护人的生活联系状况、经济条件、能够提供的教育条件或者生活照料措施等,在尊重被监护人意愿的基础上,经过充分协商,选择合适的监护人。这既是对具有监护资格的人共同意愿的尊重,也有利于保护被监护人的合法权益。法律对协议监护制度予以认可,既是对实践需求的回应,也有利于进一步规范协议监护制度。

依据本条规定,协议监护具有以下几个特点:第一,协议主体必须是依法具有监护资格的人,即本法第 27 条、第 28 条规定的具有监护资格的人。未成年人的父母有监护能力的,不得与其他人签订协议,确定由其他人担任监护人,推卸自身责任。对于未成年人,协议监护只限于父母死亡或者没有监护能力的情况,协议的主体为:(1)祖父母、外祖父母;(2)兄、姐;(3)经未成年人住所地的居民委员会、村民委员会或者民政部门同意的其他愿意担任监护人的个人或者有关组织。对于父母丧失监护能力的,父母可以不作为协议监护的主体,但对协议确定监护人也可以提出自己的意见,具有监护资格的人在协议确定未成年人的监护时,从有利于保护被监护人的利益出发,应当尽量予以尊重。对于无民事行为能力或者限制民事行为能力的成年人,协议的主体为:(1)配偶;(2)父母、子女;(3)其他近亲属;(4)经该成年人住所地的居民委员会、村民委员会或者民政部门同意的其他愿意担任监护人的个人或者有关组织。第二,协议确定的监护人必须从具有监护资格的人之间产生,不得在法律规定的具有监护资格的人之外确定监护人。在具有监护资格的人之外确定监护人的,协议监护无效。第三,协议监护是具有监护资格的人合意的结果,合意产生后,由协议确定的监护人担任监护人，履行监护职责。监护人一旦确定，即不得擅自变更，否则要承担相应的法律责任。

协议确定监护人对被监护人的利益影响重大，应当充分尊重被监护人的真实意愿。被监护人都是无民事行为能力人或者限制民事行为能力人，“尊重被监护人的真实意愿”不是简单的征求被监护人的意见，要结合多种情况进行综合考量判断，探求其内心真实的愿望。限制民事行为能力的未成年人和成年人已经具备了一定的认知判断能力以及较强的表达能力，协议确定监护人应当直接听取其意见，并对其意见是否反映其真实意愿，结合其他一些因素，例如是否受到胁迫等进行判断。无民事行为能力的被监护人，不具有独立的认知判断能力，但这不意味着这些被监护人没有真实意愿。对于无民事行为能力的被监护人的真实意愿，也应当结合各种情况，例如被监护人与哪一个具有监护资格的人生活联系最为密切等因素，去发现并充分尊重被监护人的真实意愿，这对于保护被监护人的身心健康，具有重要意义。

第三十一条　对监护人的确定有争议的，由被监护人住所地的居民委员会、村民委员会或者民政部门指定监护人，有关当事人对指定不服的，可以向人民法院申请指定监护人；有关当事人也可以直接向人民法院申请指定监护人。

居民委员会、村民委员会、民政部门或者人民法院应当尊重被监护人的真实意愿，按照最有利于被监护人的原则在依法具有监护资格的人中指定监护人。

依照本条第一款规定指定监护人前，被监护人的人身权利、财产权利以及其他合法权益处于无人保护状态的，由被监护人

住所地的居民委员会、村民委员会、法律规定的有关组织或者民政部门担任临时监护人。

监护人被指定后，不得擅自变更；擅自变更的，不免除被指定的监护人的责任。

【释义】 本条是关于监护争议解决程序的规定。

本条共4款。第1款规定了对监护人的确定有争议情况下的两种解决途径：一是由被监护人住所地的居民委员会、村民委员会或者民政部门指定监护人。该指定并没有终局效力。有关当事人对该指定不服的，可以向法院提出申请，由法院指定监护人。法院的指定具有终局效力，被指定的监护人应当履行监护职责，不得推卸。二是有关当事人可以不经居民委员会、村民委员会或者民政部门的指定，直接向法院提出申请，由法院指定监护人。本款规定的“对监护人的确定有争议的”既包括争当监护人的情况，也包括推卸拒不担当监护人的情况，主要包括以下几类情形：一是具有监护资格的人均认为自己适合担任监护人，争当监护人；二是按照本法第27条、第28条规定的顺序应当担任监护人的，认为自己没有监护能力，无法履行监护职责或者认为其他具有监护资格的人更适宜担任监护人的；三是后一顺序具有监护资格的人要求前一顺序具有监护资格的人依法履行监护职责的；四是具有监护资格的人均推卸监护职责，拒不担当监护人的情况。对此，居民委员会、村民委员会或者民政部门应当介入，切实履行起指定监护的职责，依法指定监护人。本款中的两处“有关当事人”指对监护人的确定有争议的当事人。

本款不再保留民法通则规定的诉前指定程序。民法通则规定，对担任监护人有争议的，由未成年人的父、母的所在单位（成年被监护人的所在单位）或者被监护人住所地的居民委员会、村民委员会在近亲属中指定。对指定不服提起诉讼的，由人民法院裁决。按照上述规定，对担任监护人有争议的案件，在向法院提起诉讼前，必须先经有关单位或者居民委员会、村民委员会进行指定。在实践中，未成年人的父、母的所在单位（成年被监护人的所在单位）、居民委员会、村民委员会不愿指定、迟迟不指定监护人的情况较为常见，导致监护人长期不确定，诉讼程序难以启动，给妥善解决监护争议增加了难度，不利于保护被监护人的权益。鉴于此，民法总则不再规定监护诉讼的指定前置程序，对监护人的确定有争议的，有关当事人可以不经指定，直接向人民法院提出申请，由人民法院指定。

本款删去了民法通则规定的未成年人父母所在单位或者成年被监护人所在单位指定监护人的内容。民法通则规定，对担任监护人有争议的，由未成年人父母所在单位或者成年被监护人所在单位指定监护人，是因为当时个人与所在工作单位的关系较为稳定，所在工作单位比较了解本单位工作人员的家庭情况。但随着我国经济社会的发展，情况已经发生了很大变化。实践中，就业人员的流动性越来越频繁，就业人员与单位的关系并不稳定，且这些单位与职工之间主要是劳动合同关系，这些单位一般也不了解职工的家庭情况、社会关系等，往往缺乏指定监护人的意愿和能力，已不适宜承担指定监护人的职责。据此，民法总则不再规定未成年人父母的所在单位或者成年被监护人的所在单位指定监护人的职责。

本条相对于民法通则，增加了民政部门指定监护人的内容。开展社会救济和社会福利工作是民政部门的工作职责，有必要加强民政部门在监护中的职责和作用。民政部门在实际工作中，往往比较了解辖区内未成年人和丧失民事行为能力成年人的家庭关系、健康状况等，有能力指定合适的监护人，并且权威性较高，有利于促进监护争议的解决。

在民法总则起草过程中，也有意见提出，现在居民委员会、村民委员会承担的事务繁杂，辖区较大，难以全面掌握被监护人的家庭关系和社会关系，指定中存在较大的随意性和片面性，效果不佳，居民委员会、村民委员会工作人员也普遍缺乏专业的法律知识，建议删去由村民委员会、居民委员会指定监护人的规定。

根据调研中掌握的情况，村民委员会一般能够掌握被监护人的身体状况、家庭关系和社会关系等，居民委员会也在加强对辖区内无人监护的儿童或者精神障碍患者等的排查帮助工作，现阶段仍然不宜删除居民委员会、村民委员会指定监护人的规定。

第 2 款规定了居民委员会、村民委员会、民政部门或者人民法院指定监护人的原则：一是应当尊重被监护人的真实意愿；二是要按照最有利于被监护人的原则指定。“按照最有利于被监护人的原则指定”，是指居民委员会、村民委员会、民政部门或者人民法院指定监护人并不需要遵照本法第 27 条第 2 款、第 28 条规定的顺序，而应当结合具有监护资格的人与被监护人的生活情感联系、有无利害冲突，具有监护资格的人的品行、身体状况、经济条件以及能够为被监护人提供的教育水平或者生活照料措施等，综合进行判断，并尊重被监护人的真实意愿，选择最有利于被监护人健康成长或者健康恢复、最利于保护被监护人合法权益的人担任监护人。

第 3 款规定了临时监护制度。监护争议解决程序需要一定的时间，如果依照本条第 1 款规定指定监护人前，被监护人的人身权利、财产权利及其他合法权益处于无人保护状态，例如具有监护资格的人互相推诿都不愿担任监护人，为了保护被监护人的合法权益，有必要设立临时监护制度。依据本条规定，临时监护人由被监护人住所地的居民委员会、村民委员会、法律规定的有关组织或者民政部门担任。本款中的“依照本条第一款规定指定监护人前”应当从宽理解，不能仅限于监护争议解决期间。从时间点上，应当包括以下两个期间：一是监护争议解决程序启动之后，即居民委员会、村民委员会、民政部门开始处理监护争议或者人民法院受理监护申请之后，至指定监护人之前的期间；二是监护争议解决程序启动之前，只要发现因无人履行监护职责，被监护人的合法权益处于无人保护状态的，就由本条规定的居民委员会、村民委员会、法律规定的有关组织或者民政部门担任临时监护人，随后再依法启动监护争议解决程序，指定监护人。

对于第 3 款规定的担任临时监护人的主体“法律规定的有关组织”，主要是指符合法定条件的公益组织。实践中，有监护意愿和能力的公益组织不断增多，为了吸引更多的主体参与监护事业，更好保护被监护人的合法权益，法律有必要为实践的发展留下一定的空间。当被监护人的合法权益处于无人保护状态出现时，临时监护人要能及时承担起监护职责，并充分履行好监护职责，因此有资格担任临时监护人的公益组织应当相对固定，并符合较高的履职条件。至于应当符合哪些具体条件，哪些公益组织有资格担任临时监护人，可以在将来由法律根据实践发展情况作出规定。

第 4 款规定了指定监护的法律效力。依照监护争议解决程序，由居民委员会、村民委员会、民政部门或者人民法院指定监护人后，被指定的监护人应当履行监护职责，不得推卸，不得擅自变更。如果擅自变更为由其他人担任监护人的，不免除被指定的监护人的责任。被监护人侵害他人的合法权益，或者被监护人自身受到损害的，被指定的监护人仍应当承担责任，擅自变更后的监护人也要根据过错程度承担相应的责任。

第三十二条　没有依法具有监护资格的人的，监护人由民政部门担任，也可以由具备履行监护职责条件的被监护人住所地的居民委员会、村民委员会担任。

【释义】　本条是关于民政部门或者居民委员会、村民委员会担任监护人的规定。

本条规定的“没有依法具有监护资格的人的”，主要指没有本法第27条、第28条规定的具有监护资格的人的情况，即被监护人的父母死亡或者没有监护能力，也没有其他近亲属，或者其他近亲属都没有监护能力，而且还没有符合条件的其他愿意担任监护人的个人或者组织。如果存在具有监护资格的人，但其拒绝担任监护人的，不适用本条规定。民法通则规定，没有依法具有监护资格的人的，由未成年人的父母所在单位、成年被监护人的所在单位或者被监护人住所地的居民委员会、村民委员会或者民政部门担任监护人。本条对此作出调整：一是删去了未成年人的父母所在单位、成年被监护人所在单位担任监护人的规定；二是强化了民政部门的职责，由民政部门担任兜底性的监护人；三是规定具备履行监护职责条件的居民委员会、村民委员会也可以担任监护人。

在民法总则起草过程中，有的意见认为，由居民委员会、村民委员会担任监护人在实践中难以落实，应当取消居民委员会、村民委员会担任监护人的职责。主要原因有:一是缺乏物质保障。随着经济发展和社会转型,与计划经济时代相比,目前居民委员会和村民委员会履行监护职责的作用和功能明显弱化,经费不足、工作人员数量少、任务重,严重制约了其承担监护职责。尤其是担任精神障碍患者的监护人,难以承担治疗费用以及被监护人致人损害后的赔偿费用。二是缺乏可操作性。监护工作本身较为专业,居民委员会、村民委员会没有担任监护人的专业能力。未成年人的监护人要承担对未成年人的保护、教育和抚养职责,但居民委员会、村民委员会无法承担教育职责。三是居民委员会和村民委员会作出决议程序性强,不能适应及时履行监护职责的要求。四是居民委员会、村民委员会是居民或村民自我管理、自我教育、自我服务的基层群众性自治组织,不属于政府职能部门,不宜成为承担监护职责的主体。

也有意见认为,不宜取消居民委员会、村民委员会担任监护人的职责。在现阶段,居民委员会、村民委员会还应与民政部门一起作为兜底的监护人。理由有:一是居民委员会、村民委员会遍布城乡。而如果单独由民政部门担任监护人,民政部门不一定能完全承担并履行监护职责。二是居民委员会、村民委员会可以不改变被监护人已适应的生活环境,采取寄养、代养等方式,最大限度消除孤儿身份造成的心理阴影。三是实践中也有一些有能力有条件的居民委员会、村民委员会在履行监护职责且效果良好。四是监护职责落实问题,可以通过增加与履行监护职责相适应的财政资金补助等配套措施予以解决。

经研究认为,我国宪法、城市居民委员会组织法和村民委员会组织法规定,居民委员会、村民委员会是自我管理、自我教育、自我服务的基层群众性自治组织,办理本居住地区的公共事务和公益事业。居民委员会、村民委员会对居住地区的未成年人和成年被监护人的健康状况、家庭情况等比较了解，如果具备履行监护职责条件，就可以担任监护人。这样规定也符合居民委员会、村民委员会的性质和职责。实践中，居民委员会、村民委员会担任监护人的情形比较少，但也确实有一些具备履行监护职责条件的居民委员会、村民委员会担任监护人，对此法律上不宜“一刀切”而完全否定，因此本条在保留居民委员会、村民委员会担任监护人的基础上，规定没有依法具有监护资格的人的，在主要由民政部门兜底的前提下，监护人也可以由具备履行监护职责条件的居民委员会、村民委员会担任，作为承担监护职责的补充主体。

在民法总则起草过程中，有不少意见提出，第一，大部分情况下，居民委员会、村民委员会现实中很难承担监护职责，鉴于民政部门的定位及职能，建议以民政部门为主要的兜底监护人。第二，民法通则规定，由被监护人住所地的居民委员会、村民委员会或者民政部门承担兜底性的监护责任。该规定没有区分承担兜底性的监护责任的主次顺序，非常不利于保护被监护人的合法权益。第三，多年来，民政事业有了很大进步，民政部门有能力承担起兜底性的监护职责，事实上，民政部门已经承担起未成年人的兜底性监护职责，建议进一步加强民政部门的监护职责。

实践中，没有依法具有监护资格的人的情况比较复杂，有的是父母死亡成为孤儿，有的是父母长期服刑或者一方死亡一方失踪，成为事实上的孤儿，有的精神病人的父母因年老无力监护，其他近亲属因经济条件等各种原因也无力监护，等等。随着国家经济实力的增强和治理能力的提高，国家作为社会救助和保障的最后一道防线，应当强化监护职能，在监护人缺位时由政府民政部门担任兜底监护人，保障这些人的生活得到照料，使这些人的合法权益不至于受到侵害，也避免一些没有监护人的精神障碍患者危及他人。民政部门作为负责社会救济和社会福利的主要工作部门，应承担起更多的职责。综合各方面意见，经反复研究，本条规定民政部门承担主要的兜底性监护职责。

第三十三条 具有完全民事行为能力的成年人，可以与其近亲属、其他愿意担任监护人的个人或者组织事先协商，以书面形式确定自己的监护人。协商确定的监护人在该成年人丧失或者部分丧失民事行为能力时，履行监护职责。

【释义】 本条是关于意定监护的规定。

我国当前人口老龄化趋势明显，单一的法定监护制度已经难以满足形势发展的需要。基于我国实际情况，并借鉴境外立法例，本条规定了意定监护制度，有利于成年人基于自己的意愿选任监护人。我国老年人权益保障法第26条第1款对意定监护制度作出规定："具备完全民事行为能力的老年人，可以在近亲属或者其他与自己关系密切、愿意承担监护责任的个人、组织中协商确定自己的监护人。监护人在老年人丧失或者部分丧失民事行为能力时，依法承担监护责任。"老年人权益保障法规定意定监护制度主要是考虑到老年人的智力有一个逐渐衰减的过程，在老年人清醒的时候，应当尊重老年人的意愿，允许其为自己选择丧失民事行为能力或者部分丧失民事行为能力时的监护人。民法总则在老年人权益保障法规定的基础上，进一步扩大了适用范围，将意定监护制度适用于具有完全民事行为能力的成年人。

为了适应高龄化社会和改善身心障碍者福利，境外一些立法例也对意定监护制度作出规定。例如，日本1999年制定了《关于任意监护合同的法律》，以特别法的形式创设了意定监护制度，对意定监护制度作出了系统规定。《关于任意监护合同的法律》第2条、第4条对任意监护合同作了界定。第2条规定：任意监护合同是指委托人就自己在因精神障碍不能完全辨识自己的行为时的生活、疗养看护及财产管理方面的全部或部分事务，授予受托人代理权的委托合同。合同自第4条第1款规定的任意监护监督人被选任之时起生效。第4条第1款规定：在任意监护合同已登记的情况下，当本人因精神障碍不能完全辨识自己的行为时，家庭法院根据本人、配偶或4代血亲内的亲戚或任意监护受托人的请求，选任任意监护监督人。法国2007年全面修改成年监护制度，也创立了意定监护制度。《法国民法典》专设一节规定“将来实行保护”的委托，对该项制度的适用情形、委托的生效、委托代理人的职责、委托终止等内容作出了全面规定。《法国民法典》第477条规定，任何没有受到监护的成年人或者解除亲权的未成年人，均可用委托书，写明在其本人出现意思能力有欠缺而不能维护其本人利益时，委托一人或数人为其代理。英美法系国家也有类似规定。例如，《英国持续性代理权授予法》第2条规定，持续性代理权是在本人意思能力丧失后得继续代理事务之意，需在法院登录注册。第4条第3项规定，本人在代理权授予证书上须言明，代理权在本人意思能力丧失后仍存续。《加拿大统一代理权法》第1条规定，若以书面授予代理权，在授权状中约定，即使嗣后授权者变为精神薄弱，代理权仍存续时，则承认其持续性代理权，且该书面约定必须要有授予者本人及证人一人签名，代理人及代理人的配偶不得为证人。

意定监护是在监护领域对自愿原则的贯彻落实，是具有完全民事行为能力的成年人对自己将来的监护事务，按照自己的意愿事先所作的安排。依据本条规定，具有完全民事行为能力的成年人确定自己丧失或者部分丧失民事行为能力时的监护人，应当事先取得被选择方的认可，即经双方协商一致。意定监护对被监护人的权益影响很大，应以书面方式为宜，明确写明经双方认可的内容，对于其真实性、合法性加以保障，从根源上减少意定监护纠纷。

意定监护作为一种确定监护人的方式，是相对于法定监护来说的。意定监护是对成年人完全基于自己意愿选择监护人的尊重，自己意愿是起决定性的；法定监护是基于法律规定的条件和程序确定监护人，本法第 27 条至第 32 条对此作了规定。需要注意的是，意定监护不同于本法第 30 条规定的协议确定监护人，后者仍然属于法定监护方式，协议的主体是具有监护资格的人。一般而言，意定监护优先于法定监护予以适用。法律设立意定监护制度即是要尊重成年人自己的意愿，当然具有优先适用的地位。只有在意定监护协议无效或者因各种原因，例如协议确定的监护人丧失监护能力，监护协议无法履行的情况下，再适用法定监护。

本条确立了意定监护制度，但规定较为原则。在民法总则起草过程中，也有一些意见建议对意定监护监督人、如何启动监护等作出更加具体的规定。意定监护制度作为一项较新的制度，在实践中具体如何落实仍有必要进一步研究探索。此外，民法总则侧重于建立监护制度的基本框架，规定监护的基本制度和原则，意定监护制度涉及的一些具体问题，可以在编纂民法典分编或者修改相关单行法过程中做进一步研究。

第三十四条　监护人的职责是代理被监护人实施民事法律行为，保护被监护人的人身权利、财产权利以及其他合法权益等。

监护人依法履行监护职责产生的权利，受法律保护。

监护人不履行监护职责或者侵害被监护人合法权益的，应当承担法律责任。

【释义】　本条是关于监护职责内容的规定。

关于监护的性质问题，学术上存在争议，主要有“权利说”“义务或者职责说”“权利义务一致说”等。本条侧重于强调监护职责，同时也要保护因履行监护职责所产生的权利。

本条第1款规定了监护人的职责。弥补被监护人民事行为能力不足是监护制度设立的重要目的，被监护人往往不能独立实施民事法律行为，这就需要由监护人代理实施。本款将“代理被监护人实施民事法律行为”从监护职责中单列出来作强调。监护人保护被监护人的人身权利、财产权利以及其他合法权益的职责，主要包括：保护被监护人的身心健康，促进未成年人的健康成长，对成年被监护人也要积极促进其健康状况的恢复；照顾被监护人的生活；管理和保护被监护人的财产；对被监护人进行教育和必要的管理；在被监护人合法权益受到侵害或者与人发生争议时，代理其进行诉讼等。相关单行法也对监护人的监护职责作出较为具体的规定。例如，未成年人保护法专章对未成年人的父母或者其他监护人的监护职责作出具体规定。未成年人保护法第11条规定，父母或者其他监护人应当关注未成年人的生理、心理状况和行为习惯，以健康的思想、良好的品行和适当的方法教育和影响未成年人，引导未成年人进行有益身心健康的活动，预防和制止未成年人吸烟、酗酒、流浪、沉迷网络以及赌博、吸毒、卖淫等行为。第13条规定，父母或者其他监护人应当尊重未成年人受教育的权利，必须使适龄未成年人依法入学接受并完成义务教育，不得使接受义务教育的未成年人辍学。精神卫生法对精神障碍患者的监护人职责作出了规定。精神卫生法第30条、第31条规定，诊断结论、病情评估表明，就诊者为严重精神障碍患者并已经发生伤害自身的行为，或者有伤害自身的危险的，没有实施住院治疗而在家居住的，监护人应当做好看护管理。第49条规定，精神障碍患者的监护人应当妥善看护未住院治疗的患者，按照医嘱督促其按时服药、接受随访或者治疗。

第2款规定了监护人因履行监护职责所产生的权利。监护人在履行监护职责的过程中，也会因此享有一定的权利。例如，监护人为保护被监护人的人身权益，享有医疗方案的同意权；监护人为了保护被监护人财产权益，享有财产的管理和支配权；被监护人合法权益受到侵害或者与人发生争议时，代理被监护人参加诉讼的权利等。监护人享有这些权利，是为履行监护职责所需要，目的还是保护被监护人的人身、财产权利及其他合法权益。监护人行使这些权利时，其他人不得侵害或者剥夺。相关单行法也对监护人因履行监护职责所产生的权利作出规定。广告法第33条规定，广告主或者广告经营者在广告中使用无民事行为能力人、限制民事行为能力人的名义或者形象的，应当事先取得其监护人的书面同意。母婴保健法第19条规定，依照本法规定施行终止妊娠或者结扎手术，本人无行为能力的，应当经其监护人同意，并签署意见。

第3款规定了监护人的责任。被监护人都是未成年人或者辨识能力不足的成年人，监护人是否能履行好监护职责，对被监护人权益影响很大。监护人如果不履行监护职责或者侵害被监护人合法权益的，应当承担相应的责任，主要包括两个方面：一是对被监护人的侵权行为承担责任。侵权责任法第32条规定，无民事行为能力人、限制民事行为能力人造成他人损害的，由监护人承担侵权责任。监护人尽到监护责任的，可以减轻其侵权责任。有财产的无民事行为能力人、限制民事行为能力人造成他人损害的，从本人财产中支付赔偿费用。不足部分，由监护人赔偿。二是监护人不履行监护职责或者侵害被监护人合法权益，造成被监护人人身、财产损害的，应当承担民事责任。民法总则第179条对承担民事责任的主要方式作出规定，包括停止侵害、赔偿损失等。

第三十五条　监护人应当按照最有利于被监护人的原则履行监护职责。监护人除为维护被监护人利益外，不得处分被监护人的财产。

未成年人的监护人履行监护职责，在作出与被监护人利益有关的决定时，应当根据被监护人的年龄和智力状况，尊重被监护人的真实意愿。

成年人的监护人履行监护职责，应当最大程度地尊重被监护人的真实意愿，保障并协助被监护人实施与其智力、精神健康状况相适应的民事法律行为。对被监护人有能力独立处理的事务，监护人不得干涉。

【释义】　本条是关于履行监护职责应当遵循的原则的规定。

监护人履行监护职责涉及被监护人人身、财产等各个方面，法律难以对所有具体履行职责的行为作出规范。通过确立监护人履行监护职责的重要原则，有利于指导监护人履行监护职责的行为，保护好被监护人的人身、财产权利及其他合法权益。本条确立了监护人履行监护职责的两项基本原则：一是最有利于被监护人的原则；二是尊重被监护人意愿的原则。

本条第1款确立了最有利于被监护人的原则。依据本款规定，对未成年人和成年被监护人的监护，均要遵循最有利于被监护人的原则，即监护人在保护被监护人的人身权利、财产权利及其他合法权益的过程中，要综合各方面因素进行权衡，选择最有利于被监护人的方案，采取最有利于被监护人的措施，使被监护人的利益最大化。例如，监护人要选择最有利于成年被监护人健康状况恢复的治疗方案、护理措施等；在将被监护人自住以外的房产出租时，选择合适的承租人，以市场价确定租金，并且租金收益归被监护人所有，监护人不得据为己有。本款还规定，除为被监护人利益外，监护人不得处分被监护人的财产。对被监护人财产的处分，必须是为维护被监护人的利益，如为了被监护人的生活、教育等，并且也要符合最有利于被监护人的原则。

第2款规定了尊重未成年人意愿的原则。联合国《儿童权利公约》规定了对儿童自主意识的尊重。《儿童权利公约》第12条第1款规定：缔约国应确保有主见能力的儿童有权对影响到其本人的一切事项自由发表自己的意见，对儿童的意见应按照其年龄和成熟程度给予适当的看待。未成年人保护法落实了《儿童权利公约》的这一原则。未成年人保护法第14条规定，父母或者其他监护人应当根据未成年人的年龄和智力发展状况，在作出与未成年人权益有关的决定时告知其本人，并听取他们的意见。本款吸收了《儿童权利公约》和未成年人保护法规定的精神,将尊重未成年人的真实意愿作为监护人履行监护职责的基本原则之一。依据本款规定,未成年人的监护人在作出与未成年人的利益有关的决定时,应当征求未成年人的意见,在未成年人提出自己的意见后,再根据未成年人的年龄、社会经验、认知能力和判断能力等,探求、尊重被监护人的真实意愿。

第 3 款规定了最大程度地尊重成年被监护人意愿的原则。与第 2 款的规定有所区别,对成年被监护人的意愿,要做到“最大程度地”尊重。最大程度地尊重被监护人的真实意愿是成年人的监护人履行监护职责的基本原则,贯穿于履行监护职责的方方面面。如果某项民事法律行为,根据被监护人的智力、精神健康状况,被监护人可以独立实施,监护人不得代理实施,要创造条件保障、支持被监护人独立实施。监护人不得干涉被监护人有能力独立处理的事务,促进被监护人按照自己的意愿独立、正常生活。

第 3 款规定参考了境外立法例,顺应了当今国际上成年监护制度改革的趋势。从 20 世纪 60 年代开始,为了切实保护身心障碍者的利益,国际社会开始倡导“尊重自我决定权”“维持生活正常化”的保护新理念。目的是充分利用和尊重身心障碍者认知判断能力,允许其对与自身生活密切相关的事项进行“自治”,在一定的范围内进行民事行为,以最大程度地尊重其作为一个“人”的基本权利。《残疾人权利公约》充分体现了这一保护理念。《残疾人权利公约》第 3 条规定,本公约的原则是:(1)尊重固有尊严和个人自主,包括自由作出自己的选择,以及个人的自立;……(3)充分和切实地参与和融入社会。大陆法系主要国家或者地区为了顺应时代发展的需要,对成年监护制度进行了改革,将“尊重自我决定权”“维持生活正常化”的保护新理念融入改革中。例如,德国于 1990 年颁布《成年照管法》,对包括民法典在内的几十种法律法规作出修改。修改后的民法典废除了禁治产制度,创立全新的“照管制度”,经过 1998 年法律的再次修正,“照管”被称为“法律上的照管”,代替原来的成年人监护和保佐制度,最大程度地保障成年被照管人“自我决定权”的实现。依据《德国民法典》第 1901 条、第 1902 条的规定,照管人要保障被照管人在其能力所及范围内按照自己的愿望和想法计划其生活的可能性,照管人必须满足被照管人的愿望,在了解重要事务之前,照管人应与被照管人进行商讨,但以这样做不违背被照管人的最佳利益为限。法国、日本民法典及我国台湾地区“民法”也都对成年监护制度进行了不同程度的改革,将“尊重自我决定权”“维持生活正常化”的保护新理念贯彻其中。

《残疾人权利公约》是中国政府从倡导到起草、签批全程参与的一个人权公约,我国于 2008 年批准加入了这个公约,并且未作任何保留。《残疾人权利公约》第 12 条指出,缔约国应当确认残疾人在生活的各方面在与其他人平等的基础上享有法律权利能力。

在民法总则起草过程中,国内也有一些意见,建议参照《德国民法典》《日本民法典》的做法,从根本上对成年监护制度进行改革,贯彻国际保护新理念。

经过认真调查研究,反复讨论认为,成年监护制度的改革涉及很多方面,内容非常复杂,需要结合国情循序渐进。这次民法总则也在积极推进,本条第 3 款的规定确立了成年人的监护人履行监护职责的基本原则,下一步如何对成年监护制度进行改革,将根据中国国情,在实践探索的基础上作进一步研究。

第三十六条　监护人有下列情形之一的,人民法院根据有关个人或者组织的申请,撤销其监护人资格,安排必要的临时监护措施,并按照最有利于被监护人的原则依法指定监护人:

(一)实施严重损害被监护人身心健康行为的;

(二)怠于履行监护职责,或者无法履行监护职责并且拒绝将监护职责部分或者全部委托给他人,导致被监护人处于危困状态的;

(三)实施严重侵害被监护人合法权益的其他行为的。

本条规定的有关个人和组织包括:其他依法具有监护资格的人,居民委员会、村民委员会、学校、医疗机构、妇女联合会、残疾人联合会、未成年人保护组织、依法设立的老年人组织、民政部门等。

前款规定的个人和民政部门以外的组织未及时向人民法院申请撤销监护人资格的,民政部门应当向人民法院申请。

【释义】　本条是关于撤销监护人资格的规定。

为了更好地保护被监护人的合法权益,根据司法实践情况,本条对撤销监护人资格诉讼的申请主体、适用情形等内容作出明确规定,并强化了民政部门的职责。

实践中,监护人严重侵害被监护人合法权益的行为时有发生,引起社会广泛关注。例如,媒体披露的父母吸毒,孩子在家里被饿死等。本条规定根据实践情况,在民法通则、未成年人保护法、反家庭暴力法和有关司法解释、部门规章等规定的基础上,对撤销监护人资格诉讼作出进一步明确的规定。民法通则

第 18 条规定，监护人不履行监护职责或者侵害被监护人的合法权益的，人民法院可以根据有关人员或者有关单位的申请，撤销监护人的资格。未成年人保护法第 53 条规定，父母或者其他监护人不履行监护职责或者侵害被监护的未成年人的合法权益，经教育不改的，人民法院可以根据有关人员或者有关单位的申请，撤销其监护人的资格，依法另行指定监护人。反家庭暴力法第 21 条规定，监护人实施家庭暴力严重侵害被监护人合法权益的，人民法院可以根据被监护人的近亲属、居民委员会、村民委员会、县级人民政府民政部门等有关人员或者单位的申请，依法撤销其监护人资格，另行指定监护人。《最高人民法院关于贯彻执行〈中华人民共和国民法通则〉若干问题的意见（试行）》对可以申请撤销监护人资格的“有关人员或者有关单位”进行了明确，即指“民法通则规定的其他有监护资格的人或者单位”。民政部《生活无着的流浪乞讨人员救助管理机构工作规程》第 43 条赋予救助管理机构的申请主体资格，规定流出地救助管理机构应当对受助未成年人的家庭监护情况进行调查评估，对拒不履行监护责任、经反复教育不改的，由救助管理机构向人民法院提出申请撤销其监护人资格，依法另行指定监护人。《最高人民法院、最高人民检察院、公安部、民政部关于依法处理监护人侵害未成年人权益行为若干问题的意见》（以下简称“四部门意见”）对撤销监护人资格诉讼的适用情形、申请主体等内容作出了比较具体的规定。“四部门意见”第 27 条规定的有权向人民法院申请撤销监护人资格的主体主要有：未成年人的其他监护人，祖父母、外祖父母、兄、姐，关系密切的其他亲属、朋友；未成年人住所地的村（居）民委员会，未成年人父、母所在单位；民政部门及其设立的未成年人救助保护机构；共青团、妇联、机关工委、学校等团体和单位。

本条第1款规定了撤销监护人资格诉讼的适用情形。一是实施严重损害被监护人身心健康行为的,例如性侵害、出卖、遗弃、虐待、暴力伤害被监护人等。二是怠于履行监护职责,或者无法履行监护职责并且拒绝将监护职责部分或者全部委托给他人,导致被监护人处于危困状态的。例如,父母有吸毒、赌博等恶习,怠于履行监护职责,导致儿童面临严重危险等;父母外出打工,也没有将监护职责委托给他人,留下年龄较小的儿童独立在家生活,处于危困状态等。三是兜底性规定,只要有严重侵害被监护人合法权益行为的,均可以撤销监护人资格。例如,教唆、利用未成年人实施违法犯罪行为等。

在起草过程中,有的意见建议,在撤销监护人资格的情形中增加一项,即"实施严重损害被监护人财产的行为的。"经研究认为,本条对撤销监护人资格的情形采取了列举加兜底的形式。列举的两类情形,即监护人实施严重损害被监护人身心健康行为,以及不履行监护职责导致被监护人处于危困状态。这两类情形是实践中反映较多、较突出的问题,并直接危及被监护人的健康成长与基本生存。将这两类情形单独进行列举规定,有利于积极回应司法实践的迫切需求,有针对性地解决监护实践中的突出问题。目前来看,司法实务中,关于实施严重损害被监护人财产行为的案件较少,反映的问题也不是特别突出,并且也已经包含在本条规定的兜底情形"实施严重侵害被监护人合法权益的其他行为"中,暂不单独列举,也不影响对该类型案件的处理,今后可根据司法实践的发展情况再作研究。

撤销监护人资格诉讼往往要持续一定的时间。在此期间内,如果被监护人的人身、财产等合法权益处于无人保护状态的,人民法院应当安排必要的临时监护措施。依据民法总则第31条第3款的规定,人民法院可以指定被监护人住所地的居民委员会、村民委员会、法律规定的有关组织或者民政部门担任临时监护人。

第2款对有权向法院申请撤销监护人资格的主体作出规定,包括其他依法具有监护资格的人,居民委员会、村民委员会、学校、医疗机构、妇女联合会、残疾人联合会、未成年人保护组织、依法设立的老年人组织、民政部门等。

"其他依法具有监护资格的人"主要依据民法总则第27条、第28条的规定确定。例如,配偶担任监护人的,其他依法具有监护资格的人,指民法总则第28条规定的父母、子女、其他近亲属、经被监护人住所地的居民委员会、村民委员会或者民政部门同意的其他愿意担任监护人的个人或者组织。

居民委员会、村民委员会是基层群众性自治组织,负责办理本村或者本居住地区居民的公共事务和公益事业。妇女联合会、残疾人联合会是分别代表和维护妇女权益、残疾人权益的组织。未成年人保护组织成立宗旨即保护未成年人合法权益。一些依法设立的老年人组织也致力于维护老年人合法权益。以上这些组织具有保护被监护人合法权益的意愿,也具有较强的提起诉讼的能力。学校、医疗机构往往能及时发现学生、患者受到侵害的情况,有些情况下也具有向法院提起诉讼的意愿。民政部门作为政府重要职能部门,负责社会救助和社会福利方面的工作,具有保护未成年人以及无民事行为能力人、限制民事行为能力人合法权益的职责。法律赋予这些主体提起撤销监护人资格诉讼的资格,符合这些组织的设立宗旨或者职能定位,有利于发挥好这些组织保护被监护人权益的作用。

第3款对兜底性的申请主体作出规定。实践中，对于一些严重侵害被监护人合法权益的行为，第2款规定的个人和民政部门以外的组织因各种原因未及时向人民法院提出撤销监护人资格的申请，导致被监护人的合法权益无法得到保护。由于国家是社会救助和保障的最后一道防线，在这些情况下，民政部门应当承担起向法院申请撤销监护人资格的职责。要正确理解本款与第2款赋予民政部门申请主体资格的关系。民政部门只要是发现具有严重侵害被监护人合法权益的情形，即可依据本条第2款规定，向法院申请撤销监护人资格，不需要等到其他个人或者组织都不向法院申请之后再行申请。如果其他个人或者组织都不向法院申请撤销监护人资格，此时，民政部门应当依照第3款规定，主动向法院提出申请。

第三十七条　依法负担被监护人抚养费、赡养费、扶养费的父母、子女、配偶等，被人民法院撤销监护人资格后，应当继续履行负担的义务。

【释义】　本条是关于法定扶养义务人继续负担扶养费的规定。

实践中，监护人往往由父母、子女、配偶等法定扶养义务人担任。监护人被撤销监护人资格后，就不能再继续履行监护职责。但法定抚养义务是基于血缘等关系由婚姻法确立的法律义务，该义务不因监护人资格的撤销而免除。

我国婚姻法确立的法定扶养义务主要有以下几类：

一是父母、子女之间的扶养、赡养义务。婚姻法第21条规定："父母对子女有抚养教育的义务；子女对父母有赡养扶助的义务。父母不履行抚养义务时，未成年的或不能独立生活的子女,有要求父母付给抚养费的权利。子女不履行赡养义务时,无劳动能力的或生活困难的父母,有要求子女付给赡养费的权利。”

二是夫妻之间的扶养义务。婚姻法第20条规定:“夫妻有互相扶养的义务。一方不履行扶养义务时,需要扶养的一方,有要求对方付给扶养费的权利。”

三是祖父母、外祖父母与孙子女、外孙子女之间的抚养、赡养义务。婚姻法第28条规定:“有负担能力的祖父母、外祖父母,对于父母已经死亡或父母无力抚养的未成年的孙子女、外孙子女,有抚养的义务。有负担能力的孙子女、外孙子女,对于子女已经死亡或子女无力赡养的祖父母、外祖父母,有赡养的义务。”

四是兄、姐与弟、妹之间的扶养义务。婚姻法第29条规定:“有负担能力的兄、姐,对于父母已经死亡或父母无力抚养的未成年的弟、妹,有扶养的义务。由兄、姐扶养长大的有负担能力的弟、妹,对于缺乏劳动能力又缺乏生活来源的兄、姐,有扶养的义务。”

依据本条规定,在具有法定扶养义务的人担任监护人的情况下,监护人资格被撤销,不再担任监护人后,具有法定扶养义务的人,例如配偶、父母、子女等,仍应继续负担抚养费、赡养费、扶养费。未成年人保护法、反家庭暴力法已经针对各自的领域作出了相同规定。未成年人保护法第53条规定:“父母或者其他监护人不履行监护职责或者侵害被监护的未成年人的合法权益,经教育不改的,人民法院可以根据有关人员或者有关单位的申请,撤销其监护人的资格,依法另行指定监护人。被撤销监护资格的父母应当依法继续负担抚养费用。”反家庭暴力法第21

条规定:“监护人实施家庭暴力严重侵害被监护人合法权益的,人民法院可以根据被监护人的近亲属、居民委员会、村民委员会、县级人民政府民政部门等有关人员或者单位的申请,依法撤销其监护人资格,另行指定监护人。”“被撤销监护人资格的加害人,应当继续负担相应的赡养、扶养、抚养费用。”与未成年人保护法、反家庭暴力法的规定相比,本条属于一般性规定,适用于所有具有法定扶养义务的人被撤销监护人资格的情形。只要具有法定扶养义务的人因严重侵害被监护人合法权益被撤销监护人资格的,均应继续履行负担抚养费、赡养费、扶养费的义务。

第三十八条　被监护人的父母或者子女被人民法院撤销监护人资格后,除对被监护人实施故意犯罪的外,确有悔改表现的,经其申请,人民法院可以在尊重被监护人真实意愿的前提下,视情况恢复其监护人资格,人民法院指定的监护人与被监护人的监护关系同时终止。

【释义】　本条是关于恢复监护人资格的规定。

实践中,有的监护人在资格被撤销后,确有悔改表现,有继续担任监护人的愿望。鉴于侵害被监护人合法权益的情形较为复杂,对于是否可以恢复监护人资格,法律不宜一概否定,有必要留下一定的空间。对于未成年人的监护人资格被撤销后的恢复,司法实践已经进行了一定的探索。《最高人民法院、最高人民检察院、公安部、民政部关于依法处理监护人侵害未成年人权益行为若干问题的意见》第40条规定:“人民法院经审理认为申请人确有悔改表现并且适宜担任监护人的,可以判决恢复其监护人资格,原指定监护人的监护人资格终止。”“申请人具有下列情形之一的,一般不得判决恢复其监护人资格:(一)性侵害、出卖未成年人的;(二)虐待、遗弃未成年人六个月以上、多次遗弃未成年人,并且造成重伤以上严重后果的;(三)因监护侵害行为被判处五年有期徒刑以上刑罚的。”本条在认真总结司法实践经验的基础上,对恢复监护人资格设定了非常严格的限制。

依据本条规定,恢复监护人资格必须要向法院申请,由人民法院决定是否予以恢复。父母与子女是最近的直系亲属关系,本条适用的对象仅限于被监护人的父母或者子女,其他个人或者组织的监护人资格一旦被撤销,即不再恢复。被监护人的父母或者子女被撤销监护人资格后,再恢复监护人资格还需要满足以下几个条件:一是没有对被监护人实施故意犯罪的情形,如对被监护人实施性侵害、虐待、遗弃被监护人等构成刑事犯罪的,不得恢复监护人资格。但对因过失犯罪,例如因过失导致被监护人受到伤害等被撤销监护人资格的,则可以根据具体情况来判断是否恢复监护人资格。二是确有悔改表现,即被监护人的父母或者子女不但要有悔改的意愿,还要有实际的悔改表现,这需要由人民法院根据具体情形予以判断。三是要尊重被监护人的真实意愿,如果被监护人不愿意父母或者子女继续担任监护人的,则不得恢复监护人资格。四是即使符合以上条件,法院也还需要综合考虑各方面情况,从有利于被监护人权益保护的角度,决定是否恢复监护人资格。

在起草过程中,本条规定的恢复监护人资格条件经过了一个逐步趋严的过程。草案一审稿第 35 条规定:“原监护人被人民法院撤销监护人资格后,确有悔改情形的,经其申请,人民法院可以视情况恢复其监护人资格,人民法院指定的新监护人与被监护人的监护关系同时终止。”依据该规定,原监护人均有可能恢复监护人资格。对此,有的意见提出,本条对恢复监护人资格规定得较为原则,"确有悔改情形"在司法实践中认定是有难度的;当原监护人被撤销资格,并产生新的监护关系后,这时如果恢复原监护人的资格,并终止新监护人的资格,监护秩序就会被再次打乱,对被监护人并不一定有利,还有可能挑起矛盾冲突。建议删除本条关于恢复监护人资格的规定,或者保留恢复监护人资格的制度,但应对恢复的条件作出进一步严格的限制。

草案二审稿对恢复监护人资格增加了两个限定条件:一是仅适用于被监护人的父母、子女;二是要尊重被监护人意愿。草案二审稿第 36 条规定:"未成年人的父母被人民法院撤销监护人资格后,确有悔改情形的,经其申请,人民法院可以在尊重被监护人意愿的前提下,视情况恢复其监护人资格,人民法院指定的新监护人与被监护人的监护关系同时终止。"对此,仍然有意见提出,被撤销监护人资格的情形,往往都是严重损害被监护人身心健康的情形,要非常慎重,要严格限定条件;对于实施性侵等严重伤害被监护人的情形,不得恢复监护人资格。草案三审稿以及其后的大会审议稿对恢复监护人资格进一步增加了限制条件,即"除对被监护人实施故意犯罪的外"。

第三十九条　有下列情形之一的,监护关系终止:

(一)被监护人取得或者恢复完全民事行为能力;

(二)监护人丧失监护能力;

(三)被监护人或者监护人死亡;

(四)人民法院认定监护关系终止的其他情形。

监护关系终止后,被监护人仍然需要监护的,应当依法另行确定监护人。

【释义】　本条是关于监护关系终止的情形的规定。

监护关系产生于监护的设立,较为明确。对未成年人或者无民事行为能力、限制民事行为能力的成年人确定了监护人,监护即设立,监护关系即产生。但监护关系终止的情形较为复杂,法律有必要予以明确。

本条第 1 款对监护关系的终止列举了三类典型情形,并作了兜底性规定:

一是被监护人取得或者恢复完全民事行为能力。未成年人年满十八周岁,成为成年人,或者年满十六周岁,但以自己的劳动收入为主要生活来源,即取得完全民事行为能力。无民事行为能力或者限制民事行为能力的成年人的智力、精神健康状况恢复正常,即恢复完全民事行为能力。被监护人取得或者恢复完全民事行为能力,监护没有存在的必要,监护关系即终止,监护人不再履行监护职责。

二是监护人丧失监护能力。监护人具有监护能力,是具有监护资格的必要条件,如果丧失监护能力,也就不得再担任监护人,监护关系终止。监护人丧失监护能力的情形较为复杂,需要根据具体情况具体判断,例如监护人因疾病成为无民事行为能力人,即丧失了监护能力。

三是被监护人或者监护人死亡。被监护人或者监护人一方死亡,监护关系即自动终止。

四是人民法院认定监护关系终止的其他情形。包括监护人资格被人民法院撤销,有正当理由向法院申请变更监护人并得到法院许可等。

依据本条第 2 款规定,在有些监护关系终止的情形,例如监护人死亡、丧失监护能力或者被撤销监护人资格等,被监护人仍然需要监护的,就应当根据具体情况,依据法律的规定另行确定监护人。对于监护人死亡或者丧失监护能力等情形,可以依照民法总则第 27 条至第 32 条重新确定监护人。对于撤销监护人资格的,由人民法院依照民法总则第 36 条的规定,按照最有利于被监护人的原则依法指定监护人。

第三节 宣告失踪和宣告死亡

第四十条 自然人下落不明满二年的,利害关系人可以向人民法院申请宣告该自然人为失踪人。

【释义】 本条是关于宣告失踪的条件的规定。

对宣告失踪和宣告死亡问题,民法通则是在第二章公民(自然人)第三节专节规定,共有六个条文。本法延续民法通则体例,在第二章的第三节,也是专节规定宣告失踪和宣告死亡。本节内容以民法通则规定的六条为基础,基本制度没有大的修改,作了补充细化。主要是对司法解释多年来行之有效,为各方面普遍认可的内容加以修改完善,上升为法律,同时也反映了专家研究意见以及各方面意见和建议。

宣告失踪是指自然人下落不明达到法定的期限,经利害关系人申请,人民法院依照法定程序宣告其为失踪人的一项制度。自然人的失踪将使与其相关的法律关系处于不确定状态,法律设立宣告失踪制度,就是为了调整这种不确定状态,保护相关当事人的利益。通过设立宣告失踪制度,由人民法院宣告自然人失踪,以结束失踪人财产无人管理以及其应当履行的义务不能得到及时履行的不确定状态,保护失踪人和利害关系人的利益,维护社会经济秩序的稳定。

本条基本是民法通则相关内容的延续。民法通则第 20 条第 1 款规定:“公民下落不明满二年的,利害关系人可以向人民法院申请宣告他为失踪人。”本条规定的宣告失踪的条件包含三个层次:

第一,自然人下落不明满二年。所谓下落不明,是指自然人持续不间断地没有音讯的状态。本法第 41 条规定,自然人下落不明的时间从其失去音讯之日起计算。战争期间下落不明的,下落不明的时间自战争结束之日或者有关机关确定的下落不明之日起计算。境外的立法一般也都将自然人下落不明作为法律上认定该自然人失踪的条件,但有的国家并未在法律中规定下落不明必须要达到多长时间,而是交由法官根据实际情况掌握,来作出自然人失踪的推定。有的国家则对此作了明确规定,如《意大利民法典》也规定下落不明满二年作为宣告失踪的条件。考虑到 1986 年制定的民法通则就规定宣告失踪须具备下落不明满二年的条件,多年来司法实践适用总体上也没有出现问题,在民法总则的立法过程中,各方面对这一规定基本也没有提出意见。因此,本条延续了民法通则关于宣告失踪条件的规定。

第二,利害关系人向人民法院申请。对于可以向人民法院提出申请的“利害关系人”包括哪些人,《最高人民法院关于贯彻执行〈中华人民共和国民法通则〉若干问题的意见(试行)》第 24 条规定,申请宣告失踪的利害关系人,包括被申请宣告失踪人的配偶、父母、子女、兄弟姐妹、祖父母、外祖父母、孙子女、外孙子女以及其他与被申请人有民事权利义务关系的人。在立法过程中,各方面对最高人民法院这一司法解释基本没有争议,但普遍认为,为了保持灵活性,这一规定还是继续作为司法解释的内容较好。司法解释这一规定中的“包括”一词,使用得也很妥当,民事生活纷繁复杂,这样表述既明确了利害关系人的一般范围,也为特殊情况留有余地。依照民事诉讼法第 183 条的规定,公民下落不明满二年,利害关系人申请宣告其失踪的,向下落不明人住所地基层人民法院提出。申请书应当写明失踪的事实、时间和请求,并附有公安机关或者其他有关机关关于该公民下落不明的书面证明。

第三,由人民法院依据法定程序进行宣告。宣告失踪在法律效果上对自然人的财产利益产生重大影响,必须由司法机关经过严格程序来进行。因此,宣告失踪只能由人民法院作出,其他任何机关和个人无权作出宣告失踪的决定。依照民事诉讼法的规定,人民法院审理宣告失踪案件,适用特别程序。依照民事诉讼法第 185 条规定,人民法院受理宣告失踪案件后,应当发出寻找下落不明人的公告。宣告失踪的公告期间为三个月。公告期间届满,人民法院应当根据被宣告失踪的事实是否得到确认,作出宣告失踪的判决或者驳回申请的判决。《最高人民法院关于适用〈中华人民共和国民事诉讼法〉的解释》第 347 条规定:"寻找下落不明人的公告应当记载下列内容:(一)被申请人应当在规定期间内向受理法院申报其具体地址及其联系方式。否则,被申请人将被宣告失踪、宣告死亡;(二)凡知悉被申请人生存现状的人,应当在公告期间内将其所知道情况向受理法院报告。"

第四十一条　自然人下落不明的时间从其失去音讯之日起计算。战争期间下落不明的,下落不明的时间自战争结束之日或者有关机关确定的下落不明之日起计算。

【释义】　本条是关于下落不明的时间计算的规定。

民法通则第 20 条第 1 款规定,公民下落不明满二年的,利害关系人可以向人民法院申请宣告他为失踪人。第 23 条第 1 款第 1 项规定，公民下落不明满四年的，利害关系人可以向人民法院申请宣告他死亡。同时在第 20 条第 1 款和第 23 条第 2 款重复规定，“战争期间下落不明的，下落不明的时间从战争结束之日起计算”。但却没有规定一般情况下自然人下落不明的时间如何计算。对此，《最高人民法院关于贯彻执行〈中华人民共和国民法通则〉若干问题的意见（试行）》作出了解释，其中第 28 条第 1 款规定：“民法通则第二十条第一款、第二十三条第一款第一项中的下落不明的起算时间，从公民音讯消失之次日起算。”考虑到下落不明的持续时间是利害关系人申请宣告自然人失踪或者死亡的重要条件，也是人民法院审理宣告失踪、宣告死亡案件的重要依据，其计算标准应当作为一般规则规定在民法总则中。最高人民法院对此所作的司法解释，大体为司法实务和民法学界普遍接受。民法总则草案起草时参考的各种专家建议稿，在此处与司法解释的规定大同小异，只是具体用词上，有的与司法解释类似，表述为“音讯消失之次日起计算”，有的表述为“音讯消失之日起计算”，有的表述为“次日开始计算”，等等。民法通则第 154 条规定，民法所称的期间按照公历年、月、日、小时计算。并规定，按照日、月、年计算期间的，开始的当天不算入，从下一天开始计算。这一规定的精神应当作为我国民法表述期间起算问题的标准和传统，本法在期间计算一章对此规定加以承继。民法通则规定，“战争期间下落不明的，下落不明的时间从战争结束之日起计算”，也即战争结束的当日不算入，从下一日开始计算之意。司法解释规定的“音讯消失之次日起算”，其意可察，唯于民法通则确立的表述传统，易生次日亦不算入之歧义。故此，本条规定表述为“自然人下落不明的时间从其失去音讯之日起计算”,失去音讯之日作为起算日不算入,从下一日开始计算。

本条还规定,战争期间下落不明的,下落不明的时间自战争结束之日或者有关机关确定的下落不明之日起计算。战争期间下落不明的,由于战争状态不同于平时,兵荒马乱,失踪人的行踪难以确定,因此应从战争结束时开始计算下落不明的时间。

“有关机关确定的下落不明之日”是在三审后加的,三审稿还没有。三审稿的条文是“战争期间下落不明的,下落不明的时间自战争结束之日起计算”。2017 年 1 月初,全国人大常委会办公厅将民法总则草案三次审议稿印发全部全国人大代表征求意见。有的代表建议,将三审稿这一条中的“战争结束之日”修改为“军队组织确定的下落不明之日”。讨论这条意见的过程中,有的提出,战争期间下落不明,如果是参加军事行动的人员,这个意见有合理之处,但本条规定的范围也包括战争期间的平民。因此,提请第十二届全国人民代表大会第五次会议审议的《中华人民共和国民法总则(草案)》将这一句修改为:“战争期间下落不明的,下落不明的时间自战争结束之日或者有关机关确定的下落不明之日起计算。”

需要说明的是,本条关于下落不明的时间如何计算的规定,虽然规定在宣告失踪条件的规定之后,但不仅适用于宣告失踪的情形,也适用于宣告死亡的情形,这是立法的本意。前文已述,民法通则在规定宣告失踪条件的第 20 条和宣告死亡条件的第 23 条都只规定了,“战争期间下落不明的,下落不明的时间从战争结束之日起计算”,没有规定一般情况下自然人下落不明的时间如何计算。于是,在民法草案提请常委会审议的一审稿中,第 37 条在民法通则的基础上作了补充,第 1 款规定:“自然人下落不明满二年的，利害关系人可以向人民法院申请宣告其为失踪人。”第2款规定：“自然人下落不明的时间，从失去该自然人音讯之日起计算。战争期间下落不明的，下落不明的时间自战争结束之日起计算。”同时，第42条第1款规定：“自然人有下列情形之一的，利害关系人可以向人民法院申请宣告其死亡：(一)下落不明满四年的；(二)因意外事件，下落不明满二年的。”第3款规定：“下落不明的时间计算，适用本法第三十七条第二款的规定。”一审后，有的意见认为应当删去第42条第3款，因为第37条第2款已经规定了下落不明如何计算，无须重复规定，不言自明。也有意见不赞成删去，认为第37条规定的是宣告失踪的问题，下落不明如何计算规定在第37条第2款，会让人以为只适用于宣告失踪的情形，在规定宣告死亡的第42条有必要另行交代。最后处理办法反映在草案二审稿，二审稿第38条规定：“自然人下落不明满二年的，利害关系人可以向人民法院申请宣告该自然人为失踪人。”第39条规定：“自然人下落不明的时间，从该自然人失去音讯之日起计算。战争期间下落不明的，下落不明的时间自战争结束之日起计算。”即将草案一审稿第37条第2款作文字修改后单列一条规定，同时二审稿第44条只规定宣告死亡的条件，不再规定下落不明的时间计算问题。这样既解决重复规定问题，又通过条文单列，解决只适用于宣告失踪的歧义，表明单列的这一条是民法关于下落不明的时间如何计算的一般规定。以后草案一直到通过，维持这种模式不变。

第四十二条　失踪人的财产由其配偶、成年子女、父母或者其他愿意担任财产代管人的人代管。

代管有争议，没有前款规定的人，或者前款规定的人无代管能力的，由人民法院指定的人代管。

【释义】 本条是关于失踪人的财产代管人的规定。

宣告失踪与宣告死亡不同，自然人被宣告为失踪人后，其民事主体资格仍然存在，尚存在返回的可能，并不产生婚姻关系解除和继承开始等法律后果。法律设立宣告失踪制度，主要目的就是结束失踪人财产无人管理以及其应当履行的义务不能得到及时履行的不确定状态，这既是对失踪人利益的保护，同时也是对失踪人的债权人等利害关系人合法权益的保护。这首先需要明确失踪人的财产由谁来代管。

本条规定是以民法通则第 21 条规定为基础，加以适当修改。该条第 1 款规定："失踪人的财产由他的配偶、父母、成年子女或者关系密切的其他亲属、朋友代管。代管有争议的，没有以上规定的人或者以上规定的人无能力代管的，由人民法院指定的人代管。"

本条规定的"其他愿意担任财产代管人的人"，既包括民法通则第 21 条规定的"其他亲属、朋友"，也包括有关组织。

《最高人民法院关于贯彻执行〈中华人民共和国民法通则〉若干问题的意见（试行）》第 30 条第 1 款规定："人民法院指定失踪人的财产代管人，应当根据有利于保护失踪人财产的原则指定。没有民法通则第二十一条规定的代管人，或者他们无能力作代管人，或者不宜作代管人的，人民法院可以指定公民或者有关组织为失踪人的财产代管人。"第 2 款规定："无民事行为能力人、限制民事行为能力人失踪的，其监护人即为财产代管人。"《最高人民法院关于适用〈中华人民共和国民事诉讼法〉的解释》第 343 条规定："宣告失踪或者宣告死亡案件，人民法院可以根据申请人的请求,清理下落不明人的财产,并指定案件审理期间的财产管理人。公告期满后,人民法院判决宣告失踪的,应当同时依照民法通则第二十一条第一款的规定指定失踪人的财产代管人。”在民法总则立法过程中,有的意见提出,可以将最高人民法院这一司法解释的精神上升为法律,即在人民法院判决宣告失踪的同时就指定失踪人的财产代管人。第一,可以在不影响“配偶、成年子女、父母或者其他愿意担任财产代管人的人”自愿协商的前提下,使财产代管人具体明确。第二,在逻辑上也与本法第 44 条相协调。本法第 44 条规定,财产代管人不履行代管职责、侵害失踪人财产权益或者丧失代管能力的,失踪人的利害关系人可以向人民法院申请变更财产代管人。同时,财产代管人有正当理由的,也可以向人民法院申请变更财产代管人。如果事先未经过人民法院指定为失踪人的财产代管人,也无理由向人民法院申请变更。但这一意见最终未被采纳。

第四十三条　财产代管人应当妥善管理失踪人的财产,维护其财产权益。

失踪人所欠税款、债务和应付的其他费用,由财产代管人从失踪人的财产中支付。

财产代管人因故意或者重大过失造成失踪人财产损失的,应当承担赔偿责任。

【释义】　本条是关于财产代管人职责的规定。

关于财产代管人的职责,民法通则只是在第 21 条第 2 款规定:“失踪人所欠税款、债务和应付的其他费用,由代管人从失踪人的财产中支付。”本条在此基础上作了补充完善,主要参考专家建议稿的相关内容。

本条第1款是对财产代管人维护失踪人权益的原则规定。法律规定财产代管人制度的目的之一就是保护失踪人在下落不明状态下的财产权益,因此财产代管人应当妥善保管失踪人的财产,维护失踪人的财产利益。财产代管人负有像对待自己事务一样的注意义务,来管理失踪人的财产,既包括对失踪人财产的保管,也包括作为代理人收取失踪人的到期债权。与其他有偿的法律关系不同,财产代管人管理失踪人的财产并非合同约定的,而是直接来自法律的规定,代管财产的目的也不是从中获利,该种管理财产的行为通常是无偿的。因此,本条对此规定得也较为原则,财产代管人管理失踪人的财产,只要尽到善良管理人的义务,即能够像管理自己的事务一样管理失踪人的财产,就满足了法律规定的要求。

本条第2款是对财产代管人履行失踪人应当履行的义务的规定。财产代管人的职责不仅仅是维护失踪人的财产权益,还包括代失踪人履行义务,即依照本条规定,从失踪人的财产中支付失踪人所欠税款、债务和应付的其他费用。最高人民法院对此处的"其他费用"做过司法解释。《最高人民法院关于贯彻执行〈中华人民共和国民法通则〉若干问题的意见(试行)》第31条规定,这里的"其他费用",包括赡养费、扶养费、抚育费和因代管财产所需的管理费等必要的费用。

本条第3款是对财产代管人造成失踪人财产损失,应当承担赔偿责任的规定。代管人应当根据有利于保护失踪人财产的原则管好失踪人的财产,不得滥用代管权对失踪人的财产挥霍浪费、挪用谋利或者将失踪人的财产据为己有,侵犯失踪人的财产权益。由于失踪人的代管人从事的是一种无偿的行为,故本条规定,只有在代管人故意或重大过失造成失踪人的财产损害时，才应当承担赔偿责任，对于一般的过失造成的损害不承担赔偿责任。存在这种情形的，在失踪人失踪期间，失踪人的利害关系人可以向人民法院请求财产代管人承担民事责任，并可以依照本法第44条的规定，向人民法院申请变更财产代管人。

第四十四条　财产代管人不履行代管职责、侵害失踪人财产权益或者丧失代管能力的，失踪人的利害关系人可以向人民法院申请变更财产代管人。

财产代管人有正当理由的，可以向人民法院申请变更财产代管人。

人民法院变更财产代管人的，变更后的财产代管人有权要求原财产代管人及时移交有关财产并报告财产代管情况。

【释义】　本条是关于财产代管人变更的规定。

民法通则并未对财产代管人的变更问题作出规定。对此，司法解释作了规定。本条规定是在综合司法解释和专家建议稿相关内容的基础上作出的。《最高人民法院关于贯彻执行〈中华人民共和国民法通则〉若干问题的意见（试行）》第35条第1款规定："失踪人的财产代管人以无力履行代管职责，申请变更代管人的，人民法院比照特别程序进行审理。"第2款规定："失踪人的财产代管人不履行代管职责或者侵犯失踪人财产权益的，失踪人的利害关系人可以向人民法院请求财产代管人承担民事责任。如果同时申请人民法院变更财产代管人的，变更之诉比照特别程序单独审理。"

变更财产代管人需要有法定的事由。依照本条第1款的规定，如果出现财产代管人不履行代管职责、侵害失踪人财产权益或者丧失代管能力等事由，表明该财产代管人已经不再适格，则失踪人的利害关系人就可以向人民法院申请变更财产代管人。财产代管人不履行职责，既可以表现为不行使失踪人权利，比如不收取失踪人债权，也可以表现为不履行失踪人应当履行的义务，比如清偿债务、缴纳税款等。侵害失踪人财产权益，可以表现为不当处分失踪人的财产，滥用代管权对失踪人的财产挥霍浪费，与他人恶意串通侵夺失踪人的财产等。财产代管人丧失了代管能力，可以表现为财产代管人丧失了行为能力。出现上述情形，明显对失踪人不利，甚至会严重侵害失踪人的财产利益。因此，本条规定这些情况下失踪人的利害关系人可以向人民法院申请变更财产代管人。这里的利害关系人既包括失踪人的近亲属，也包括其他利害关系人，如失踪人的债权人。

《最高人民法院关于适用〈中华人民共和国民事诉讼法〉的解释》第344条第1款规定："失踪人的财产代管人经人民法院指定后，代管人申请变更代管的，比照民事诉讼法特别程序的有关规定进行审理。申请理由成立的，裁定撤销申请人的代管人身份，同时另行指定财产代管人；申请理由不成立的，裁定驳回申请。"第2款规定："失踪人的其他利害关系人申请变更代管的，人民法院应当告知其以原指定的代管人为被告起诉，并按普通程序进行审理。"

第四十五条　失踪人重新出现，经本人或者利害关系人申请，人民法院应当撤销失踪宣告。

失踪人重新出现，有权要求财产代管人及时移交有关财产并报告财产代管情况。

【释义】 本条是关于失踪宣告撤销的规定。

民法通则第22条规定："被宣告失踪的人重新出现或者确知他的下落，经本人或者利害关系人申请，人民法院应当撤销对他的失踪宣告。"本条在此基础上修改补充。

本条第1款规定的是失踪宣告撤销的条件。一是失踪人重新出现。自然人因失去音讯下落不明而被宣告失踪，失踪宣告的撤销自然就要以这种状态的消除为条件。民法通则规定的是"被宣告失踪的人重新出现或者确知他的下落"，有的意见提出，确知失踪人的下落，也可以理解为失踪人重新出现。立法机关采纳了这种意见。民法总则草案一审稿的规定即与本条规定一致，其后也未做过改动。这里失踪人重新出现的含义，即是重新得到了失踪人的音讯，从而消除了其下落不明的状态。二是经本人或者利害关系人申请。这里利害关系人的范围应当与申请宣告失踪的利害关系人范围一致，包括被申请宣告失踪人的配偶、父母、子女、兄弟姐妹、祖父母、外祖父母、孙子女、外孙子女以及其他与失踪人有民事权利义务关系的人。申请也应当向下落不明人住所地基层人民法院提出。三是撤销失踪宣告应当由人民法院作出。自然人失踪只能由人民法院依据法定程序进行宣告，因此，该宣告的撤销也应当由人民法院通过法定程序来作出。

本条第2款规定的是失踪人重新出现后的法律效果。这一规定是吸收专家建议稿的意见作出的。理由是宣告失踪一经撤销，原被宣告失踪的自然人本人就应当恢复对自己财产的控制，财产代管人的代管职责应当相应结束，停止代管行为，移交代管的财产并向本人报告代管情况。

第四十六条　自然人有下列情形之一的，利害关系人可以向人民法院申请宣告该自然人死亡：

（一）下落不明满四年；

（二）因意外事件，下落不明满二年。

因意外事件下落不明，经有关机关证明该自然人不可能生存的，申请宣告死亡不受二年时间的限制。

【释义】　本条是关于宣告死亡的条件的规定。

民法通则第23条第1款规定："公民有下列情形之一的，利害关系人可以向人民法院申请宣告他死亡：（一）下落不明满四年的；（二）因意外事故下落不明，从事故发生之日起满二年的。"第2款规定："战争期间下落不明的，下落不明的时间从战争结束之日起计算。"本条第1款基本延续民法通则规定的精神，略有修改。关于民法通则第23条第2款的规定，前文已述，本法第41条单列一条，统一规定下落不明的时间如何计算，即"自然人下落不明的时间从其失去音讯之日起计算。战争期间下落不明的，下落不明的时间自战争结束之日或者有关机关确定的下落不明之日起计算。"该规定不仅适用于宣告失踪的情形，也适用于宣告死亡，因此，相应地在本条中不作规定。本条第2款是依据民事诉讼法的相关规定所作的补充。

宣告死亡是自然人下落不明达到法定期限，经利害关系人申请，人民法院经过法定程序在法律上推定失踪人死亡的一项民事制度。自然人长期下落不明会使得与其相关的财产关系和人身关系处于不稳定状态，通过宣告死亡制度，可以及时了结下落不明人与他人的财产关系和人身关系，从而维护正常的经济秩序和社会秩序。宣告自然人死亡，是对自然人死亡在法律上的推定，这种推定将产生与生理死亡基本一样的法律效果，因

此,宣告死亡必须具备法律规定的条件,依照本条规定,这些条件是:

第一,自然人下落不明的时间要达到法定的长度。一般情况下,下落不明的时间要满四年。如果是因意外事件而下落不明,下落不明的时间要满二年。

本法第40条规定,自然人下落不明满二年的,利害关系人可以向人民法院申请宣告该自然人为失踪人。可以看出,法律规定的宣告死亡需要满足的下落不明时间长度要求高于宣告失踪时的要求,因为在宣告失踪的情况下,只产生失踪人的财产代管以及实现债权、偿还债务等法律后果,但宣告死亡以后,还会发生继承的开始、身份关系解除等。因此宣告死亡的条件应当比宣告失踪严格,下落不明的时间应当比宣告失踪时所要求的时间长。

依照本条第1款第2项的规定,自然人因意外事件下落不明满二年的,利害关系人可以向人民法院申请宣告该自然人死亡。自然人因意外事件下落不明,其生存的可能性明显小于一般情况下的下落不明,因此这种情况下宣告死亡,法律要求的下落不明时间长度应当短于一般情况下宣告死亡。关于这一项的内容,民法通则的用语是"因意外事故下落不明,从事故发生之日起满二年的"。立法过程中有的意见提出,意外事件比意外事故涵盖面更广,如地震等天灾,一般语言习惯上不称为事故,另外,"意外事件"一词作为法律用语更加规范,且"意外"与"事故"在一定程度上存在语义重复,因此,本条采用"意外事件"的表述。还有的意见提出,有的意外事件过程并不止一天,可能在事件发生之日,当事人尚有音讯,之后才失去音讯,民法通则"事故发生之日"的规定并不妥当,还是适用下落不明的一般起算标准为好。因此,本条第 1 款第 2 项表述为"因意外事件,下落不明满二年"。

本条第 2 款是对第 1 款第 2 项的补充规定。依照这一规定,对于因意外事件下落不明的自然人,如果与该意外事件有关的机关证明该自然人不可能生存的,利害关系人就可以据此申请宣告该自然人死亡,而不必等到下落不明满二年。民法通则没有这一规定。1991 年制定的民事诉讼法就已经对这种情形作了补充,现行民事诉讼法第 184 条第 1 款规定:"公民下落不明满四年,或者因意外事故下落不明满二年,或者因意外事故下落不明,经有关机关证明该公民不可能生存,利害关系人申请宣告其死亡的,向下落不明人住所地基层人民法院提出。"境外也有这种立法例,如《瑞士民法典》第 34 条规定,失踪的人,只要是在使他人对其死亡确信无疑的情况下失踪的,即使未发现其尸体,亦视其死亡已得证实。

第二,必须要由利害关系人提出申请。此处所说的利害关系人,可以参考宣告失踪制度中的利害关系人范围。总的来说,这里的利害关系人应当是与被宣告人是生存还是死亡的法律后果有利害关系的人。依照民事诉讼法第 184 条的规定,利害关系人申请宣告其死亡的,向下落不明人住所地基层人民法院提出。申请书应当写明下落不明的事实、时间和请求,并附有公安机关或者其他有关机关关于该公民下落不明的书面证明。

对于可以向人民法院申请宣告死亡的利害关系人,要不要有顺序上的限制,《最高人民法院关于贯彻执行〈中华人民共和国民法通则〉若干问题的意见(试行)》第 25 条第 1 款规定:"申请宣告死亡的利害关系人的顺序是:(一)配偶;(二)父母、子女;(三)兄弟姐妹、祖父母、外祖父母、孙子女、外孙子女;

(四)其他有民事权利义务关系的人。"对于这一规定,历来存在争议。反对意见认为,法律不应当规定申请宣告死亡的顺序,因为如果顺序在先的当事人不申请,则失踪人长期不能被宣告死亡,使得与其相关的法律关系长期不能稳定,如继承不能发生、遗产不能分割等,对利害关系人的利益损害很大,与法律规定宣告死亡制度的初衷相悖。民法总则立法过程中,这种意见较为普遍,因此,本章没有规定利害关系人申请宣告死亡的顺序。

第三,只能由人民法院经过法定程序,宣告自然人死亡。依照民事诉讼法的规定,人民法院审理宣告死亡案件,适用民事诉讼法关于特别程序的规定。人民法院受理宣告死亡案件后,应当发出寻找下落不明人的公告,公告期间为一年。因意外事故下落不明,经有关机关证明该公民不可能生存的,宣告死亡的公告期间为三个月。公告期间届满,人民法院应当根据被宣告死亡的事实是否得到确认,作出宣告死亡的判决或者驳回申请的判决。

第四十七条　对同一自然人,有的利害关系人申请宣告死亡,有的利害关系人申请宣告失踪,符合本法规定的宣告死亡条件的,人民法院应当宣告死亡。

【释义】　本条是关于宣告死亡和宣告失踪的关系的规定。

民法通则没有关于本条内容的规定。《最高人民法院关于贯彻执行〈中华人民共和国民法通则〉若干问题的意见(试行)》第 29 条规定:"宣告失踪不是宣告死亡的必经程序。公民下落不明,符合申请宣告死亡的条件,利害关系人可以不经申请宣告失踪而直接申请宣告死亡。但利害关系人只申请宣告失踪的,应当宣告失踪;同一顺序的利害关系人,有的申请宣告死亡,有的不同意宣告死亡，则应当宣告死亡。”宣告死亡和宣告失踪都是基于自然人下落不明，为了维护社会经济关系的稳定而设立的法律制度，二者都以被宣告人下落不明达到一段法定期间为前提，都需要利害关系人提出宣告申请，并且都由人民法院作出宣告的判决。但是，宣告死亡与宣告失踪在法律后果上又存在明显差异。一般来说，宣告死亡与自然死亡的法律效力相同，不但影响被宣告人财产的处分，而且也影响与其相关的身份关系，如夫妻关系与父母子女关系，同时，其遗产继承开始，其遗嘱也发生效力；宣告失踪的法律后果是为其设定财产代管人，只发生财产方面的影响而不会影响到身份关系的变化。最高人民法院司法解释表现的精神，多年来为各方面普遍接受，即宣告死亡并不以宣告失踪为前提。境外也有同样的立法例，如《意大利民法典》第 58 条第 3 款规定，即使没有经过宣告失踪程序也可以进行死亡宣告。因此，本条为明确宣告死亡和宣告失踪的关系，将相关司法解释的规定上升为法律。

第四十八条　被宣告死亡的人，人民法院宣告死亡的判决作出之日视为其死亡的日期；因意外事件下落不明宣告死亡的，意外事件发生之日视为其死亡的日期。

【释义】　本条是关于被宣告死亡的人死亡时间如何确定的规定。

民法通则没有关于本条内容的规定。宣告死亡是人民法院经利害关系人的申请，按照法定程序推定下落不明的公民死亡的法律制度。这种推定的一项重要内容，就是推定被宣告死亡人死亡的时间。一般来说，宣告死亡与自然死亡的法律效力相同，如何推定被宣告死亡的自然人的死亡时间涉及继承的开始、身份关系解除等,如遗产的具体范围、继承人的具体范围、遗嘱效力之发生时间以及代位继承是否发生等遗产继承有关重大事项,具有重要的法律意义,法律应当对此作出规定。

关于宣告死亡时间的推定,有不同的立法例。有的规定为申请宣告死亡所需的下落不明法定期间届满的时间,《日本民法典》、我国台湾地区"民法"属于这种情况;有的规定为死亡宣告作出的时间,如《西班牙民法典》规定,失踪者被宣告死亡则停止合法失踪的状态,但是推定失踪者存活至死亡宣告作出之时,除非有相反的调查结果。民法总则立法过程中,学者提交的建议稿采用这两种模式的都有,反映了民法学界在此问题上的不同意见。

《最高人民法院关于贯彻执行〈中华人民共和国民法通则〉若干问题的意见(试行)》第36条第1句规定:"被宣告死亡的人,判决宣告之日为其死亡的日期。"体现了前述第二种立法模式。有的意见提出,最高人民法院司法解释施行多年,如无重大理由,立法应当保持实务操作的延续性。而且,人民法院宣告死亡的判决具有很强的宣示性,易被接受。另外,很多情况是利害关系人多年之后才申请宣告死亡,这时如将被宣告人死亡时间推定为多年以前,物是人非,可能给相关法律关系带来不必要的扰动。因此,本条规定,被宣告死亡的人,人民法院宣告死亡的判决作出之日视为其死亡的日期。

本条分号后面一句,是在第十二届全国人民代表大会第五次会议审议《中华人民共和国民法总则(草案)》过程中,在建议表决稿上才增加的规定。民法总则草案三审稿第46条规定:"被宣告死亡的人,人民法院判决确定的日期视为其死亡的日期;判决未确定死亡日期的,判决作出之日视为其死亡的日期。”这一规定在提请第十二届全国人民代表大会第五次会议审议的《中华人民共和国民法总则(草案)》中未作改动。代表审议过程中,有的提出,被宣告死亡的人死亡日期的推定事关重大,法律的规定应当具体明确,不应当赋予法院过大的自由裁量权,况且被申请宣告死亡的人生不见人死不见尸,法院行使自由裁量权本身也缺乏说服力。因此,在提交法律委员会审议的草案修改稿中曾提出过一个方案,删去前面一句,直接规定“被宣告死亡的人,人民法院宣告死亡的判决作出之日视为其死亡的日期”。又有意见提出,这样规定太过绝对,没有一点灵活性也不好。因此,正式提出的供代表再次审议的草案修改稿又恢复了原来的规定。在审议草案修改稿过程中,有的提出,对于因意外事件下落不明宣告死亡的情形,被申请宣告死亡的人真正死亡的概率很大,这一点大家是有共识的,有一些境外立法例也规定对于这种情形,法院可以联系意外事件的发生时间来作出死亡日期的推定。2015 年公布的《最高人民法院关于适用〈中华人民共和国保险法〉若干问题的解释(三)》第 24 条规定:“投保人为被保险人订立以死亡为给付保险金条件的保险合同,被保险人被宣告死亡后,当事人要求保险人按照保险合同约定给付保险金的,人民法院应予支持。”“被保险人被宣告死亡之日在保险责任期间之外,但有证据证明下落不明之日在保险责任期间之内,当事人要求保险人按照保险合同约定给付保险金的,人民法院应予支持。”这个规定在一定程度上也体现了这种精神。因此,草案建议表决稿就作出了本条的规定。最后,对是规定意外事件发生之日,还是规定意外事件结束之日曾有过讨论。有的提出,一些意外事件的过程并不止一日,应当规定意外事件结束之日。有的提出,意外事件发生之日与意外事件结束之日,被申请宣告死亡的人死亡概率差别并非悬殊,如规定意外事件结束之日,对于类似马航事件这种难下结论的意外事件来说,会生出何时作为意外事件结束之日的争论。因此,最终规定意外事件发生之日视为死亡的日期。

第四十九条 自然人被宣告死亡但是并未死亡的,不影响该自然人在被宣告死亡期间实施的民事法律行为的效力。

【释义】 本条是关于被宣告死亡但并未死亡的自然人实施的民事法律行为效力的规定。

关于本条内容,民法通则第24条第2款规定:“有民事行为能力人在被宣告死亡期间实施的民事法律行为有效。”《最高人民法院关于贯彻执行〈中华人民共和国民法通则〉若干问题的意见(试行)》第36条第2款规定:“被宣告死亡和自然死亡的时间不一致的,被宣告死亡所引起的法律后果仍然有效,但自然死亡前实施的民事法律行为与被宣告死亡引起的法律后果相抵触的,则以其实施的民事法律行为为准。”

宣告死亡是人民法院经利害关系人的申请,按照法定程序推定下落不明的公民死亡的法律制度,因此,自然人被宣告死亡从本质上讲是一种拟制的死亡,有可能本人并没有自然死亡或者说真正死亡。这个被宣告死亡但并未真正死亡的自然人,可能在被宣告死亡期间还在从事民事活动,包括吃穿住行等各种活动。如果因为他已经被宣告死亡了,就不承认他所从事的民事法律行为的效力,无疑是不合情理的,也不利于维护交易安全和社会经济秩序。因此,本条规定,自然人被宣告死亡但是并未死亡的,不影响该自然人在被宣告死亡期间实施的民事法律行为的效力。

如果并未死亡的自然人从事的民事活动与被宣告死亡的法律后果不相关联,没有冲突的情况,则一般不会产生法律问题。比如,自然人被宣告死亡,其财产被依法继承,而该自然人并未死亡,生活在别处,购买食物,租住房屋,这些法律关系互不相干,皆属有效。但也有可能发生的情况是产生了冲突,相互抵触。如在并未死亡的自然人被宣告死亡期间,其配偶和本人都将同一房屋或者其他财产出卖。对此,按照前述司法解释提出的办法,本人实施的民事法律行为与被宣告死亡引起的法律后果相抵触的,以其实施的民事法律行为为准。在民法总则立法过程中,在这个问题上存在争议,该问题涉及各种情况和因素,比较复杂。单就本人实施的民事法律行为与被宣告死亡引起的民事法律行为相抵触的情况来说,两种民事法律行为是否都应当有效,如果都属有效,哪一个优先,等等。有的还提出,在最高人民法院解决一般情况下一物二卖问题的有关司法解释中,涉及标的物的登记或者交付、价款的支付、合同订立的时间等多种因素,由宣告死亡引发的相关问题能否按照普通一物二卖的问题处理。鉴于对此问题争议较大,本条对此未作具体规定,留待司法实践继续总结经验。

第五十条　被宣告死亡的人重新出现,经本人或者利害关系人申请,人民法院应当撤销死亡宣告。

【释义】　本条是关于撤销死亡宣告的规定。

宣告死亡本是基于自然人生死不明的情况,经利害关系人申请,人民法院通过法定程序确定的一种拟制状态。被宣告死亡属于推定的死亡,在被宣告死亡的人确定没有死亡的情况下,宣告死亡的基础即不存在,撤销对其所作的死亡宣告,乃当然之理。

民法通则第24条第1款即已规定:"被宣告死亡的人重新出现或者确知他没有死亡,经本人或者利害关系人申请,人民法院应当撤销对他的死亡宣告。"本条在此基础上只是作了文字修改。有的意见提出,"重新出现"已经包括了确知没有死亡的情况,从立法严谨角度无须重复规定。民事诉讼法第186条规定,被宣告死亡的公民重新出现,经本人或者利害关系人申请,人民法院应当作出新判决,撤销原判决。宣告死亡是人民法院经过法定程序作出的,具有宣示性和公信力,产生相应的法律后果。即使被宣告人事实没有死亡,也不能在重新出现后当然使得与其相关的民事法律关系恢复到原来的状态,而必须经本人或者利害关系人申请,同样由人民法院通过法定程序,作出新判决,撤销原判决。

第五十一条　被宣告死亡的人的婚姻关系,自死亡宣告之日起消灭。死亡宣告被撤销的,婚姻关系自撤销死亡宣告之日起自行恢复,但是其配偶再婚或者向婚姻登记机关书面声明不愿意恢复的除外。

【释义】　本条是关于宣告死亡与撤销死亡宣告对婚姻关系法律效果的规定。

关于本条内容,民法通则未作规定。《最高人民法院关于贯彻执行〈中华人民共和国民法通则〉若干问题的意见(试行)》第37条规定:"被宣告死亡的人与配偶的婚姻关系,自死亡宣告之日起消灭。死亡宣告被人民法院撤销,如果其配偶尚未再婚的,夫妻关系从撤销死亡宣告之日起自行恢复;如果其配偶再婚后又离婚或者再婚后配偶又死亡的,则不得认定夫妻关系自行恢复。"最高人民法院这一司法解释精神,与境外多数立法例一致，也符合情理。少数国家如德国，规定被宣告死亡的人与配偶的婚姻关系，并不是自死亡宣告之日起消灭，而是自配偶再婚时消灭。对于死亡宣告被撤销，而其配偶又尚未再婚的，如果不规定婚姻关系自行恢复，那么想恢复的还要再办理结婚手续，考虑到宣告死亡制度与婚姻之基础并无多大关涉，而且还有尚未再婚的情形，这样处理既不合情理，也不必要，还不如让不想恢复的去办理离婚手续。

民法总则草案征求意见稿第 46 条基本采纳司法解释的内容，规定："被宣告死亡的人与配偶的婚姻关系，自死亡宣告之日起消灭。死亡宣告被撤销时，其配偶未再婚的，夫妻关系自撤销死亡宣告之日起自行恢复；其配偶再婚的，夫妻关系不自行恢复。"其后，有的意见提出，死亡宣告被撤销后，其配偶虽未再婚，如果日久年深，不愿意恢复婚姻关系，没有必要一定要先恢复，再去走离婚程序。因此，提请常委会审议的一审稿第 47 条就修改为："被宣告死亡的人与配偶的婚姻关系，自死亡宣告之日起消灭。死亡宣告被撤销，其配偶未再婚的，夫妻关系自撤销死亡宣告之日起自行恢复，任何一方不愿意自行恢复的除外；其配偶再婚的，夫妻关系不自行恢复。"二审稿略作修改，第 49 条规定："被宣告死亡的人的婚姻关系，自死亡宣告之日起消灭。死亡宣告被撤销的，夫妻关系自撤销死亡宣告之日起自行恢复，但其配偶再婚或者不愿意恢复的除外。"立法过程中各方面对二审稿这条规定提出一些意见，其中包括如何认定配偶不愿意恢复，很难把握，不好操作。于是三审稿第 49 条又修改为："被宣告死亡的人的婚姻关系，自死亡宣告之日起消灭。死亡宣告被撤销的，夫妻关系自撤销死亡宣告之日起自行恢复，但是其配偶再婚或者向婚姻登记机关声明不愿意恢复的除外。"对此，又有意见提出,婚姻登记机关没有接受这种声明的程序,如何声明,似缺乏可操作性。为了回应这种意见,提请十二届全国人大五次会议审议的民法总则草案将这一条中的“声明”修改为“书面声明”。

第五十二条　被宣告死亡的人在被宣告死亡期间,其子女被他人依法收养的,在死亡宣告被撤销后,不得以未经本人同意为由主张收养关系无效。

【释义】 本条是关于撤销死亡宣告后如何处理宣告死亡期间的收养关系的规定。

关于本条内容,民法通则未作规定。《最高人民法院关于贯彻执行〈中华人民共和国民法通则〉若干问题的意见(试行)》第38条规定:“被宣告死亡的人在被宣告死亡期间,其子女被他人依法收养,被宣告死亡的人在死亡宣告被撤销后,仅以未经本人同意而主张收养关系无效的,一般不应准许,但收养人和被收养人同意的除外。”本条基本上就是将该司法解释的内容上升为法律。

收养法第23条规定,自收养关系成立之日起,养父母与养子女间的权利义务关系,适用法律关于父母子女关系的规定;养子女与生父母及其他近亲属间的权利义务关系,因收养关系的成立而消除。依法产生的收养关系受法律承认和保护,没有法定事由不得主张无效或者擅自解除。关于收养有效或无效的认定,收养法第25条规定,不具备民事法律行为有效条件或者违反收养法规定的收养行为无法律效力。收养行为被人民法院确认无效的,从行为开始时起就没有法律效力。收养法第10条规定,生父母送养子女,须双方共同送养。据此,父母可以未经本人同意为由主张收养关系无效。被宣告死亡的人在被宣告死亡期间,在法律上与子女的亲权关系已经消灭,已不存在经其同意的问题。因此,本条规定,被宣告死亡的人在死亡宣告被撤销后,不得以未经本人同意为由主张收养关系无效。至于司法解释规定的收养人和被收养人同意的情况,已属于另外协商的问题。

第五十三条　被撤销死亡宣告的人有权请求依照继承法取得其财产的民事主体返还财产。无法返还的,应当给予适当补偿。

利害关系人隐瞒真实情况,致使他人被宣告死亡取得其财产的,除应当返还财产外,还应当对由此造成的损失承担赔偿责任。

【释义】　本条是关于撤销死亡宣告后返还财产的规定。

民法通则第25条规定:"被撤销死亡宣告的人有权请求返还财产。依照继承法取得他的财产的公民或者组织,应当返还原物;原物不存在的,给予适当补偿。"本条第1款与民法通则的规定大体一致。民法通则第25条第一句规定,被撤销死亡宣告的人有权请求返还财产。关于在被宣告死亡的人重新出现,死亡宣告被撤销后,取得其财产的人是否应当返还财产,有的意见认为,撤销死亡宣告的法律后果当然包括财产关系应当恢复原状,不管是因为继承、受遗赠,还是其他原因取得的财产,都应当向被撤销死亡宣告的人返还财产。有的意见认为,因宣告死亡而取得财产的人并无过错,而是依照法律规定合法取得了被宣告死亡人的财产,原则上应当以不返还为原则。比如,继承法规定,继承遗产应当清偿被继承人依法应当缴纳的税款和债务,这种财产本应支付,即使死亡宣告被撤销也无返还之理。再如,第三人从继承人那里合法取得原属被宣告死亡人所有的财产的,从维护交易秩序的角度,也不应要求其返还。《最高人民法院关于贯彻执行〈中华人民共和国民法通则〉若干问题的意见(试行)》第 40 条就规定:"被撤销死亡宣告的人请求返还财产,其原物已被第三人合法取得的,第三人可不予返还。但依继承法取得原物的公民或者组织,应当返还原物或者给予适当补偿。"规定依继承法取得财产的人返还财产,主要是出于情理平衡双方的利益。一方面,被宣告死亡的人重新出现,财产可以继承的推定被推翻;另一方面,继承人乃是无偿取得财产,故而规定被撤销死亡宣告的人有权请求其返还财产。但是,进一步来说,继承人取得财产毕竟是因宣告死亡而起,属于合法取得,也自然将其作为自己的财产而使用、消费,乃至损毁,以致不能返还。如规定这种情况下继承人应当按原值折价补偿,于情理不合,甚至有的意见建议规定此时只应当返还财产的尚存利益。因此,本条第 1 款规定,被撤销死亡宣告的人有权请求依照继承法取得其财产的民事主体返还财产。无法返还的,应当给予适当补偿。

本条第 2 款源于《最高人民法院关于贯彻执行〈中华人民共和国民法通则〉若干问题的意见(试行)》第 39 条,该条规定:"利害关系人隐瞒真实情况使他人被宣告死亡而取得其财产的,除应返还原物及孳息外,还应对造成的损失予以赔偿。"鉴于前述本条第 1 款规定的理由,如果自然人被宣告死亡乃是利害关系人隐瞒真实情况所导致,并且该利害关系人还因之获得利益,取得被宣告死亡人的财产,则该利害关系人存在过错,其取得财产带有非法性,不但不应受到利益上的保护,而且还应当承担相应的责任。因此,本条第 2 款规定,利害关系人隐瞒真实情况,致使他人被宣告死亡而取得其财产的,除应当返还财产外,还应当对由此造成的损失承担赔偿责任。

第四节　个体工商户和农村承包经营户

第五十四条　自然人从事工商业经营,经依法登记,为个体工商户。个体工商户可以起字号。

【释义】 本条是关于个体工商户的规定。

在民法总则起草过程中,对是否继承民法通则第二章第四节关于个体工商户和农村承包经营户的内容,在民法总则中继续作出规定,有不同意见。民法通则对“两户”的规定共有四条:第 26 条规定,公民在法律允许的范围内,依法经核准登记,从事工商业经营的,为个体工商户。个体工商户可以起字号。第 27 条规定,农村集体经济组织的成员,在法律允许的范围内,按照承包合同规定从事商品经营的,为农村承包经营户。第 28 条规定,个体工商户、农村承包经营户的合法权益,受法律保护。第 29 条规定,个体工商户、农村承包经营户的债务,个人经营的,以个人财产承担;家庭经营的,以家庭财产承担。

有的意见提出,个体工商户、农村承包经营户是历史的产物,是自然人以户的名义从事民事活动,将其作为单独的自然人主体类型没有必要,因此不应再规定“两户”的内容。

经研究认为,个体工商户和农村承包经营户是具有中国特色的民事主体。从改革开放三十多年的实践看,规定“两户”符合中国国情,个体工商户和农村承包经营户对解放生产力、促进我国经济社会发展及扩大就业发挥了重要作用。目前,我国登记的个体工商户数量庞大,截止到2016年年底已达5929万多户,其在经济生活中扮演着重要角色,已成为大众创业的重要主体。农村承包经营户是我国实行家庭承包经营为基础、统分结合的双层经营体制的重要载体之一,其民事主体资格问题直接涉及2.3亿多农户的权益,且家庭承包经营是以家庭为生产经营单位,不同于一般的自然人主体,保留农村承包经营户这一民事主体仍具有重要的制度意义和现实意义。据此,民法总则仍专节规定了个体工商户和农村承包经营户。

还有意见建议,将草案关于个体工商户、农村承包经营户的规定,移至非法人组织一章加以规定。

经研究认为,就个体工商户而言,其与法人和非法人组织的最大区别就是不具有组织性。首先,个体工商户没有"设立"过程,不存在"出资"行为,法律也不要求个体工商户一定要具有"字号"或"名称"。其次,个体工商户经登记机关登记的经营场所只能为一处,不得设立分支机构。再次,个体工商户的经营形式仅包括个人经营和家庭经营,进行工商业经营的自然人本身须参与具体经营活动;在家庭经营的情况下,"家庭"不是作为进行经营活动的"组织"出现。最后,个体工商户缴纳的税种是个人所得税。就农村承包经营户而言,也不具有组织性。农村承包经营户不存在设立过程,没有出资行为,无须具有名称或字号,没有企业组织形式。农民个人不能自由组织形成农户,而只能依据血缘、婚姻等因素形成家庭,进而成为农村土地承包经营户。因此,个体工商户和农村承包经营户的非组织性使得其不宜规定在"非法人组织"一章中。

一、个体工商户的基本情况

2016年年底,全国实有个体工商户5929.95万户,其中本年新登记个体工商户 1068.95 万户；全国实有个体工商户资金数额达 4.44 万亿元；从业人数为 1.28 亿人。自 2011 年以来，全国个体工商户实现了户数、从业人员和资金的持续增长。其中户数年平均增长率 9.57%，从业人员年平均增长率 10.13%，资金年平均增长率 22.40%。个体工商户户均从业人员基本稳定在每户 2 人；户均资本逐年增长，从 2011 年年末的每户 4.3 万元增长到 2016 年年末的每户 7.5 万元。

截止到 2016 年年底，全国共有 5355.1 万户个体工商户集中于第三产业，占总体比重的 90.31%；第二产业个体工商户共 407.3 万户，占总体比重的 6.9%；第一产业个体工商户共 167.5 万户，占总体比重的 2.8%。个体工商户从业人员集中于第三产业，从业人员 1.09 亿人；第二产业从业人数 1462.2 万人；第一产业 486.4 万人。个体工商户从业人员在三次产业划分中的比重分别为：3.78%、11.37% 和 84.85%。

截止到 2016 年年底，全国共有 3743.23 万户个体工商户集中在批发和零售业，占总体比重的 63.12%；654.04 万户个体工商户分布在住宿和餐饮业，占总体比重的 11.03%；批发和零售业以及住宿和餐饮业这两个行业在个体工商户中行业集中度大。此外，在居民服务、修理和其他服务业，制造业，农、林、牧、渔业，交通运输、仓储和邮政业，租赁和商务服务业，信息传输、软件和信息技术服务业，文化、体育和娱乐业，科学研究和技术服务业，建筑业，卫生和社会工作，房地产业，教育，采矿业，金融业等行业中均有分布。

从城乡分布来看，2016 年城镇个体工商户户数在总体中占比约为 67.40%。从吸纳就业情况来看，2016 年个体工商户从业人员 54.29% 集中在批发和零售业，约 6982.61 万人；其次是住宿和餐饮业，占比14.26%，约1833.69万人；最后是制造业，占比10.69%，约1375.41万人。

二、个体工商户的登记

有经营能力的自然人，经工商行政管理部门登记，领取个体工商户营业执照，从事工商业经营的，可以成为个体工商户。

2011年4月16日国务院公布的《个体工商户条例》和2011年9月30日国家工商行政管理总局公布的《个体工商户登记管理办法》对个体工商户的登记作了具体规定：

（一）登记机关。工商行政管理部门是个体工商户的登记管理机关。县、自治县、不设区的市工商行政管理局以及市辖区工商行政管理分局为个体工商户的登记机关，负责本辖区内的个体工商户登记。登记机关可以委托其下属工商行政管理所办理个体工商户登记。

（二）申请登记。国家对个体工商户实行市场平等准入、公平待遇的原则。申请办理个体工商户登记，申请登记的经营范围不属于法律、行政法规禁止进入的行业的，登记机关应当依法予以登记。个体工商户可以个人经营，也可以家庭经营。个人经营的，以经营者本人为申请人；家庭经营的，以家庭成员中主持经营者为申请人。申请登记为个体工商户，应当向经营场所所在地登记机关申请注册登记。申请人应当提交登记申请书、身份证明和经营场所证明。

（三）登记事项。个体工商户登记事项包括经营者姓名和住所、组成形式、经营范围、经营场所。个体工商户使用名称的，名称作为登记事项。

经营者姓名和住所，是指申请登记为个体工商户的公民姓名及其户籍所在地的详细住址。

组成形式，包括个人经营和家庭经营。家庭经营的，参加经营的家庭成员姓名应当同时备案。经营范围，是指个体工商户开展经营活动所属的行业类别。登记机关根据申请人申请，参照《国民经济行业分类》中的类别标准，登记个体工商户的经营范围。经营场所，是指个体工商户营业所在地的详细地址。个体工商户经登记机关登记的经营场所只能为一处。申请注册登记或者变更登记的登记事项属于依法须取得行政许可的，应当向登记机关提交许可证明。

（四）办理登记。登记机关对申请材料依法审查后，按照下列规定办理：(1)申请材料齐全、符合法定形式的，当场予以登记；申请材料不齐全或者不符合法定形式要求的，当场告知申请人需要补正的全部内容。(2)需要对申请材料的实质性内容进行核实的，依法进行核查，并自受理申请之日起十五日内作出是否予以登记的决定。(3)不符合个体工商户登记条件的，不予登记并书面告知申请人，说明理由，告知申请人有权依法申请行政复议、提起行政诉讼。予以注册登记的，登记机关应当自登记之日起十日内发给个体工商户营业执照。

（五）变更、注销登记。个体工商户登记事项变更的，应当向登记机关申请办理变更登记。个体工商户变更经营者的，应当在办理注销登记后，由新的经营者重新申请办理注册登记。家庭经营的个体工商户在家庭成员间变更经营者的，依照前款规定办理变更手续。个体工商户不再从事经营活动的，应当到登记机关办理注销登记。

三、从事工商业经营的范围

对个体工商户从事“工商业经营”的范围应当从广义上理解。只要是不属于法律、行政法规禁止进入的行业，个体工商户均可进入并开展经营活动。实践中个体工商户从事经营的领域主要有:批发和零售业,住宿和餐饮业,居民服务、修理和其他服务业,制造业,农、林、牧、渔业,交通运输、仓储和邮政业,租赁和商务服务业,信息传输、软件和信息技术服务业,文化、体育和娱乐业,科学研究和技术服务业,建筑业,卫生和社会工作,房地产业,教育,采矿业,电力、热力、燃气及水生产和供应业,水利、环境和公共设施管理业,金融业等行业。

四、个体工商户的名称与字号

个体工商户可以使用名称,也可以不使用名称。个体工商户决定使用名称的,应当向登记机关提出申请,经核准登记后方可使用。一户个体工商户只能使用一个名称。

个体工商户名称由行政区划、字号、行业、组织形式依次组成。个体工商户名称中的行政区划是指个体工商户所在县(市)和市辖区名称。行政区划之后可以缀以个体工商户经营场所所在地的乡镇、街道或者行政村、社区、市场名称。

经营者姓名可以作为个体工商户名称中的字号使用。个体工商户名称中的行业应当反映其主要经营活动内容或者经营特点。个体工商户名称组织形式可以选用“厂”“店”“馆”“部”“行”“中心”等字样,但不得使用“企业”“公司”“农民专业合作社”字样。

第五十五条 农村集体经济组织的成员,依法取得农村土地承包经营权,从事家庭承包经营的,为农村承包经营户。

【释义】 本条是关于农村承包经营户的规定。

本条规定在民法通则的基础上,根据土地承包经营权由合同性质及债权保护强化为物权性质及物权保护的演进,作了修改完善。

一、以家庭承包经营为基础的土地承包经营制度是我国农村的基本经营制度

实行家庭承包经营为基础、统分结合的双层经营体制，是宪法确立的我国农村集体经济组织的一项基本制度。长期稳定并不断完善以家庭承包经营为基础、统分结合的双层经营体制，是党在农村的一项基本政策。农村改革后，农村集体经济组织普遍实行了以家庭承包经营为基础、统分结合的双层经营体制，这种双层经营体制成为农村集体经济主要和有效的实现形式。“双层经营”包含了两个经营层次，一是家庭分散经营层次，二是集体统一经营层次。

三十多年来的农村改革的实践证明，实行家庭承包经营，符合生产关系要适应生产力发展要求的规律，使农户获得了充分的经营自主权，充分调动了亿万农民的生产积极性，极大地解放和发展了农村生产力。实现了我国农业的巨大发展和农村经济的全面繁荣。家庭承包经营是集体经济组织内部的一个经营层次，是双层经营体制的基础。实行家庭承包经营，符合农业生产的特点，可以使农户根据自然条件、市场需求和效益原则等因素，确定农业生产的品种、结构和项目，广泛采用农业新品种、新技术，进行农业结构调整，使农民成为农业生产经营的独立的市场主体。实行家庭承包经营，使农户的利益与生产发展密切相关，有效地激发了广大农民对土地长效投入的热情。改良土壤、兴建农田水利设施和购置农机具已成为农户的积极选择。有效利用土地，以科学技术发展生产已成为广大农民内在持久的动力，促进了我国农业的可持续发展。

稳定完善双层经营体制，关键是稳定和完善土地承包关系。

土地是农业最基本的生产要素，又是农民最基本的生活保障。稳定土地承包关系，是引导农民珍惜土地、增加投入的需要；是保持农业发展、促进农民增收的需要；是确保国家粮食安全的需要；更是保持农村稳定的需要。土地承包经营权具有十分重要的社会保障功能。而稳定土地承包关系，赋予农民长久而有保障的土地承包经营权，就使农民有了基本的就业和生活保障，有了基本生存和发展的权利。承包关系的稳定，农村乃至整个社会才能稳定。土地家庭承包经营是农村集体经营制度的核心。稳定土地承包关系，是党的农村政策的基石，绝不能动摇。

二、保障农户的土地承包经营权是民法的重要任务

稳定土地承包关系，赋予农民长久而有保障的土地承包经营权，关系到我国广大农民生存和发展的权利，关系到我国农业的持续发展、农村经济的繁荣和农村社会的和谐稳定。对于这样一个重大问题，无疑需要由法律制度来保障；而保障农户这一民事主体的土地承包经营权，无疑是民事法律的重要任务。

我国对土地承包经营权保护的立法有一个发展和完善的过程。改革开放后，根据改革开放和社会经济发展的实际情况，我国于 1986 年制定了民法通则。这部法律第一次在民事法律中作出了土地承包经营权受法律保护的规定，即公民、集体依法对集体所有的或者国家所有由集体使用的土地、森林、山岭、草原、荒地、滩涂、水面的承包经营权，受法律保护。承包双方的权利和义务，依照法律由承包合同规定。这一内容规定在“财产所有权和与财产所有权有关的财产权”一节中，但承包双方的权利和义务，仍由承包合同约定。此后颁布的土地管理法、农业法等其他法律对土地承包经营权所作的规定，也多局限于承包合同的角度。这些法律规定，对完善土地承包经营制度，规范承包

关系双方的权利义务发挥了积极作用，但也不可避免地有着历史局限性，仍不能从根本上解决合同约束效力较低所带来的承包经营权容易受到侵害的问题。

1993 年，党的十四届三中全会作出了建立社会主义市场经济体制的决定。1998 年，党的十五届三中全会明确提出，“要抓紧制定确保农村土地承包关系长期稳定的法律法规，赋予农民长期而有保障的土地使用权”，为土地承包经营权保护方面的立法提供了指导方针。1999 年的宪法修正案在 1993 年修正案的基础上进一步明确规定：“农村集体经济组织实行家庭承包经营为基础、统分结合的双层经营体制。”2001 年 6 月，农村土地承包法草案提请第九届全国人大常委会第二十二次会议审议。2002 年 8 月，第九届全国人大常委会第二十九次会议审议通过了农村土地承包法。这部法律遵循社会主义市场经济的规律，按照党的十五届三中全会“赋予农民长期而有保障的土地使用权”的要求，以宪法为依据，从物权的角度对土地承包经营权作了规定。其内容涉及家庭承包发包方和承包方的权利和义务、承包的原则和程序、承包期限和承包合同、土地承包经营权的保护、土地承包经营权的流转，以及其他方式的承包、争议的解决和法律责任等方面。农村土地承包法的一系列规定，体现了土地承包经营权物权化的指导思想，但没有明确使用“用益物权”这个概念。

十届全国人大常委会把制定物权法列入重要议程，对草案进行了六次审议。2007 年 3 月 16 日，物权法草案经过十届全国人大五次会议审议通过。物权法是规范财产关系的民事基本法律。制定物权法，全国人大及其常委会始终将全面准确地体现现阶段党在农村的基本政策，维护农民的根本利益作为总的原则中的一项重要内容。物权法在用益物权编中专章规定了土地承包经营权,将其作为物权中的重要权利。物权法将土地承包经营权作为用益物权,体现了党的主张和人民意志的统一。实行家庭承包经营为基础、统分结合的双层经营体制,长期稳定土地承包关系,使广大农民享有长期而有保障的土地承包经营权,是党在农村的一贯政策,也是广大农民群众的热切愿望。在土地集体所有的前提下,由农户承包经营,是建设中国特色社会主义,建设社会主义新农村,构建社会主义和谐社会,完善社会主义市场经济体制的客观要求。因此说,给予作为土地承包经营权人的广大农民群众以更好的法律保障,符合党的主张,符合农民的利益,符合国情,符合法理。

将土地承包经营权确立为用益物权,土地承包经营权人依法对其承包经营的耕地、林地、草地等享有占有、使用和收益的权利,有权从事种植业、林业、畜牧业等农业生产。土地承包经营权人在集体所有的土地上,对承包地享有占有、使用和收益的权利,体现了用益物权的基本特征和土地承包经营权人的基本权利。

用益物权能够更好地保护土地承包经营权人的利益,能够更有利于保障土地承包经营权人的权利,维护农民的根本利益。将土地承包经营权规定为用益物权而不是一种合同上的权利,其法律性质和法律效力是不同的。第一,用益物权的内容按照物权法定的原则必须由法律规定,而不是由当事人约定,这样就能避免签订不平等、不合理的合同或者随意解除合同,以确保土地承包关系的长期稳定。第二,用益物权可以使农户获得较长的承包期,在承包期内发包方不得随意调整和收回承包地,承包期届满可以按照国家规定继续承包,给农民吃了“定心丸”。第三,用益物权人享有对土地利用的直接支配权,这就使农民获得了生产经营自主权，有利于农民依法自主经营，抵制对土地承包经营权的干涉和侵害，更好地维护土地承包经营权。第四，承包经营权人依用益物权依法享有将土地承包经营权流转的权利，任何组织和个人不得强迫或者阻碍。第五，用益物权使土地承包经营权成为独立的财产权利，农户成为独立的民事权利主体，当承包地被征收时，土地承包经营权人依法享有获得相应补偿的权利，更好地保护了农民的切身利益。第六，当承包经营权受到不法侵害时，土地承包经营权人可以利用物权的保护方法，维护自己的合法权益。

三、家庭承包与其他方式的承包

依法实行土地承包经营制度的农村土地，包括农民集体所有和国家所有依法由农民集体使用的耕地、林地、草地以及其他依法用于农业的土地。其中既包括农民集体所有的农业用地，也包括国家所有依法由农民集体使用的农业用地。“用于农业的土地”，主要有耕地、林地和草地，还有一些其他用于农业的土地，如荒山、荒丘、荒沟、荒滩等“四荒地”。上述这些用于农业的土地中数量最多，涉及面最广，与每一个农民利益最密切的是耕地、林地和草地。

根据农村土地承包法的规定，农村土地承包采取农村集体经济组织内部的家庭承包方式，不宜采取家庭承包方式的荒山、荒沟、荒丘、荒滩等农村土地，可以采取招标、拍卖、公开协商等方式承包。可见，农村土地承包经营包括两种承包方式，即家庭承包和以招标、拍卖、公开协商等其他方式的承包。

农村土地承包一般采取农村集体经济组织内部的家庭承包方式。家庭承包方式，是指以农村集体经济组织的每一个农户家庭全体成员为一个生产经营单位，作为承包人与发包人建立承包关系，承包耕地、林地、草地等用于农业的土地。家庭承包中的承包人是农村集体经济组织的农户。发包人将土地发包给农户经营时，是按照每户所有成员的人数来确定承包土地的份额，也就是通常所说的“按户承包，按人分地”，也叫“人人有份”的家庭承包。由于每个集体经济组织成员在本集体经济组织中均享有成员权，也由于农村土地是农民的基本生产资料，是他们的基本生活保障，因此，每个农村集体经济组织的成员，在农村土地发包时，不论年长年幼、是男是女都享有土地承包权。凡是本集体经济组织的成员应当人人有份的农村土地，尤其是耕地、林地、草地，都应当依法实行家庭承包。

有些用于农业的土地如果园，在本集体经济组织内做不到人人有份，只能由少数农户来承包；对于“四荒地”，本集体经济组织成员有的不愿承包，有的根据自己的能力承包的数量不同。这些不宜采取家庭承包方式的农村土地，可以采取招标、拍卖、公开协商等方式承包。这些承包方式不同于人人有份的家庭承包经营方式，而是以自愿、公开、公正的原则，按照市场化规则进行承包的。承包方不局限于农村集体经济组织内部成员，本集体经济组织成员以外的个人和组织等经营者均可依照法律规定和合同约定取得承包经营权，从事农业生产经营。

可以说，人人有份的家庭承包是农村经营体制的一个层次，是给广大农民提供生活保障的一项制度。承包经营权是一项法定权利，集体经济组织成员均享有这一权利。这种承包经营权，以户为生产经营单位，是与一般的自然人个人作为民事主体有所区别，但又不同于非法人组织这类民事主体。而其他方式承包中的经营主体，要么属于自然人个人经营，要么属于企业经营。承包经营权的取得依市场规则，抑或引入竞争机制，属于市场交易活动。这类主体属于一般意义上的民事主体，而不是特殊意义上的民事主体。由此说来，本条所指的农村承包经营户，主要是农村集体经济组织内部成员，依人人有份家庭承包方式取得农村土地承包经营权的农户。

第五十六条　个体工商户的债务，个人经营的，以个人财产承担；家庭经营的，以家庭财产承担；无法区分的，以家庭财产承担。

农村承包经营户的债务，以从事农村土地承包经营的农户财产承担；事实上由农户部分成员经营的，以该部分成员的财产承担。

【释义】　本条是关于个体工商户、农村承包经营户债务承担的规定。

一、个体工商户的债务承担

个体工商户可以个人经营，也可以家庭经营。个体工商户的债务，个人经营的，以个人财产承担；家庭经营的，以家庭财产承担。对于实践中无法区分是个人经营还是家庭经营的，是个人投资还是家庭投资，是个人享用经营收益还是家庭共同享用经营收益，进而确定债务是以个人财产承担，还是以家庭财产承担，司法实践中一般有以下认定标准：一是以公民个人名义申请登记的个体工商户，用家庭共有财产投资，或者收益的主要部分供家庭成员享用的，其债务应以家庭共有财产清偿。二是夫妻关系存续期间，一方从事个体经营，其收入为夫妻共有财产，债务亦应以夫妻共有财产清偿。此外，个体工商户的债务，如以其家庭共有财产承担责任，应当保留家庭成员的生活必需品和必要的生产工具。

二、农村承包经营户的债务承担

对农民集体所有和国家所有依法由农民集体使用的耕地、林地、草地,通常实行农村集体经济组织成员人人有份的家庭承包;对不宜采取家庭承包方式的荒山、荒沟、荒丘、荒滩等"四荒地",可以采取招标、拍卖、公开协商等其他方式承包。其他方式的承包并非集体经济组织成员人人有份的承包,承包人也不局限于农村集体经济组织内部成员。本集体经济组织成员以外的个人、组织等农业生产经营者依照法律规定和承包合同的约定,都可取得对这些土地的承包经营权,从事种植业、林业、畜牧业等农业目的生产经营。

家庭承包与其他方式的承包有所不同。家庭承包是集体经济组织人人有份的承包,主要是对耕地、林地和草地的承包,具有社会保障的功能;其他方式的承包,主要是对"四荒地"等农村土地的承包,是通过招标、拍卖、公开协商等市场化方式有偿取得的承包经营权。

农村土地家庭承包的承包方是本集体经济组织的农户。农户是农村中以血缘和婚姻关系为基础组成的农村最基层的社会单位。它既是独立的生活单位,又是独立的生产单位。作为生产单位的农户,一般是依靠家庭成员的劳动进行农业生产与经营活动的。对农村土地实行家庭承包的,农户成为农村集体经济中一个独立的经营层次,是农村从事生产经营活动的基本单位。

承包是以"户"为单位进行。土地承包合同由"户"的代表与发包方签订,土地承包经营权证书是按户制作并颁发。在家庭承包的情况下,农户是交易活动的主体,其信用建立在家庭信用的基础上,发包方或交易相对一方也以农户家庭为对象,与其从事交易活动。农户也是以户的财产承担责任,以确保义务的履行。从这个角度讲,以户为经营单位符合我国农村的实际情况,有利于农村经济活动的进行。

需要进一步说明的是:第一,家庭承包中,是按人人有份分配承包地,按户组成一个生产经营单位作为承包方。第二,本集体经济组织的农户作为承包方的主要是针对耕地、草地和林地等适宜家庭承包的土地的承包。不宜采取家庭承包方式的"四荒地"等农村土地可以通过市场化方式发包给农户,也可发包给本集体经济组织外的个人或单位。第三,农户内的成员分家析产的,单独成户的成员可以对原家庭承包的土地进行分别耕作,但承包经营权仍是一个整体,不能分割。

在承包期内,无论承包户内人口发生什么样的变化,是增是减,只要作为承包户的家庭还存在,承包户仍然是一个生产经营单位。在承包经营活动中,无论是全体家庭成员从事生产经营劳动和经营活动,还是部分家庭成员从事生产经营劳动和经营活动,另一部分家庭成员从事其他职业或者家务劳动,农户仍然是一个对外承担责任的主体。考虑到随着我国城乡经济结构的调整和城镇化的发展,农村剩余劳动力向城镇的转移会不断增加,有的家庭成员进城务工就业,分门立户,已完全不参与家庭土地承包经营,也不分享承包家庭的收益,在这种情况下,可以不再承担原所在家庭承包经营的债务。因此本条规定,"事实上由农户部分成员经营的,以该部分成员的财产承担"。需要指出的是,在实践中,这一规定要严格掌握,防止借本条规定逃避应承担的债务。

第三章　法　　人

法人是依法成立的,具有民事权利能力和民事行为能力,依法独立享有民事权利和承担民事义务的组织体。在现代经济社会生活中,法人作为民事主体,在社会经济建设、科学研究、教育等各方面都发挥着重要作用。因此,建立完善合理的法人制度,对于深化改革、促进市场经济发展意义重大。

我国民法通则将法人分为企业法人和机关法人、事业单位法人、社会团体法人四类。但是随着我国经济社会的发展,法人形态已经发生了较大变化,出现了基金会等由捐助财产构成的各类组织,民办学校和医院也日益增多。民法通则的法人分类方法已不能完全适应现实需要,很难涵盖实践中新出现的一些法人类型,也不适应社会组织改革发展方向,有必要进行调整完善。由于法人是法律拟制的"人",各方面对法人分类有不同认识,比如可分为营利法人、非营利法人,也可分为社团法人、财团法人,还可分为私法人、公法人等。不同国家和地区的民事法律对法人的分类也不尽相同。经反复比较,民法总则按照法人设立目的和功能的不同,将一般法人分为营利法人和非营利法人,主要考虑:一是营利性和非营利性能够反映不同法人性质上的根本差异,传承了民法通则按照企业和非企业法人进行分类的基本思路,比较符合我国的立法习惯,实践意义也更为突出。二是营利法人和非营利法人的分类具有较强的包容性。营利法人既能涵盖公司等较为典型的企业法人，也能涵盖从事经营活动并以分配利润为目的的其他组织；非营利法人既能涵盖社会团体法人、事业单位法人等现有的法人类型，还能够涵盖现实中新出现的基金会和社会服务机构等法人类型。三是近年来，非营利性社会组织发展迅速，创设非营利法人类别，有利于加强对这类组织的引导、规范和保护，促进其健康发展，促进社会治理创新。四是财团法人和社团法人的分类与我国民众的基本认知不相符。一般理解，"财团"应为营利性组织，从事的应是营利性活动；"社团"是非营利性组织，主要从事的应是非营利性活动。但从传统财团法人和社团法人的定义来看，基金会等叫"财团法人"，从事的却是公益性的事情；公司等叫"社团法人"，从事的却是营利性活动。

按照上述分类，本法规定：营利法人是以取得利润并分配给其股东等出资人为目的成立的法人，主要包括有限责任公司、股份有限公司和其他企业法人等；非营利法人是为公益目的或者其他非营利目的成立，不向其出资人、设立人或者会员分配所取得利润的法人，主要包括包括事业单位、社会团体、基金会、社会服务机构等。本法还对非营利法人中的事业单位法人、社会团体法人、基金会法人和社会服务机构法人作了相应规定。需要说明的是，本法只列举了几种比较典型的营利、非营利法人具体类型，对现实生活中存在的或者可能出现的其他具体类型，可以按照其特征，分别纳入营利法人和非营利法人。相应地，本法不再规定民法通则中关于联营的内容。

在本法中如何对我国的法人进行科学分类，在立法中也有一个变化的过程。草案一审稿、二审稿按照法人设立目的和功能的不同，将法人分为营利法人和非营利法人。在立法过程中，多数意见是赞成这种分类方法的。同时，草案一审以来也一直有意见提出，实践中，一些法人组织在设立、变更、终止等方面具有特殊性，难以纳入营利法人和非营利法人的范围，建议为这些法人组织单设一类法人类型。立法机构对这些意见高度重视，经过深入调查研究，广泛征求意见，根据我国社会生活实际，本法专门规定了特别法人一节，规定了机关法人、农村集体经济组织法人、合作经济组织法人和基层群众性自治组织法人几类特别法人。对上述法人，单独设立一种法人类别，有利于其更好地参与民事生活，也有利于保护其成员和与其进行民事活动的相对人的合法权益。

本章共分四节，四十五条。第一节为一般规定，主要规定了法人的定义、成立法定原则、成立条件、民事权力能力和民事行为能力、法定代表人、住所、变更登记、终止原因、解散的具体情形、清算、分支机构和法人设立行为的法律后果等。第二节为营利法人，主要规定了营利法人的定义和类型、登记、营业执照、法人章程、权力机构、执行机构、监督机构，营利法人出资人应当依法行使权利，营利法人关联交易，营利法人的权力机构、执行机构决议撤销和营利法人应当履行的义务等。第三节为非营利法人，主要规定了非营利法人的定义及类型，事业单位法人，社会团体法人，捐助法人，为公益目的成立的非营利法人终止时剩余财产处置等。第四节为特别法人，主要规定了特别法人的类型：机关法人、农村集体经济组织法人、合作经济组织法人和基层群众性自治组织法人。

第一节 一般规定

第五十七条 法人是具有民事权利能力和民事行为能力，

依法独立享有民事权利和承担民事义务的组织。

【释义】 本条是关于法人的定义的规定。

本条为法人下了定义，宣告了其具有独立的民事主体地位，这是民法总则法人一章后续其他条文得以展开的前提和基础。因此，本条的规定具有重要意义。法人是“自然人”的对称，是自然人之外最为重要的民事主体，有自身独立的法律人格，可以以自己的名义起诉与应诉、拥有财产、进行交易、承担责任。法人制度是近现代民法上一项极为重要的法律制度。团体的法律人格的赋予，是民法理论最富想象力和技术性的创造。关于法人的本质，有不同主张。法人拟制说主张，享有民事权利能力，应以有着自由意思的自然人为限。在自然人之外，承认法人有民事权利能力，不过是法律的拟制。《德国民法典》采法人拟制说，该法第26条规定，董事会在诉讼及非讼事件中代表社团，具有法定代理人身份。既然法人的董事为法人的法定代理人，则作为被代理人的法人没有行为能力，这与拟制说关于法人为法律之拟制，并无自然人之意思能力与行为能力的主张，是符合的。法人实在说，分为法人有机体说和法人组织体说，均强调法人的社会实在性。其中，有机体说主张，法人是一种有团体意思的社会的有机体，与自然人系有个人意思的有机体相同。组织体说主张，法人并不是社会有机体，而是适于为权利义务主体之法律上的组织体。依照这种观点，在社会现实中实际存在的、具备一定组织机构的、具有一定利益并为实现其利益的组织体，依法律的价值判断而被赋予人格，此种组织体即为法人。采法人组织体说的立法，如《俄罗斯民法典》和我国台湾地区“民法”。《俄罗斯民法典》第48条第1款规定，具有独立的财产并以该类财产对自己的债务承担责任，以自己的名义取得和履行民事权利并承担民事义务，能够成为原告和被告的组织，被视为法人。我国台湾地区"民法"第 27 条规定，董事就法人一切事务，对外代表法人。20 世纪以来，法人组织体说逐渐成为通说。

我国民法通则第 36 条第 1 款规定："法人是具有民事权利能力和民事行为能力，依法独立享有民事权利和承担民事义务的组织。"民法总则延续了民法通则的规定，秉持了我国立法的一贯立场，仍然采纳了法人实在说中的组织体说。

所谓法人的民事权利能力，是指法人作为民事主体，享受民事权利并承担民事义务的资格。法人的民事权利能力与法人的民事主体资格是同一的，法人之所以具有民事主体资格，就是因为其具有民事权利能力。法人的民事权利能力是法人实施民事行为和从事民事活动的前提和基础。法人和自然人均具有民事权利能力，但是法人的民事权利能力不同于自然人的民事权利能力。法人是组织体，不是生命体，因此，某些与自然人的人身不可分离的人身权如生命权、健康权等不可能由法人享有，以性别、年龄、身份及亲属关系等为前提的权利义务，也不可能由法人享有和承担。《瑞士民法典》第 53 条规定，法人享有除以自然人的本质为要件的，如性别、年龄或亲属关系以外的一切权利及义务。我国台湾地区"民法"第 26 条规定，法人于法令限制内，有享受权利、负担义务之能力。但专属于自然人之权利义务，不在此限。《日本民法典》第 34 条规定，法人在按照法令规定、章程等其他约定中规定的目的范围内，享有权利，承担义务。《意大利民法典》第 17 条规定，未经政府主管机关许可，法人不得购置不动产、不得接受赠与、遗产，或取得遗赠。未经许可的购置和接受行为无效。

所谓法人的民事行为能力，是指法人作为民事主体，以自己的行为取得民事权利并承担民事义务的资格。法人是否具有民事行为能力,取决于对法人本质的认识。法人拟制说认为,法人既然是法律拟制的,当然无意思能力,而无意思能力则无行为能力。董事的行为,只是董事本身的行为,鉴于董事是法人的法定代理人,根据民法上代理的规定,其法律行为的效果归属于法人。法人实在说认为,法人作为一个统一的组织体,它有自己的内部机构,能够产生并实现自己的意思,从而决定了法人具有民事行为能力。董事作为法人的机关,其在职务上的行为,视为法人本身的行为。法人的团体意志并不同于个人的意志,也不是个人意志的简单总和,而是一种意志的综合。如前所述,鉴于我国民法立法坚持法人组织体说的立场,因而民法总则规定法人具有民事权利能力和民事行为能力。

第五十八条　法人应当依法成立。

法人应当有自己的名称、组织机构、住所、财产或者经费。法人成立的具体条件和程序,依照法律、行政法规的规定。

设立法人,法律、行政法规规定须经有关机关批准的,依照其规定。

【释义】　本条是关于法人成立法定原则及法人成立条件的规定。

本条第1款规定了法人成立法定原则,第2款、第3款规定了法人成立的条件和程序。

民法总则中规定的法人成立法定原则,类似物权法中规定的物权法定原则,是指法人必须依法成立,不得自行设立法人。从境外规定来看,《日本民法典》第33条第1款规定,法人非依本法及其他法律的规定,不得设立。我国台湾地区“民法”第25

条规定，法人非依本法或其他法律之规定，不得成立。之所以确立法人成立法定原则，是因为一般情况下民事主体承担的应当是无限责任，有限责任只是责任形式的例外。法人却不同，法人对外独立承担民事责任，意味着法人的设立人及其成员只承担有限责任。鉴于法人享有这样的特权，对法人的类型和设立应当依法确定。

本条第 2 款、第 3 款就法人设立的实体要件和程序要件作了规定。实体要件采用了列举加抽象的方式，本条第 2 款具体列举了几项任何法人都应当具备的实体要件，即“名称、组织机构、住所、财产或者经费”；同时该款规定“法人成立的具体条件和程序，依照法律、行政法规的规定”，其中“法人成立的具体条件，依照法律、行政法规的规定”是就法人成立实体要件的抽象规定。“法人成立的具体程序，依照法律、行政法规的规定”，是就法人成立程序要件的抽象规定。鉴于不同类型的法人，其成立的实体要件和程序要件存在差异，民法总则授权相关法律和行政法规作具体规定。例如，公司法第 23 条规定：“设立有限责任公司，应当具备下列条件：（一）股东符合法定人数；（二）有符合公司章程规定的全体股东认缴的出资额；（三）股东共同制定公司章程；（四）有公司名称，建立符合有限责任公司要求的组织机构；（五）有公司住所。”第 11 条规定：“设立公司必须依法制定公司章程。公司章程对公司、股东、董事、监事、高级管理人员具有约束力。”

立法过程中，有的意见主张，法人设立的时候，最关键的条件是应该有自己的章程，如果没有章程，就区别不了自然人，建议在法人成立的实体要件中增加列举“章程”。另有意见主张，法人应当有一定的成员，建议在法人成立的实体要件中增加列举“成员”。经研究认为，本条第2款具体列举的法人实体要件皆为任何法人均须具备的条件，“章程”和“成员”不具有这样的普遍适用性。比如，机关法人没有章程；捐助法人没有成员。这些不具有普遍适用性的条件，可以依照本条第2款“法人成立的具体条件和程序，依照法律、行政法规的规定”的规定处理，并非立法疏漏。

需要注意的是，就广义而言，设立法人的审批亦属“程序”的范畴，即须经审批程序。但在本条第2款已经规定“法人成立的具体条件和程序，依照法律、行政法规的规定”的情形下，第3款仍然规定“设立法人，法律、行政法规规定须经有关机关批准的，依照其规定”，这表明本条第2款中的“程序”是在狭义上使用的概念，不包括“审批”在内。这样处理是有考虑的。在立法过程中，该款内容曾是分散、重复规定于各具体法人类型之中的。基于立法技术的考虑，以提取公因式的方式将其统一放置在法人一般规定部分，作为法人成立的例外程序要件，既是立法科学的体现，也是对“设立法人，法律、行政法规规定须经有关机关批准的，依照其规定”的概括性明示。如果从广义上处理“程序”和“审批”两个概念的关系，则第3款应当删除。但这样处理的结果是，第3款所要表达的含义，老百姓不容易一下子读出来，不利于法律的实施。

还应注意的是，随着我国经济社会的不断发展，各项改革深入推进，法人成立的审批前置程序整体上呈现出减少的趋势。例如，2013年国务院发布《国务院机构改革和职能转变方案》，明确规定：“改革社会组织管理制度。加快形成政社分开、权责明确、依法自治的现代社会组织体制。逐步推进行业协会商会与行政机关脱钩，强化行业自律，使其真正成为提供服务、反映诉求、规范行为的主体。探索一业多会,引入竞争机制。""重点培育、优先发展行业协会商会类、科技类、公益慈善类、城乡社区服务类社会组织。成立这些社会组织,直接向民政部门依法申请登记,不再需要业务主管单位审查同意。民政部门要依法加强登记审查和监督管理,切实履行责任。"

对照民法通则第37条的规定,会发现民法总则本条的规定少了"能够独立承担民事责任"的成立要件。立法过程中,有的意见认为,应当借鉴民法通则第37条,将"能够独立承担民事责任"继续作为法人成立的实体要件。经研究认为,"能够独立承担民事责任"不是法人成立的条件,而是法人设立的结果,是法人成立后的性质和特征,法人成立即意味着其"能够独立承担民事责任",将其规定在条件之中,混淆了条件与结果的逻辑关系。有鉴于此,将"法人以其全部财产独立承担民事责任"放在了本法第60条,单独作了规定。

第五十九条　法人的民事权利能力和民事行为能力,从法人成立时产生,到法人终止时消灭。

【释义】 本条是关于法人的民事权利能力和民事行为能力的规定。

就像自然人一样,对于法人的民事权利能力和民事行为能力何时取得、何时消灭这样的基础性问题,在立法上需要给出回答。在本法第58条就法人成立法定主义和法人成立条件作出规范后,依法条的内在逻辑,其后应当接着就法人成立后是否能够取得,以及何时取得民事权利能力和民事行为能力,民事权利能力和民事行为能力又将于何时消灭的问题进行规定。这就是本条承载的任务。

法人的民事权利能力是法人具有民事主体资格的表现，是法人参加民事活动，享受民事权利和承担民事义务的前提，因此，法人一旦成立即具有民事权利能力，在法人终止前，其民事权利能力始终存在。法人的民事权利能力因法人成立而取得，因法人终止而消灭，好比自然人的民事权利能力，因自然人的出生而取得，因自然人的死亡而消灭。

法人的民事行为能力是法人自己实施民事法律行为的资格。法人作为社会组织体，与自然人不同，不存在年龄大小与精神、智力是否健全的问题，因此没有无民事行为能力、限制民事行为能力、完全民事行为能力的划分，一旦成立，即具有民事行为能力。法人一旦终止，其民事行为能力立即消灭。也就是说，法人的民事权利能力与民事行为能力在取得和消灭的时间上是一致的。

本条的规定源自民法通则第36条第2款关于“法人的民事权利能力和民事行为能力，从法人成立时产生，到法人终止时消灭”的规定。从境外立法来看，《俄罗斯民法典》第49条第3款规定，法人的权利能力，自将法人成立之信息载入统一的法人国家登记簿之时起产生，并且在将法人终止之信息载入该登记簿之时而终止。《瑞士民法典》第54条规定，法人依照法律或章程设立必要的机关后，即具有行为能力。

本条规定“法人的民事权利能力和民事行为能力，从法人成立时产生，到法人终止时消灭”。之所以用“成立”而非“登记”，是因为在我国，“登记”并非各类法人成立的统一必备程序要件。比如，机关法人的成立无须履行登记程序。具备法人条件的事业单位和社会团体，经依法登记成立，取得法人资格；依法不需要办理法人登记的，从成立之日起，具有法人资格。之所以用“终止”而非“解散”，是因为法人解散后进入清算，清算中的法人仍是法人，法人资格继续存在，只是其民事行为能力被限制在了清算目的范围内，不得从事与清算无关的活动。清算结束并完成法人注销登记时，法人终止；依法不需要办理法人登记的，清算结束时，法人终止。法人终止，意味着其民事主体资格消灭。

本条规定“法人的民事权利能力和民事行为能力，从法人成立时产生”。本法第 58 条第 3 款规定“设立法人，法律、行政法规规定须经有关机关批准的，依照其规定”。这两个条款中分别出现了“成立”和“设立”的法律概念，其含义不同。“法人设立”，是创设法人的行为和过程；“法人成立”是“法人设立”的目标，是设立行为的终点。“设立”成功，方为“成立”。法人成立前，尚没有法人资格。

第六十条　法人以其全部财产独立承担民事责任。

【释义】　本条是关于法人独立承担民事责任的规定。

“能够独立承担民事责任”，根据民法通则第 37 条的规定，是作为法人成立条件之一的。如前所述，“能够独立承担民事责任”不是法人成立的条件，而是法人设立的结果，是法人成立后的性质和特征，法人成立即意味着其“能够独立承担民事责任”。本条规定“法人以其全部财产独立承担民事责任”，意味着法人的成员或者设立人只承担有限责任，以出资额或捐助额为限，享受有限责任的保护。本条的规定是对本法第 57 条“法人是具有民事权利能力和民事行为能力，依法独立享有民事权利和承担民事义务的组织”的进一步呼应和印证。因为，“独立承担民事义务”的逻辑结果应当就是“独立承担民事责任”。由此可以看出,“法人独立承担民事责任”与“成员、设立人有限责任”是基于不同的角度得出的结论,其实本质含义相同,可以说是对同一个问题的两种不同表达,以致会出现“承担有限责任的法人”的表述。这个表述是不准确的,但也能表达出类似的含义。例如,公司法第 3 条规定:“公司是企业法人,有独立的法人财产,享有法人财产权。公司以其全部财产对公司的债务承担责任。有限责任公司的股东以其认缴的出资额为限对公司承担责任;股份有限公司的股东以其认购的股份为限对公司承担责任。”从境外立法来看,《俄罗斯民法典》第 56 条规定:(1)法人以属于它的全部财产对自己的债务承担责任。全额拨款公共企业和全额拨款公共机构对自己债务承担责任的特殊性,由该法典第 113 条第 6 款、第 123 条之 21 第 3 款、第 123 条之 22 第 3 款至第 6 款、第 123 条之 23 第 2 款的规则予以规定。宗教组织承担责任的特殊性,由该法典第 123 条之 28 第 2 款的规则予以规定。(2)法人创办人(参加人)或者法人之财产所有权人不对法人的债务承担责任,而法人也不对其创办人(参加人)或者其财产所有权人的债务承担责任,但是,本法典或者其他法律规定的情形除外。

立法过程中,关于法人是否应当独立承担民事责任,有的意见认为,当前时代背景下应当扩充法人的内涵,法人既包括成员、设立人承担有限责任的法人,亦包括成员承担无限责任的法人,建议不要规定法人独立承担民事责任或法人成员、设立人承担有限责任的内容。经研究认为,对于法人的内涵,大陆法系国家和地区的规定并不相同。在我国台湾地区和日本,法人并非仅指那些承担有限责任的团体,无限公司和两合公司也被认为是法人。在德国、瑞士,法人仅指成员或设立人承担有限责任的团体,无限公司和两合公司都不是法人。但就构建我国的法人制度而言,应当坚持法人必须是成员、设立人承担有限责任的民事主体,即应当以有限责任作为区分法人和非法人的标准。从我国法律接受法人概念之初,我们在立法与理论中就始终将有限责任作为法人的必要条件。我国民法通则第37条将"能够独立承担民事责任"作为法人成立的条件。我国公司法也只承认有限责任公司和股份有限公司,排斥了无限公司和两合公司,其根本原因就在于坚持股东的有限责任。总而言之,我国现行法上的法人,只有法人独立承担责任一种。应当说,民法通则和公司法的抉择是正确的,在我国,没有承认无限责任公司和两合公司法人地位的必要。

立法过程中,有的意见提出,法人背后经常有实际控制人进行操控,建议对于法人从事的民事活动,其法律后果由法人和实际控制人承担。经研究认为,法人是指具有民事权利能力和民事行为能力,依法独立享有民事权利和承担民事义务的组织。与非法人组织相比,法人最根本的特征在于其能独立承担民事责任。这也是法人制度蓬勃发展的根源所在。法人独立承担民事责任作为一项基本原则,需要得到尊重。"实际控制人"是一个专门的法律概念,我国公司法第216条就其含义作了如下界定:"……(三)实际控制人,是指虽不是公司的股东,但通过投资关系、协议或者其他安排,能够实际支配公司行为的人。"对于法人背后的实际控制人,的确需要立法加以规制,民法总则借鉴公司法第21条,在第84条作了如下规定:"营利法人的控股出资人、实际控制人、董事、监事、高级管理人员不得利用其关联关系损害法人的利益。利用关联关系给法人造成损失的,应当承担赔偿责任。"

第六十一条　依照法律或者法人章程的规定，代表法人从事民事活动的负责人，为法人的法定代表人。

法定代表人以法人名义从事的民事活动，其法律后果由法人承受。

法人章程或者法人权力机构对法定代表人代表权的限制，不得对抗善意相对人。

【释义】　本条是关于法人的法定代表人的规定。

法人作为一种社会组织体，对外进行民事活动，必须由自然人代而为之，即任何法人均须有自然人为其“代表”。该代表法人从事民事活动的自然人，称为法人代表人，我国习惯称为法人的法定代表人。出于对法人性质的不同理解，法人的代表人在法律上的地位有所不同，形成所谓“代理说”与“代表说”之分。代表说认为，法人代表人的行为，即为法人自身的行为。代表人为法人之机关，法人与代表人是一个人格，虽名二而实一，不存在两个主体。代表人执行法人的对外业务，所为的法律行为是法人自身的行为，当然由法人承担其后果。代理说与代表说相反，认为法人的代表人如公司之董事在执行法人的对外业务时，实际上是作为法人的代理人。依此说，法人的代表人不是一项区别于代理人的制度，法人的代表人也就是法人的代理人，应当适用民法关于法定代理人的规则。简而言之，代表说以法人实在说为基础，代理说以法人拟制说为根据，因对法人本质的认识不同。关于法人的本质，我国认可法人实在说，在法人代表人的地位上相应认可代表说。因此，本条第 1 款规定“依照法律或者法人章程的规定，代表法人从事民事活动的负责人，为法人的法定代表人”；第 2 款规定“法定代表人以法人名义从事的民事活动，其法律后果由法人承受”。

关于法定代表人的人数,立法过程中,有的意见提出,其他国家和地区多规定法定代表人可以为一人,也可为数人或数人的整体,我国立法将法定代表人限定为一人,过于僵化。经研究认为,从境外立法来看,我国台湾地区"民法"规定公司董事为数人时,每个董事均得成为法定代表人;《德国民法典》规定董事会具有法定代表人的地位。但就我国实际情况来看,将法人的法定代表人确定为一人,是基于法人对外活动的需要,也是保护交往安全的需要,实践证明是适合我国国情的做法。因此,民法总则应当继续坚持。

关于法定代表人的称谓,立法过程中有意见提出,法人的代表人有法律、行政法规直接确定的,如《基金会管理条例》明确规定基金会的理事长为法定代表人;也有非法定的,比如公司法规定公司的法定代表人依照章程由董事长、执行董事或者经理担任。因此,是否继续沿用"法定代表人"的概念,建议斟酌。经研究认为,使用"法定代表人"的概念,并不意味着法定代表人只能由法律、行政法规确定,法人的章程亦可依法确定法定代表人。无论是法律确定的,还是依章程选出来的即依章程确定的,均系法律授权或允许的,故均可称为依法确定的法定代表人,在此意义上,称为法定代表人并无不妥。加之,法定代表人的称谓已经约定俗成,人民群众对这个概念并无歧义。因此,对法定代表人的概念,未作修改。

关于本条第2款,需要注意以下两点:

1."法律后果由法人承受"的前提,是"法定代表人以法人名义从事的民事活动"。法定代表人由自然人担任,该自然人除了具有法人的法定代表人身份外,其当然可以自己的名义为自己从事民事活动。在以自己的名义为自己从事民事活动时,法律后果自然应当由其自己承受，而不应当由无关的法人承受。民法通则第43条规定："企业法人对它的法定代表人和其他工作人员的经营活动，承担民事责任。"表述上不够清晰，最高人民法院通过司法解释作了进一步明确。《最高人民法院关于贯彻执行〈中华人民共和国民法通则〉若干问题的意见（试行）》第58条规定："企业法人的法定代表人和其他工作人员，以法人名义从事的经营活动，给他人造成经济损失的，企业法人应当承担民事责任。"

2. 关于本款中使用的"承受"一词的理解。立法过程中，有的意见提出，应当将"承受"改为"承担"，更为通俗易懂。经研究认为，在法律用语方面，"承担"一词往往与"义务""责任"结合在一起使用，表述为"承担义务""承担责任"或"义务的承担""责任的承担"。与此相对应，"享有"一词，往往与"权利"结合在一起使用，表述为"享有权利"或"权利的享有"。对于既包括"权利"，又包括"义务"或"责任"的，则用"承受"一词进行描述，会更为准确。本条第2款中"法定代表人以法人名义从事的民事活动"，其法律后果，既可能产生义务与责任，也可能产生权利。如果用"承担"一词描述"权利"，形成"承担权利"的含义，这是不妥的。使用"承受"一词，则能准确表达出权利、义务、责任均由法人承受的立法目的。需要说明的是，民法总则在本条第2款使用"承受"一词，并非立法上的首创。合伙企业法第80条即规定："……作为有限合伙人的法人及其他组织终止时，其继承人或者权利承受人可以依法取得该有限合伙人在有限合伙企业中的资格。"合伙企业法中将"承受"一词与"权利"相连使用，在"作为有限合伙人的法人及其他组织终止"的情形下，使用"权利承受人"的概念，是准确的。

本条第 3 款规定了法人对法定代表人代表权的限制是否具有外部对抗效力问题。关于法定代表人的代表权限，一些国家（如瑞士）未作明文规定，但根据对其对代表权之一般规定的解释及判例，可认为其法定代表人有管理上之无限制的代表权。另有一些国家和地区的立法明文规定，法人可以章程或其他方式（股东会决议等）对代表人的权限进行限制，至于该限制是否对外发生对抗效力，则规定有所不同：《德国民法典》规定董事会代表权的范围可通过章程加以限制，其作用可以对抗第三人；《意大利民法典》规定不得以未经登记的对代表权的限制性规定对抗善意第三人；《日本民法典》规定对理事代表权所加的限制，不得以之对抗善意第三人；我国台湾地区“民法”规定对于董事代表权所加之限制，不得对抗善意第三人。应当说，法人限制法定代表人的代表权限，系法人内部治理问题，第三人于外部往往难以知悉，如果认定该限制对法人外部的善意第三人有对抗效力，显然有损交易安全。

本条第 3 款规定“法人章程或者权力机构对法定代表人代表权的限制，不得对抗善意相对人”，旨在保护善意相对人利益，保护交易安全。该款规定的实质内容与合同法第 50 条相同。合同法第 50 条规定了法定代表人越权行为的效力问题，根据该条规定，法人的法定代表人超越权限订立的合同，除相对人知道或者应当知道其超越权限的以外，该代表行为有效。但需要指出的是，本条第 3 款的规定，与合同法第 50 条的规定，有着不同的规范目的。本款是从对内管理的角度进行规范，合同法第 50 条是从对外从事民事法律行为的角度进行规范。但这两个法律条款的立法精神一致，在内在逻辑上是相互支撑和牵连的。可以说，本款的规范是合同法第 50 条规范的逻辑前提，合同法第50条规范是本条第3款规范的逻辑结果。

立法过程中，有的意见认为，在实践中，企业法人的法定代表人与第三人串通侵犯企业法人合法权益的情形并不少见，建议在本条第3款后增加规定“相对人明知法人的权力机构或者章程对于法定代表人的代表权范围的限制的除外”。经研究认为，该建议的内容能够被本款规定的“善意相对人”囊括，如果“相对人明知法人的权力机构或者章程对于法定代表人的代表权范围的限制”，则该相对人不能称为“善意相对人”，法人章程或者权力机构对法定代表人的代表权的限制，也就可以对抗该相对人。

第六十二条　法定代表人因执行职务造成他人损害的，由法人承担民事责任。

法人承担民事责任后，依照法律或者法人章程的规定，可以向有过错的法定代表人追偿。

【释义】　本条是关于法定代表人职务侵权行为的民事责任的规定。

要解决法人对其法定代表人执行职务造成他人损害的民事责任问题，首先应当确定法人是否具有侵权行为能力。所谓侵权行为能力，是指承担因侵权行为所致的损害赔偿责任的能力，因此，也称为侵权责任能力。关于法人是否具备侵权行为能力的讨论，基于在对法人的本质问题上持法人拟制说还是法人实在说而不同。如果持法人拟制说，则不认可法人具有侵权行为能力。如果持法人实在说，则承认法人具有侵权行为能力。如前所述，我国持法人实在说，认可法人具有侵权行为能力。因此，法人的法定代表人在执行法人事务的过程中，造成他人财产或者人身损害的，其侵权行为被视为法人自身的侵权行为，依法应由法人承担侵权责任。从境外立法来看，普遍认可了法人应当对其法定代表人的职务侵权行为承担侵权责任。《德国民法典》第 31 条规定，对于董事会、董事会成员或者其他依照章程选任的代表人由于执行属于权限以内的事务，发生应负损害赔偿责任的行为，致使第三人受到损害时，社团应负赔偿责任。第 31a 条规定：(1)一个董事会，在其无偿地从事活动或者为自己的活动获得报酬时，以报酬每年不超出 500 欧元为限，对于自己在执行董事会义务时所引起的损害，仅在故意或者重大过失的情形，始向社团负责任。第 1 句的规定也适用于向社团成员承担的责任。(2)一个董事会依第 1 款第 1 句，对于自己在执行董事会义务时所引起的损害，向他人负有赔偿义务的，其可以向社团请求免除此项债务。损害系故意或者因重大过失所引起的，不适用第 1 句的规定。《瑞士民法典》第 55 条第 2 款规定，法人对其机关的行为及其他行为承担责任。第 3 款规定，行为人失职，行为人另负个人责任。《意大利民法典》第 18 条规定，管理人依据有关委托的规定承担责任。未参与致损行为的管理人对损害不承担责任，但是，管理人知道要采取的行动而又未提出异议的情况除外。第 22 条规定，对管理人员提起追究责任诉讼的决议须由社团大会通过，由新任管理人员或清算人执行。《俄罗斯民法典》第 53 条之一规定：(1)依据法律、其他法律文件或者法人设立文件被授权代表法人的人，根据法人、代表法人利益的法人创办人(参加人)的请求，有义务赔偿因其过错而给法人造成的损失。如果能够证明依据法律、其他法律文件或者法人设立文件被授权代表法人之人，在行使其权利和履行其义务时，非善意、非合理地开展活动，其中包括其行为(不作为)违背民事流转的通常条件或者违背通常的经营风险，该人应承担责任。(2)法人集体机关成员也应承担本条第1款规定的责任，但是，其中投票反对给法人造成损失之决定的成员，或者为了善意地开展活动而没有参与投票的成员除外。《日本关于一般社团法人以及一般财团法人法》第78条规定，一般社团法人就代表理事或其他代表者在履行职务之际给第三方造成的损害负有赔偿责任。第111条规定，理事、监事或会计审计员如果玩忽职守，则对一般社团法人负有对所致损害进行赔偿的责任。我国台湾地区"民法"第28条规定，法人对于其董事或其他有代表权之人因执行职务所加于他人之损害，与该行为人连带负赔偿之责任。

从我国现有的立法来看，也有相关规定。民法通则第43条规定："企业法人对它的法定代表人和其他工作人员的经营活动，承担民事责任。"《最高人民法院关于贯彻执行〈中华人民共和国民法通则〉若干问题的意见(试行)》第58条规定："企业法人的法定代表人和其他工作人员，以法人名义从事的经营活动，给他人造成经济损失的，企业法人应当承担民事责任。"民法总则通过本条第1款明确规定"法定代表人因执行职务造成他人损害的，由法人承担民事责任"。

关于法人对其法定代表人的职务侵权行为承担民事责任后，能否向法定代表人行使追偿权问题。我国现有相关立法持肯定立场。例如，公司法第149条规定："董事、监事、高级管理人员执行公司职务时违反法律、行政法规或者公司章程的规定，给公司造成损失的，应当承担赔偿责任。"保险法第83条规定："保险公司的董事、监事、高级管理人员执行公司职务时违反法律、行政法规或者公司章程的规定，给公司造成损失的，应当承担赔偿责任。”民法总则亦持肯定立场，通过本条第 2 款规定“法人承担民事责任后，依照法律或者法人章程的规定，可以向有过错的法定代表人追偿。”本款作此规定，有着法理上的考虑。我国立法对法人的本质认可法人实在说，而根据法人实在说，法定代表人的行为就是法人的行为，因此，法人难以根据代理的相关规定追究法定代表人的责任。本款对此进行规定，可以避免此种情况的发生。

在立法过程中，有的意见提出，法定代表人执行职务造成他人损害的，法人要承担民事责任，现实生活中还有其他有代表权的人执行法人职务的情形，建议草案第 63 条法定代表人后增加“和其他有代表权的人”。经研究认为，就执行法人职务而言，存在两种情形：一是法定代表人。法定代表人属于法人的机关，代表法人从事民事活动。法定代表人与法人系同一主体，法定代表人与法人的关系是代表关系，不是代理关系。二是法定代表人之外的执行法人工作任务的人员。法定代表人之外的执行法人工作任务的人员不属于法人的机关，其与法人系不同主体，基于法人的授权，代理法人从事民事活动，这种代理属于委托代理中的职务代理。考虑到这种情形不同于法定代表人的代表行为，依据其代理属性，将相关内容规定在了本法第七章“代理”第二节“委托代理”中的第 170 条。该条第 1 款内容如下：“执行法人或者非法人组织工作任务的人员，就其职权范围内的事项，以法人或者非法人组织的名义实施民事法律行为，对法人或者非法人组织发生效力。”至于法人的工作人员因执行职务造成他人损害的，当然也应该由法人承担民事责任，但不宜放在民法总则民事主体的法人部分规定。将法定代表人放在法人部分规定，是因为法定代表人是法人的机关，而法人的工作人员不是法人的机关,其与法人的关系是雇佣关系,这种雇佣关系应受劳动合同法的调整。法人的工作人员因执行职务造成他人损害的,应当承担侵权责任,该部分内容将来宜放在民法典的侵权责任编中加以规定。而且,侵权责任法第34条就此有明确规定,即“用人单位的工作人员因执行工作任务造成他人损害的,由用人单位承担侵权责任”。因此,民法总则中不规定该项内容,也不会造成立法上的空白。

第六十三条　法人以其主要办事机构所在地为住所。依法需要办理法人登记的,应当将主要办事机构所在地登记为住所。

【释义】 本条是关于法人的住所的规定。

与自然人一样,法人也有其住所。住所是民事主体从事民事活动所产生的各种权利义务的归属地点,是发生民事法律关系的中心地域。法人若要从事民事活动,形成各种民事法律关系,则与自然人一样,也需要以一定的地域作为中心,即也需要住所。一个法人有可能拥有数个活动场所或者办事机构,但法人的住所只有一个。法人的住所在法律上具有重要意义,如决定债务履行地、登记管辖、诉讼管辖、法律文书送达之处所、涉外民事关系之准据法等。

立法过程中,关于法人住所应当如何规定,存在不同意见:有的建议规定“法人以其主要办事机构所在地为住所”;有的建议规定“法人以其登记的住所为住所”;有的建议规定“法人以其登记的住所为住所,法人登记的住所与其主要办事机构所在地不一致的,以法人的主要办事机构所在地为住所”;有的建议规定“法人以其登记的住所为住所,没有登记的,以法人的主要办事机构所在地为住所”;有的建议规定“法人以其主要办事机构所在地为住所,主要办事机构所在地不能确定的,以登记的住所为住所”。

经研究认为,将主要办事机构所在地作为法人的住所,是确定法人住所的一般规则,这是世界各国各地区的通行做法。《意大利民法典》第 46 条规定,当法律规定以住所或场所为发生法律效力的依据时,法人的住所或场所指法人确定的主要活动场所所在地。在本法第 16 条中确定的住所或登记的住所与法人业务的实际执行地不一致的情况下,第三人可以将法人业务执行地视为法人的住所。第 47 条规定,法人可以为特定的活动或事务选择特别住所。这一选择应当以书面形式明确作出。《日本民法典》第 50 条规定,法人以其主事务所所在地为住所。《日本关于一般社团法人以及一般财团法人法》第 4 条规定,一般社团法人及一般财团法人的地址为其主要事务所所在地的地址。我国台湾地区“民法”第 29 条规定,法人以其主事务所之所在地为住所。《德国民法典》第 24 条规定,如无其他规定,以执行管理的地点为社团的住所。《瑞士民法典》第 56 条规定,法人的住所,如其章程无另行规定时,以其事务所所在地为住所。《法国民法典》第 1837 条规定,第三人得援用章程中确定的注册住所;但如公司总机构的实际住所在另一地点时,公司不得以章程中确定的注册住所对抗第三人。《俄罗斯民法典》第 54 条第 2 款规定,法人住所地,以其在俄罗斯联邦境内的国家登记地为准,以注明居民点(自治地方)名称的方式予以确定。法人在其常设执行机关的所在地进行国家登记,如果没有常设执行机关,则在依据法律、其他法律文件或者设立文件被授权代表法人的其他机关或者人员的所在地进行国家登记。第 3 款规定,在统一的法人国家登记簿中,应该载明法人的地址。

从我国现行立法来看，民法通则第 39 条、公司法第 10 条等亦均明确将主要办事机构所在地确定为法人的住所。民法通则第 39 条规定："法人以它的主要办事机构所在地为住所。"公司法第 10 条规定："公司以其主要办事机构所在地为住所。"《最高人民法院关于适用〈中华人民共和国民事诉讼法〉的解释》第 3 条规定："公民的住所地是指公民的户籍所在地，法人或者其他组织的住所地是指法人或者其他组织的主要办事机构所在地。法人或者其他组织的主要办事机构所在地不能确定的，法人或者其他组织的注册地或者登记地为住所地。"

但现实中确实有不少法人的登记住所与主要办事机构所在地不一致，这不利于登记管理机关的管理和交易安全的保护，故有必要在立法上强调住所登记的必要性。综合考虑上述两方面因素，本条作了如下规定："法人以其主要办事机构所在地为住所。依法需要办理法人登记的，应当以主要办事机构所在地登记为住所。"如果出现"登记住所与主要办事机构所在地不一致"的情形，且对他人利益造成影响的，应当按照本法第 65 条关于"法人的实际情况与登记的事项不一致的，不得对抗善意相对人"的规定处理。

此外，本条规定"依法需要办理法人登记的，应当将主要办事机构所在地登记为住所"。之所以在"应当将主要办事机构所在地登记为住所"之前加上"依法需要办理法人登记的"这一限制，是因为在我国还存在依法不需要办理法人登记的法人，如依法不需要办理法人登记的事业单位和社会团体等。

第六十四条　法人存续期间登记事项发生变化的，应当依法向登记机关申请变更登记。

【释义】 本条是关于法人变更登记的规定。

法人登记是指法人依法将其内部情况向国家登记机关报告登记的制度,是将法人内部情况公布于外的一种方法。通过法人登记进行公示,既是保护交往相对人的需要,也是对法人进行必要的管理监督,以实现对社会经济秩序有效调控的需要。除依法不需要办理法人登记即可成立的少数法人外,绝大多数法人只有经登记机关依法登记,方能取得法人资格。《公司登记管理条例》鲜明地表达了这样的立场,该条例第 3 条规定:"公司经公司登记机关依法登记,领取《企业法人营业执照》,方取得企业法人资格。"关于登记的事项,往往是与其基本存在条件有重大关系的事项,如组织形式、目的范围、注册资本、法定代表人等。具体而言,不同的法人类型不尽相同。比如,对于有限责任公司和股份有限公司,《公司登记管理条例》第 9 条规定:"公司的登记事项包括:(一)名称;(二)住所;(三)法定代表人姓名;(四)注册资本;(五)公司类型;(六)经营范围;(七)营业期限;(八)有限责任公司股东或者股份有限公司发起人的姓名或者名称。"第 10 条规定:"公司的登记事项应当符合法律、行政法规的规定。不符合法律、行政法规规定的,公司登记机关不予登记。"对于全民所有制企业、集体所有制企业等企业法人,《企业法人登记管理条例》第 9 条规定:"企业法人登记注册的主要事项:企业法人名称、住所、经营场所、法定代表人、经济性质、经营范围、经营方式、注册资金、从业人数、经营期限、分支机构。"对于事业单位法人,《事业单位登记管理暂行条例》第 8 条第 2 款规定:"事业单位法人登记事项包括:名称、住所、宗旨和业务范围、法定代表人、经费来源(开办资金)等情况。"对于社会团体法人,《社会团体登记管理条例》第 16 条第 1 款规定:“……登记事项包括:(一)名称;(二)住所;(三)宗旨、业务范围和活动地域;(四)法定代表人;(五)活动资金;(六)业务主管单位。”对于基金会,《基金会管理条例》第11条第2款规定:“基金会设立登记的事项包括:名称、住所、类型、宗旨、公益活动的业务范围、原始基金数额和法定代表人。”

依法登记成立的法人,在其取得法人资格的同时,其在登记机关登记的事项亦产生对外公示的效力。这些登记的事项在法人的运行过程中可能发生变化。如果不及时到登记机关办理变更登记,就会出现对外公示的登记信息与法人的实际信息不一致的情况,从而危及交易安全和交往安全。因此,法人存续期间登记事项发生变化的,应当依法向登记机关申请变更登记。在民法总则颁布之前,我国多个法律、行政法规作出了同样的要求。例如,民法通则第44条第1款规定:“企业法人分立、合并或者有其他重要事项变更,应当向登记机关办理登记并公告。”《企业法人登记管理条例》第17条规定:“企业法人改变名称、住所、经营场所、法定代表人、经济性质、经营范围、经营方式、注册资金、经营期限,以及增设或者撤销分支机构,应当申请办理变更登记。”公司法第7条规定:“依法设立的公司,由公司登记机关发给公司营业执照。公司营业执照签发日期为公司成立日期。公司营业执照应当载明公司的名称、住所、注册资本、经营范围、法定代表人姓名等事项。公司营业执照记载的事项发生变更的,公司应当依法办理变更登记,由公司登记机关换发营业执照。”《公司登记管理条例》第五章专章规定了“变更登记”。该条例第26条规定:“公司变更登记事项,应当向原公司登记机关申请变更登记。未经变更登记,公司不得擅自改变登记事项。”该条所称“登记事项”,是指该条例第9条所规定的八项情形。该条例还明确规定了登记事项变化后应当办理变更登记的时限。例如,第28条规定"公司变更名称的,应当自变更决议或者决定作出之日起30日内申请变更登记";第29条第1款规定"公司变更住所的,应当在迁入新住所前申请变更登记,并提交新住所使用证明";第30条规定"公司变更法定代表人的,应当自变更决议或者决定作出之日起30日内申请变更登记";第31条规定"公司增加注册资本的,应当自变更决议或者决定作出之日起30日内申请变更登记公司减少注册资本的,应当自公告之日起45日后申请变更登记……"《事业单位登记管理暂行条例》第10条规定:"事业单位的登记事项需要变更的,应当向登记管理机关办理变更登记。"《社会团体登记管理条例》第20条规定:"社会团体的登记事项、备案事项需要变更的,应当自业务主管单位审查同意之日起30日内,向登记管理机关申请变更登记、变更备案。"《基金会管理条例》第15条第1款规定:"基金会、基金会分支机构、基金会代表机构和境外基金会代表机构的登记事项需要变更的,应当向登记管理机关申请变更登记。"

从境外民事立法来看,普遍规定法人变更应当进行变更登记。《德国民法典》第67条第1款规定,董事会的每次变更,应由董事会申报登记。申报应附具关于变更的文件的副本。第2款规定,由法院任命的董事会成员,应由法院依职权进行登记。《意大利民法典》第34条第1款规定,在获得政府主管机关批准以后变更的设立文件以及章程、法人迁移、设立分支机构、更换管理人或代表人,应当进行变更登记。在自行解散、责令解散、宣告终止的情况下,应当进行注销登记,在进行注销登记时,应当载明清算人的姓名。我国台湾地区"民法"第30条规定,法人非经向主管机关登记，不得成立。根据该“民法”第48条第1款的规定，社团设立时，应登记之事项包括：(1)目的。(2)名称。(3)主事务所及分事务所。(4)董事之姓名及住所。设有监察人者，其姓名及住所。(5)财产之总额。(6)应受设立许可者，其许可之年、月、日。(7)定有出资方法者，其方法。(8)定有代表法人之董事者，其姓名。(9)定有存立时期者，其时期。根据该“民法”第61条第1款的规定，财团设立时，应登记之事项包括：(1)目的。(2)名称。(3)主事务所及分事务所。(4)财产之总额。(5)受许可之年、月、日。(6)董事之姓名及住所。设有监察人者，其姓名及住所。(7)定有代表法人之董事者，其姓名。(8)定有存立时期者，其时期。第31条规定，法人登记后，有应登记之事项而不登记，或已登记之事项有变更而不为变更之登记者，不得以其事项对抗第三人。该条规定隐含着“已登记之事项有变更”则“应为变更之登记”之义。

在立法过程中，有的意见提出，本条规定最好能够进一步细化，以更具可操作性，建议将本条内容修改为“法人存续期间，合并、分立或者其名称、组织形式、设立目的、注册资本、住所、法定代表人、业务主管单位等变更的，应当依法向登记机关申请登记”。经研究认为，不同的法人类型，登记的事项并不完全相同，一旦具体列举，则所列举的登记事项与不同法人的登记事项不可能完全匹配。例如，“注册资本”是营利法人的必要登记事项，却不是非营利法人的登记事项；“业务主管单位”是一些非营利法人的必要登记事项，但对于营利法人而言，一般不存在业务主管单位。而且，我国正在进行商事登记制度改革，法定登记事项正在逐步减少。对于非营利社会组织的改革也正在深入推进，对于一部分社会组织，将取消业务主管单位审批的前置程序，它们可以直接向登记机关申请登记，取得法人资格。2016年8月，中共中央办公厅、国务院办公厅印发《关于改革社会组织管理制度促进社会组织健康有序发展的意见》，提出："稳妥推进直接登记。重点培育、优先发展行业协会商会类、科技类、公益慈善类、城乡社区服务类社会组织。成立行业协会商会，按照《行业协会商会与行政机关脱钩总体方案》的精神，直接向民政部门依法申请登记。在自然科学和工程技术领域内从事学术研究和交流活动的科技类社会组织，以及提供扶贫、济困、扶老、救孤、恤病、助残、救灾、助医、助学服务的公益慈善类社会组织，直接向民政部门依法申请登记。为满足城乡社区居民生活需求，在社区内活动的城乡社区服务类社会组织，直接向县级民政部门依法申请登记。民政部门审查直接登记申请时，要广泛听取意见，根据需要征求有关部门意见或组织专家进行评估。国务院法制办要抓紧推动修订《社会团体登记管理条例》等行政法规。民政部要会同有关部门尽快制定直接登记的社会组织分类标准和具体办法。"因此，简要表述为"法人存续期间登记事项发生变化的，应当依法向登记机关申请变更登记"，不就具体的登记事项进行列举，反而是既准确又更为妥当的表达。

第六十五条　法人的实际情况与登记的事项不一致的，不得对抗善意相对人。

【释义】　本条是关于法人的实际情况与其登记事项不一致的法律后果的规定。

法人的实际情况与登记的事项不一致，包括两种情形：一是法人设立登记时即出现法人的实际情况与登记的事项不一致；二是存续期间登记事项发生变更但未依法及时办理变更登记。

法律、行政法规要求法人登记的事项往往是与其基本存在条件有重大关系的事项，如组织形式、目的范围、注册资本、法定代表人等。这些在登记机关登记的重大事项产生对外公示的效力，如果登记事项一开始就与法人的实际情况不符，或者存续期间登记事项发生变更但未依法及时办理变更登记，就会出现对外公示的登记信息与法人的实际信息不一致的情况，从而危及交易安全和交往安全。尽管立法要求法人在设立登记时应当如实登记相关事项，法人存续期间登记事项发生变更的应当及时申请变更登记，但基于各种原因，实践中仍然会出现法人的实际情况与登记的事项不相符合的情形。

关于法人的实际情况与其登记事项不一致的法律后果，我国以往的法律未作规定。不过，关于登记能否产生对抗效力问题，我国物权法多个条文作了“未经登记，不得对抗善意第三人”的规定。该法第24条规定：“船舶、航空器和机动车等物权的设立、变更、转让和消灭，未经登记，不得对抗善意第三人。”第129条规定：“土地承包经营权人将土地承包经营权互换、转让，当事人要求登记的，应当向县级以上地方人民政府申请土地承包经营权变更登记；未经登记，不得对抗善意第三人。”第158条规定：“地役权自地役权合同生效时设立。当事人要求登记的，可以向登记机构申请地役权登记；未经登记，不得对抗善意第三人。”第188条规定：“以本法第一百八十条第一款第四项、第六项规定的财产或者第五项规定的正在建造的船舶、航空器抵押的，抵押权自抵押合同生效时设立；未经登记，不得对抗善意第三人。”第189条第1款规定：“企业、个体工商户、农业生产经营者以本法第一百八十一条规定的动产抵押的，应当向抵押人住所地的工商行政管理部门办理登记。抵押权自抵押合同生效时设立;未经登记,不得对抗善意第三人。”

从境外立法来看,普遍将法人的实际情况与登记的事项不一致的法律后果,规定为不得对抗善意第三人。我国台湾地区“民法”第31条规定,法人登记后,有应登记之事项,而不登记,或已登记之事项有变更而不为变更之登记者,不得以其事项对抗第三人。《德国民法典》第68条规定,董会会原成员与第三人发生法律行为的,只有在采取法律行为时,董事会的变更已经在社团登记簿上登记,或者该第三人已知此变更时,董事会的变更始得对抗该第三人。如此变更已经登记,而第三人不知此变更,而且其不知并非出于过失时,该第三人无须认可此变更的效力。第70条规定,第68条的规定,也适用于限制董事会的代表权的范围或对董事会的决议做不同于第28条第1款规定的调整的规定。《意大利民法典》第34条第2款规定,未办理变更、注销登记手续的,不得以上述事实对抗第三人,能证明第三人知晓的情况除外。《俄罗斯民法典》第51条规定,善意地确信统一的法人国家登记簿中所载的信息资料之人,有权以此为出发点,即统一的法人国家登记簿中所载的信息资料与实际情况相符。在与对统一的法人国家登记簿中所载的信息资料持确信态度之人的关系中,法人无权援用未载入统一的法人国家登记簿中的信息资料,也无权引证统一的法人国家登记簿中所载的信息资料不可确信,但是,因第三人的违法行为或者以无视法人意思的其他途径,将相关信息资料载入统一的法人国家登记簿的情形除外。法人有义务赔偿因未提供、未及时提供或者提供虚假的法人国家登记信息资料而给民事流转其他参与者所造成的损失。第54条第3款规定,法人承担因未收到依据统一的法人国家登记簿中注明的地址所寄递的具有重要司法意义的通知

（第 165 条之一）而产生后果的风险，也要承担在上述地址中没有注明法人机关或者法人代表而产生后果的风险。即使法人未处于统一的法人国家登记簿中所载明的地址，依据该地址所寄递的通知，也被视为法人已收到。

民法总则草案一审稿第 61 条规定："法人的实际情况与其登记的事项不一致的，不得对抗信赖登记的善意第三人。"有的意见提出，这个规定应当再斟酌。民法上的善意第三人概念，实际上已经含有信赖登记之意。所谓"善意第三人"，就是指信赖登记簿的记载、不知该记载与实际权利状况不符的买受人。例如，现行物权法第 106 条关于善意取得的规定，并未额外规定"信赖登记"。添加"信赖登记"字样，容易使人误解为除善意之外另有信赖要件、进而要求第三人证明自己信赖登记，这不利于对善意第三人的保护，与立法目的不符。因此，建议删除"信赖登记的"几个字，将草案第 61 条修改为："法人的实际情况与其登记的事项不一致的，不得对抗善意第三人。"经研究采纳了该意见。民法总则草案二审稿第 63 条规定："法人的实际情况与登记的事项不一致的，不得对抗善意第三人。"

在其后的立法过程中，围绕"法人的实际情况与登记的事项不一致的"，其效果是"不得对抗善意相对人"，还是"不得对抗善意第三人"，也有不同意见。经研究认为，民法上的相对人是指合同对方当事人。按照合同相对性原理，一个合同关系（A—B）中，双方当事人互为"相对人"。善意相对人与恶意相对人的区分是：一方（A）有影响合同效力的事由（无处分权、超越代表权、超越代理权、超越经营范围）时，对方（B）对此事由"不知"而进行交易，即属于"善意相对人"；反之，对方（B）对此事由"明知"，即属于"恶意相对人"。民法上的"第三人"，指合同双方当事人之外的、与一方存在某种法律关系的特定人。其中，合同法上的“第三人”与物权法上的“第三人”，亦有不同。合同法上的“第三人”，指连续交易合同（A—B、B—C）关系中，后一合同（B—C）关系的受让人C。如果C对于前合同（A—B）关系存在无效、可撤销事由“不知”而进行交易，即为“善意第三人”；反之，如果C对于前合同（A—B）关系存在无效、可撤销事由“明知”而进行交易，即为“恶意第三人”。物权法上的“第三人”，主要指重复交易（一物二卖）合同（A—B、A—C）关系中，后一合同（A—C）关系的受让人C。如果C对于前一合同（A—B）关系的存在“不知”而进行交易，即为“善意第三人”；反之，如果C对于前一合同（A—B）关系的存在“明知”而进行交易，即为“恶意第三人”。例如，物权法第24条规定特别动产物权变动未经登记不得对抗“善意第三人”，其所谓“第三人”即指重复交易（A—B、A—C）后一合同（A—C）关系的买受人C。据此，民法总则草案三审稿第63条规定：“法人的实际情况与登记的事项不一致的，不得对抗善意相对人。”该内容最终成为本条规定。

第六十六条　登记机关应当依法及时公示法人登记的有关信息。

【释义】　本条是关于登记机关公示法人登记信息义务的规定。

前已述及，法人登记意义重大。但如果社会公众不能方便获知这些登记信息，则建立法人登记制度所期待的价值功能便难以有效发挥。为促进社会公众方便快捷地获知各类法人的登记信息，登记机关肩负着重要使命，发挥着无可替代的作用，可谓责无旁贷。因此,本条规定“登记机关应当依法及时公示法人登记的有关信息”。

关于营利法人登记信息的公示问题,公司法第 6 条第 3 款即已规定,“公众可以向公司登记机关申请查询公司登记事项,公司登记机关应当提供查询服务”。《企业信息公示暂行条例》就企业信息公示作了全面规范,该条例第 5 条第 1 款规定:“国务院工商行政管理部门推进、监督企业信息公示工作,组织企业信用信息公示系统的建设”。第 6 条规定:“工商行政管理部门应当通过企业信用信息公示系统,公示其在履行职责过程中产生的下列企业信息:(一)注册登记、备案信息;(二)动产抵押登记信息;(三)股权出质登记信息;(四)行政处罚信息;(五)其他依法应当公示的信息。前款规定的企业信息应当自产生之日起 20 个工作日内予以公示。”第 24 条规定:“国务院工商行政管理部门负责制定企业信用信息公示系统的技术规范。个体工商户、农民专业合作社信息公示的具体办法由国务院工商行政管理部门另行制定。”《公司登记管理条例》第 55 条规定:“公司登记机关应当将公司登记、备案信息通过企业信用信息公示系统向社会公示。”第 57 条规定:“公司应当于每年 1 月 1 日至 6 月 30 日,通过企业信用信息公示系统向公司登记机关报送上一年度年度报告,并向社会公示。”《企业法人登记管理条例》亦作了类似规定。该条例第 23 条规定:“登记主管机关应当将企业法人登记、备案信息通过企业信用信息公示系统向社会公示。”第 24 条规定:“企业法人应当于每年 1 月 1 日至 6 月 30 日,通过企业信用信息公示系统向登记主管机关报送上一年度年度报告,并向社会公示。”

关于非营利法人登记信息的公示问题,慈善法作了规定。

该法第70条规定:“县级以上人民政府民政部门和其他有关部门应当及时向社会公开下列慈善信息:(一)慈善组织登记事项;(二)慈善信托备案事项;(三)具有公开募捐资格的慈善组织名单;(四)具有出具公益性捐赠税前扣除票据资格的慈善组织名单;(五)对慈善活动的税收优惠、资助补贴等促进措施;(六)向慈善组织购买服务的信息;(七)对慈善组织、慈善信托开展检查、评估的结果;(八)对慈善组织和其他组织以及个人的表彰、处罚结果;(九)法律法规规定应当公开的其他信息。”

上述立法为民法总则规定法人登记信息的公示问题奠定了基础。本条规定“登记机关应当依法及时公示法人登记的有关信息”,从而为所有的法人登记机关设定了“依法及时公示法人登记的有关信息”的义务。从境外民法典的规定来看,《俄罗斯民法典》第51条规定,法人应当根据法人国家登记法规定的程序在被授权的国家机关进行国家登记。国家登记的信息资料载入向公众开放的统一的法人国家登记簿。

在立法过程中,有的意见提出,应当在本条增加规定“营利法人的登记机关应当通过企业信用信息公示系统依法及时公示营利性法人登记的有关信息”的内容,以推进市场信用体系的建设。经研究认为,本条关于“登记机关应当依法及时公示法人登记的有关信息”的规定,能够容纳“营利法人的登记机关应当通过企业信用信息公示系统依法及时公示营利法人登记的有关信息”的内容。作为民法总则的规定,应当具有适用上的一般性,不宜在法人“一般规定”部分,就营利法人的登记信息公示问题专门作出规定。

在立法过程中,有的意见提出,登记机关公示的信息应当包括变更登记信息,建议将本条修改为“登记机关应当依法及时公示法人登记及变更登记的有关信息。”经研究认为，法人登记，包括设立登记、变更登记和注销登记，如《公司登记管理条例》第 2 条第 1 款规定：“有限责任公司和股份有限公司设立、变更、终止，应当依照本条例办理公司登记。”因此，“法人登记”已包含“变更登记”，这两个概念不宜并列使用。

在立法过程中，还有意见提出，从现实看，我国尚不具备对所有法人登记信息进行公示的客观条件，目前仅有工商行政管理部门对营利法人建立了较为完备的登记和公示制度，对于其他的法人，尚未建立起完备的登记和公示制度，部分法人的设立与变更甚至不以登记为要件。因此，登记公示制度宜在营利法人一节中规定，而不宜在法人的一般规定中统一规定。经研究认为：一方面，前已述及，关于营利法人登记信息的公示问题，相关法律和行政法规已经作了明确规定；关于非营利法人登记信息的公示问题，慈善法亦作了明确规定。另一方面，本条是针对“登记机关”作出的规定，要求“登记机关依法及时公示法人登记的有关信息”，前提皆是指向“依法需要办理登记”的法人，不包括“依法不需要办理登记”的法人。因此，对该建议未予采纳。

在立法过程中，关于登记机关公示法人登记信息的具体方式，存在争议。民法总则草案一审稿第 62 条规定：“登记机关应当通过信息公示系统依法及时公示法人登记的有关信息”。有的意见提出，该条对法人登记的信息公示的规定，除“通过信息公示系统”外，还可以通过其他途径或系统公示，因此，建议删除第 62 条中的“通过信息公示系统”，或者将“信息公示系统”修改为“信息公示系统等方式”。经研究认为，本条可仅规定信息公开制度，至于信息公开的具体方式方法，可留待今后的立法进行明确。因此，按照上述意见，删除第62条中的“通过信息公示系统”。

第六十七条　法人合并的，其权利和义务由合并后的法人享有和承担。

法人分立的，其权利和义务由分立后的法人享有连带债权，承担连带债务，但是债权人和债务人另有约定的除外。

【释义】　本条是关于法人合并、分立后其权利义务的享有和承担的规定。

法人合并，是指两个以上的法人不经清算程序而合并为一个法人的法律行为。按合并方式的不同，法人合并分为吸收合并和新设合并。吸收合并，是指一个或多个法人归并到一个现存的法人中去，被合并的法人资格消灭，存续法人的主体资格仍然存在。新设合并，是指两个以上的法人合并为一个新法人，原来的法人消灭，新的法人产生。法人分立，是指一个法人分成两个或两个以上法人的法律行为。按分立方式的不同，法人分立分为派生分立和新设分立两种方式。派生分立，是指原法人仍然存在，但从原法人中分立出去一个新的法人；新设分立，是指原法人分立为两个或者两个以上新的法人，原法人不复存在。

因合并、分立而存续的法人，其登记事项发生变化的，应当申请变更登记；因合并、分立而解散的法人，应当申请注销登记；因合并、分立而新设立的法人，应当申请设立登记。

法人的合并、分立不应当影响法人外部债权人的利益，合并、分立前法人的权利义务应当概括移转给合并、分立后的法人。关于法人合并、分立后其权利义务的享有和承担问题，民法通则、合同法、公司法先后作了规定。民法通则第44条第2款规定:“企业法人分立、合并,它的权利和义务由变更后的法人享有和承担。”合同法第 90 条规定:“当事人订立合同后合并的,由合并后的法人或者其他组织行使合同权利,履行合同义务。当事人订立合同后分立的,除债权人和债务人另有约定的以外,由分立的法人或者其他组织对合同的权利和义务享有连带债权,承担连带债务。”公司法第 174 条规定:“公司合并时,合并各方的债权、债务,应当由合并后存续的公司或者新设的公司承继。”第 176 条规定:“公司分立前的债务由分立后的公司承担连带责任。但是,公司在分立前与债权人就债务清偿达成的书面协议另有约定的除外。”

在立法过程中,关于法人合并、分立后其权利义务的享有和承担,应当如何表述,存在争议。民法总则草案一次审议稿第 63 条规定:“法人合并、分立的,其权利和义务由变更后的法人享有和承担”,该规定直接借鉴了民法通则第 44 条第 2 款的规定,即“企业法人分立、合并,它的权利和义务由变更后的法人享有和承担”。有的常委委员提出,这个规定与公司法的规定是不一致的。根据公司法第 174 条和第 176 条的规定,公司合并时,合并各方的债权、债务由合并后存续的公司或者新设公司承继;公司分立时,分立前的债务由分立后的公司承担连带责任,但公司在分立前与债权人另有约定的除外。民法总则草案一次审议稿的规定不利于对债权人利益的保护,实践当中也有借法人分立躲避债务的情况。建议在本条最后增加:“但是,公司分立前债权人就债务清偿达成的书面协议另有约定的除外”,这样可以处理一些特殊情况,填补制度上的漏洞,更好地保护债权人的合法权益。经研究采纳了该意见,并借鉴合同法第 90 条的规定,对本条作了完善。据此,形成了民法总则草案二次审议稿第 65 条,该条规定:“法人合并的,其权利和义务由合并后的法人享有和承担。法人分立的,其权利和义务由分立后的法人享有连带债权,承担连带债务,债权人和债务人另有约定的除外。”与公司法第 176 条相比,本条第 2 款的规定有两个方面的不同:一是公司法第 176 条仅就公司分立前的债务承担问题作规定,本条第 2 款是就法人分立前的权利和义务的承继问题作规定。二是对于“分立前的债务由分立后的法人承担连带责任”的除外情形,公司法第 176 条规定的是“公司在分立前与债权人就债务清偿达成的书面协议另有约定的除外”,强调了债权人与债务人达成协议的时间是在公司分立前;本条第 2 款规定的除外情形是“债权人和债务人另有约定的除外”,即只要债权人和债务人能够达成另外的约定,则不论该约定是达成于法人分立前,还是法人分立后,皆应当受到尊重。

第六十八条　有下列原因之一并依法完成清算、注销登记的,法人终止:

(一)法人解散;

(二)法人被宣告破产;

(三)法律规定的其他原因。

法人终止,法律、行政法规规定须经有关机关批准的,依照其规定。

【释义】　本条是关于法人终止原因的规定。

一个法人的存在,不仅要善始,还要善终。法人的终止,又称法人的消灭,是指法人权利能力的终止。法人的终止,如同自然人的死亡,但因为法人是拟制的组织体,法人在其存续阶段,作为民事主体从事民事活动,会形成多种不同的法律关系。法人作为这些法律关系的连接点和承载者,牵涉众多法律主体的利益。对于因其而形成的法律关系,法人在终止前有义务进行清理了结,清算完成后才可依法消灭。法人清算制度作为专门处理法人解散后事务的一项重要法律制度,从其实体性规范到程序性规范,从原则性规定到具体制度都有着重要的社会价值。

本条概括规定了法人终止的几种原因,即法人解散、法人被宣告破产及法律规定的其他原因,以此在逻辑上统筹本节关于解散、清算的规定。民法通则第 45 条规定:“企业法人由于下列原因之一终止:(一)依法被撤销;(二)解散;(三)依法宣告破产;(四)其他原因。”需要注意的是,本条的规定虽源自民法通则第 45 条,但与民法通则第 45 条相比,本条在概念的内涵和用语的准确等方面有很大的变化,两个条文存在诸多不同。

一是关于“法人解散”概念的内涵。本条规定的“法人解散”,是在广义上使用的概念,既包括法人依权力机构决议等自行解散,也包括法人依法被吊销营业执照、登记证书,被责令关闭或者被撤销等行政解散,还包括法人因陷入内部治理的僵局而被人民法院强制解散,具体情形在本法第 69 条作了详细规定。民法通则第 45 条将“解散”与“依法被撤销”并列使用,表明是将“法人解散”在狭义上使用,即仅指法人自行解散。

二是关于“法人终止”概念的内涵。本条规定的“法人终止”与“法人清算”不同。法人解散后,要经过法人清算程序,完成注销登记时,法人才终止。也就是说,“法人清算”是“法人终止”的前提,“法人终止”是“法人清算”的结果。“法人清算”与“法人终止”的关系,类似“法人设立”与“法人成立”的关系。法人设立行为完成的结果是法人人格的取得,即法人成立。法人清算行为完成的结果是法人的消灭,即法人终止。在法人终止前的法人清算阶段，法人并未“死亡”，其民事主体资格仍然存在。因此，本条第1款明确规定“有下列原因之一并依法完成清算、注销登记的，法人终止”，将“法人清算”与“法人终止”作了明确区分。我国立法和司法实践对清算中法人的性质认识，经历了由人格否定到人格肯定的过程。在公司法之前，我国的民商事立法并未明确解散清算中法人的法律属性问题，对于法人解散和终止的关系一直含混不清，甚至有相互矛盾的地方。依照民法通则第45条的规定，企业法人由于依法被撤销、解散、依法宣告破产及其他原因之一而终止；第46条规定“企业法人终止，应当向登记机关办理注销登记并公告”；第47条规定“企业法人解散，应当成立清算组织，进行清算。企业法人被撤销、被宣告破产的，应当由主管机关或者人民法院组织有关机关和有关人员成立清算组织，进行清算”。《最高人民法院关于贯彻执行〈中华人民共和国民法通则〉若干问题的意见（试行）》第60条第1款规定：“清算组织是以清算企业法人债权、债务为目的而依法成立的组织。它负责对终止的企业法人的财产进行保管、清理、估价、处理和清偿。”第2款规定：“对于涉及终止的企业法人债权、债务的民事诉讼，清算组织可以用自己的名义参加诉讼。”《最高人民法院关于适用〈中华人民共和国民事诉讼法〉若干问题的意见》第51条规定：“企业法人未经清算即被撤销，有清算组织的，以该清算组织为当事人；没有清算组织的，以作出机构为当事人。”上述两个司法解释虽然未直接回答清算中法人的法律属性问题，但均明确规定应当将清算组织列为独立的诉讼主体，允许其以清算组织的名义参加诉讼。如果认为清算中法人与解散事由出现前的法人系同一法人，则不可能在涉及清算中法人的纠纷中将清算组织列为诉讼主体。正是认为法人已经因为解散或被撤销而终止,即法人已经"死亡",不再具有民事主体资格,因此,对于涉及终止的企业法人债权、债务的民事诉讼,清算组织可以用自己的名义参加诉讼。对清算中法人的法律属性问题是在公司法实施后逐步明确下来的。1994年7月1日起实施的公司法第193条规定了清算组在清算期间行使的职权,其中第7项职权为"代表公司参与民事诉讼活动"。2005年修订并于2006年1月1日起实施的公司法除了在第185条第7项继续规定"代表公司参与民事诉讼活动"为清算组在清算期间行使的职权外,更是在第187条第3款规定"清算期间,公司存续,但不得开展与清算无关的经营活动"。该条"清算期间,公司存续"的规定,明确了清算中公司的法人主体资格依然存续,这是我国立法中首次对清算中公司法律属性作出的明确规定。其后最高人民法院的相关司法解释改变了以往的做法。《最高人民法院关于适用〈中华人民共和国公司法〉若干问题的规定(二)》第10条分两款明确规定:"公司依法清算结束并办理注销登记前,有关公司的民事诉讼,应当以公司的名义进行。公司成立清算组的,由清算组负责人代表公司参加诉讼;尚未成立清算组的,由原法定代表人代表公司参加诉讼。"民法总则将公司法的上述规定进一步抽象,上升为一般法人的共通性规范,规定于本法第72条。

本条第1款第2项规定的终止原因为"法人被宣告破产"。法人被宣告破产后,启动的是破产清算程序,由人民法院组织。破产清算不同于普通清算。根据企业破产法第2条第1款规定,适用的情形是"企业法人不能清偿到期债务,并且资产不足以清偿全部债务或者明显缺乏清偿能力"。而普通清算针对的是法人资产大于负债的情形,普通清算进行中,一旦发现法人资不抵债，则清算组应当向人民法院申请破产，从而将普通清算程序转为破产清算程序。公司法第 187 条规定："清算组在清理公司财产、编制资产负债表和财产清单后，发现公司财产不足清偿债务的，应当依法向人民法院申请宣告破产。公司经人民法院裁定宣告破产后，清算组应当将清算事务移交给人民法院。"此外，企业破产法第 120 条就破产程序终结作了规定："破产人无财产可供分配的，管理人应当请求人民法院裁定终结破产程序。管理人在最后分配完结后，应当及时向人民法院提交破产财产分配报告，并提请人民法院裁定终结破产程序。人民法院应当自收到管理人终结破产程序的请求之日起十五日内作出是否终结破产程序的裁定。裁定终结的，应当予以公告。"第 121 条就办理注销登记作了规定："管理人应当自破产程序终结之日起十日内，持人民法院终结破产程序的裁定，向破产人的原登记机关办理注销登记。"

本条第 1 款第 3 项规定的终止原因为"法律规定的其他原因"。这是一条弹性兜底规定，为将来民事立法适应社会生活的调整而预留了制度接口。

本条第 2 款规定"法人终止，法律、行政法规规定须经有关机关批准的，依照其规定"。该款规定在逻辑上与本节第 59 条第 3 款的规定相呼应。既然设立法人，允许法律、行政法规规定"须经有关机关批准"，那么终止法人时，自然也应当允许法律、行政法规作出须经有关机关批准的规定。从现有的相关立法来看，规定法人终止须经有关机关批准的法律和行政法规也不乏其例。例如，商业银行法第 69 条第 1 款规定："商业银行因分立、合并或者出现公司章程规定的解散事由需要解散的，应当向国务院银行业监督管理机构提出申请，并附解散的理由和支付存款的本金和利息等债务清偿计划。经国务院银行业监督管理机构批准后解散。”民办教育促进法第 56 条规定:“民办学校有下列情形之一的,应当终止:(一)根据学校章程规定要求终止,并经审批机关批准的;(二)被吊销办学许可证的;(三)因资不抵债无法继续办学的。”第 58 条第 2 款规定:“民办学校自己要求终止的,由民办学校组织清算;被审批机关依法撤销的,由审批机关组织清算;因资不抵债无法继续办学而被终止的,由人民法院组织清算。”

第六十九条　有下列情形之一的,法人解散:

(一)法人章程规定的存续期间届满或者法人章程规定的其他解散事由出现;

(二)法人的权力机构决议解散;

(三)因法人合并或者分立需要解散;

(四)法人依法被吊销营业执照、登记证书,被责令关闭或者被撤销;

(五)法律规定的其他情形。

【释义】　本条是关于法人解散具体情形的规定。

本条承接、落实本法第 68 条第 1 款第 1 项“法人解散”的规定,具体列举了“法人解散”的主要情形。这些情形既包括法人依章程或依权力机构决议等自行解散,也包括法人依法被吊销营业执照、登记证书,被责令关闭或者被撤销等由有关主管机关强制解散,还包括法人因陷入内部治理的僵局而被人民法院强制解散等。

境外民事立法多就法人解散的具体情形作出规范。例如,《德国民法典》第 41 条规定,社团可以通过成员大会决议予以解散。除章程另有规定外，解散决议必须得到出席成员的四分之三多数的同意。《瑞士民法典》第 76 条规定，社团可随时根据社团决议解散。第 77 条规定，社团无支付能力或不能依照章程组成董事会时，应依照法律解散社团。第 78 条规定，社团的宗旨违法或违背善良风俗时，法官需依照主管官厅或利害关系人的起诉，宣告其解散。第 88 条规定：(1)财团法人无法实现其宗旨时，应予解散。(2)财团法人的宗旨违背法律或善良风俗时，法官应解散该财团。《意大利民法典》第 27 条规定，法人除根据在设立文件以及章程中载明的原因终止以外，法人还因目的达到或目的实现不能而终止。此外，社团还因全体社团成员不复存在而终止。法人由政府主管机关根据利害关系人的请求或依职权宣告终止。《日本关于一般社团法人以及一般财团法人法》第 148 条规定，一般社团法人在下列事由下解散：(1)章程规定的存续时间期满。(2)发生章程规定的解散事由。(3)社员大会的决议。(4)无社员。(5)合并(仅限一般社团法人因合并而消灭的情况)。(6)决定启动破产程序。(7)法院命令依据第 261 条第 1 款或第 268 条的规定解散。第 202 条规定，一般财团法人在下列事由下解散：(1)章程规定的存续时间期满。(2)发生章程规定的解散事由。(3)因损失基本财产或其他事由而导致属于一般财团法人的目标事业无法成功。(4)合并(仅限一般财团法人因合并而消灭的情况)。(5)决定启动破产程序。(6)法院命令依据第 261 条第 1 款或第 268 条的规定解散。我国台湾地区“民法”第 36 条规定，法人之目的或其行为，有违反法律、公共秩序或善良风俗者，法院得因主管机关、检察官或利害关系人之请求，宣告解散。《俄罗斯民法典》第 61 条规定，依据法人创办人(参加人)的决定或者法人设立文件授权的法人机关的决定,其中包括缘于法人设立的期限已届满、法人成立之宗旨已达到而作出的决定,进行法人清算。依据法院对下列诉讼所作出的判决,对法人进行清算:(1)在法人国家登记被确认为无效的情形下,其中包括缘于法人成立之时的严重违法,如果这些违法具有不可排除性,而确认法人国家登记无效的情形,依据被法律赋予提出法人清算请求权的国家机关或者地方自治机关之起诉作出的判决;(2)在法人未经必要批准(许可)即开展活动,或者自律性组织成员未达到必须人数即开展活动,或者未获得自律性组织发放的从事特定种类工作所必需的法律规定的证明即开始工作的情形下,依据被法律赋予提出法人清算请求权的国家机关或者地方自治机关之起诉作出的判决;(3)在法人从事被法律禁止的活动,或者从事活动时违反俄罗斯联邦宪法,或者从事活动时多次或严重违反法律或其他法律文件的情形下,依据被法律赋予提出法人清算请求权的国家机关或者地方自治机关之起诉作出的判决;(4)在社会组织、社会运动、慈善基金会及其他基金会、宗教组织经常从事与其章程所规定的宗旨相抵触之活动的情形下,依据被法律赋予提出法人清算请求权的国家机关或者地方自治机关之起诉作出的判决;(5)在无法达到法人成立之宗旨的情形下,其中包括法人开展活动已成为不可能或者确实非常困难的情形,依据法人创办人(参加人)之起诉作出的判决;(6)在法律规定的其他情形下。

自行解散系私法自治的体现,除非关涉社会公益,一般应予尊重。满足法定条件下的行政强制解散是国家治理社会的必要手段,主要包括吊销营业执照、登记证书,责令关闭或者撤销。营利法人被吊销营业执照,或者非营利法人被吊销登记证书,法人被责令关闭或者被撤销的，均意味着其丧失了继续营业或从事其他目的事业的资格，自然应予解散。(1)吊销营业执照。例如，公司法第211条第1款规定："公司成立后无正当理由超过六个月未开业的，或者开业后自行停业连续六个月以上的，可以由公司登记机关吊销营业执照。"第198条规定："违反本法规定，虚报注册资本、提交虚假材料或者采取其他欺诈手段隐瞒重要事实取得公司登记的，由公司登记机关责令改正，对虚报注册资本的公司，处以虚报注册资本金额百分之五以上百分之十五以下的罚款；对提交虚假材料或者采取其他欺诈手段隐瞒重要事实的公司，处以五万元以上五十万元以下的罚款；情节严重的，撤销公司登记或者吊销营业执照。"(2)吊销登记证书。例如，慈善法第98条规定："慈善组织有下列情形之一的，由民政部门责令限期改正；逾期不改正的，吊销登记证书并予以公告：(一)未按照慈善宗旨开展活动的；(二)私分、挪用、截留或者侵占慈善财产的；(三)接受附加违反法律法规或者违背社会公德条件的捐赠，或者对受益人附加违反法律法规或者违背社会公德的条件的。"(3)责令关闭。例如，海洋环境保护法第45条规定："禁止在沿海陆域内新建不具备有效治理措施的化学制浆造纸、化工、印染、制革、电镀、酿造、炼油、岸边冲滩拆船以及其他严重污染海洋环境的工业生产项目。"第81条规定："违反本法第四十五条的规定，新建严重污染海洋环境的工业生产建设项目的，按照管理权限，由县级以上人民政府责令关闭。"证券法第219条规定："证券公司违反本法规定，超出业务许可范围经营证券业务的，责令改正，没收违法所得，并处以违法所得一倍以上五倍以下的罚款；没有违法所得或者违法所得不足三十万元的，处以三十万元以上六十万元以下罚款；情节严重的，责令关闭……”烟草专卖法第30条第1款规定：“无烟草专卖生产企业许可证生产烟草制品的，由烟草专卖行政主管部门责令关闭，没收违法所得，并处罚款。”(4)撤销。例如，《证券公司风险处置条例》第19条规定：“证券公司同时有下列情形的，国务院证券监督管理机构可以直接撤销该证券公司：(一)违法经营情节特别严重、存在巨大经营风险；(二)不能清偿到期债务，并且资产不足以清偿全部债务或者明显缺乏清偿能力；(三)需要动用证券投资者保护基金。”

关于司法强制解散，虽未在本条中具体列举，但公司法规定了公司陷入僵局情形下的司法强制解散制度。该法第182条规定：“公司经营管理发生严重困难，继续存续会使股东利益受到重大损失，通过其他途径不能解决的，持有公司全部股东表决权百分之十以上的股东，可以请求人民法院解散公司。”依照本条第5项“法律规定的其他情形”的规定，法人解散的情形自然包括了司法强制公司解散在内。本条第5项是一个开放式的兜底规定，以便为其他法律的规制留出空间。

此外，在立法过程中，有的意见提出，公司法第181条第1款规定“公司有本法第一百八十条第(一)项情形的，可以通过修改公司章程而存续”。本条第1项规定的解散情形“法人章程规定的存续期间届满或者法人章程规定的其他解散事由出现”，与公司法第180条第1项规定的解散情形“公司章程规定的营业期限届满或者公司章程规定的其他解散事由出现”，基本一致。因此，建议本条增设第2款规定“法人有前款第(一)项情形的，可以通过修改法人章程而存续。”经研究认为，一方面，本条第5项“法律规定的其他情形”能够容纳公司法第181条规定的情形，不增加第2款规定，并不会造成与公司法相关规定的冲突。另一方面，公司法第181条第1款规定“公司有本法第一百八十条第（一）项情形的，可以通过修改公司章程而存续”后，于第2款规定“依照前款规定修改公司章程，有限责任公司须经持有三分之二以上表决权的股东通过，股份有限公司须经出席股东大会会议的股东所持表决权的三分之二以上通过”。法人的类型丰富多样，对于公司之外的法人尤其是非营利法人等，具体规则的设计可能存在差别。根据本条第5项，这个问题可留给相关单行法，根据需要有针对性地解决。

第七十条　法人解散的，除合并或者分立的情形外，清算义务人应当及时组成清算组进行清算。

法人的董事、理事等执行机构或者决策机构的成员为清算义务人。法律、行政法规另有规定的，依照其规定。

清算义务人未及时履行清算义务，造成损害的，应当承担民事责任；主管机关或者利害关系人可以申请人民法院指定有关人员组成清算组进行清算。

【释义】　本条是关于清算义务人与强制清算程序启动事由的规定。

一、清算义务人的及时清算义务

本条第1款规定了清算义务人的及时清算义务。清算义务人与清算人的概念不同。清算义务人，是指法人解散后依法负有启动清算程序的主体，其义务在于根据法律规定及时启动相应的清算程序以终止法人。清算义务人也可称为法人清算的组织主体。清算人，在我国通常被称为清算组，是指具体负责清算事务的主体，其义务在于依照法定程序进行清算。如果法人解散后未进行清算，也就不存在清算人，但始终存在清算义务人。

需要说明的是,清算义务人直接担任清算人进行清算时,在具体民事主体上存在竞合的情形。明确清算义务人的概念及其责任,对于督促清算义务人及时履行清算义务,从源头上减少“僵尸企业”等,有重要意义。

在我国的立法中,尚未出现“清算义务人”的概念,在合伙企业法、个人独资企业法中出现了“清算人”的概念,其他法律如公司法中使用的多是“清算组”的概念。不过,值得重视的是,企业破产法中出现了一个类似清算义务人的概念,即“依法负有清算责任的人”。该法第 7 条第 3 款规定:“企业法人已解散但未清算或者未清算完毕,资产不足以清偿债务的,依法负有清算责任的人应当向人民法院申请破产清算。”

法人的清算义务人应当及时履行其负有的启动清算程序即组成清算组的义务,即便司法强制解散情形下也不例外。《最高人民法院关于适用〈中华人民共和国公司法〉若干问题的规定(二)》第 2 条规定:“股东提起解散公司诉讼,同时又申请人民法院对公司进行清算的,人民法院对其提出的清算申请不予受理。人民法院可以告知原告,在人民法院判决解散公司后,依据公司法第一百八十三条和本规定第七条的规定,自行组织清算或者另行申请人民法院对公司进行清算。”第 7 条第 1 款规定:“公司应当依照公司法第一百八十三条的规定,在解散事由出现之日起十五日内成立清算组,开始自行清算。”

本条规定“法人解散的,清算义务人应当及时组成清算组进行清算”。立法过程中,有意见建议将“及时”予以细化,明确规定一个法人解散后清算义务人组成清算组的期间,以增加可操作性。经研究认为,法人的类型多样,不同类型的法人解散后需要组成清算组的时间不尽相同。比如,依照公司法第 183 条的规定，公司应当在解散事由出现之日起十五日内成立清算组，开始清算。但是，依照慈善法第 18 条的规定，慈善组织的决策机构应当在终止情形出现之日起三十日内成立清算组进行清算。因此，民法总则不宜不加区分地规定一个固定期间，通过抽象规定“应当及时组成清算组进行清算”的基本要求，为相关特别法提供指引，具体期间由各相关特别法按照民法总则关于“及时”的原则要求，结合各自实际情况加以规定，效果更好。

二、清算义务人的担当主体

本条第 2 款规定了清算义务人的担当主体。

（一）清算义务人确定的一般原则

董事、理事既可能是法人的执行机构的成员，亦可能是法人的决策机构的成员。但无论其为执行机构的成员，还是决策机构的成员，均应由董事、理事或与董事、理事具有相当地位的主体作为清算义务人。

董事、理事无论作为执行机构成员，还是决策机构成员，均对法人负有忠实义务和善管义务，而且董事、理事对法人的运作状况最为了解。当法人解散事由出现时，董事、理事有义务依法及时启动清算程序，以保证法人财产不因无人管理而遭受损失。域外立法例一般规定，法人出现解散情形时，董事为法定清算人，法定清算人与清算义务人出现竞合。例如，我国台湾地区“民法”第 37 条规定，法人解散后，其财产之清算，由董事为之。但其章程有特别规定，或总会另有决议者，不在此限。从我国现有规定看，公司法第 183 条规定股份有限公司的董事为清算义务人，也即法人的执行机构成员为清算义务人；而依照慈善法第 18 条规定，慈善组织的决策机构成员为清算义务人。慈善组织的组织形式中包括基金会和社会服务机构，二者皆为捐助法人，捐助法人无权力机构，只有理事会等决策机构。因此，慈善法第18条规定的决策机构成员即捐助法人的理事等决策机构成员。需要注意的是，在我国目前的法律体系中，理事、董事的称谓较乱，一般而言，营利法人中的执行机构成员称为董事，非营利法人中捐助法人的决策机构成员称理事，非营利法人中的社会团体法人的执行机构成员也称理事，但根据民办教育促进法第20条“民办学校应当设立学校理事会、董事会或者其他形式的决策机构”的规定，决策机构成员也可称为董事或者其他称谓。

（二）允许法律、行政法规设例外规定

破产清算之外的清算，允许法律、行政法规就清算设例外规定，又分为两种不同情形。

1. 法人自行清算情形下的例外清算义务人。例如，公司法第183条规定“……有限责任公司的清算组由股东组成，股份有限公司的清算组由董事或者股东大会确定的人员组成……”依照该条规定，清算义务人同时担任法定清算人，二者出现了竞合。

2. 行政清算情形下的组织清算主体为行政主管机关。民办教育促进法第58条规定：“民办学校终止时，应当依法进行财务清算。民办学校自己要求终止的，由民办学校组织清算；被审批机关依法撤销的，由审批机关组织清算；因资不抵债无法继续办学而被终止的，由人民法院组织清算。”依照该条规定，民办学校被审批机关依法撤销的，则由审批机关组织清算。此时，不存在民办学校的理事或董事为清算义务人的问题。与民办学校类似情形的，还有商业银行、保险公司、证券公司等金融机构，分别由以下相关法律、行政法规调整。商业银行法第70条规定：“商业银行因吊销经营许可证被撤销的，国务院银行业监督管理机构应当依法及时组织成立清算组，进行清算，按照清偿计划及时偿还存款本金和利息等债务。”保险法第 149 条规定：“保险公司因违法经营被依法吊销经营保险业务许可证的，或者偿付能力低于国务院保险监督管理机构规定标准，不予撤销将严重危害保险市场秩序、损害公共利益的，由国务院保险监督管理机构予以撤销并公告，依法及时组织清算组进行清算。”《证券公司风险处置条例》第 19 条、第 20 条分别规定了“可以”和“应当”撤销证券公司的适用情形。第 19 条规定：“证券公司同时有下列情形的，国务院证券监督管理机构可以直接撤销该证券公司：（一）违法经营情节特别严重、存在巨大经营风险；（二）不能清偿到期债务，并且资产不足以清偿全部债务或者明显缺乏清偿能力；（三）需要动用证券投资者保护基金。”第 20 条规定：“证券公司经停业整顿、托管、接管或者行政重组在规定期限内仍达不到正常经营条件，并且有本条例第十九条第（二）项或者第（三）项规定情形的，国务院证券监督管理机构应当撤销该证券公司。”该条例第 21 条第 1 款进一步规定了行政清理（实为行政清算）的组织实施者，明确规定“国务院证券监督管理机构撤销证券公司，应当做出撤销决定，并按照规定程序选择律师事务所、会计师事务所等专业机构成立行政清理组，对该证券公司进行行政清理”。第 23 条明确规定：“被撤销证券公司的股东会或者股东大会、董事会、监事会以及经理、副经理停止履行职责。行政清理期间，被撤销证券公司的股东不得自行组织清算，不得参与行政清理工作。”依照该条，不仅不存在被撤销证券公司的相关人员为清算义务人的问题，被撤销证券公司的股东还不得参与行政清算，亦不得作为清算人。

三、清算义务人未及时履行清算义务的后果

本条第 3 款规定了清算义务人未及时履行清算义务的后

果。大量法人尤其是企业法人解散后应当清算而不清算,甚至故意借解散之机逃废债务的现象比较突出,这些“僵尸法人”的存在,危害着市场经济秩序和社会秩序的健康运行。公司法等法律或者行政法规虽然规定法人解散后应当清算,但没有规定不履行清算义务的法律责任,公司法只规定了清算人在清算过程中的法律责任,这是造成法人解散后不依法进行清算的根源之一。因此,必须强化清算义务人依法清算的法律责任,建立一个健康有序的法人退出机制,从源头上减少“僵尸法人”的产生,保护法人相关利害关系人的合法权益。

由于立法层面缺乏对清算义务人责任的规范,最高人民法院应实践需要,通过司法解释的方式规定了清算义务人应当清算而未清算时应当承担的民事责任。《最高人民法院关于适用〈中华人民共和国公司法〉若干问题的规定(二)》第 18 条第 1 款规定:“有限责任公司的股东、股份有限公司的董事和控股股东未在法定期限内成立清算组开始清算,导致公司财产贬值、流失、毁损或者灭失,债权人主张其在造成损失范围内对公司债务承担赔偿责任的,人民法院应依法予以支持。”第 2 款规定:“有限责任公司的股东、股份有限公司的董事和控股股东因怠于履行义务,导致公司主要财产、账册、重要文件等灭失,无法进行清算,债权人主张其对公司债务承担连带清偿责任的,人民法院应依法予以支持。”第 3 款规定:“上述情形系实际控制人原因造成,债权人主张实际控制人对公司债务承担相应民事责任的,人民法院应依法予以支持。”第 19 条规定:“有限责任公司的股东、股份有限公司的董事和控股股东,以及公司的实际控制人在公司解散后,恶意处置公司财产给债权人造成损失,或者未经依法清算,以虚假的清算报告骗取公司登记机关办理法人注销登记，债权人主张其对公司债务承担相应赔偿责任的，人民法院应依法予以支持。”第 20 条规定：“公司解散应当在依法清算完毕后，申请办理注销登记。公司未经清算即办理注销登记，导致公司无法进行清算，债权人主张有限责任公司的股东、股份有限公司的董事和控股股东，以及公司的实际控制人对公司债务承担清偿责任的，人民法院应依法予以支持。公司未经依法清算即办理注销登记，股东或者第三人在公司登记机关办理注销登记时承诺对公司债务承担责任，债权人主张其对公司债务承担相应民事责任的，人民法院应依法予以支持。”从境外立法来看，《德国民法典》第 42 条第 2 款规定，在支付不能或者负债过度的情况下，董事会应立即申请开始破产程序。迟延提出申请的，因过错对此应负责任的董事会成员，对于债权人因此而受到的损害负有赔偿责任；董事会的成员作为连带债务人负责任。我国台湾地区“民法”第 35 条规定，法人之财产不能清偿债务时，董事应即向法院声请破产。不为前项声请，致法人之债权人受损害时，有过失之董事，应负赔偿责任，其有二人以上时，应连带负责。

民法总则草案一审稿、二审稿均借鉴上述司法解释的规定精神，就清算义务人未依法履行清算义务时应当承担的民事责任作了规定。以草案二审稿为例，该草案第 71 条分两款作了规定：“清算义务人怠于履行清算义务，造成法人财产损失的，应当在造成损失范围内对法人债务等承担责任。清算义务人怠于履行清算义务，导致法人主要财产、账册、重要文件等灭失，无法进行清算的，对法人债务等承担连带责任。”在后来的立法过程中，有的意见提出，该条规定过于具体，不适合放在民法总则中规定。研究后，可以将该条删除，但应当对清算义务人不及时履行清算义务应当承担民事责任进行抽象规定,因此形成了本条现在的第 3 款。

在理解本条第 3 款时应当注意以下三点:(1)清算义务人未及时履行清算义务,会引发两种不同性质的法律后果:一是程序方面的法律后果,即强制清算程序的启动,具体规定于本款后半段"主管机关或者利害关系人可以申请人民法院指定有关人员组成清算组进行清算"。我国台湾地区"民法"第 37 条作了类似规定,法人解散后,其财产之清算,由董事为之。但其章程有特别规定,或总会另有决议者,不在此限。第 38 条规定,不能依前条规定,定其清算人时,法院得因主管机关、检察官、或利害关系人之声请,或依职权,选任清算人。二是实体责任方面的法律后果,即"清算义务人未及时履行清算义务,造成损害的,应当承担民事责任"。(2)关于强制清算程序的启动主体,包括主管机关和利害关系人。主管机关作为启动主体的,如慈善法第 18 条第 2 款规定"不成立清算组或者清算组不履行职责的,民政部门可以申请人民法院指定有关人员组成清算组进行清算"。利害关系人作为启动主体的,如公司法第 183 条规定"……逾期不成立清算组进行清算的,债权人可以申请人民法院指定有关人员组成清算组进行清算"。审判实务中,最高人民法院通过司法解释又将申请强制清算的主体作了扩展。《最高人民法院关于适用〈中华人民共和国公司法〉若干问题的规定(二)》第 7 条第 2 款规定:"有下列情形之一,债权人申请人民法院指定清算组进行清算的,人民法院应予受理:(一)公司解散逾期不成立清算组进行清算的;(二)虽然成立清算组但故意拖延清算的;(三)违法清算可能严重损害债权人或者股东利益的。"第 3 款规定:"具有本条第二款所列情形,而债权人未提起清算申请，公司股东申请人民法院指定清算组对公司进行清算的，人民法院应予受理。”《最高人民法院关于审理公司强制清算案件工作座谈会纪要》第7条规定：“公司债权人或者股东向人民法院申请强制清算应当提交清算申请书……”(3)关于实体责任方面的法律后果，乃是基于侵权责任原理，在判断责任构成时，应当按照清算义务人主观上有过错，客观上未及时履行清算义务、造成损害，损害与清算义务人未及时履行清算义务之间存在因果关系进行把握。

第七十一条　法人的清算程序和清算组职权，依照有关法律的规定；没有规定的，参照适用公司法的有关规定。

【释义】　本条是关于法人清算程序和清算组职权的法律适用的规定。

法人解散，组成清算组后，即进入具体的清算程序，清算组根据法律规定的职权，按照法定的清算程序，开展清算工作。可以说，法人的清算程序和清算组职权是法人清算制度的核心内容，对于发挥清算制度的价值功能意义重大。换句话说，如果没有清算程序和清算组职权的相关规范，法人清算也就缺乏指引和规范，不可能有效进行。

关于法人清算问题，专门规范法人的相关法律和行政法规几乎都会涉及，但具有可操作性的清算程序和清算组职权的规定，则仅在公司法中作了规定。

1. 慈善法。该法第18条规定：“慈善组织终止，应当进行清算。慈善组织的决策机构应当在本法第十七条规定的终止情形出现之日起三十日内成立清算组进行清算，并向社会公告。不成立清算组或者清算组不履行职责的，民政部门可以申请人民法院指定有关人员组成清算组进行清算。慈善组织清算后的剩余财产,应当按照慈善组织章程的规定转给宗旨相同或者相近的慈善组织;章程未规定的,由民政部门主持转给宗旨相同或者相近的慈善组织,并向社会公告。慈善组织清算结束后,应当向其登记的民政部门办理注销登记,并由民政部门向社会公告。"

2.《事业单位登记管理暂行条例》。该条例涉及法人清算的条文是第 13 条,该条分三款规定:"事业单位被撤销、解散的,应当向登记管理机关办理注销登记或者注销备案。""事业单位办理注销登记前,应当在审批机关指导下成立清算组织,完成清算工作。""事业单位应当自清算结束之日起 15 日内,向登记管理机关办理注销登记。事业单位办理注销登记,应当提交撤销或者解散该事业单位的文件和清算报告;登记管理机关收缴《事业单位法人证书》和印章。"

3.《社会团体登记管理条例》。该条例第 20 条规定:"社会团体在办理注销登记前,应当在业务主管单位及其他有关机关的指导下,成立清算组织,完成清算工作。清算期间,社会团体不得开展清算以外的活动。"第 21 条规定:"社会团体应当自清算结束之日起 15 日内向登记管理机关办理注销登记。办理注销登记,应当提交法定代表人签署的注销登记申请书、业务主管单位的审查文件和清算报告书。登记管理机关准予注销登记的,发给注销证明文件,收缴该社会团体的登记证书、印章和财务凭证。"

4.《基金会管理条例》。该条例第 18 条规定:"基金会在办理注销登记前,应当在登记管理机关、业务主管单位的指导下成立清算组织,完成清算工作。基金会应当自清算结束之日起 15

日内向登记管理机关办理注销登记;在清算期间不得开展清算以外的活动。”

5.《民办非企业单位登记管理暂行条例》。该条例涉及清算的条文共两条。第 16 条规定:“民办非企业单位自行解散的,分立、合并的,或者由于其他原因需要注销登记的,应当向登记管理机关办理注销登记。民办非企业单位在办理注销登记前,应当在业务主管单位和其他有关机关的指导下,成立清算组织,完成清算工作。清算期间,民办非企业单位不得开展清算以外的活动。”第 17 条规定:“民办非企业单位法定代表人或者负责人应当自完成清算之日起 15 日内,向登记管理机关办理注销登记。办理注销登记,须提交注销登记申请书、业务主管单位的审查文件和清算报告。登记管理机关准予注销登记的,发给注销证明文件,收缴登记证书、印章和财务凭证。”

6.《宗教事务条例》。该条例第 37 条规定:“宗教团体、宗教活动场所注销或者终止的,应当进行财产清算,清算后的剩余财产应当用于与该宗教团体或者宗教活动场所宗旨相符的事业。”

鉴于上述六部法律、行政法规关于清算的规定并无具体的清算程序和清算组职权的规定,也未明确规定可以参照适用公司法的相关规定,关于清算程序和清算组职权的规定成为这些法律、行政法规的空白。

与上述六部法律、行政法规不同,公司法第十章专门就法人解散和清算作了规定,其中关于清算程序和清算组职权的规定相对而言比较完备。例如,公司法第 184 条就清算组的职权作了如下规定:“清算组在清算期间行使下列职权:(一)清理公司财产,分别编制资产负债表和财产清单;(二)通知、公告债权人;(三)处理与清算有关的公司未了结的业务;(四)清缴所欠税款以及清算过程中产生的税款;(五)清理债权、债务;(六)处理公司清偿债务后的剩余财产;(七)代表公司参与民事诉讼活动。”第185条就债权申报事宜作了如下规定:“清算组应当自成立之日起十日内通知债权人,并于六十日内在报纸上公告。债权人应当自接到通知书之日起三十日内,未接到通知书的自公告之日起四十五日内,向清算组申报其债权。债权人申报债权,应当说明债权的有关事项,并提供证明材料。清算组应当对债权进行登记。在申报债权期间,清算组不得对债权人进行清偿。”公司法第十章关于公司解散清算的规定多达十一条,基本上建构起了可操作性较强的公司清算制度。

根据本条规定,法人的清算程序和清算组职权,首先应当依照有关法律的规定。没有规定的,则参照适用公司法的有关规定。本条采用的立法方法,与境外一些国家和地区的做法相同,即将法人清算的一般程序指向清算制度健全的个别法中。例如,《瑞士民法典》第58条规定,法人财产的清算程序,依照有关合作社的规定办理。我国台湾地区“民法”第41条规定,清算之程序,除本通则有规定外,准用股份有限公司清算之规定。本条作出的“没有规定的,则参照适用公司法的有关规定”这一转致规定,弥补了诸多法律、行政法规清算制度的立法空白,同时在现有条件下大大节约了立法成本。可以说,民法总则实施后,整个法人清算制度将因此而被激活,可谓意义重大。

第七十二条　清算期间法人存续,但是不得从事与清算无关的活动。

法人清算后的剩余财产,根据法人章程的规定或者法人权

力机构的决议处理。法律另有规定的，依照其规定。

清算结束并完成法人注销登记时，法人终止；依法不需要办理法人登记的，清算结束时，法人终止。

【释义】 本条是关于清算中法人地位、清算后剩余财产处置及法人终止的规定。

法人解散后即进入清算阶段，清算中的法人与解散前的法人是同一个法律统一体，清算中的法人仍然具有独立的法人地位，只是与解散前的法人相比，清算中法人的权利能力和行为能力缩减，被严格限制在以清算为目的的范围内。关于清算中法人仍然作为法人存续的规定，最早见之于 2005 年修订并于 2006 年 1 月 1 日起实施的公司法，该法第 187 条第 3 款规定“清算期间，公司存续，但不得开展与清算无关的经营活动”。民法总则将清算中公司法律地位的规则抽象上升为清算中法人法律地位的共同规则，弥补了清算中法人法律地位不明的空白。

鉴于解散前法人与清算中法人人格的同一性，清算中法人具有从解散前法人继续下来的民事诉讼及新的民事诉讼中的当事人能力。也就是说，清算中法人具有一般民事诉讼主体资格，对于有关因解散前法人的法律关系产生的纠纷，均由清算中法人作为诉讼主体参加诉讼活动。依法选任的清算人代表法人参加诉讼。在我国以清算组作为清算主体的模式下，由清算组负责人作为诉讼代表人参加诉讼活动。《最高人民法院关于适用〈中华人民共和国公司法〉若干问题的规定（二）》第 10 条规定：“公司依法清算结束并办理注销登记前，有关公司的民事诉讼，应当以公司的名义进行。公司成立清算组的，由清算组负责人代表公司参加诉讼；尚未成立清算组的，由原法定代表人代表公司参加诉讼。”

立法过程中，有的意见提出，民法总则规定清算期间法人存续，但是不得从事与清算无关的活动。那么，是否可以接收债款，建议明确。经研究认为，清算期间，法人仅为清算目的而存续，不得从事与清算无关的活动，如不得开展新的经营活动，这是由法人清算制度的设立目的决定的。清算制度的目的在于将围绕法人发生的各种法律关系进行全面的清理了结，然后合法终止，退出市场。需要指出的是，清算活动本身包括了清理债权、债务，处理与清算有关的法人未了结的业务等。公司法第184条规定："清算组在清算期间行使下列职权：（一）清理公司财产，分别编制资产负债表和财产清单；（二）通知、公告债权人；（三）处理与清算有关的公司未了结的业务；（四）清缴所欠税款以及清算过程中产生的税款；（五）清理债权、债务；（六）处理公司清偿债务后的剩余财产；（七）代表公司参与民事诉讼活动。"因此，法人清算期间，清算组可以而且应当接收债款。鉴于民法总则第71条已经明确规定"法人的清算程序和清算组职权，依照有关法律的规定；没有规定的，参照适用公司法的有关规定。"因此，对于是否可以接收债款问题，不需要在本条重复规定。

本条第2款规定了法人清算后剩余财产的处置规则。一般而言，法人清算后的剩余财产如何处置，首先是个意思自治问题，应当尊重法人成员、设立人的意志，根据法人章程的规定或者法人权力机构的决议处理。境外立法一般亦作出类似的规定，如《德国民法典》第45条第1款规定，社团被解散或者被剥夺权利能力时，其财产归属于章程指定的人。第2款规定，章程可以规定：以成员大会决议或者其他社团机关的决议确定归属权人。社团非以营利为目的的，即使无此种规定，成员大会也可以将财产分配给公共财团或者公共机构。《意大利民法典》第30条规定,法人宣告终止或社团解散后,应当根据本法的规定对财产进行清算。第31条规定,清算结束后的剩余财产依据设立文件以及章程的规定处理。需要指出两点:一是本款作了但书规定,即"法律另有规定的,依照其规定",允许法律例外就法人清算后的剩余财产处置问题设定特别的规则。二是本款的规定不适用于为公益目的设立的非营利法人。关于为公益目的设立的非营利法人终止后剩余财产的处置规则,具有特殊性。本法第95条对此作了专门规定,即"为公益目的成立的非营利法人终止时,不得向出资人、设立人或者会员分配剩余财产。剩余财产应当按照法人章程的规定或者权力机构的决议用于公益目的;无法按照法人章程的规定或者权力机构的决议处理的,由主管机关主持转给宗旨相同或者相近的法人,并向社会公告。"我国台湾地区"民法"第44条第1款规定,法人解散后,除法律另有规定外,于清偿债务后,其剩余财产之归属,应依其章程之规定,或总会之决议。但以公益为目的之法人解散时,其剩余财产不得归属于自然人或以营利为目的之团体。第2款规定,如无前项法律或章程之规定或总会之决议时,其剩余财产归属于法人住所所在地之地方自治团体。

只有法人终止,才意味着清算任务完成,围绕法人产生的各种法律关系已经清理完毕,法人方可合法退出社会。本条第3款区分法人是否依法需要办理法人登记,就法人解散后何时终止作了规定。凡依法不需要办理法人登记的,清算结束时,法人即告终止;依法需要办理法人登记的,则清算结束后,还应当进一步办理法人注销登记手续,当完成法人注销登记时,法人终止。

第七十三条　法人被宣告破产的，依法进行破产清算并完成法人注销登记时，法人终止。

【释义】 本条是关于法人破产清算终止程序的规定。

与法人解散后进行的清算不同，法人被宣告破产后，依法进行破产清算。根据本法第68条的规定，“法人被宣告破产”是与“法人解散”并列的一类法人终止的原因。从条文安排上看，自第69～72条，是围绕着“法人解散”所作的规定。依逻辑顺序，第73条即本条，就法人破产清算终止程序进行规定。

企业破产法第121条规定：“管理人应当自破产程序终结之日起十日内，持人民法院终结破产程序的裁定，向破产人的原登记机关办理注销登记。”经过注销登记，法人终止。从境外规定来看，《俄罗斯民法典》第65条第1款规定，除全额拨款公共企业以外的法人、机构、政党和宗教组织，可以依据法院判决被确认为资不抵债（破产人）……法院确认法人为破产人，导致对该法人的清算。第3款规定，法院确认法人资不抵债（破产人）的根据、对该法人的清算程序以及满足债权人之请求的顺序，由破产法予以规定。

需要注意的是，目前我国并无统一的破产法，企业破产法的适用范围是企业。但企业破产法为企业法人以外的法人和非法人组织破产时的清算程序，预留了接口。该法第135条规定：“其他法律规定企业法人以外的组织的清算，属于破产清算的，参照适用本法规定的程序。”

1. 对于企业法人以外的组织的清算，企业破产法之外的其他法律规定了其清算属于破产清算的，则应当参照适用企业破产法规定的程序。这一规定降低了立法成本，为企业法人以外的组织提供了法定参照适用的破产清算程序。

2. 企业破产法第 135 条“其他法律规定企业法人以外的组织的清算,属于破产清算的,参照适用本法规定的程序”的规定已经开始发挥作用。农民专业合作社法第 48 条规定:“农民专业合作社破产适用企业破产法的有关规定。但是,破产财产在清偿破产费用和共益债务后,应当优先清偿破产前与农民成员已发生交易但尚未结清的款项。”民办教育促进法第 58 条规定:“民办学校终止时,应当依法进行财务清算。民办学校自己要求终止的,由民办学校组织清算;被审批机关依法撤销的,由审批机关组织清算;因资不抵债无法继续办学而被终止的,由人民法院组织清算。”第 59 条规定:“对民办学校的财产按照下列顺序清偿:(一)应退受教育者学费、杂费和其他费用;(二)应发教职工的工资及应缴纳的社会保险费用;(三)偿还其他债务。非营利性民办学校清偿上述债务后的剩余财产继续用于其他非营利性学校办学,营利性民办学校清偿上述债务后的剩余财产,依照公司法的有关规定处理。”根据《最高人民法院关于对因资不抵债无法继续办学被终止的民办学校如何组织清算问题的批复》:依照民办教育促进法第 9 条批准设立的民办学校因资不抵债无法继续办学被终止,当事人依照民办教育促进法第 58 条第 2 款规定向人民法院申请清算的,人民法院应当依法受理。人民法院组织民办学校破产清算,参照适用企业破产法规定的程序,并依照民办教育促进法第 59 条规定的顺序清偿。因为民办教育促进法规定的民办学校,既有营利性民办学校,亦有非营利性民办学校。因此,对于民办学校而言,不论是否为营利性法人,皆可破产。企业法人以外的非法人组织,如合伙企业。合伙企业法第 92 条规定:“合伙企业不能清偿到期债务的,债权人可以依法向人民法院提出破产清算申请,也可以要求普通合伙人清偿。合伙企业依法被宣告破产的,普通合伙人对合伙企业债务仍应承担无限连带责任。”

第七十四条　法人可以依法设立分支机构。法律、行政法规规定分支机构应当登记的,依照其规定。

分支机构以自己的名义从事民事活动,产生的民事责任由法人承担;也可以先以该分支机构管理的财产承担,不足以承担的,由法人承担。

【释义】　本条是关于法人分支机构的规定。

一、关于法人是否可以自主设立分支机构问题

本条第1款规定:“法人可以依法设立分支机构……”关于法人是否可以自主设立分支机构问题,涉及两个方面的内容:一是可否设立分支机构;二是设立分支机构是否需要审批。对此,需要依照相关法律和行政法规的规定。公司法第14条第1款规定:“公司可以设立分公司……”商业银行法第19条规定:“商业银行根据业务需要可以在中华人民共和国境内外设立分支机构。设立分支机构必须经国务院银行业监督管理机构审查批准。在中华人民共和国境内的分支机构,不按行政区划设立。商业银行在中华人民共和国境内设立分支机构,应当按照规定拨付与其经营规模相适应的营运资金额。拨付各分支机构营运资金额的总和,不得超过总行资本金总额的百分之六十。”保险法第74条第1款规定:“保险公司在中华人民共和国境内设立分支机构,应当经保险监督管理机构批准。”第79条规定:“保险公司在中华人民共和国境外设立子公司、分支机构,应当经国务院保险监督管理机构批准。”证券法第129条第1款规定:“证券公司设立、收购或者撤销分支机构,变更业务范围,增加

注册资本且股权结构发生重大调整，减少注册资本，变更持有百分之五以上股权的股东、实际控制人，变更公司章程中的重要条款，合并、分立、停业、解散、破产，必须经国务院证券监督管理机构批准。"《民办非企业单位登记管理暂行条例》第 13 条规定："民办非企业单位不得设立分支机构。"《社会团体登记管理条例》第 17 条规定："社会团体的分支机构、代表机构是社会团体的组成部分，不具有法人资格，应当按照其所属于的社会团体的章程所规定的宗旨和业务范围，在该社会团体授权的范围内开展活动、发展会员。社会团体的分支机构不得再设立分支机构。社会团体不得设立地域性的分支机构。"《基金会管理条例》第 12 条第 1 款规定："基金会拟设立分支机构、代表机构的，应当向原登记管理机关提出登记申请，并提交拟设机构的名称、住所和负责人等情况的文件。"第 2 款规定："登记管理机关应当自收到前款所列全部有效文件之日起 60 日内作出准予或者不予登记的决定。准予登记的，发给《基金会分支（代表）机构登记证书》；不予登记的，应当书面说明理由。"

二、关于法人设立分支机构是否需要登记问题

本条第 1 款规定："……法律、行政法规规定分支机构应当登记的，依照其规定。"公司法第 14 条第 1 款规定："……设立分公司，应当向公司登记机关申请登记，领取营业执照……"商业银行法第 21 条规定："经批准设立的商业银行分支机构，由国务院银行业监督管理机构颁发经营许可证，并凭该许可证向工商行政管理部门办理登记，领取营业执照。"保险法第 77 条规定："经批准设立的保险公司及其分支机构，凭经营保险业务许可证向工商行政管理机关办理登记，领取营业执照。"通过前述引用的有关规定可知，社会团体法人、基金会设立分支机构，

均须登记。需要注意的是,2013 年 11 月 8 日,《国务院关于取消和下放一批行政审批项目的决定》(国发〔2013〕44 号,以下简称《决定》)取消了民政部对全国性社会团体分支机构、代表机构设立登记、变更登记和注销登记的行政审批项目。为贯彻落实《决定》的要求,深入推进社会团体登记管理制度改革,切实转变政府职能,进一步激发社会团体活力,更好地发挥其在经济社会发展中的积极作用,《民政部关于贯彻落实国务院取消全国性社会团体分支机构、代表机构登记行政审批项目的决定有关问题的通知》(民发〔2014〕38 号),明确规定:"一、自《决定》发布之日起,我部不再受理全国性社会团体分支机构(包括专项基金管理机构)、代表机构的设立、变更、注销登记的申请,不再换发上述机构的登记证书,不再出具分支机构、代表机构刻制印章的证明。二、全国性社会团体根据本团体章程规定的宗旨和业务范围,可以自行决定分支机构、代表机构的设立、变更和终止。前述决定应当经理事会或者常务理事会讨论通过,制作会议纪要,妥善保存原始资料。"

三、关于分支机构以自己的名义从事民事活动,产生的民事责任的承担问题

法人的分支机构以其自己名义从事民事活动所产生的民事责任,应当由谁承担?对此,在立法过程中有不同意见。第一种意见主张,分支机构以自己的名义从事民事活动,产生的民事责任应由法人承担。第二种意见主张,分支机构以自己的名义从事民事活动,产生的民事责任应先由法人的分支机构承担,分支机构的财产不足以清偿债务的,由法人对其分支机构的民事活动承担民事责任。第三种意见主张,分支机构以自己的名义从事民事活动,产生的民事责任应由分支机构及

法人共同承担。另有意见主张,只有分支机构经法人授权后以自己的名义从事民事活动,由此产生的民事责任,才应当由法人承担。

经研究认为,一方面,法人的分支机构在法人授权范围内依法从事民事活动,其经营管理的财产是法人财产的一部分,分支机构并不具有独立的人格,其人格与设立它的法人的人格是合二为一的。因此,法人的分支机构以自己的名义从事民事活动,产生的民事责任应当由法人承担。这一点应当成为处理这一问题的原则。我国相关法律对此也作了同样的规定。例如,公司法第 14 条第 1 款规定:"……分公司不具有法人资格,其民事责任由公司承担。"商业银行法第 22 条规定:"商业银行对其分支机构实行全行统一核算,统一调度资金,分级管理的财务制度。商业银行分支机构不具有法人资格,在总行授权范围内依法开展业务,其民事责任由总行承担。"保险法第 74 条第 2 款规定:"保险公司分支机构不具有法人资格,其民事责任由保险公司承担。"另一方面,对于一些特殊的分支机构,比如金融机构的分支机构,往往其管理的财产已经能够满足债权人的债权,因而实践中并不需要追加其法人作为共同被告,而且这样做不仅不损害债权人一方的利益,对于债权人和法人而言均更为便利。例如,债权人在某省甲地级市,债务人为某银行甲市支行,如果起诉某银行总行,债权人须到北京市起诉,诉讼成本高,不便;对于某银行总行而言,动辄因为全国各地基层支行的业务纠纷而被诉,亦会增加应诉成本。债权人在甲地级市仅起诉某银行甲市支行,成为对双方皆为有利的安排。考虑到实务中的需要,本条第 2 款增加规定"……也可以先以该分支机构管理的财产承担,不足以承担的,由法人承担"。实际上,分支机构管理的财产本就是法人财产的一部分，以分支机构管理的财产承担民事责任，其实就是以法人的财产承担民事责任，而且，分支机构管理的财产不足以承担的，民事责任还是由法人承担。因此，并未违背“法人的分支机构以自己的名义从事民事活动，产生的民事责任应当由法人承担”的处理原则。

对于“只有分支机构经法人授权后以自己的名义从事民事活动所产生的民事责任，才应当由法人承担”的意见，经研究认为，分支机构既然是法人依法设立的，则分支机构以自己名义从事民事活动产生的法律后果理应由法人承担。因此，以分支机构管理的财产承担民事责任，必然要求法人同意，不必把“经法人授权”作为承担责任的必要条件。

第七十五条　设立人为设立法人从事的民事活动，其法律后果由法人承受；法人未成立的，其法律后果由设立人承受，设立人为二人以上的，享有连带债权，承担连带债务。

设立人为设立法人以自己的名义从事民事活动产生的民事责任，第三人有权选择请求法人或者设立人承担。

【释义】　本条是关于法人设立行为的法律后果的规定。

法人成立前须先设立，法人因设立行为完成而成立，从而成为民事主体。法人自设立行为开始至法人成立，无论长短，通常均须经过一定的期间。处于设立程序中的法人，学说上称为设立中法人。设立中法人尚不具有民事权利能力，不能享有权利和负担义务。但筹备设立法人，通常需要设立人围绕法人的设立从事相关民事活动。从事相关民事活动，就会形成相关民事法律关系，进而产生相应的法律后果。于是，问题产生了：既然设立中法人尚不具有民事权利能力，那么这些围绕法人的设立所从事的相关民事活动,其法律后果是由设立人还是由成立后的法人承受?

回答这个问题,涉及如何认识设立中法人的法律地位。对此,存在不同认识。德国通说认为,设立中社团与之后取得权利能力的社团具有同一性。不同之处仅仅在于各自权利义务的归属方式不同:设立中社团,其权利义务归属于结合成为整体的全体成员;设立完成取得权利能力后,则归于作为法律主体的社团本身。《法国民法典》第 1843 条规定,在公司注册登记之前以正在设立中的公司的名义开展活动的人对据此实施的法律行为所产生的债务承担责任;如果是商事公司,负连带责任,其他情况下,不负连带责任。公司按照规定注册登记之后可以承接所缔结的义务。在此情况下,此种义务视为一开始即系公司所缔结。《法国民法典》第 1842 条规定,除第三章所指的隐名合伙以外的公司,自其注册登记之日起享有法人资格。公司注册登记之前,股东之间的关系由公司契约以及适用于契约和债的法律一般原则调整。《意大利民法典》第 33 条第 4 款规定,获得批准取得法人资格但是未办理登记手续的社团或财团的负责人与法人一起就所负债务承担个人责任和连带责任。我国公司法第 94 条规定:“股份有限公司的发起人应当承担下列责任:(一)公司不能成立时,对设立行为所产生的债务和费用负连带责任;(二)公司不能成立时,对认股人已缴纳的股款,负返还股款并加算银行同期存款利息的连带责任;(三)在公司设立过程中,由于发起人的过失致使公司利益受到损害的,应当对公司承担赔偿责任。”依照该条规定,反推可知,公司设立成功即公司成立的,因设立行为所产生的债务和费用由公司承受。该条规定所表达的观念与前述德国通说基本一致。《最高人民法院关于适用〈中华人民共和国公司法〉若干问题的规定(三)》进一步将公司法第94条的立法精神扩展到包括有限责任公司在内的所有公司。该司法解释第1条规定:“为设立公司而签署公司章程、向公司认购出资或者股份并履行公司设立职责的人,应当认定为公司的发起人,包括有限责任公司设立时的股东。”第2~5条,区分发起人以自己名义还是以设立中公司名义对外签订合同,公司是否成立等具体情形,就公司设立中产生的对外债务的承担作了较为全面的规定。具体而言,第2条规定:“发起人为设立公司以自己名义对外签订合同,合同相对人请求该发起人承担合同责任的,人民法院应予支持。”“公司成立后对前款规定的合同予以确认,或者已经实际享有合同权利或者履行合同义务,合同相对人请求公司承担合同责任的,人民法院应予支持。”第3条规定:“发起人以设立中公司名义对外签订合同,公司成立后合同相对人请求公司承担合同责任的,人民法院应予支持。”“公司成立后有证据证明发起人利用设立中公司的名义为自己的利益与相对人签订合同,公司以此为由主张不承担合同责任的,人民法院应予支持,但相对人为善意的除外。”第4条规定:“公司因故未成立,债权人请求全体或者部分发起人对设立公司行为所产生的费用和债务承担连带清偿责任的,人民法院应予支持。”“部分发起人依照前款规定承担责任后,请求其他发起人分担的,人民法院应当判令其他发起人按照约定的责任承担比例分担责任;没有约定责任承担比例的,按照约定的出资比例分担责任;没有约定出资比例的,按照均等份额分担责任。”“因部分发起人的过错导致公司未成立,其他发起人主张其承担设立行为所产生的费用和债务的,人民法院应当根据过错情况,确定过错一方的责任范围。”第5条规定:“发起人因履行公司设立职责造成他人损害,公司成立后受害人请求公司承担侵权赔偿责任的,人民法院应予支持;公司未成立,受害人请求全体发起人承担连带赔偿责任的,人民法院应予支持。”“公司或者无过错的发起人承担赔偿责任后,可以向有过错的发起人追偿。”司法解释的上述规定,为民法总则规范法人设立行为的法律后果,提供了实践基础。

在适用本条时,需要注意把握以下几点:一是本条两款针对的情形不同。第 2 款针对的是设立人以自己的名义从事民事活动的情形。第 1 款针对的是设立人未以自己的名义从事民事活动的情形,既包括设立人以设立中法人的名义从事的民事活动,比如订立合同;也包括法人设立过程中可能出现的侵权行为等不涉及行为人名义的民事活动。二是设立人从事民事活动的目的受到限制,即必须是以“设立法人”为目的,坚持实质判断标准。如果设立人是为其自己的利益而非以设立法人为目的,则哪怕是以设立中法人的名义从事的民事活动,其法律后果原则上不应当由成立后的法人承受。三是设立人为设立法人从事的民事活动,可能产生债务,也可能产生债权;产生的债务既可能是合同债务,也可能是侵权债务等。本条第 1 款规定针对的是“法律后果”,第 2 款针对的是“民事责任”。四是在设立人未以自己的名义从事民事活动的情形下,对其法律后果,区分法人是否成立作了不同规定:法人成立的,法律后果由法人承受;法人未成立的,法律后果由设立人承受,设立人为二人以上的,享有连带债权,承担连带债务。五是在设立人为设立法人以自己的名义从事民事活动的情形下,对由此产生的民事责任,赋予第三人选择请求法人或者设立人承担责任的权利。

第二节　营 利 法 人

第七十六条　以取得利润并分配给股东等出资人为目的成立的法人，为营利法人。

营利法人包括有限责任公司、股份有限公司和其他企业法人等。

【释义】 本条是关于营利法人定义和类型的规定。

一、营利法人的定义

营利法人区别于非营利法人的重要特征，不是“取得利润”，而是“利润分配给出资人”。是否从事经营活动并获取利润，与法人成立的目的没有直接关系，也不影响到营利法人与非营利法人的分类。例如，基金会法人是非营利法人，但为了维持财产价值或者升值，也会将管理的资金用于经营活动；有些寺庙也会收取门票等。营利法人与非营利法人区分的关键在于利润的分配上，是否归属出资人。如果利润归属于法人，用于实现法人目的，则不是营利法人；如果利润分配给出资人，则属于营利法人。

二、营利法人的类型

本条第2款规定，营利法人包括有限责任公司、股份有限公司和其他企业法人等。

公司需要依照公司法的规定成立。我国公司法第2条规定，“本法所称公司是指依照本法在中国境内设立的有限责任公司和股份有限公司。”第3条第1款规定，“公司是企业法人，有独立的法人财产，享有法人财产权。公司以其全部财产对公司的债务承担责任。”一般而言，有限责任公司是股东以其出资额为限对公司承担责任，公司以其全部资产对公司债务承担责任的企业法人。有限责任公司类型比较适合中小企业，股东人数有最高数量限制，股东对公司承担有限责任，设立手续和公司的机关比较简单，具有非公众和非公开的性质。股份有限公司是其全部资本分为等额股份，股东以其所持有的股份为限对公司承担责任，公司以其全部资产对公司的债务承担责任的企业法人。股份有限公司通常是大型企业采取的一种组织形式，发起人需要达到一定人数，成立后股东人数没有上限，全部资本划分为等额股份，股东对公司承担有限责任，资本证券化、具有公开性。有限责任公司和股份有限公司都是以营利为目的的企业，存在和发展的最直接动力就是通过经营活动获得经济利益，创造利润，然后分配给出资人。因此，有限责任公司、股份有限公司是我国法律规定的最典型的营利法人类型。

我国公司法还规定了一人有限责任公司和国有独资公司这两种特殊的有限责任公司。公司法第 57 条规定了一人有限责任公司，其第 2 款规定，“本法所称一人有限责任公司，是指只有一个自然人股东或者一个法人股东的有限责任公司。”第 64 条规定了国有独资公司，其第 2 款规定，“本法所称国有独资公司，是指国家单独出资、由国务院或者地方人民政府授权本级人民政府国有资产监督管理机构履行出资人职责的有限责任公司。”应当明确的是，这两种特殊类型的公司仍然是公司，只是仅有一个出资者，一人有限责任公司的出资者是一个自然人股东或者一个法人股东，这种情况下出资者可能会利用有限责任的形式混同个人债务，需要刺破公司的面纱。公司法第 63 条规定，“一人有限责任公司的股东不能证明公司财产独立于股东自己的财产的，应当对公司债务承担连带责任。”国有独资企业的出资者也仅有一个,是国家单独出资,由国有资产监督管理机构履行出资人职责。不管这两种形式的公司出资人如何特殊,在取得利润并分配给其股东等出资人这个根本目的上,与普通公司没有区别,也属于本条第 2 款规定的营利法人的类型。

单行法中还规定有其他类型的企业。中外合作经营企业法第 2 条第 2 款规定,“合作企业符合中国法律关于法人条件的规定的,依法取得中国法人资格。”外资企业法第 8 条规定,“外资企业符合中国法律关于法人条件的规定的,依法取得中国法人资格。”根据这两部法律的规定,中外合作经营企业和外资企业均属于营利性的组织,如果符合法人条件的,能够取得中国法人资格的,可以成为营利法人的一种类型。如果不符合法人条件,则可能符合非法人组织的相关类型,不在本条规定的范围之内。

除了上述列举的营利法人的类型,在其他法律中规定的可以取得法人资格的营利法人类型,都属于本款规定的情形。

第七十七条　营利法人经依法登记成立。

【释义】 本条是关于营利法人登记的规定。

民法总则草案三审稿规定:营利法人,经依法登记成立,取得法人资格。在民法总则草案提交全国人民代表大会第五次全体会议审议的过程中,有代表提出,设立人设立营利法人,依法申请登记,有两种后果:一种情况是登记机关认为设立人的申请不符合营利法人的条件,不予登记,营利法人没有成立。另一种情况是登记机关认为设立人的申请符合条件,准予登记。经过登记后,营利法人取得法人资格。本条既然表述为“营利法人经依法登记成立”,逻辑上就是讲的后一种情况,条文表述上无须再赘述“取得法人资格”。经研究,采纳了全国人大代表的建议,将“取得法人资格”几个字删除,规定营利法人经依法登记成立。

早在古罗马时期就产生了商人设店经营须悬挂招牌,以昭示其营业状况的规定。到了中世纪时期,随着商业的繁荣,意大利及地中海沿岸形成了一些行会组织。商人要想获得资格从事正常的商事经营,必须按照一定的程序将有关事项登记在行会成员的登记册中,这就是早期的登记制度。近代以来,随着资本主义商业活动的进一步发展,源自商人习惯法中的登记规则普遍为各国商法或成文法继受,进而发展为现代意义上的登记制度。营利法人设立的宗旨是为了从事工商业经营活动,必须经过登记才能成立。登记是营利法人设立时,依照法律、法规的相关内容和程序,将设立的主要事项按照登记机关的要求呈报,登记机关审核后记载于登记簿,发给执照、取得资格的程序。登记可以分为设立登记、变更登记、注销登记等多种,本条指设立登记。

营利法人的设立,在历史上主要经历了特许主义、核准主义和准则主义三种模式。早期实行的特许主义,法律普遍禁止营利法人的设立,需要经过国王或者国会的特别准许才能设立营利法人,营利法人的数量很少。后来为适应资本主义的发展,实行核准主义,设立营利法人除了需要符合法律的规定之外,还需要有关机关的审查批准,此时营利法人数量稳步增加。现代社会讲求效率,法律普遍允许营利法人的设立,营利法人大量出现,成为社会基本经济体。目前各国对营利法人的设立登记普遍采用准则主义为原则、核准主义为例外的模式,即绝大多数情况下,法律预先规定营利法人的设立条件。只要符合这些条件的，即可以通过登记成立，不需要事前审批。但在特殊情况下，为了维护公共利益和交易安全，对少部分领域的营利法人在成立前进行审查批准。例如，《德国民法典》第 22 条规定，以营利为目的的社团，在联邦法律无特别规定时，因国家的许可而取得权利能力。许可权属于社团住所所在地的州。《日本民法典》第 45 条规定，法人应自其设立之日起二周内在主事务所所在地、于三周内在其他事务所所在地进行登记。《意大利民法典》第 14 条规定，社团和财团须以公正的方式设立。我国台湾地区“民法”第 30 条规定，法人非经向主管机关登记，不得成立。第 45 条规定，以营利为目的之社团，其取得法人之资格，依特别之规定。

我国公司法第 6 条第 1 条规定，“设立公司，应当依法向公司登记机关申请设立登记。符合本法规定的设立条件的，由公司登记机关分别登记为有限责任公司或者股份有限公司；不符合本法规定的设立条件的，不得登记为有限责任公司或者股份有限公司。”第 2 款规定，“法律、行政法规规定设立公司必须报经批准的，应当在公司登记前依法办理批准手续。”公司法的立法模式即为“准则主义加核准主义”。目前，我国需要采用核准主义的营利法人主要集中在煤炭开发、电力供应、供气供水、公用设施、航空运输、港口经营、枪支制售、危险物品、证券期货、职业介绍等领域。我国营利法人的登记条件、登记程序等内容，主要规定在《企业法人登记管理条例》《企业法人登记管理条例施行细则》《外商投资合伙企业登记管理规定》《个人独资企业登记管理办法》等行政法规、部门规章中。

营利法人登记的首要功能在于标志着法人主体资格的确认，另一方面也是体现国家对市场秩序的监管，其监管功能表现在以下两个方面：一是营利法人登记是对法人主体进行监管的手段。通过登记制度国家不仅可以对各种不同类型的营利法人的经营活动进行必要的监管，而且可以通过登记内容取得各项必要的统计资料，从而实现国家对经济的宏观调控。二是保护交易安全和社会公众的合法权益。对在登记机关登记的事项，除有证据证明属于虚假陈述的外，均推定为正确事项而具有公信力，交易相对人受此公信力的保护，营利法人也可据此对抗第三人从而保护自己的合法权益。

营利法人取得法人资格只有一种方式，即经过登记程序成立。中外合作经营企业法第2条第2款规定，“合作企业符合中国法律关于法人条件的规定的，依法取得中国法人资格。”外资企业法第8条规定，“外资企业符合中国法律关于法人条件的规定的，依法取得中国法人资格。”上述两条中规定的营利法人类型，也是采取核准主义。这一点与非营利法人、特别法人有显著区别。非营利法人取得法人资格有两种方式：一种是经依法登记成立，取得法人资格；另一种是依法不需要办理法人登记的，从成立之日起，即具有法人资格，例如本法第88条的规定。特别法人取得法人资格也有两种方式：一是有独立经费的机关和承担行政职能的法定机构从成立之日即具有法人资格，例如本法第97条的规定；二是农村集体经济组织、城镇农村的合作经济组织依法取得法人资格，如本法第99条、第100条的规定。

第七十八条　依法设立的营利法人，由登记机关发给营利法人营业执照。营业执照签发日期为营利法人的成立日期。

【释义】　本条是关于营利法人营业执照的规定。

本条明确了营利法人成立的时间点，也就是营利法人开始营业的起始点——营业执照的签发日期。在此之前的设立阶段，营利法人还没有正式成立，不具有法人资格，不能以营利法人名义参与民事活动。营利法人经登记成立后，需要由登记机关颁发营业执照。登记机关核准营利法人的标志是颁发给其营业执照，营利法人营业执照的颁发日期是公司的成立日期。营业执照在具备经营资格证明这一功能外，又具有了法人资格证明的功能，集经营资格和法人资格于一身，成为法人资格合法存在的身份证明和直接表现。

在历史上，营业执照的产生与营利法人设立制度的发展密不可分，营业执照是现代营利法人登记制度的附随产物。中世纪时期自由贸易大发展，公司凭当事人自由决定而设立，法律不加过多干涉，此时并不需要营业执照；当公司设立进入特许主义年代时，公司若未能获取特许令状或是核准文件，则难以成立，故特许令状或是核准文件成为公司有效成立的唯一合法有效凭证；而当公司设立进入准则主义年代时，符合法律条件的公司、合伙以及其他各类企业，凡经登记注册，即可有效设立，并可以获得营业执照或者其他类似的注册证书。这时营业执照内容进一步完善，颁发程序进一步规范。

作为登记的产物，营业执照在民商事活动中具有重要地位，是取得民事主体资格和建立民商事信用的主要方式。一般而言，营业执照至少承担了以下基本功能：一是营业执照标明营利法人获得国家许可的从事经营活动的资格。从登记机关签发营业执照之日起，营利法人可以开展日常经营活动。二是营业执照能起到公示的作用。营业执照上一般需要载明注册资金、经营范围、经济性质等情况。由此，营利法人资信情况和债务担保能力等通过营业执照获得了具有公信力的外观表征，与营利法人进行交往的人可以从营业执照上了解营利法人的一些基本情况，从而降低商业交易的风险，在一定程度上保障了交易安全。我国相关法规、规章要求营利法人将营业执照悬挂在最醒目的位置，其所起到的公示功能比登记制度更为突出。三是通过营业执照，国家一定程度上实现了对营利法人及其经营活动的监督和管理，而此种公权力的介入又为营业执照的公信力提供了保障。将营利法人的基本信息记载于营业执照，可以作为税收和监管的依据；营业执照的年检可以起到持续表征营利法人的商业信用，以维护交易安全；吊销营利法人营业执照，强制违法经营主体退出市场等。

营业执照上应该记载相应的法定事项，是作为营利法人必须具备的条件。在营业执照上予以明确法人基本信息，能够使与其交易的市场主体了解它的信息，对该法人做出切实的评价。所以这些信息必须与实际情况相符，不能任意变更，一旦发生变化，营利法人应当向登记机关做出变更登记申请，依法予以变更。根据我国法律法规的规定，营业执照需要载明的事项主要有：法人名称、住所、注册资本、资金性质、经营范围、法定代表人姓名等。此外，我国签发的“企业法人营业执照”等执照分为正本和副本，正本与副本内容一致，法律效力一致，只是样式、作用有所不同：正本尺寸比较大，用于在营业场所张贴悬挂，以便接受监督，起公示作用，仅签发一份。副本为折叠式，便于携带与收藏，用于法人从事经营交往、签订合同、开户贷款等活动中对外出示，证明合法身份和基本情况，办理各种手续时使用，副本可以签发数份。

第七十九条　设立营利法人应当依法制定法人章程。

【释义】 本条是关于营利法人的法人章程的规定。

法人章程是关于法人组织和行为的自治规则。设立营利法人必须有法人章程，章程是营利法人设立的法定必备文件之一。公司法第11条就明确规定，设立公司必须依法制定公司章程。

法人章程的内容可以分为绝对必要记载事项和任意记载事项。绝对必要记载事项是指法律规定在章程中必须具备的内容，若不记载这些内容，该章程是无效的，登记机关将不予登记。根据相关法律规定确定绝对必要记载事项。比如，公司法第25条第1款规定，“有限责任公司章程应当载明下列事项：（一）公司名称和住所；（二）公司经营范围；（三）公司注册资本；（四）股东的姓名或者名称；（五）股东的出资方式、出资额和出资时间；（六）公司的机构及其产生办法、职权、议事规则；（七）公司法定代表人；（八）股东会会议认为需要规定的其他事项。”第81条规定，“股份有限公司章程应当载明下列事项：（一）公司名称和住所；（二）公司经营范围；（三）公司设立方式；（四）公司股份总数、每股金额和注册资本；（五）发起人的姓名或者名称、认购的股份数、出资方式和出资时间；（六）董事会的组成、职权和议事规则；（七）公司法定代表人；（八）监事会的组成、职权和议事规则；（九）公司利润分配办法；（十）公司的解散事由与清算办法；（十一）公司的通知和公告办法；（十二）股东大会会议认为需要规定的其他事项。”任意记载事项，是指不是由法律明文规定不可缺少的事项，可以规定在章程中，也可以不规定在章程中。

法人章程是法人的行为准则，对法人具有约束力，法人的权力机构、执行机构和监督机构及其成员等也都要受到法人章程的制约。

第八十条　营利法人应当设权力机构。

权力机构行使修改法人章程，选举或者更换执行机构、监督机构成员，以及法人章程规定的其他职权。

【释义】　本条是关于营利法人权力机构的规定。

一、营利法人的权力机构

营利法人的权力机构是营利法人的最高权力机构，营利法人的一切重大事项，需要由该机构来作出决议。权力机构区别于执行机构和监督机构，其负责就营利法人的重大事项作出决议，行使投资人权利。一般情况下，营利法人的权力机构以召开出资人会议的形式而不采取常设机构或日常办公的方式，行使权力机构的各项职权。权力机构以会议的形式行使职权，是由权力机构的权力性质和所有权与经营权相分离的营利法人的基本原理决定的。

本条第1款规定，营利法人应当设权力机构。营利法人的权力机构有多种形式，如有限责任公司和股份有限公司的权力机构主要形式是股东会，一人有限责任公司不设股东会，其股东是营利法人的权力机构。我国相关法律对具体营利法人的权力机构作了相关规定。公司法第36条规定，“有限责任公司股东会由全体股东组成。股东会是公司的权力机构，依照本法行使职权。”第98条规定，股份有限公司股东大会由全体股东组成。股东大会是公司的权力机构，依照本法行使职权。按照本条规定，营利法人原则上应该设权力机构，但本法第11条规定，“其他法律对民事关系有特别规定的，依照其规定”。即法律对营利法人设权力机构有特别规定的，依照其他法律的规定。如公司法第61条规定：“一人有限责任公司不设股东会……”公司法第66条第1款规定，国有独资公司不设股东会，由国有资产监督管理机构行使股东会职权。

民法总则草案三次审议稿中，本款曾规定为，营利法人的股东会等出资人会为其权力机构。在立法过程中，有的意见提出，“出资人会”不是常用概念，不够准确，也不易理解，建议修改完善。有的意见提出，现行中外合资经营企业法、中外合作经营企业法规定董事会是权力机构。为避免法律规定之间的冲突，建议在本款最后增加规定：“法律另有规定的，依照其规定。”考虑到以上意见，本条第 1 款最终确定为：“营利法人应当设权力机构。”

二、营利法人权力机构的职权

本条第 2 款规定了营利法人权力机构的职权。依照本条第 2 款的规定，营利法人的权力机构的职权主要包括：

（一）修改法人章程。设立法人应当依法制定法人章程。章程是法人依法制定的，规定法人名称、住所、经营范围、经营管理制度等重大事项的基本文件，也是法人必备的规定法人组织和活动基本规则的文件。法人章程由股东等出资人在设立法人时依法制定，由于章程对法人的组织和活动有重大意义，修改法人章程的职权只能由法人的权力机构行使。有的法律规定了修改法人章程的具体条件，如公司法第 43 条第 2 款规定，“股东会会议作出修改公司章程、增加或者减少注册资本的决议，以及公司合并、分立、解散或者变更公司形式的决议，必须经代表三分之二以上表决权的股东通过。”第 103 条第 2 款规定，股东大会作出决议，必须经出席会议的股东所持表决权过半数通过。但是，股东大会作出修改公司章程、增加或者减少注册资本的决议，以及公司合并、分立、解散或者变更公司形式的决议，必须经出席会议的股东所持表决权的三分之二以上通过。

（二）选举或者更换执行机构、监督机构成员。权力机构有权选举执行机构、监督机构成员。执行机构、监督机构成员受法人权力机构委托或者委任，为法人服务，参与法人日常经营管理活动，取得相应的报酬。对于不适合的执行机构、监督机构成员，权力机构可以予以更换。

（三）法人章程规定的其他职权。营利法人的权力机构享有的职权，除本款规定的外，有权行使法人章程规定的其他职权。法人章程可以对权力机构的职权作出具体规定。有的法律对相关法人的权力机构的职权也有具体规定。如公司法第37条第1款规定，“股东会行使下列职权：（一）决定公司的经营方针和投资计划；（二）选举和更换非由职工代表担任的董事、监事，决定有关董事、监事的报酬事项；（三）审议批准董事会的报告；（四）审议批准监事会或者监事的报告；（五）审议批准公司的年度财务预算方案、决算方案；（六）审议批准公司的利润分配方案和弥补亏损方案；（七）对公司增加或者减少注册资本作出决议；（八）对发行公司债券作出决议；（九）对公司合并、分立、解散、清算或者变更公司形式作出决议；（十）修改公司章程；（十一）公司章程规定的其他职权。”

第八十一条　营利法人应当设执行机构。

执行机构行使召集权力机构会议，决定法人的经营计划和投资方案，决定法人内部管理机构的设置，以及法人章程规定的其他职权。

执行机构为董事会或者执行董事的，董事长、执行董事或者经理按照法人章程的规定担任法定代表人；未设董事会或者执行董事的，法人章程规定的主要负责人为其执行机构和法定代

表人。

【释义】 本条是关于营利法人执行机构的规定。

一、营利法人的执行机构

营利法人通常实行所有权与经营权相分离原则，权力机构决定公司的重大事项，执行机构执行权力机构的决定，执行日常业务。根据本条第1款规定，营利法人应当设执行机构。营利法人执行机构的形式包括董事会、执行董事等。我国相关法律对具体营利法人的执行机构作了规定。公司法第44条规定，“有限责任公司设董事会，其成员为三人至十三人；但是，本法第五十条另有规定的除外。两个以上的国有企业或者两个以上的其他国有投资主体投资设立的有限责任公司，其董事会成员中应当有公司职工代表；其他有限责任公司董事会成员中可以有公司职工代表。董事会中的职工代表由公司职工通过职工代表大会、职工大会或者其他形式民主选举产生。董事会设董事长一人，可以设副董事长。董事长、副董事长的产生办法由公司章程规定。”此外，本法第11条规定，“其他法律对民事关系有特别规定的，依照其规定。”即法律对营利法人设执行机构有特别规定的，依照其他法律的规定。

二、营利法人执行机构的职权

本条第2款规定了营利法人执行机构的职权。依照本条第2款的规定，营利法人的执行机构的职权主要包括：

（一）召集权力机构会议。执行机构作为营利法人的经营决策机构，对营利机构的权力机构负责，有权召集股东会，并向股东会报告工作，执行股东会的决议。

（二）决定法人的经营计划和投资方案。在权力机构决定了法人的经营方针和投资计划后，执行机构根据权力机构的决定来决定法人的经营计划和投资方案，并组织实施，也是执行机构经营决策权最重要的体现。

（三）决定法人内部管理机构的设置。执行机构决定法人内部管理机构的设置，包括制定基本管理制度，聘任或者解聘重要管理人员并决定其报酬事项，如经理、副经理、财务负责人等。本职权是执行机构经营决策权的重要体现，是执行机构执行权力机构决议，实施法人经营计划和投资方案，保障法人良好运行的基础。

（四）法人章程规定的其他职权。营利法人的执行机构享有的职权，除本款规定的外，有权行使法人章程规定的其他职权。有的法律对相关法人的执行机构的职权有具体规定。公司法第46条规定，“董事会对股东会负责，行使下列职权：（一）召集股东会会议，并向股东会报告工作；（二）执行股东会的决议；（三）决定公司的经营计划和投资方案；（四）制订公司的年度财务预算方案、决算方案；（五）制订公司的利润分配方案和弥补亏损方案；（六）制订公司增加或者减少注册资本以及发行公司债券的方案；（七）制订公司合并、分立、解散或者变更公司形式的方案；（八）决定公司内部管理机构的设置；（九）决定聘任或者解聘公司经理及其报酬事项，并根据经理的提名决定聘任或者解聘公司副经理、财务负责人及其报酬事项；（十）制定公司的基本管理制度；（十一）公司章程规定的其他职权。”权力机构可以根据法人的具体情况，通过法人章程授权执行机构其他职权，如规定由执行机构决定承办法人审计业务的会计师事务所的聘任或者解聘等。

三、营利法人执行机构与法定代表人的关系

本条第3款规定了营利法人执行机构与法定代表人的关

系。根据本条第 3 款的规定,一是执行机构为董事会或者执行董事的,董事长、执行董事或者经理按照法人章程的规定担任法定代表人。公司法第 13 条规定,“公司法定代表人依照公司章程的规定,由董事长、执行董事或者经理担任,并依法登记。公司法定代表人变更,应当办理变更登记。”二是未设董事会或者执行董事的,法人章程规定的主要负责人为其执行机构和法定代表人。

第八十二条　营利法人设监事会或者监事等监督机构的,监督机构依法行使检查法人财务,监督执行机构成员、高级管理人员执行法人职务的行为,以及法人章程规定的其他职权。

【释义】　本条是关于营利法人监督机构的规定。

一、营利法人的监督机构

在所有权与经营权分离的现代营利法人里,权力机构并不直接管理或者控制营利法人,营利法人被交由执行机构治理。实践中,执行机构的权力很大,为了防止执行机构滥用权力,保护营利法人和出资人的利益,需要设计监督机制,对执行机构等营利法人的实际经营管理人员进行监督。在各国营利法人立法实践中,有两种不同的监督机制:一类是以美国、英国等英美法系国家为代表,营利法人不设监督机构,法人的监督职能由执行机构兼任,执行机构中设立由不执行法人业务的专门委员会,负责对执行法人业务的管理人员进行监督;另一类是以大多数大陆法系国家如德国、日本等为代表,法人内部设立由权力机构选出的监督机构,作为专门的监督机关,负责监督法人的业务执行情况和检查法人的财务状况。我国采取了大陆法系国家通行的营利法人制度模式。营利法人的监督机构是营利法人所有权与经营权分享的形态下，为实现法人效益、出资人利益、法人的社会责任的最优化实现设计的。监督机构监督执行机构的运营情况，对权力机构负责。营利法人的监督机构形式包括监事会、监事等。公司法第51条规定："有限责任公司设监事会……"

营利法人的监督机构作为法人的专门监督机构，其规模应根据法人的具体情况而定，不应过大或过小。如果监督机构的规模过大，人数过多，对营利法人经营管理层的制约也就越大，可能会影响法人的运营效率。同时，监事人数太多，会增加法人的监督成本，从而损害法人和出资人的利益；如果监督机构的规模过小，人数过少，对法人经营情况的了解就可能不够全面，不能够真正起到监督的作用。因此，相关法律对法人的监督机构的规模作了具体规定，公司法第51条第1～2款规定，"有限责任公司设监事会，其成员不得少于三人。股东人数较少或者规模较小的有限责任公司，可以设一至二名监事，不设监事会。监事会应当包括股东代表和适当比例的公司职工代表，其中职工代表的比例不得低于三分之一，具体比例由公司章程规定。监事会中的职工代表由公司职工通过职工代表大会、职工大会或者其他形式民主选举产生。"

此外，监督机构设立的目的在于监督法人的经营管理层。为了保证监督机构行使职权的独立性、公正性，相关法律对监督机构人员作了一定限制。公司法第51条第4款规定，"董事、高级管理人员不得兼任监事。"各国公司法通常都限制董事、经理、财务人员与监事相互兼职。如日本规定监察人（即监事）不得兼任公司或者子公司的董事、经理或者其他使用人。

二、营利法人监督机构的职权

根据本条规定，营利法人监督机构的职权主要包括：

（一）检查法人财务。监督机构可以对营利法人的财务状况进行检查，如查阅法人账簿和其他会计资料，核对执行机构提交权力机构的财务报告、营业报告和利润分配方案等会计资料等，发现疑问可以进行复核等。

（二）对执行机构成员及高级管理人员执行法人职务的行为进行监督。具体包括：对执行机构和高级管理人员执行法人职务时违反法律、行政法规、法人章程或者权力机构决议的行为进行监督；纠正或者停止执行机构高级管理人员侵害法人利益的行为。当监督机构发现执行机构和高级管理人员的行为违反法律、行政法规、法人章程或者股东会决议，超越权限行使权利以及其他损害公司利益的行为时，要求其停止违规行为并予以改正。

（三）法人章程规定的其他职权。营利法人的监督机构享有的职权，除本条规定的外，有权行使法人章程规定的其他职权。有的法律对相关法人的监督机构的职权有具体规定。公司法第 53 条规定，“监事会、不设监事会的公司的监事行使下列职权：（一）检查公司财务；（二）对董事、高级管理人员执行公司职务的行为进行监督，对违反法律、行政法规、公司章程或者股东会决议的董事、高级管理人员提出罢免的建议；（三）当董事、高级管理人员的行为损害公司的利益时，要求董事、高级管理人员予以纠正；（四）提议召开临时股东会会议，在董事会不履行本法规定的召集和主持股东会会议职责时召集和主持股东会会议；（五）向股东会会议提出提案；（六）依照本法第一百五十一条的规定，对董事、高级管理人员提起诉讼；（七）公司章程规定的其他职权。”法人可以根据其自身情况和实现监督机构监督职能的需要，在法人章程中对监督机构的职权作出其他规定。

第八十三条　营利法人的出资人不得滥用出资人权利损害法人或者其他出资人的利益。滥用出资人权利给法人或者其他出资人造成损失的，应当依法承担民事责任。

营利法人的出资人不得滥用法人独立地位和出资人有限责任损害法人的债权人利益。滥用法人独立地位和出资人有限责任，逃避债务，严重损害法人的债权人利益的，应当对法人债务承担连带责任。

【释义】　本条是关于营利法人出资人应当依法行使权利的规定。

营利法人的出资人依法和依章程享有各种权利，但同时，出资人也负有正当行使权利的义务。其正当行使权利受法律保护，滥用权利将受到法律的制裁，应当依法承担相应责任。对此，公司法第20条作了具体规定："公司股东应当遵守法律、行政法规和公司章程，依法行使股东权利，不得滥用股东权利损害公司或者其他股东的利益；不得滥用公司法人独立地位和股东有限责任损害公司债权人的利益。公司股东滥用股东权利给公司或者其他股东造成损失的，应当依法承担赔偿责任。公司股东滥用公司法人独立地位和股东有限责任，逃避债务，严重损害公司债权人利益的，应当对公司债务承担连带责任。"本条在公司法上述规定的基础上，对营利法人的出资人应当依法行使权利及滥用权利的民事责任作了明确规定。

根据本条第1款的规定，营利法人的出资人不得滥用出资人权利损害法人或者其他出资人的利益。营利法人的出资人合法权益受法律保护，但出资人在行使相关权利时，一是要遵守法律有关权利行使的规定，二是要依照法律规定的程序行使。出资人行使权利不得损害营利法人和其他出资人的利益。例如，公司法规定，股东在涉及公司为其担保事项进行表决时，应当回避。如果股东违反这一规定强行参与表决，则构成滥用股东权利。又如，公司法第97条规定有限责任公司股东有查阅权，但前提是股东应当有正当的理由，一般为公司的经营活动特别是在财务处理上有损害股东利益之嫌。如果股东为了个人经营的目的，以查账为由，窃取公司商业秘密，则构成股东滥用权利。再如，公司章程规定公司出售重大资产需股东大会特别决议通过，公司的控股股东无视章程的规定，不经法定程序，强令公司经营管理层出售该资产，也构成股东权利的滥用。对营利法人出资人滥用权利的行为，给营利法人或者其他出资人造成损失的，滥用权利的出资人应当依法承担民事责任。这样规定有利于规范出资人的行为，促使出资人依法、正当行使权利。

根据本条第2款的规定，营利法人的出资人不得滥用法人独立地位和出资人有限责任损害法人的债权人利益。公司法等法律为了保护和鼓励投资，同时也为了保证法人经营的灵活性和高效性，创制了法人独立地位和出资人有限责任的制度。对出资人而言，其依约定足额出资后，即享受有限责任的待遇，不再对营利法人的债务承担责任；出资人通过营利法人权力机构依法定程序行使其权利，不直接插手营利法人的经营。营利法人则独立地运用出资人投入到营利法人中的财产从事经营，创造利润。营利法人在经营活动中，与债权人独立地发生债权、债务关系，承担由此产生的民事责任。但是，实际经济生活中，有的营利法人的出资人通过各种途径控制着营利法人，为赚取高额利润或者逃避债务，常常挪用营利法人的财产，或者与自己的财产混同、账目混同、业务混同。有的出资人为达到非法目的，设立一个空壳法人从事违法活动，实际控制该营利法人，但又以有限责任为掩护逃避责任。在这些情况下,营利法人实际上已经失去了独立地位,该独立营利法人地位被出资人滥用了。同时,出资人利用上述方式逃避了其应承担的责任,也滥用了其有限责任的待遇;而营利法人的债权人将面临着极大的交易风险。面对这一现实问题,一些国家和地区在维护营利法人出资人有限责任的基本原则的同时,本着权利和义务相一致的原则,为切实保护债权人的利益、维护正常的交易秩序,创制了法人人格否认(在普通法系国家和地区称为"揭开法人面纱")的制度。即当符合法定条件,认定出资人滥用营利法人独立地位和有限责任时,可以"揭开法人的面纱",将营利法人出资人和营利法人视为一体,追究出资人和营利法人共同的法律责任。

出资人滥用营利法人独立地位和出资人有限责任,逃避债务,严重损害法人的债权人利益的,应当对法人债务承担连带责任。我国营利法人特别是公司的实践时间不长,由于各方面的原因,一些营利法人虽然有健全的组织机构,但所有权和经营权并未完全分离,加之有的出资人缺乏商业诚信,利用法人独立地位侵占法人财产,逃避债务,损害债权人利益的情况比较严重。2005 年修改公司法的时候,在进一步放宽公司设立和有关管制的同时,经研究,认为有必要引进公司法人人格否认制度,防止股东滥用公司法人人格、用有限责任获取非法利益,以保护债权人、维护正常的交易秩序。实践证明是有效的,这次制定民法总则,在公司法的基础上,将这一制度的适用范围进一步拓宽到全部营利法人。适用这一规定,应把握以下几个原则:一是坚持有限责任这一法人制度的基石。在适用法律的过程中应当维护出资人的有限责任,由法人依法独立承担民事责任。因此,法人人格否认制度的适用应当限制在司法审判中针对某一具体案件适用，不得任意扩大其适用范围。二是我国的法人人格否认制度主要适用于出资人滥用法人独立地位和出资人有限责任，逃避债务的行为，即出资人有逃避债务的主观恶意和具体行为，应当有严重损害法人债权人利益的后果。债权人可以直接请求人民法院向出资人追偿。三是具体认定营利法人的出资人滥用法人独立地位和出资人有限责任的标准由最高人民法院根据本条规定的基本原则作出具体规定，人民法院在审理法人案件中应统一遵守有关规定。

在制定公司法有关规定的过程中，曾有过不同意见，主要集中在两个方面：一是是否应在公司法中确立法人人格否认制度，是否对股东在此情形下应当承担的责任作出明确规定；二是是否应当在法律中规定具体认定公司股东滥用公司法人人格独立地位和股东有限责任的标准。

就第一个问题，有的意见认为，其他国家和地区一般不在成文法中明确规定法人人格否认制度，只在司法审判中以判例形式运用，且非常谨慎；担心我国公司法确立这一制度后，因我国的司法审判水平参差不齐而被滥用，动摇公司有限责任这一基石，不利于公司的正常、有序发展。对此，经认真研究，多数意见认为，一是虽然不少国家和地区没有明确的成文法规定，但在司法实践中已广泛运用这一制度，有较成熟的经验，许多国家和地区在其司法文书中对这一制度的适用范围、掌握的标准均有明确的阐述。二是有些国家对股东滥用权利应当承担民事责任作出了规定。如《美国示范公司法》规定，股东对公司行为有个人责任的，应当承担责任。《阿根廷公司法》规定，公司的行为脱离公司的目的，或者把公司作为破坏法律和公共秩序或者侵害第三人的权利的手段而加以利用的，直接参与该行为的股东

(社员)或者控制方。对于其行为所产生的损害承担连带责任。三是确立这一制度符合中国的实际需要,有利于解决公司实践中存在的问题,并且我国在司法审判实践中已经开始运用这一原则。因此,应当在新公司法中建立这一制度,并明确规定股东对公司承担的责任。关于在这种情况下应如何追究股东的责任,理论界有不同的认识:第一种意见认为,应当直接追究股东的责任;第二种意见认为,应当先追究公司责任,股东承担补充清偿责任;第三种意见认为,基于公司已失去法人人格的现实,应当追究股东和公司的共同责任,境外的审判实践多数采用这种意见。经研究,我国公司法采用了第三种意见,规定股东滥用公司法人独立地位和股东有限责任,对公司债务承担连带责任。

就第二个问题而言,许多部门、地方和专家建议在法律中明确规定股东滥用公司独立法人地位和有限责任的具体行为,避免司法审判实践中对这一原则的滥用。经研究认为,实践中股东滥用公司法人独立地位和有限责任的表现形式多样,在法律中难以一一列举。我国刚开始实行这一制度,法律只作原则性规定,由最高人民法院根据审判实践的情况作出具体规定较为稳妥。因此,公司法并未列举确定股东滥用公司法人独立地位和有限责任的具体标准。

第八十四条　营利法人的控股出资人、实际控制人、董事、监事、高级管理人员不得利用其关联关系损害法人的利益。利用关联关系给法人造成损失的,应当承担赔偿责任。

【释义】　本条是关于营利法人关联交易的规定。

法人的关联交易一般是指具有投资关系或者合同关系的不同主体之间所进行的交易,又称为关联方交易。营利法人关联交易是一种经济行为。正常的关联交易,可以稳定营利法人业务,分散经营风险,有利于营利法人的发展;但实务中常有控制营利法人利用与从属法人的关联关系和控制地位,迫使从属法人与自己或者其他关联方从事不利益的交易,损害从属法人和少数出资人利益的现象。为此,境外在法律特别是在公司法中对关联交易都有或多或少的相关规定,调整关联关系,保护从属法人及少数出资人的利益。在大陆法系国家和地区,一般在人事控制、会计原则、法人财务控制等方面有较为详细的规定,法院也可以根据法律原则规定作出裁决。在英美法系国家和地区,由于法官的自由裁量权较大和其造法功能,通常可以由法官根据案件的具体情况作出裁判。所以后者对关联交易的控制多表现在判例法中。

我国的营利法人关联交易是随着经济发展、法人规模逐渐扩大、法人内部结构逐渐复杂而逐步增多的;特别是在较大的公司和上市公司中,这一现象更多。一些营利法人的大股东、实际控制人和管理层通过与法人的关联交易,随意挪用法人资金,为自己或者关联方提供担保,通过操纵交易条件等将营利法人的利润转移至关联方,严重地损害营利法人、少数出资人和债权人的利益。为此,财政部门、税务部门、中国证监会从财政、税收、上市公司监管等方面对营利法人关联交易控制作了一些规定。1993 年制定的公司法中没有相关内容,2005 年修改公司法时,有很多意见要求增加相关规定。考虑到关联交易的情况较为复杂,还需要在实践中进一步总结经验,因此,公司法修改时只作了一条原则性规定,主要是明确了公司的关联方利用关联关系损害公司利益的法律后果。其第 21 条规定:“公司的控股股东、实际控制人、董事、监事、高级管理人员不得利用其关联关系损害公司利益。违反前款规定,给公司造成损失的,应当承担赔偿责任。”本法在公司法上述规定的基础上,将适用范围拓展到全部营利法人。

根据本条规定,与营利法人有关联关系的五种人不得利用其与营利法人的关联关系损害营利法人的利益,包括:(1)营利法人的控股出资人。例如,出资额占有限责任公司资本总额50%以上或者持有的股份占股份有限公司股本总额50%以上的股东;出资额或者持有股份的比例虽然不足50%,但依其出资额或者持有的股份所享有的表决权已足以对股东会、股东大会的决议产生重大影响的股东。(2)实际控制人。是指虽然不是营利法人的出资人,但通过投资关系、协议或者其他安排,能够实际支配营利法人行为的人。(3)董事。是指营利法人权力机构选举出来的董事会成员。(4)监事。是指营利法人权力机构选举出来的监事会成员。(5)高级管理人员。是指营利法人的经理、副经理、财务负责人,上市公司董事会秘书以及营利法人章程规定的其他人员。所谓关联关系,是指营利法人的控股出资人、实际控制人、董事、监事、高级管理人员与其直接或者间接控制的营利法人之间的关系,以及可能导致营利法人利益转移的其他关系;但是,国家控股的营利法人之间不能仅因为同受国家控股而具有关联关系。利用关联关系给法人造成损失的,应当就损失承担赔偿责任。

第八十五条　营利法人的权力机构、执行机构作出决议的会议召集程序、表决方式违反法律、行政法规、法人章程,或者决议内容违反法人章程的,营利法人的出资人可以请求人民法院撤销该决议,但是营利法人依据该决议与善意相对人形成的民

事法律关系不受影响。

【释义】 本条是关于营利法人的权力机构、执行机构决议撤销的规定。

营利法人的权力机构和执行机构通过召开会议，形成决议行使权力。上述决议一旦依法作出并生效，则变为营利法人的意志，对营利法人及其出资人具有约束力。因此，营利法人权力机构和执行机构的决议对出资人关系重大，如果有关决议有瑕疵，法律应当赋予出资人相应的救济办法，允许出资人对其提起无效或者撤销之诉。公司法第22条对此有相应规定："公司股东会或者股东大会、董事会的决议内容违反法律、行政法规的无效。股东会或者股东大会、董事会的会议召集程序、表决方式违反法律、行政法规或者公司章程，或者决议内容违反公司章程的，股东可以自决议作出之日起六十日内，请求人民法院撤销。股东依照前款规定提起诉讼的，人民法院可以应公司的请求，要求股东提供相应担保。公司根据股东会或者股东大会、董事会决议已办理变更登记的，人民法院宣告该决议无效或者撤销该决议后，公司应当向公司登记机关申请撤销变更登记。"根据本法第143条和第153条的规定，民事法律行为不得违反法律、行政法规的强制规定。营利法人权力机构、执行机构作出决议也属于民事法律行为的一种，违反法律、行政法规的强制规定的，可以适用上述规定，无须再单独作出规定。因此，本条在公司法规定的基础上，对营利法人权力机构、执行机构决议撤销作了规定。

根据本条的规定，可以请求人民法院撤销的营利法人权力机构、执行机构决议分为程序瑕疵和内容瑕疵两类：程序瑕疵是指营利法人权力机构、执行机构作出决议的会议召集程序、表决方式违反法律、行政法规、法人章程。内容瑕疵是指营利法人的权力机构、执行机构决议内容违反法人章程。无论是程序瑕疵还是内容瑕疵，营利法人的任何出资人都可以请求人民法院撤销该决议。

需要注意的是，根据本条规定，即使决议被人民法院撤销，但是营利法人依据该决议与善意相对人形成的民事法律关系不受影响。

第八十六条　营利法人从事经营活动，应当遵守商业道德，维护交易安全，接受政府和社会的监督，承担社会责任。

【释义】　本条是关于营利法人应当履行的义务的规定。

营利法人作为民事主体从事经营活动，其合法权益受法律保护，但同时也要求其承担一定的义务：

1. 遵守商业道德。商业道德是指从事商业活动应遵循的道德规范。商业道德对法律起着较好的补充作用。营利法人作为一种与社会经济各个方面有广泛联系的实体，应当遵守商业道德，接受相应规范的约束。在法律中作出规定，有利于促使营利法人形成良好的经营作风、树立商业信誉、维护社会公众利益和经济秩序。

2. 维护交易安全。维护交易安全是从事经营活动应当遵循的基本准则，对于保护善意交易相对人的利益，建立诚实守信的市场环境，促进社会主义市场经济健康发展有重要意义。我国民事立法秉持民商合一的传统，为规范商事活动，有必要在法律中明确营利法人应当维护交易安全。

3. 接受政府和社会的监督。营利法人的经营活动是否符合法律，是否符合商业道德规范，由政府和社会来进行监督。通过监督促使营利法人的行为规范化，更有效地维护国家利益、社会公众利益和营利法人自身的合法权益，维护市场秩序，促进营利法人的健康发展。

4. 承担社会责任。营利法人在依法经营、努力实现赢利的同时，还应承担一定的社会责任，包括避免造成环境污染和维护职工合法权益等方面的责任。

在立法过程中，有的意见提出，本条规定的遵守商业道德，接受政府和社会监督，承担社会责任等内容，应当适用于所有法人，建议放在“法人”一章中的“一般规定”一节予以规定。经研究认为，对于所有的法人而言，都应当接受政府和社会监督，承担社会责任。但从设立目的而言，营利法人是取得利润并分配给其股东等出资人，追求利润最大化。这与非营利法人、特别法人的设立目的不同。而在追求利润最大化的目标下，为防止其行为失当，相对于不以追求利润最大化为目标的非营利法人、特别法人而言，立法有必要强调营利法人应当“遵守商业道德，接受政府和社会监督，承担社会责任”，这样做更利于营利法人的健康发展和发挥营利法人的社会价值。

第三节　非营利法人

第八十七条　为公益目的或者其他非营利目的成立，不向出资人、设立人或者会员分配所取得利润的法人，为非营利法人。

非营利法人包括事业单位、社会团体、基金会、社会服务机构等。

【释义】　本条是关于非营利法人定义及类型的规定。

非营利法人，是“营利法人”的对称，指为公益目的或者其他非营利目的成立，不向其成员或者设立人分配利润的法人。“非营利法人”的法律概念在我国系民法总则首创，在此之前，与“非营利法人”含义相同、概念最为接近的法律概念是“非营利性法人”，“非营利性法人”作为一个法律概念最早出现在《基金会管理条例》第 2 条。该条规定：“本条例所称基金会，是指利用自然人、法人或者其他组织捐赠的财产，以从事公益事业为目的，按照本条例的规定成立的非营利性法人。”与“非营利法人”含义相近的法律概念还有“非营利性组织”“非营利性社会组织”“从事非营利性社会服务活动的社会组织”等。比如，《社会团体登记管理条例》第 2 条第 1 款规定：“本条例所称社会团体，是指中国公民自愿组成，为实现会员共同意愿，按照其章程开展活动的非营利性社会组织。”《民办非企业单位登记管理暂行条例》第 2 条规定：“本条例所称民办非企业单位，是指企业事业单位、社会团体和其他社会力量以及公民个人利用非国有资产举办的，从事非营利性社会服务活动的社会组织。”财政部制定的《民间非营利组织会计制度》则直接在规章名称中使用了“民间非营利组织”的概念，用以指称包括社会团体、基金会和民办非企业单位在内的各类民间非营利组织。

非营利法人既包括面向社会大众，以满足不特定多数人的利益为目的的公益法人，如中华慈善总会、中国红十字会、环境保护协会、保护妇女儿童组织、各类基金会等；也包括为其他非营利目的成立的法人，比如为互助互益目的（既非为公益又非为成员的经济利益，而是为成员的非经济利益）而成立的互益性法人（又称为共益性法人），仅面向成员提供服务，如商会、行业协会、学会、俱乐部等。非营利法人均不得分配利润，这是由其设立目的决定的。非营利法人如果在其存续期间分配利润，则与营利法人难以区分，背离非营利法人的设立目的。尽管非营利法人均不得分配利润，但在法人终止后能否分配剩余财产方面，为公益目的设立的非营利法人与为其他目的设立的非营利法人不同。为其他目的设立的非营利法人可以分配剩余财产，但为公益目的设立的非营利法人不得分配剩余财产。将非营利法人按照为公益目的设立和为其他非营利目的设立进行区分，有助于国家针对不同性质的非营利法人，制定不同的法律规范和政策措施，更好地促进各类非营利法人的发展。

把法人区分为营利法人和非营利法人，在境外有立法先例。日本将法人分为营利法人和一般法人（非营利法人）。一般法人，是指一般社团法人和一般财团法人，其均为非营利法人。为此，日本专门颁布了《日本一般社团法人及一般财团法人法》。并且，将一般法人（非营利法人）进一步细分为公益法人和其他一般法人。成为一般社团法人或一般财团法人的要件是不以营利为目的，且不得分配利润。成为公益社团法人或公益财团法人，除了非营利性外，还要求公益性。美国律师协会起草的《美国非营利法人示范法》（1987 年）已被美国多数州采用，该法将非营利法人划分为三种类型：公益法人、互益法人和宗教法人。美国国内税务局也依照公益和互益的标准，将非营利法人划分为服务公众型和服务成员型两大类。《美国非营利法人示范法》和《美国联邦税法》在非营利法人的类型划分上有差别，《美国非营利法人示范法》将宗教法人作为一种单独类型，《美国联邦税法》将宗教法人归入公益法人类型之中。但总体而言，美国非营利法人的法律形态是按照组织目的标准进行划分的，公益法人和互益法人为其基本类型。《俄罗斯民法典》第 50 条规定:法人,可以是以获取利润为其活动之主要目的的组织(营利性组织),或者是不以获取利润为其活动之主要目的,也不在其参加者中分配所获利润的组织(非营利性组织)。

其实,我国相关法律和行政法规已在按照营利法人和非营利法人的思路立法。比如,民办教育促进法第 19 条前 3 款规定:“民办学校的举办者可以自主选择设立非营利性或者营利性民办学校。但是,不得设立实施义务教育的营利性民办学校。非营利性民办学校的举办者不得取得办学收益,学校的办学结余全部用于办学。营利性民办学校的举办者可以取得办学收益,学校的办学结余依照公司法等有关法律、行政法规的规定处理。”

需要注意的是,本条所称的“非营利”概念,是相对于“营利”而言的。关于“非营利”的含义,可从“营利”与“赢利”“盈利”的区别中加以把握。根据汉语词典,“赢”,意为“赚”,相对于“赔”,从而“赢利”是指赚得了利润或者即指利润,是一种静态的表示。“盈”,意为充满、多余,“盈利”即指利润,或者较多的利润,属于财会专业术语。而“营”的意思是谋求,“营利”相应的是指谋求利润,“营利目的”或“营利性”,就是指以谋求利润为目的。因此,“非营利目的”或“非营利性”的含义,并不是经济学意义上的无利润,也不是不从事经营活动,而是一个用以界定组织性质的词汇,它指这种组织的运作目的不是为获取利润。《社会团体登记管理条例》第 2 条第 1 款将社会团体定义为“中国公民自愿组成,为实现会员共同意愿,按照其章程开展活动的非营利性社会组织”;第 4 条第 2 款规定“社会团体不得从事营利性经营活动”,也就是说,可以从事非营利性经营活动。

十二届全国人大五次会议审议的《中华人民共和国民法总则(草案)》第90条第1款规定,为公益目的或者其他非营利目的成立,不向其出资人或者设立人分配所取得利润的法人,为非营利法人。有的代表提出,本条中的"出资人或者设立人"难以涵盖社会团体法人会员的情况,建议修改。法律委员会经研究,建议将这一款修改为:为公益目的或者其他非营利目的成立,不向出资人、设立人或者会员分配所取得利润的法人,为非营利法人。最终通过的民法总则采纳了法律委员会的该项修改建议。

本条第2款对几种典型的非营利法人作了列举,但非营利法人并不限于这些具体列举的"事业单位、社会团体、基金会、社会服务机构",还包括其他非营利法人。为此,本款使用了"等"字。对于现实生活中已经存在或者可能出现的其他法人组织,如果符合非营利法人的特征,可以归入非营利法人。

第八十八条　具备法人条件,为适应经济社会发展需要,提供公益服务设立的事业单位,经依法登记成立,取得事业单位法人资格;依法不需要办理法人登记的,从成立之日起,具有事业单位法人资格。

【释义】 本条是关于事业单位法人资格取得的规定。

民法通则第50条第2款规定:"具备法人条件的事业单位、社会团体,依法不需要办理法人登记的,从成立之日起,具有法人资格;依法需要办理法人登记的,经核准登记,取得法人资格。"因此,事业单位法人是民法通则确定的法人类型。但民法通则并未对事业单位进行概念上的界定。根据1998年国务院颁布的《事业单位登记管理暂行条例》第2条规定,事业单位是指国家为了社会公益目的,由国家机关举办或者其他组织利用国有资产举办的，从事教育、科技、文化、卫生等活动的社会服务组织。事业单位依法举办的营利性经营组织，必须实行独立核算，依照国家有关公司、企业等经营组织的法律、法规登记管理。该条例是我国目前关于事业单位进行法律调整的主要依据。

依照《事业单位登记管理暂行条例》第3条规定，事业单位经县级以上各级人民政府及其有关主管部门批准成立后，应当依照条例的规定登记或者备案；事业单位应当具备法人条件。依照该条例第5条规定，县级以上各级人民政府机构编制管理机关所属的事业单位登记管理机构负责实施事业单位的登记管理工作；事业单位实行分级登记管理。该条例第6条至第8条规定了办理事业单位法人登记的条件和程序。第6条规定："申请事业单位法人登记，应当具备下列条件：（一）经审批机关批准设立；（二）有自己的名称、组织机构和场所；（三）有与其业务活动相适应的从业人员；（四）有与其业务活动相适应的经费来源；（五）能够独立承担民事责任。"第7条规定："申请事业单位法人登记，应当向登记管理机关提交下列文件：（一）登记申请书；（二）审批机关的批准文件；（三）场所使用权证明；（四）经费来源证明；（五）其他有关证明文件。"第8条第1款规定："登记管理机关应当自收到登记申请书之日起30日内依照本条例的规定进行审查，作出准予登记或者不予登记的决定。准予登记的，发给《事业单位法人证书》；不予登记的，应当说明理由。"

除规定经登记取得事业单位法人资格外，《事业单位登记管理暂行条例》还规定了自批准之日起即取得法人资格的，不需登记，但要备案。该条例第11条规定："法律规定具备法人条件、自批准设立之日起即取得法人资格的事业单位，或者法律、其他行政法规规定具备法人条件、经有关主管部门依法审核或者登记,已经取得相应的执业许可证书的事业单位,不再办理事业单位法人登记,由有关主管部门按照分级登记管理的规定向登记管理机关备案。县级以上各级人民政府设立的直属事业单位直接向登记管理机关备案。”第 12 条第 2 款规定:“对备案的事业单位,登记管理机关应当自收到备案文件之日起 30 日内发给《事业单位法人证书》。”关于法人不经登记能否成立的问题,有不同立法例。对于不经登记即可成立的问题,《瑞士民法典》有相关规定。该法第 52 条规定:团体组织以及有特殊目的的独立机构,在商事登记簿上登记后,即取得法人资格。公法上的团体组织及机构,非经济目的的社团、宗教财团、家庭财团,无须经上述登记。日本和我国台湾地区民事立法要求法人须经登记成立。《日本民法典》第 36 条规定,法人及外国法人必须根据本法及其他法律的规定进行登记。《日本一般社团法人及一般财团法人法》第 22 条规定,一般社团法人在其主要事务所所在地进行设立注册后成立。我国台湾地区“民法”第 30 条规定,法人非经向主管机关登记,不得成立。

截至 2015 年 4 月底,全国共有事业单位约 112 万家,已经办理事业单位法人登记的约 82 万家,不满足法人条件未办理登记的约 30 万家,登记率约为 73%。从事业单位登记层级看,县级登记的事业单位法人约占全国总数的 80.9%;地市级登记的约占 14.75%;省级登记的约占 4.35%。从行业系统及业务范围看,教育类事业单位法人约占全国总数的 34.55%;卫生类约占 8.99%;文化类约占 3.15%;广播电视类约占 1.32%;科学研究类约占 0.86%;新闻出版类约占 0.66%;体育类约占 0.52%。

2011 年《中共中央、国务院关于分类推进事业单位改革的指导意见》指出:“事业单位是经济社会发展中提供公益服务的主要载体,是我国社会主义现代化建设的重要力量。""按照政事分开、事企分开和管办分离的要求,以促进公益事业发展为目的,以科学分类为基础,以深化体制机制改革为核心,总体设计、分类指导、因地制宜、先行试点、稳步推进,进一步增强事业单位活力,不断满足人民群众和经济社会发展对公益服务的需求。""划分现有事业单位类别。在清理规范基础上,按照社会功能将现有事业单位划分为承担行政职能、从事生产经营活动和从事公益服务三个类别。对承担行政职能的,逐步将其行政职能划归行政机构或转为行政机构;对从事生产经营活动的,逐步将其转为企业;对从事公益服务的,继续将其保留在事业单位序列、强化其公益属性。今后,不再批准设立承担行政职能的事业单位和从事生产经营活动的事业单位。""细分从事公益服务的事业单位。根据职责任务、服务对象和资源配置方式等情况,将从事公益服务的事业单位细分为两类:承担义务教育、基础性科研、公共文化、公共卫生及基层的基本医疗服务等基本公益服务,不能或不宜由市场配置资源的,划入公益一类;承担高等教育、非营利医疗等公益服务,可部分由市场配置资源的,划入公益二类。具体由各地结合实际研究确定。"

在立法过程中,有的意见提出,不同类别的事业单位在组织结构、运行机制等方面差异较大,在当前事业单位改革的背景下,再以事业单位法人的概念对这些组织进行归类已不合时宜,建议民法总则不再规定事业单位法人。有的意见认为,立法应当反映现实,可以将承担行政职能的事业单位放在机关法人部分规定,将从事生产经营活动的事业单位放在营利法人部分规定,将从事公益服务的事业单位放在非营利法人部分规定。

经研究认为，目前，我国的事业单位数量庞大，且现阶段发挥着不同的社会功能，既有从事公益服务的事业单位，又有承担一定行政职能的事业单位，还有从事相关生产经营活动的事业单位。根据《中共中央、国务院关于分类推进事业单位改革的指导意见》，对承担行政职能的，逐步将其行政职能划归行政机构或转为行政机构；对从事生产经营活动的，逐步将其转为企业；对从事公益服务的，继续将其保留在事业单位序列、强化其公益属性。今后不再批准设立承担行政职能的事业单位和从事生产经营活动的事业单位。

我国事业单位改革的目标是将承担行政职能和从事生产经营活动的事业单位从事业单位法人中剥离出去，但从事公益服务的事业单位仍将保留在事业单位序列中长期存在。基于此，民法总则仍应规定事业单位法人，考虑到事业单位分类改革正在进行中，而民法总则的规定应具有稳定性和长期性，民法总则规定的事业单位法人应仅指从事公益服务的事业单位，不再包括承担行政职能和从事生产经营活动的事业单位。这样处理符合中央关于事业单位分类改革的方向，也有利于促进事业单位法人的长远健康发展。

十二届全国人大五次会议审议的《中华人民共和国民法总则（草案）》第 92 条规定，具备法人条件，为实现公益目的设立的事业单位，经依法登记成立，取得事业单位法人资格；依法不需要办理法人登记的，从成立之日起，具有事业单位法人资格。有的代表提出，按照事业单位改革的要求，事业单位主要是国家举办的提供公益服务的法人组织，与一般的公益性非营利法人不完全相同，建议对上述规定中有关表述再斟酌。法律委员会经研究，建议将草案第 92 条中的“为实现公益目的设立的事业单位”修改为“为适应经济社会发展需要，提供公益服务设立的事业单位”，最终形成了现在的规定。

第八十九条　事业单位法人设理事会的，除法律另有规定外，理事会为其决策机构。事业单位法人的法定代表人依照法律、行政法规或者法人章程的规定产生。

【释义】　本条是关于事业单位法人组织机构的规定。

《事业单位登记管理暂行条例》第 6 条规定了申请事业单位法人登记应当具备的条件，其中第 2 项为“有自己的名称、组织机构和场所”。但是，对于事业单位应当具备哪些组织机构，该条例未作规定。

2011 年《中共中央、国务院关于分类推进事业单位改革的指导意见》（中发〔2011〕5 号）提出：“改革管理体制。实行政事分开，理顺政府与事业单位的关系。行政主管部门要加快职能转变，创新管理方式，减少对事业单位的微观管理和直接管理，强化制定政策法规、行业规划、标准规范和监督指导等职责，进一步落实事业单位法人自主权。对面向社会提供公益服务的事业单位，积极探索管办分离的有效实现形式，逐步取消行政级别。对不同类型事业单位实行不同的机构编制管理，科学制定机构编制标准，合理控制总量，着力优化结构，建立动态调整机制，强化监督管理。”“建立健全法人治理结构。面向社会提供公益服务的事业单位，探索建立理事会、董事会、管委会等多种形式的治理结构，健全决策、执行和监督机制，提高运行效率，确保公益目标实现。不宜建立法人治理结构的事业单位，要继续完善现行管理模式。”

为贯彻落实《中共中央、国务院关于分类推进事业单位改革的指导意见》精神，切实做好分类推进事业单位改革工作，经国务院同意，国务院办公厅发布《关于印发分类推进事业单位改革配套文件的通知》（国办发〔2011〕37 号），将《关于事业单位分类的意见》《关于承担行政职能事业单位改革的意见》《关于创新事业单位机构编制管理的意见》《关于建立和完善事业单位法人治理结构的意见》《关于分类推进事业单位改革中财政有关政策的意见》《关于分类推进事业单位改革中从事生产经营活动事业单位转制为企业的若干规定》《关于分类推进事业单位改革中加强国有资产管理的意见》《关于深化事业单位工作人员收入分配制度改革的意见》《事业单位职业年金试行办法》九个配套文件印发。

《关于建立和完善事业单位法人治理结构的意见》就建立和完善事业单位法人治理结构提出如下意见：1. 总体要求。要把建立和完善以决策层及其领导下的管理层为主要构架的事业单位法人治理结构，作为转变政府职能、创新事业单位体制机制的重要内容和实现管办分离的重要途径。要明确事业单位决策层的决策地位，把行政主管部门对事业单位的具体管理职责交给决策层，进一步激发事业单位活力。要吸收事业单位外部人员参加决策层，扩大参与事业单位决策和监督的人员范围，进一步规范事业单位的行为，确保公益目标的实现。要明确决策层和管理层的职责权限和运行规则，进一步完善事业单位的激励约束机制，提高运行效率。2. 主要内容。面向社会提供公益服务的事业单位要探索建立和完善法人治理结构。不宜建立法人治理结构的事业单位，要继续完善现行管理模式。（1）建立健全决策监督机构。决策监督机构的主要组织形式是理事会，也可探索董事会、管委会等多种形式。理事会作为事业单位的决策和监督机构,依照法律法规、国家有关政策和本单位章程开展工作,接受政府监管和社会监督。理事会负责本单位的发展规划、财务预决算、重大业务、章程拟订和修订等决策事项,按照有关规定履行人事管理方面的职责,并监督本单位的运行。理事会一般由政府有关部门、举办单位、事业单位、服务对象和其他有关方面的代表组成。直接关系人民群众切身利益的事业单位,本单位以外人员担任的理事要占多数。根据事业单位的规模、职责任务和服务对象等方面特点,兼顾代表性和效率,合理确定理事会的构成和规模。结合理事所代表的不同方面,采取相应的理事产生方式,代表政府部门或相关组织的理事一般由政府部门或相关组织委派,代表服务对象和其他利益相关方的理事原则上推选产生,事业单位行政负责人及其他有关职位的负责人可以确定为当然理事。要明确理事的权利义务,建立理事责任追究机制。也可探索单独设立监事会,负责监督事业单位财务和理事、管理层人员履行职责的情况。(2)明确管理层权责。管理层作为理事会的执行机构,由事业单位行政负责人及其他主要管理人员组成。管理层对理事会负责,按照理事会决议独立自主履行日常业务管理、财务资产管理和一般工作人员管理等职责,定期向理事会报告工作。事业单位行政负责人由理事会任命或提名,并按照人事管理权限报有关部门备案或批准。事业单位其他主要管理人员的任命和提名,根据不同情况可以采取不同的方式。(3)制定事业单位章程。事业单位章程是法人治理结构的制度载体和理事会、管理层的运行规则,也是有关部门对事业单位进行监管的重要依据。事业单位章程应当明确理事会和管理层的关系,包括理事会的职责、构成、会议制度,理事的产生方式和任期,管理层的职责和产生方式等。事业单位章程草案由理事会通过，并经举办单位同意后，报登记管理机关核准备案。

《关于建立和完善事业单位法人治理结构的意见》为建立和完善事业单位法人治理结构提供了指引，但时至今日，改革尚未完成。一方面，适宜建立法人治理结构的事业单位中，仍然有大量尚未建立理事会；另一方面，还有相当数量不宜建立法人治理结构的事业单位，需要继续完善现行管理模式。制定民法总则，既要积极，体现一定的超前性；又要稳妥，充分考虑经济社会发展的阶段和事业单位法人的现状。因此，民法总则没有强行规定事业单位法人一律要设理事会，而是规定，设立理事会的，理事会为其决策机构。而且，考虑到事业单位法人的内部治理情况复杂，法律可以对此作出不同的规定。同样基于事业单位法人特殊性的考虑，对于事业单位法人的法定代表人，规定依照法律、行政法规或者法人章程的规定产生。

第九十条　具备法人条件，基于会员共同意愿，为公益目的或者会员共同利益等非营利目的设立的社会团体，经依法登记成立，取得社会团体法人资格；依法不需要办理法人登记的，从成立之日起，具有社会团体法人资格。

【释义】　本条是关于社会团体法人资格取得的规定。

民法通则第50条第2款规定："具备法人条件的事业单位、社会团体，依法不需要办理法人登记的，从成立之日起，具有法人资格；依法需要办理法人登记的，经核准登记，取得法人资格。"因此，社会团体法人是民法通则确定的法人类型。但民法通则并未对社会团体进行概念上的界定。1998年国务院颁布的《社会团体登记管理条例》第2条规定，社会团体是指中国公民自愿组成，为实现会员共同意愿，按照其章程开展活动的非营利性社会组织。国家机关以外的组织可以作为单位会员加入社会团体。

依照《社会团体登记管理条例》第 9 条规定，申请成立社会团体，应当经其业务主管单位审查同意，由发起人向登记管理机关申请筹备。该条例第 10 条规定了成立社会团体应当具备的条件：(1)有 50 个以上的个人会员或者 30 个以上的单位会员；个人会员、单位会员混合组成的，会员总数不得少于 50 个；(2)有规范的名称和相应的组织机构；(3)有固定的住所；(4)有与其业务活动相适应的专职工作人员；(5)有合法的资产和经费来源，全国性的社会团体有 10 万元以上活动资金，地方性的社会团体和跨行政区域的社会团体有 3 万元以上活动资金；(6)有独立承担民事责任的能力。社会团体的名称应当符合法律、法规的规定，不得违背社会道德风尚。社会团体的名称应当与其业务范围、成员分布、活动地域相一致，准确反映其特征。全国性的社会团体的名称冠以“中国”“全国”“中华”等字样的，应当按照国家有关规定经过批准，地方性的社会团体的名称不得冠以“中国”“全国”“中华”等字样。

民法总则确认了社会团体法人类型。理解本条规定，需要注意以下几个方面：

(1)社会团体法人必须拥有会员。社会团体的表现形式之一为“协会”，但名称为“协会”的，不一定就是社会团体。1989 年国务院发布的《社会团体登记管理条例》(已失效)，对社会团体按名称进行归类，凡协会、学会、联合会、研究会、基金会、联谊会、促进会、商会等，均为社会团体。因此，1993 年《消费者权益保护法》出台时，将消费者协会界定为社会团体。其实，将消费者协会定位为社会团体是不准确的。消费者协会没有会员，不收会费，是由政府发起成立的保护消费者的专门机构，不是消费者自发成立的自我保护组织。2013 年 10 月 25 日第十二届全国人民代表大会常务委员会第五次会议作出了《关于修改〈中华人民共和国消费者权益保护法〉的决定》，将原第 31 条改为第 36 条，明确“消费者协会和其他消费者组织是依法成立的对商品和服务进行社会监督的保护消费者合法权益的社会组织”，并相应地将第 12 条中的“社会团体”修改为“社会组织”。

(2)社会团体法人包括的范围十分广泛，既有为公益目的设立的，亦有为会员共同利益等非营利目的设立的。前者如中华慈善总会、中国红十字会等，后者如商会、行业协会等。

(3)社会团体既有依法登记成立的，也有依法不需要办理法人登记而成立的。对于需要办理登记程序的社会团体，依照《社会团体登记管理条例》第 7 条规定，全国性的社会团体，由国务院的登记管理机关负责登记管理；地方性的社会团体，由所在地人民政府的登记管理机关负责登记管理；跨行政区域的社会团体，由所跨行政区域的共同上一级人民政府的登记管理机关负责登记管理。根据《社会团体登记管理条例》第 3 条规定，参加中国人民政治协商会议的人民团体不进行登记；由国务院机构编制管理机关核定，并经国务院批准的社会团体可以免予登记。其一，参加中国人民政治协商会议的人民团体有：中华全国总工会、中国共产主义青年团、中华全国妇女联合会、中国科学技术协会、中华全国归国华侨联合会、中华全国台湾同胞联谊会、中华全国青年联合会、中华全国工商业联合会。其二，经国务院批准可以免予登记的社会团体有：中国文学艺术界联合会、中国作家协会、中华全国新闻工作者协会、中国人民对外友好协会、中国人民外交学会、中国国际贸易促进会、中国残疾人联合会、宋庆龄基金会、中国法学会、中国红十字总会、中国职工思想政治工作研究会、欧美同学会、黄埔军校同学会、中华职业教育社。关于法人不经登记即可成立的问题,《瑞士民法典》也有相关规定。该法第52条规定,团体组织以及有特殊目的的独立机构,在商事登记簿上登记后,即取得法人资格。公法上的团体组织及机构,非经济目的的社团、宗教财团、家庭财团,不需经上述登记。

(4)社会团体法人不同于传统民法理论所称的社团法人。尽管我国在法律、行政法规中一律使用"社会团体"或者"社会团体法人"的概念,但在行政机关的一些文件中及日常的新闻报道中,常常将社会团体简称为"社团",将社会团体法人简称为"社团法人"。这种用法在我们国家约定俗成,但经常与境外的"社团法人"混淆。境外的社团法人是与财团法人(捐助法人)相对应的概念,社团法人为人的组织体,其成立的基础在人,以成员为要件。社团法人的内涵包括有限责任公司、股份有限公司等。

第九十一条　设立社会团体法人应当依法制定法人章程。

社会团体法人应当设会员大会或者会员代表大会等权力机构。

社会团体法人应当设理事会等执行机构。理事长或者会长等负责人按照法人章程的规定担任法定代表人。

【释义】　本条是关于社会团体法人章程和组织机构的规定。

设立社会团体法人应当依法制定法人章程,这在1998年的

《社会团体登记管理条例》中就作了规定。在该条例第 2 条关于社会团体法人的定义“中国公民自愿组成,为实现会员共同意愿,按照其章程开展活动的非营利性社会组织”中,即将“章程”作了凸显。第 11 条规定了申请筹备成立社会团体,发起人应当向登记管理机关提交的文件,其中第 5 项为“章程草案”。第 14 条规定:“筹备成立的社会团体,应当自登记管理机关批准筹备之日起 6 个月内召开会员大会或者会员代表大会,通过章程。”第 15 条更是明确了章程的必备事项,即“社会团体的章程应当包括下列事项:(一)名称、住所;(二)宗旨、业务范围和活动地域;(三)会员资格及其权利、义务;(四)民主的组织管理制度,执行机构的产生程序;(五)负责人的条件和产生、罢免的程序;(六)资产管理和使用的原则;(七)章程的修改程序;(八)终止程序和终止后资产的处理;(九)应当由章程规定的其他事项。”第 16 条规定:“登记管理机关应当自收到完成筹备工作的社会团体的登记申请书及有关文件之日起 30 日内完成审查工作。对没有本条例第十三条所列情形,且筹备工作符合要求、章程内容完备的社会团体,准予登记,发给《社会团体法人登记证书》。”该条将“章程内容完备”作为准予社会团体登记的前置条件之一。第 20 条又进一步规定:“社会团体修改章程,应当自业务主管单位审查同意之日起 30 日内,报登记管理机关核准。”由此可见,《社会团体登记管理条例》对于法人章程是非常重视的。

在民法总则立法过程中,经研究认为,章程是设立社会团体法人的法定必备文件,是社会团体法人为了调整其内部关系,规范内部成员的行为而制定的具有明显行为规则性质的文件,是社会团体法人内部管理和活动的准则,对社会团体法人具有重要意义，不可或缺，应当在民法总则中明确设立人订立章程的义务。因此，本条第 1 款明确规定“设立社会团体法人应当依法制定法人章程”。

关于社会团体法人的权力机构、执行机构和法定代表人，1998 年《社会团体登记管理条例》第 14 条规定：“筹备成立的社会团体，应当自登记管理机关批准筹备之日起 6 个月内召开会员大会或者会员代表大会，通过章程，产生执行机构、负责人和法定代表人，并向登记管理机关申请成立登记。筹备期间不得开展筹备以外的活动。社会团体的法定代表人，不得同时担任其他社会团体的法定代表人。”依照该条规定，社会团体法人应当设会员大会或者会员代表大会，应当设执行机构，应当产生法定代表人，但未规定理事会等执行机构的具体形式，亦未规定法定代表人的人选范围。

为了健全社会团体法人的内部治理，民法总则就此作了更为详细的规定。本条第 2 款中出现的“会员大会或者会员代表大会”和第 3 款中出现的“理事会”“理事长或者会长”，皆为指引性规定，上述指引性规定之后的“等”字，表明了并非限制性规定。如此规定，旨在尊重会员自治。在立法过程中，关于法定代表人的人选范围，存在不同意见。有的意见主张，应当将法定代表人限定为理事长或者会长等主要负责人。经研究，认为社会团体法人情况较为复杂，差异性较大，法定代表人由谁担任，应当交给社会团体法人的设立人通过章程确定规则，不宜一概限定为主要负责人，以体现对社会团体法人意思自治的尊重。但法定代表人的人选范围也不能毫无限制。依照本条第 3 款规定，法定代表人依章程确定，但须是社会团体法人的负责人。从境外立法来看，一般都规定社员大会（成员大会）为权力机构，并要求设理事。《瑞士民法典》第 64 条第 1 款规定，社员大会为社团的最高机关。《俄罗斯民法典》第 65 条之 3 规定，社团参加人全体大会，系社团的最高机关。《日本一般社团法人及一般财团法人法》第 35 条第 1 款规定，社员大会可以就本法规定的事项及一般社团法人的组织、运营、管理等所有有关一般社团法人的事项进行决议。第 60 条规定，一般社团法人必须设置一人或二人以上的理事。一般社团法人可以通过章程规定，设置理事会、监事或会计审计员。第 61 条规定，设置理事会的一般社团法人及设置会计审计员的一般社团法人必须设置监事。第 62 条规定，大规模一般社团法人必须设置会计审计员。我国台湾地区“民法”第 50 条第 1 款规定，社团以总会为最高机关。

在立法过程中，还有意见主张，本条应增加一款作为第 4 款，规定“社会团体法人应当设立监事会等监督机构，监督社会团体法人依法运作，监督理事会等执行机构按章程行使职权。”经研究认为，社会团体是否设立监事会等监督机构，应属其会员自治范畴，由社会团体法人自行决定，民法总则不宜将监督机构一律规定为社会团体法人的必设机构。

第九十二条　具备法人条件，为公益目的以捐助财产设立的基金会、社会服务机构等，经依法登记成立，取得捐助法人资格。

依法设立的宗教活动场所，具备法人条件的，可以申请法人登记，取得捐助法人资格。法律、行政法规对宗教活动场所有规定的，依照其规定。

【释义】　本条是关于基金会、社会服务机构、宗教活动场所等捐助法人资格取得的规定。

民法通则根据当时的经济社会发展状况，规定了企业法人、机关法人、事业单位法人和社会团体法人这四种法人类型。民法通则实施后，随着我国经济社会各方面蓬勃发展，这四种法人类型已不能满足经济社会发展的需求。基金会、社会服务机构无法纳入民法通则确立的法人分类。此外，寺庙等宗教活动场所，当前均无法人资格，有关方面希望赋予其法人地位，但同样无法在民法通则确定的法人类型中找到归属。实际上，基金会、社会服务机构和宗教活动场所在法人属性上系捐助法人，境外大陆法系国家和地区一般称其为“财团法人”，是“社团法人”的对称。社团法人为人的组织体，其成立的基础在人，以成员为要件。而捐助法人为财产的集合体，其成立的基础在财产。具有法人资格的捐助财产（捐助法人），不同于非独立的捐赠财产或募捐财产。捐助法人虽然也有人的参与，必须由人进行管理并代表法人对外进行民事活动，但是代表捐助法人进行活动的人并非法人的成员而是管理人员。捐助法人包括的范围广泛，除基金会、宗教活动场所外，还包括社会服务机构等，比如捐资设立的学校、医院、孤儿院、养老院、图书馆、文化馆、博物馆等。

从境外立法来看，普遍规定了财团法人类型。《德国民法典》第 80 条规定，（1）对于成立有权利能力的财团，必须得到捐助行为和财团所在地所应在的州有管辖权的机关的认许。（2）捐助行为满足第 81 条第 1 款的要件，财团目的的长久和持续的实现看来得到保证，且财团目的不危害公共利益的，必须认许财团为有权利能力。（3）州法律关于宗教财团的规定不受影响。依照州法律被与宗教财团同等对待的财团，准用第 1 句的规定。《瑞士民法典》第 80 条规定，设立财团法人，得有为特别目的而捐助的财产。第 81 条规定，（1）财团法人依公证方式或遗嘱方式设立。(2)在商业登记簿上登记,必须依照财团证书进行;必要时,根据监督官厅的命令,亦须呈交管理人员名册。《意大利民法典》第14条规定,社团和财团须以公证的方式设立。财团也可以遗嘱的方式设立。俄罗斯民法典第123条之17规定,基于自愿的财产性出资并且致力于慈善目的、文化目的、教育目的或者有益于大众的其他社会目的,由公民和(或)法人成立的不实行会员制的单一制非营利性组织,被视为本法典所称的基金会。《日本一般社团法人及一般财团法人法》第163条规定,一般财团法人在其主要事务所所在地进行设立注册后成立。我国台湾地区"民法"第59条规定,财团于登记前,应得主管机关之许可。

鉴于我国立法未使用过"社团"与"财团"的概念,已经广泛使用的"社会团体"概念,与外国民法所称的"社团"概念并不相同,极易混淆,而"财团"概念也难被一般人所理解。因此,社团法人与财团法人的概念和分类可为民法理论所运用,立法上暂不宜采用,但我国民法应当对财团性质的法人作出明确规定。财团法人的创设人一旦将财产转移给法人,即丧失对该财产的任何权利,也不可能置换出相应的财产权,故称其为捐助人。尽管有的捐助人在法人成立后也参与法人治理,但其权源并非财产权,而是按照法人章程规定享有的权利。因此,以捐助法人的概念来表述财团性质的法人,能够反映财团法人的本质属性,亦符合语言习惯,便于理解。

一、基金会

外国财团法人通常由捐助财产设立,其典型形式是各种基金会。我国实行改革开放以来,由海外侨胞以及国内人士捐资设立的儿童福利、残疾人福利以及教育科研方面的基金会大量增加。为了加强对基金会的管理，以利于基金会的健康发展，国务院于1988年制定了《基金会管理办法》（已失效），该办法第2条第1款规定："本办法所称的基金会，是指对国内外社会团体和其他组织以及个人自愿捐赠资金进行管理的民间非营利性组织，是社会团体法人。"将基金会明确作为社会团体法人进行界定，主要是受限于民法通则只明确了四种法人类型。但基金会与社会团体法人存在本质上的差别，如果混淆了这两类法人的不同性质，则有可能将基金会中的管理人员误认为是法人的成员，从而导致其设立宗旨和财产用途被非法改变。2004年，国务院发布《基金会管理条例》，该条例第2条规定："本条例所称基金会，是指利用自然人、法人或者其他组织捐赠的财产，以从事公益事业为目的，按照本条例的规定成立的非营利性法人。"该条例将基金会定性为"非营利性法人"，改变了将基金会定性为社会团体法人的做法，无疑是正确的。从基金会的法定定义可知，基金会完全符合捐助法人的性质，经依法登记成立，取得捐助法人资格。

二、社会服务机构

"社会服务机构"作为法律概念，最早出现在慈善法中。慈善法第8条规定："本法所称慈善组织，是指依法成立、符合本法规定，以面向社会开展慈善活动为宗旨的非营利性组织。慈善组织可以采取基金会、社会团体、社会服务机构等组织形式。"该条所称的"基金会、社会团体、社会服务机构"，对应的是民政部门登记的三类社会组织，即按照《基金会管理条例》登记的基金会，按照《社会团体登记管理条例》登记的社会团体，以及按照《民办非企业单位登记管理暂行条例》登记的民办非企业单位。慈善法首次用"社会服务机构"替代了"民办非企业单位”。在民政部门登记的非营利性民办学校、民办医院、民办养老院、民办博物馆、民办社会工作机构等组织，都是民办非企业单位。

我国自古以来就有民间力量兴办教育、赈灾、福利事业的传统。古代有书院、义学、义仓、育婴堂等民间组织，近代出现了教会办的非营利医院、学校和福利院。新中国成立以后到改革开放前，由于实行计划经济，公共服务由政府提供，因此民办社会事业出现了近30年的中断。民办非企业单位是改革开放之后发展起来的一类新型社会组织，是社会力量参与社会事业的重要载体。1982年宪法明确国家鼓励社会力量兴办教育事业、医疗卫生设施，从国家根本法层面，为民办社会事业的发展提供了法律保障。随着计划经济体制被逐步打破，体制外的社会力量开始参与提供公共服务，各地涌现了大量民办学校、民办医院、民办研究所。1996年7月，中央政治局常委会专题研究民间组织管理工作，决定将这类组织命名为“民办非企业单位”，归口民政部门统一登记。1998年10月，国务院颁布了《民办非企业单位登记管理暂行条例》，明确了民办非企业单位的内涵和外延，条例规定，民办非企业单位是“企业事业单位、社会团体和其他社会力量以及公民个人利用非国有资产举办的，从事非营利性社会服务活动的社会组织”。

2000年，民政系统开展了民办非企业单位复查登记，到2001年年底共登记8.2万个。通过复查登记，民办非企业单位发展和管理进入法制化、规范化轨道。截至2015年年底，在各级民政部门登记的社会组织共有661861个，其中民办非企业单位329122个，比上年增长约12.6%，另外还有4762个基金会和327977个社会团体。截至2016年年底，在各级民政部门登记的社会组织共有近70万个，其中民办非企业单位35.9万个，比上年增长约9.1%，另外还有社会团体33.5万个，基金会5523个。民办非企业单位发展非常迅速，已经占据我国社会组织的半壁江山。各类民办非企业单位广泛活跃在教育、科技、文化、卫生、体育、养老、社会工作、环境保护、法律援助等领域，在促进经济发展、繁荣社会事业、创新社会管理、提供公共服务、增加就业岗位、扩大对外交往等方面发挥了重要作用，已成为我国社会主义现代化建设不可或缺的重要力量。

慈善法将“民办非企业单位”的名称修改为“社会服务机构”，主要是考虑到“民办非企业单位”这一名称已经落后于这类组织发展的实际需要。一方面，“民办非企业单位”是一个否定式的命名，外延不清，从字面理解，容易涵盖其他组织，如基金会、社会团体等组织也都是民办的，也都是“非企业”；另一方面，这一名称内涵不清，不能准确反映这类组织提供社会服务，从事公益事业等特征。同时，过于强调“民办”，不利于与官办民营、民办公助，以及推进有条件的事业单位转为社会组织等新的发展趋势相适应。近年来，许多专家学者、社会组织从业人员都建议对名称进行调整，认为现有名称虽然在20世纪90年代用于笼统涵盖社会上各类民办社会事业并无不妥，但随着民办非企业单位的发展路径和特点越来越清晰，应当在法律法规修订中给予重新命名。在慈善法的起草过程中，这一意见得到了党中央和全国人大的认可，并在慈善法中正式将“民办非企业单位”更名为“社会服务机构”。2016年8月，中共中央办公厅、国务院办公厅印发《关于改革社会组织管理制度促进社会组织健康有序发展的意见》（中办发〔2016〕46号），提出我国社会组织的主体是社会团体、基金会和社会服务机构，进一步以中央文件的形式明确了“社会服务机构”的性质和地位。

经过较长时间的发展历程，社会服务机构的性质逐渐明确。在民办社会事业复苏阶段，公众对其的通俗理解是，民间资本举办的从事教科文卫体等事业单位业务范围活动的组织。《民办非企业单位登记管理暂行条例》明确将民办非企业单位定义为“企业事业单位、社会团体和其他社会力量以及公民个人利用非国有资产举办的，从事非营利性社会服务活动的社会组织”。根据民法总则的规定，社会服务机构是民间力量通过捐助方式举办的非营利组织，以自身的资产对社会提供公益性的社会服务。相较于企事业单位和其他社会组织，社会服务机构主要具有以下特征：一是民间性。社会服务机构举办者是除国家机关以外的组织或个人，其举办资金主要不是国有资产，而是民间资金。二是非营利性。社会服务机构的利润不分配，举办者不是股东，不享有分配权，社会服务机构终止时，剩余财产不能私分，只能用于公益事业。当然，非营利组织可以通过服务活动获得收入，这是非营利组织生存和发展的基础。三是自主性。社会服务机构自筹资金、自聘人员，没有国家财政拨款和事业编制。同时，社会服务机构一经登记，就有了独立的法律地位，可以依法依章程独立自主地开展业务活动。

根据本法规定，今后设立民办学校、民办医院等非企业法人组织，设立人可以根据设立的目的，选择登记为营利法人，或者登记为社会服务机构。选择登记为营利法人的，法人存续期间可以分配利润，法人终止时，可以分配剩余财产。选择登记为社会服务机构的，取得捐助法人资格，享受国家财政、税收等各方面扶持，但法人存续期间不得分配利润，法人终止时，不可以分配剩余财产，剩余财产将继续用于公益目的。

三、宗教活动场所

我国主要有佛教、道教、伊斯兰教、天主教、基督教五大宗教。截至 2013 年 12 月 31 日,全国共有宗教活动场所 132083 个。其中,佛教 34336 个,道教 8694 个,伊斯兰教 39177 个,天主教 5212 个,基督教 44664 个。宗教活动场所分寺院、宫观、清真寺、教堂(以下简称寺观教堂)以及其他固定宗教活动场所两类。筹备设立宗教活动场所,由宗教团体向拟设立的宗教活动场所所在地的县级人民政府宗教事务部门提出申请。其中设立寺观教堂,需逐级报省级政府宗教事务部门审批;设立其他固定宗教活动场所,由设区的市级政府宗教事务部门审批。经批准后,方可开展筹备工作。筹备完成后,由宗教活动场所管理组织向县级政府宗教事务部门申请登记,符合条件的,发给宗教活动场所登记证。信教公民的集体宗教活动,一般应当在经登记的宗教活动场所内举行,由宗教活动场所或者宗教团体组织的宗教教职人员或者符合本宗教规定的其他人员主持,按照教义教规进行。凡不作为宗教活动场所而只作为参观游览场所的寺观,不得开展宗教活动,不得设置"功德箱"接受宗教性的捐献。

宗教团体在性质上属于社会团体,在民政部门登记。民法通则第 77 条规定"社会团体包括宗教团体的合法财产受法律保护";《宗教事务条例》第 6 条第 1 款规定"宗教团体的成立、变更和注销,应当依照《社会团体登记管理条例》的规定办理登记"。全国性宗教团体主要包括中国佛教协会、中国道教协会、中国伊斯兰教协会、中国天主教一会一团(天主教爱国会和天主教主教团)、中国基督教三自爱国运动委员会等。根据《宗教事务条例》的规定,宗教团体与宗教活动场所无隶属关系,是相互独立的。但条例赋予了宗教团体部分管理宗教活动场所的职责，如设立宗教活动场所应当由宗教团体提出申请，宗教活动场所的主要教职任职应当经宗教团体同意等。此外，宗教团体与宗教活动场所之间也有教务指导关系，宗教团体制定的规章制度，宗教活动场所需要执行。

1994 年国务院颁布了《宗教活动场所管理条例》，同年国家宗教事务局根据此条例，制定了《宗教活动场所登记办法》。该办法规定，依法登记的宗教活动场所，根据民法通则的规定，具备法人条件的，同时办理法人登记，并发给法人登记证书。宗教活动场所法人依法独立享有民事权利和承担民事责任。该办法确定了对宗教活动场所实行法人登记的制度，随后全国曾有 2 万多处宗教活动场所办理了法人登记。2005 年实施的《宗教事务条例》没有重申宗教活动场所法人资格问题，该条例第 48 条规定“本条例自 2005 年 3 月 1 日起施行。1994 年 1 月 31 日国务院发布的《宗教活动场所管理条例》同时废止。”随着《宗教活动场所管理条例》被废止，不再明确宗教活动场所的法人资格。由于《宗教事务条例》没有明确宗教活动场所可以获得法人资格，目前宗教活动场所均未能进行法人登记。

《宗教事务条例》虽没有对宗教活动场所的主体性质作明确规定。但目前根据条例的相关规定，有的认为，宗教活动场所属于民间非营利组织。如条例第 13 条、第 14 条规定设立宗教活动场所由宗教团体申请，要有必要的资金，体现了宗教活动场所的民间性。第 17 条规定，宗教活动场所应当成立管理组织，实行民主管理。宗教活动场所管理组织的成员，经民主协商推选，并报该场所的登记管理机关备案。按此规定，宗教活动场所不仅是空间概念，还是组织概念。第 35 条规定，宗教活动场所可以按照国家有关规定接受境内外组织和个人的捐赠，用于与该宗教活动场所宗旨相符的活动。此规定体现了宗教活动场所的非营利性质。财政部《民间非营利组织会计制度》将宗教活动场所中的寺院、宫观、清真寺、教堂与社会团体、基金会、民办非企业单位一道作为民间非营利组织纳入该会计制度。

《宗教事务条例》专设"宗教财产"一章，明确宗教团体、宗教活动场所的合法财产受法律保护，同时要求宗教团体和宗教活动场所规范财务管理。国家宗教事务局据此制定了《宗教活动场所财务监督管理办法（试行）》。该办法对会计制度及预算、收入、支出、资产等管理作了具体规定。根据该办法规定，宗教活动场所的收入主要包括：(1)按照国家有关规定接受的境内外组织和个人的捐赠；(2)提供宗教服务的收入和宗教活动场所门票的收入；(3)经销宗教用品、宗教艺术品和宗教出版物的收入；(4)从事社会公益慈善事业和其他社会服务的收入；(5)政府资助；(6)其他合法收入。

立法调研过程中，有关部门和大多数宗教界人士表示，法人地位的缺失，给宗教活动场所参与社会活动带来了很多问题：一是参与民事活动受限。一些地方、一些部门在处理涉及宗教活动场所的事务时，往往因为理解不同、宗教问题比较敏感或陌生等原因，以种种借口回避或拒绝宗教活动场所的民事主体地位，从而使宗教活动场所开展民事活动、维护自身合法权益困难重重，尤其在门票收入分配、拆迁补偿、订立合同、开设银行账户、房地产登记、机动车登记、诉讼维权、设立公益慈善组织等方面面临不少困难。例如，在宗教活动场所建设过程中，与建筑公司签订合同较为困难，而且一旦发生纠纷，无法作为起诉和应诉主体通过司法途径维护自己的合法权益，往往只能靠政府部门或者宗教团体出面协调解决，场所利益难以得到全面保护。二是宗教活动场所主体地位不明,容易出现宗教财产被侵占、被处分的情形,从而导致宗教财产流失。而且因为没有法人地位,宗教活动场所难以办理房产证、土地证。三是宗教界发挥积极作用受束缚。目前无法独立开展医院、扶贫、养老院等慈善性的事业,必须由宗教团体出面。四是宗教活动场所自我管理能力水平较低。目前,宗教活动场所由于缺乏法人资格,不能按照法人来运作和进行监管,自我管理水平较低。随着经济社会的发展,财务管理不规范等宗教活动场所内部问题不断暴露,政府监管不到位和社会监督缺位也逐步显现,传统的场所管理模式受到了新的挑战。解决宗教组织法人资格的问题,从法律上首先要解决的是宗教活动场所属哪类法人。民法通则只规定了企业、机关、事业单位、社会团体四类法人类型,没有涵盖我国所有社会组织形态,尤其对宗教活动场所未明确属于以上哪一类型。在一些国家,宗教活动场所属财团法人,但是我国民法通则没有此法人类型。因此,各方面建议民法总则对宗教活动场所的法人地位问题予以考虑。

经研究认为,根据现行法律、行政法规,宗教活动场所(包括寺观教堂以及其他固定宗教活动场所)尚无法取得法人地位。从现实情况看,赋予宗教活动场所法人地位具有必要性和可行性。据此,经与中央、国务院有关部门共同研究,在民法总则“非营利法人”一节中规定,依法设立的宗教活动场所,具备法人条件的,可以申请法人登记,取得捐助法人资格。法律、行政法规对宗教活动场所有规定的,依照其规定。按照这一规定:一是宗教活动场所法人资格登记以具备法人条文为前提。考虑到不同宗教的做法不同,依法设立的宗教活动场所是否登记为法人,由其自行申请。二是不影响国家对宗教活动场所的规范和管理。宗教活动场所从事各类活动必须遵守国家法律法规，必须接受国家相关部门依据《宗教事务条例》等行政法规对其进行的规范和管理。三是赋予宗教活动场所法人地位不影响其与宗教团体的关系。

第九十三条 设立捐助法人应当依法制定法人章程。

捐助法人应当设理事会、民主管理组织等决策机构，并设执行机构。理事长等负责人按照法人章程的规定担任法定代表人。

捐助法人应当设监事会等监督机构。

【释义】 本条是关于捐助法人章程与组织机构的规定。

本条第 1 款规定，设立捐助法人，应当依法制定法人章程。对于捐助法人而言，由于没有会员大会等权力机构，关于捐助法人的组织及其管理方法，除了法律、行政法规的规定外，是由捐助人制定的捐助章程规定的。捐助章程还要规定法人的目的及所捐的财产等必不可少的内容。在捐助法人成立后，章程便成为独立的文件，约束捐助法人及其决策机构、执行机构的成员等。由此可见，由于捐助法人没有权力机构，相较于其他法人类型，章程的作用尤为重要，对于实现捐助人的捐助目的不可或缺。关于捐助法人章程，慈善法和《基金会管理条例》均作了较为详细的规定。慈善法第 8 条第 2 款规定“慈善组织可以采取基金会、社会团体、社会服务机构等组织形式”。第 9 条规定了慈善组织应当符合的条件，其中第 4 项为“有组织章程”。第 11 条详细规定了慈善组织章程的必备内容：“慈善组织的章程，应当符合法律法规的规定，并载明下列事项：（一）名称和住所；（二）组织形式；（三）宗旨和活动范围；（四）财产来源及构成；（五）决策、执行机构的组成及职责；（六）内部监督机制；（七）财产管理使用制度；（八）项目管理制度；（九）终止情形及终止后的清算办法；（十）其他重要事项。”第 12 条第 1 款规定：“慈善组织应当根据法律法规以及章程的规定，建立健全内部治理结构，明确决策、执行、监督等方面的职责权限，开展慈善活动。”《基金会管理条例》第 5 条规定：“基金会依照章程从事公益活动，应当遵循公开、透明的原则。”第 8 条规定了设立基金会的必备条件，其中第 3 项为“有规范的名称、章程、组织机构以及与其开展活动相适应的专职工作人员”。第 9 条规定了申请设立基金会，申请人应当向登记管理机关提交的文件，其中第 2 项为“章程草案”。第 10 条则专门就基金会章程应当载明的内容作了规范，该条第 1 款规定：“基金会章程必须明确基金会的公益性质，不得规定使特定自然人、法人或者其他组织受益的内容。”第 2 款规定：“基金会章程应当载明下列事项：（一）名称及住所；（二）设立宗旨和公益活动的业务范围；（三）原始基金数额；（四）理事会的组成、职权和议事规则，理事的资格、产生程序和任期；（五）法定代表人的职责；（六）监事的职责、资格、产生程序和任期；（七）财务会计报告的编制、审定制度；（八）财产的管理、使用制度；（九）基金会的终止条件、程序和终止后财产的处理。”为了尽可能尊重捐助人的意愿，维护法人章程的稳定，该法第 15 条第 2 款规定：“基金会修改章程，应当征得其业务主管单位的同意，并报登记管理机关核准。”

捐助法人没有成员，因此没有权力机构。为了维持捐助法人的正常运行，有必要设立决策机构和执行机构。关于捐助法人的决策机构、执行机构和法定代表人，慈善法有所涉及，《基金会管理条例》作了较为详细的规定。如前所述，慈善法第 11

条详细规定了慈善组织章程的必备内容,其中第 5 项为“决策、执行机构的组成及职责”。该法第 16 条规定:“有下列情形之一的,不得担任慈善组织的负责人:(一)无民事行为能力或者限制民事行为能力的;(二)因故意犯罪被判处刑罚,自刑罚执行完毕之日起未逾五年的;(三)在被吊销登记证书或者被取缔的组织担任负责人,自该组织被吊销登记证书或者被取缔之日起未逾五年的;(四)法律、行政法规规定的其他情形。”《基金会管理条例》第三章专章规定了基金会的组织机构。关于决策机构,该条例明确其组织形式为理事会。第 21 条规定:“理事会是基金会的决策机构,依法行使章程规定的职权。理事会每年至少召开 2 次会议。理事会会议须有 2/3 以上理事出席方能召开;理事会决议须经出席理事过半数通过方为有效。下列重要事项的决议,须经出席理事表决,2/3 以上通过方为有效:(一)章程的修改;(二)选举或者罢免理事长、副理事长、秘书长;(三)章程规定的重大募捐、投资活动;(四)基金会的分立、合并。理事会会议应当制作会议记录,并由出席理事审阅、签名。”关于法定代表人,该条例明确规定理事长为法定代表人。条例第 20 条规定:“基金会设理事会,理事为 5 人至 25 人,理事任期由章程规定,但每届任期不得超过 5 年。理事任期届满,连选可以连任。用私人财产设立的非公募基金会,相互间有近亲属关系的基金会理事,总数不得超过理事总人数的 1/3;其他基金会,具有近亲属关系的不得同时在理事会任职。在基金会领取报酬的理事不得超过理事总人数的 1/3。理事会设理事长、副理事长和秘书长,从理事中选举产生,理事长是基金会的法定代表人。”第 23 条规定:“基金会理事长、副理事长和秘书长不得由现职国家工作人员兼任。基金会的法定代表人,不得同时担任其他组织的法定代表人。公募基金会和原始基金来自中国内地的非公募基金会的法定代表人,应当由内地居民担任。因犯罪被判处管制、拘役或者有期徒刑,刑期执行完毕之日起未逾5年的,因犯罪被判处剥夺政治权利正在执行期间或者曾经被判处剥夺政治权利的,以及曾在因违法被撤销登记的基金会担任理事长、副理事长或者秘书长,且对该基金会的违法行为负有个人责任,自该基金会被撤销之日起未逾5年的,不得担任基金会的理事长、副理事长或者秘书长。基金会理事遇有个人利益与基金会利益关联时,不得参与相关事宜的决策;基金会理事、监事及其近亲属不得与其所在的基金会有任何交易行为。监事和未在基金会担任专职工作的理事不得从基金会获取报酬。"第24条规定:"担任基金会理事长、副理事长或者秘书长的香港居民、澳门居民、台湾居民、外国人以及境外基金会代表机构的负责人,每年在中国内地居留时间不得少于3个月。"关于执行机构,《基金会管理条例》未作规定。实践中,往往在理事会之外另设秘书处,作为基金会的执行机构。

此外,关于宗教活动场所的决策机构,《宗教事务条例》第17条规定:"宗教活动场所应当成立管理组织,实行民主管理。宗教活动场所管理组织的成员,经民主协商推选,并报该场所的登记管理机关备案。"

为了健全捐助法人的内部治理结构,本法就捐助法人的组织机构作了更为周全的规定。本条第2款规定"捐助法人应当设理事会、民主管理组织等决策机构,并设执行机构。理事长等负责人按照法人章程的规定担任法定代表人。"本条第2款中出现的"理事会"和"民主管理组织",皆为指引性规定,上述指引性规定之后的"等"字,表明了并非列举穷尽。如此规定,旨在尊重私法自治。在立法过程中,关于法定代表人的人选范围,存在不同意见。有的意见主张,应当将法定代表人限定为理事长等主要负责人。经研究,认为法定代表人由谁担任,应当交给捐助法人的设立人通过章程确定规则,不宜一概限定为主要负责人,以体现对捐助法人意思自治的尊重。但法定代表人的人选范围也不能毫无限制。依照本条第 2 款规定,法定代表人依章程确定,但须是捐助法人的负责人。当然,如果法律认为有必要加以限制的,可以另行规定。根据民法总则第 11 条的规定,“其他法律对民事关系有特别规定的,依照其规定。”

捐助法人没有成员,因而立法应当设定规则以健全其内部监督机制。从境外立法来看,相较于社团法人,普遍加大了对财团法人的监督规制力度。《日本一般社团法人及一般财团法人法》第 170 条规定:(1)一般财团法人必须设置评议员、评议员会、理事、理事会及监事。(2)一般财团法人可以通过章程规定设置会计审计员。第 171 条规定:大规模一般财团法人必须设置会计审计员。第 172 条第 1 款规定:一般财团法人与评议员、理事、监事及会计审计员的关系以有关委任的规定为准。我国台湾地区“民法”第 62 条规定:财团之组织及其管理方法,由捐助人以捐助章程或遗嘱定之。捐助章程或遗嘱所定之组织不完全,或重要之管理方法不具备者,法院得因主管机关、检察官或利害关系人之声请,为必要之处分。第 63 条规定:为维持财团之目的或保存其财产,法院得因捐助人、董事、主管机关、检察官或利害关系人之声请,变更其组织。第 65 条规定:因情事变更,致财团之目的不能达到时,主管机关得斟酌捐助人之意思,变更其目的及其必要之组织,或解散之。《瑞士民法典》第 83 条规定:(1)财团的机构及管理方式由财团证书规定。(2)如所定的组织不健全时,监督官厅须作必要的处置。(3)当前款的处置不能达到预期目的时,监督官厅可将该财团的财产划归与其宗旨最相一致的另一财团。但捐助人提出异议或与财团证书有明确相反规定的,不在此限。第 84 条规定:(1)财团法人接受按其宗旨所属的国家机关(联邦、州、乡镇)的监督。(2)监督官厅负责监督财团法人按其宗旨使用财产。在我国,立法同样加大了对捐助法人的监督力度。慈善法第 11 条详细规定了慈善组织章程的必备内容,其中第 6 项为"内部监督机制"。《基金会管理条例》第 22 条规定:"基金会设监事。监事任期与理事任期相同。理事、理事的近亲属和基金会财会人员不得兼任监事。监事依照章程规定的程序检查基金会财务和会计资料,监督理事会遵守法律和章程的情况。监事列席理事会会议,有权向理事会提出质询和建议,并应当向登记管理机关、业务主管单位以及税务、会计主管部门反映情况。"第 23 条规定:"基金会理事、监事及其近亲属不得与其所在的基金会有任何交易行为。监事和未在基金会担任专职工作的理事不得从基金会获取报酬。"与社会团体法人不同,民法总则明确规定捐助法人应当设立监事会等监督机构。

第九十四条　捐助人有权向捐助法人查询捐助财产的使用、管理情况,并提出意见和建议,捐助法人应当及时、如实答复。

捐助法人的决策机构、执行机构或者法定代表人作出决定的程序违反法律、行政法规、法人章程,或者决定内容违反法人章程的,捐助人等利害关系人或者主管机关可以请求人民法院撤销该决定,但是捐助法人依据该决定与善意相对人形成的民

事法律关系不受影响。

【释义】 本条是关于决定可撤销等强化捐助人监督力度的规定。

捐助法人没有成员，无法通过成员大会对理事会等进行有效监督。因此，必须强化其他的监督制约手段。从境外立法来看，《日本一般社团法人及一般财团法人法》第 172 条第 2 款规定，一般财团法人的财产中如果存在章程规定的、为开展属于一般财团法人目标事业而必不可缺的基本财产，理事必须依据章程规定维持该基本财产，且不可对该基本财产做出有碍开展属于一般财团法人目标事业的处理。我国台湾地区"民法"第 64 条规定，财团董事，有违反捐助章程之行为时，法院得因主管机关、检察官或利害关系人之声请，宣告其行为为无效。我国民法总则第 93 条将监事会等监督机构作为捐助法人的法定必备机构是必要的，但仅设监督机构还不足以达到规制目的。因此，民法总则又设本条规定，进一步强化监督效果。

本条第 1 款规定"捐助人有权向捐助法人查询捐助财产的使用、管理情况，并提出意见和建议，捐助法人应当及时、如实答复"。该款内容借鉴了《基金会管理条例》和慈善法的相关规定精神。《基金会管理条例》第 39 条第 1 款规定："捐赠人有权向基金会查询捐赠财产的使用、管理情况，并提出意见和建议。对于捐赠人的查询，基金会应当及时如实答复。"慈善法第 42 条第 1 款规定："捐赠人有权查询、复制其捐赠财产管理使用的有关资料，慈善组织应当及时主动向捐赠人反馈有关情况。"需要特别指出的是，民法总则的规定与《基金会管理条例》、慈善法的上述规定尽管监督措施类似，但实施监督措施的主体并不完全相同。《基金会管理条例》和慈善法上述规定的监督措施实施主体是捐赠协议的捐赠人，这一点可从前述引用的两个法条各自第 2 款的内容得知。《基金会管理条例》第 39 条第 2 款规定："基金会违反捐赠协议使用捐赠财产的，捐赠人有权要求基金会遵守捐赠协议或者向人民法院申请撤销捐赠行为、解除捐赠协议。"慈善法第 42 条第 2 款规定："慈善组织违反捐赠协议约定的用途，滥用捐赠财产的，捐赠人有权要求其改正；拒不改正的，捐赠人可以向民政部门投诉、举报或者向人民法院提起诉讼。"民法总则本条规定的监督措施实施主体则是捐助人。捐助人是捐助法人的设立人，而捐赠人是向捐助法人捐赠财产的人，是赠与合同的一方当事人。捐助人与捐赠人情况不尽相同。《基金会管理条例》和慈善法将相关监督措施赋予捐赠人行使，民法总则将相关监督措施的实施主体明确为捐助人，弥补了捐助人监督手段的缺乏，是对捐助法人监督制度的完善。

本条第 2 款是就决定的撤销所作的规定。关于本款规定，需要注意以下几点：

1. 本条对于决议无效情形未作规定，并非疏漏。对于存在瑕疵的决议，法律规定了决议的无效和可撤销制度。决议无效制度针对的是存在严重瑕疵的决议，比如决议内容违反法律、行政法规的效力性强制规定。决议无效是对决议效力的强行干预和否定。民法总则第 134 条规定："民事法律行为可以基于双方或者多方的意思表示一致成立，也可以基于单方的意思表示成立。法人、非法人组织依照法律或者章程规定的议事方式和表决程序作出决议的，该决议行为成立。"依照该条规定，决议系法律行为的一种。既然决议作为法律行为的一种，其无效判断规则与其他法律行为的无效判断规则应当是一致的，可以一并适用民法总则第六章"民事法律行为"部分第 153 条的规定，即"违反法律、行政法规的强制性规定的民事法律行为无效，但是该强制性规定不导致该民事法律行为无效的除外。违背公序良俗的民事法律行为无效。"

2. 决议可撤销制度针对的是不存在严重瑕疵的决议，如会议表决程序、表决方式违反法律、行政法规和法人章程，或者决议内容违反法人章程。对于这类决议的效力情况，即维持其效力还是撤销该决议，交由捐助人等利害关系人或者主管机关决定。如果捐助人等行使撤销权并得到支持，则决议被撤销，自始没有法律约束力；如果捐助人等不行使撤销权，则决议有效，具有法律约束力。对于上述不存在严重瑕疵的决议的效力，不规定其无效，而是将是否撤销的权利交给捐助人等利害关系人和主管机关，由其权衡利弊后，本着对捐助法人更为有利的立场，去做决定，应当是更为妥当的立法安排。鉴于决议的可撤销与其他民事法律行为的可撤销事由（如欺诈、胁迫、重大误解、显失公平等）相比具有特殊性，而且属于法人内部事项，属于组织法的范畴，宜放在"法人"一章作出规定。需要指出的是，本条规定使用了"决定"一词。之所以未用"决议"而用"决定"，主要是考虑到行为主体除捐助法人的决策机构、执行机构外，还有法定代表人，法定代表人作出的决定，不能称为决议。反之，捐助法人的决策机构、执行机构作出的决议，可以称为决定。决定的内涵大于决议。这一点从物权法的相关规定中可以得到印证。物权法第63条第2款规定："集体经济组织、村民委员会或者其负责人作出的决定侵害集体成员合法权益的，受侵害的集体成员可以请求人民法院予以撤销。"第78条规定："业主大会或者业主委员会的决定，对业主具有约束力。业主大会或者业主委员会作出的决定侵害业主合法权益的，受侵害的业主可以请求人民法院予以撤销。”此外，行使撤销权的主体限于主管机关和利害关系人，利害关系人除捐助人外，还包括捐助人的继承人等。本款的规定，从作出决定的主体看，涵盖决定机构、执行机构和法定代表人；从撤销权启动的事由看，包括作出决定的程序违法或违反章程，以及决定内容违反章程；从撤销权的行使主体看，包括捐助人等利害关系人和主管机关。应当说，规范力度是比较大的，有助于减少决策机构、执行机构或者法定代表人违法或违反法人章程的现象，保障捐助人捐助目的的实现。

3. 基于维护交易安全的考虑，相关决定被人民法院撤销后，捐助法人依据该决定与善意相对人形成的民事法律关系不受影响。这并不意味着撤销权的行使没有效果。如果决定存在瑕疵并被人民法院撤销，造成损失的，可要求有过错的决策机构成员、执行机构成员或者法定代表人赔偿。这方面的立法精神在《基金会管理条例》中已有体现。《基金会管理条例》第 43 条第 1 款规定：“基金会理事会违反本条例和章程规定决策不当，致使基金会遭受财产损失的，参与决策的理事应当承担相应的赔偿责任。”当然，如果表决时投了反对票，则该投反对票者不应当承担赔偿责任。

第九十五条　为公益目的成立的非营利法人终止时，不得向出资人、设立人或者会员分配剩余财产。剩余财产应当按照法人章程的规定或者权力机构的决议用于公益目的；无法按照法人章程的规定或者权力机构的决议处理的，由主管机关主持转给宗旨相同或者相近的法人，并向社会公告。

【释义】　本条是关于为公益目的成立的非营利法人终止时剩余财产处置的规定。

非营利法人终止时，能否向出资人、设立人或者会员等分配剩余财产，是区别为公益目的成立的非营利法人和其他非营利法人的主要标准。

立法过程中，有的意见认为，对于为公益目的成立的非营利法人，应当禁止分配利润，但对于法人清算后的剩余财产，可以根据实际情况，允许分配，否则会影响社会力量从事公益事业的积极性。

经研究认为，为公益目的成立的非营利法人终止时，不得向出资人、设立人或者会员分配剩余财产。主要基于以下几点考虑：

1. 从理论上分析，公益性法人不仅享受公益事业用地及建设的优惠，还享受国家规定的税收优惠政策、信贷优惠政策及政府经费资助等各项扶持，公益性法人也因其公益性而更易获得来自社会各界的捐赠。因此，公益性法人清算后的剩余财产具有相当程度的公共性，性质上已不同于设立人投入的财产，不应当分配给设立人，否则会给打着公益幌子而行营利之实者以可乘之机。例如，民办教育促进法第 46 条规定："县级以上各级人民政府可以采取购买服务、助学贷款、奖助学金和出租、转让闲置的国有资产等措施对民办学校予以扶持；对非营利性民办学校还可以采取政府补贴、基金奖励、捐资激励等扶持措施。"第 47 条规定："民办学校享受国家规定的税收优惠政策；其中，非营利性民办学校享受与公办学校同等的税收优惠政策。"第 51 条规定："新建、扩建非营利性民办学校，人民政府应当按照与公办学校同等原则，以划拨等方式给予用地优惠。新建、扩建营利性民办学校，人民政府应当按照国家规定供给土地。"

2. 从法人设立者的角度看，将剩余财产仍然用于性质、宗旨相同或者相似的社会公益事业，最符合法人设立者的初衷。

3. 从我国现行相关法律、法规看，慈善法第 18 条第 3 款规定："慈善组织清算后的剩余财产，应当按照慈善组织章程的规定转给宗旨相同或者相近的慈善组织；章程未规定的，由民政部门主持转给宗旨相同或者相近的慈善组织，并向社会公告。"民办教育促进法第 59 条第 2 款规定："非营利性民办学校清偿上述债务后的剩余财产继续用于其他非营利性学校办学；……"《基金会管理条例》第 10 条第 1 款规定："基金会章程必须明确基金会的公益性质，不得规定使特定自然人、法人或者其他组织受益的内容。"第 33 条规定："基金会注销后的剩余财产应当按照章程的规定用于公益目的；无法按照章程规定处理的，由登记管理机关组织捐赠给与该基金会性质、宗旨相同的社会公益组织，并向社会公告。"《宗教事务条例》第 37 条规定："宗教团体、宗教活动场所注销或者终止的，应当进行财产清算，清算后的剩余财产应当用于与该宗教团体或者宗教活动场所宗旨相符的事业。"财政部制定的《民间非营利组织会计制度》对包括社会团体、基金会和民办非企业单位在内的各类民间非营利组织作了明确具体的界定，指出民间非营利组织应符合以下三个条件：(1)该组织不以营利为宗旨和目的；(2)资源提供者向该组织投入资源不取得经济回报；(3)资源提供者不享有该组织的所有权。

4. 从境外大多数国家和地区的普遍做法看，《日本公益社团法人及公益财团法人认定法》第 5 条规定申请公益认定的一般社团法人或一般财团法人满足以下条件的，政府对其进行公益认定。该条第 17 项规定，根据第 29 条第 1 款或第 2 款的规定，关于在受到取消公益认定的处分时或是因合并而消灭了法人时(继承其权利义务的法人是公益法人时除外),如有以公益目的取得的财产余额的(指第30条第2款规定的以公益目的取得的剩余资产),必须以章程制定把与此相当金额的财产,在该公益认定取消日或是该合并日起一个月以内,赠与以类似的事业为目的的其他公益法人或学校法人、社会福祉法人、更生保护(社区矫正)法人、独立行政法人、国立大学法人(或是大学共同利用机关法人)、地方独立行政法人、其他以上述法人为标准的政令(行政法规)规定的法人,或是地方公共团体。该条第18项规定,必须以章程制定在结算时把剩余财产归属于以类似的事业为目的的其他公益法人或前项规定的法人,或是国家或是地方公共团体。

《美国非营利法人示范法》(1987年)第十四章第6条就法人解散的效力作了规定,其第1款第5项规定,服从于任何合同的或者法定的要求,根据法人章程或者章程细则的规定或授权而转让财产。第6项规定,法人是公益或者宗教法人并且章程或者章程细则无解散后财产分配规定的,服从于任何合同或法人的要求,向下列人转让财产:国内税收法典第501条第3款第3项规定的一个或者数个以上的人;被解散的法人未被规定于第501条第3款第3项的,一个或者数个以上的公益或者宗教法人。

《俄罗斯民法典》及《俄罗斯非营利组织法》均就非营利法人剩余财产的分配作了相关规定。《俄罗斯民法典》第50条第1款规定,法人,可以是以获取利润为其活动之主要目的的组织(营利性组织),或者是不以获取利润为其活动之主要目的,也不在其参加者中分配所获利润的组织(非营利性组织)。第63条第8款规定,如果本法典或者其他法律未作其他规定,非营利性组织进行清算时，满足债权人请求之后所剩余的财产，根据非营利性组织章程，用于成立该非营利性组织之宗旨和（或）用于慈善目的。《俄罗斯非营利组织法》第2条第1款规定，非营利组织是不以追求利润为自己活动的基本目的，并不在参加人之间分配利润的一种组织。第20条第1款规定，在非营利组织解散的情况下，满足债权人要求后剩余的财产，应当依照非营利组织成立文件的规定用于该组织为之建立的目的和（或）慈善目的。但是，本联邦法律和其他联邦法律另有规定的情况除外。在不可能依照非营利组织成立文件利用被解散的非营利组织财产的情况下，非营利组织的财产应当上缴国库。

我国台湾地区"民法"第44条规定，法人解散后，除法律另有规定外，于清偿债务后，其剩余财产之归属，应依其章程之规定，或总会之决议。但以公益为目的之法人解散时，其剩余财产不得归属于自然人或以营利为目的之团体。如无前项法律或章程之规定或总会之决议时，其剩余财产归属于法人住所所在地之地方自治团体。

立法过程中，另有意见认为，非为公益目的设立的非营利法人，其剩余财产的分配应依章程或权力机构的决议予以处置，建议本条增加一款：为其他非营利目的成立的法人终止时，其剩余财产应当按照章程或者权力机构的决议处理。

经研究认为，"为公益目的之外的其他非营利目的成立的法人终止时，其剩余财产应当按照章程或者权力机构的决议处理"的意见是正确的。同时，这一剩余财产分配规则也适用于营利法人等，作为剩余财产分配的一般规则，宜放在第三章第一节"一般规定"部分加以规定。本法第72条第2款就此作了如下规定："法人清算后的剩余财产，根据法人章程的规定或者法人权力机构的决议处理。法律另有规定的，依照其规定。”从境外立法来看，对于非为公益目的设立的非营利法人，亦有规定分配给法人成员的。例如，《德国民法典》第 45 条第 3 款规定，归属权人未确定，且依照章程，社团系专为成员利益而设立的，财产按等份归属于在解散或者被剥夺权利能力时现存的成员；其他情况下，归属于社团所在地的州的国库。

第四节 特别法人

第九十六条 本节规定的机关法人、农村集体经济组织法人、城镇农村的合作经济组织法人、基层群众性自治组织法人，为特别法人。

【释义】 本条是关于特别法人类型的总括性规定。

在民法总则中如何对我国的法人进行科学分类，在立法中也有一个变化的过程。草案一审稿、二审稿按照法人设立目的和功能的不同，将法人分为营利法人和非营利法人。在立法过程中，总体上赞成这种分类方法，认为这种分类既传承了民法通则按照企业和非企业法人进行分类的基本思路，符合我国的立法习惯；也具有较强的包容性，营利法人能涵盖公司等较为典型的企业法人和从事经营活动并以分配利润为目的的其他组织，非营利法人能涵盖社会团体法人、事业单位法人等现有的法人类型和现实中新出现的基金会和社会服务机构等法人类型；还有利于加强对社会组织的引导、规范和保护，促进其健康发展；与我国民众的基本认知也是相符的。同时，草案一审以来也一直有意见提出，实践中，一些法人组织在设立、变更、终止等方面具有特殊性，难以纳入营利法人和非营利法人的范围，建议为这些法人组织单设一类法人类型。立法机关对这些意见高度重视，经过深入调查研究，广泛征求意见，根据我国社会生活实际，本法专门规定了“特别法人”一节，规定了以下几类特别法人：

一是机关法人。机关的设立依据是宪法及其相关法律和行政决定，其设立目的是履行公共管理职能，这决定了机关法人与其他法人组织存在较大差别。其他国家和地区一般都将机关法人与其他法人作区分，单独规定。

二是农村集体经济组织法人。农村集体经济组织具有鲜明的中国特色。根据宪法和物权法等相关法律的规定，农村集体经济组织依法代表农民集体行使农村集体土地所有权，在遵守有关法律的前提下，有独立进行经济活动的自主权。在草案审议过程中，不少意见提出，应当明确赋予农村集体经济组织民事主体地位。鉴于这个问题比较重大复杂，草案一审后，对此进行了专题调研，广泛听取意见。经深入调查研究后认为，赋予农村集体经济组织法人地位符合中央有关改革精神，符合物权法等法律规定，有利于完善农村集体经济实现形式和运行机制，增强农村集体经济发展活力。据此，在“特别法人”一节第99条中对农村集体经济组织作了原则规定：农村集体经济组织依法取得法人资格。同时明确：法律、行政法规对农村集体经济组织有规定的，依照其规定。

三是合作经济组织法人。这类组织的特点是对内具有共益性或者互益性，对外又可以从事经营活动。

四是基层群众性自治组织法人。村民委员会、居民委员会基层群众性自治组织在设立、变更和终止，行使职能和责任承担上都有其特殊性，有必要将其作为特别法人。此外，根据物权法等法律的规定，本法明确，在没有农村集体经济组织的村，村民委员会还可以代行农村集体经济组织的职能。

对上述法人,单独设立一种法人类别,有利于其更好地参与民事生活,也有利于保护其成员和与其进行民事活动的相对人的合法权益。

本条对特别法人的类型作了完全列举式规定,并没有在这四种特别法人类型后加"等",这与本章关于营利法人和非营利法人的列举不同。根据本法第76条的规定,营利法人包括有限责任公司、股份有限公司和其他企业法人等。本法第87条规定,非营利法人包括事业单位、社会团体、基金会、社会服务机构等。对营利法人和非营利法人的列举都采取了不完全列举的方式,只列举了几种比较典型的具体类型,对现实生活中已经存在或者可能出现的其他法人组织,可以按照其特征,分别归入营利法人或者非营利法人。这主要是考虑到现实社会中的绝大多数法人都可以纳入营利法人和非营利法人的范围,营利法人和非营利法人作为法人的最基础分类是合适的,特别法人的范围很小,未来也不宜扩大,否则就会侵蚀和动摇营利法人和非营利法人作为法人分类基础的地位。

第九十七条　有独立经费的机关和承担行政职能的法定机构从成立之日起,具有机关法人资格,可以从事为履行职能所需要的民事活动。

【释义】 本条是关于机关法人的规定。

机关法人是指依照法律法规和行政决定组建,享有公权力的,以从事国家公共管理活动为主的组织。这些组织代表国家从事公共管理职能,其在从事民事活动的时候,就具有机关法人的地位。之所以要赋予这些机关组织法人地位,是因为这些组织为了履行公共管理职能的需要,必须从事一些民事活动。机关法人在学理上和境外的民法中又被称为公法人。境外的民法基本都对此作了规定。民法通则已对机关法人作了明确规定。本条基本上继承了民法通则关于机关法人的规定。机关法人具有以下特点:

一是机关法人是依据法律法规和行政决定而成立的。这是机关法人与营利法人和非营利法人的一大区别,大多数营利法人和非营利法人都是设立人、出资人等自愿成立,不是依据法律法规和行政决定而成立的。我国不少现行法律法规都直接规定了设立某类机关,如宪法、地方各级人民代表大会和地方各级人民政府组织法、国务院组织法、人民法院组织法、人民检察院组织法等都直接规定了不少机关的设立。国务院以及地方各级政府也通过机构改革等行政命令设立了一些机关,如根据1998年、2012年的国务院机构改革就设立了国资委、商务部等机关。

二是机关法人自成立时就具有法人资格。如前所述,机关法人是依据法律法规和行政决定而成立的,不需要经过登记程序,在成立之日起就具有机关法人资格。所以,本条规定,有独立经费的机关和承担行政职能的法定机构从成立之日起,具有机关法人资格,可以从事为履行职能所需要的民事活动。不需要登记就成立是机关法人与营利法人和非营利法人的另一个重大区别。根据本法的规定,营利法人经依法登记成立,大多数非营利法人也需要依法登记成立。

三是机关法人是享有公权力的各类国家组织。机关法人依法享有国家赋予的公共管理职能,代表国家从事立法、行政、司法等事务和活动。这些活动直接体现国家意志,所形成的利益也归于国家。机关法人在从事这类活动时,与各类社会组织和自然人往往处于领导和被领导、监管与被监管的关系，但需要注意的是，机关法人在行使公权力时并不是以平等民事主体的身份出现的，不是以法人的名义出现的。其只有在从事民事活动时才以法人的名义出现，例如，代表机关购买办公用品、建设办公楼等，这时其才与其他民事主体处于平等地位。也正因为机关法人是以履行公共管理职能为目的，所以不得以营利为目的从事任何活动，也没有自己的经济利益，它们代表国家从事公共管理活动，由此形成的利益也归属于国家。也正因为如此，机关法人以法人名义从事必要的民事活动时所形成的债务，应当由机关法人以其通过财政预算拨款所获得的经费承担责任。

四是机关法人从事民事活动时，其民事行为能力受到严格的限制。之所以要严格限制，是因为机关法人成立的主要目的是从事公共管理职能，若其在从事公共管理职能时，广泛从事经营性活动，不但与其职能不相符合，而且会导致权力的滥用，与民争利，破坏公平的市场竞争环境。因此，机关法人只能从事一些维持自己管理活动所必要的民事活动，例如购买办公用品、建筑房屋、签订劳动合同等。在现实生活中确有一些机关法人在从事一些经营性活动，如开酒店等，但这些行为与法律的规定是不相符的，也不是本法规定机关法人的目的。虽然根据政府采购法、担保法等有关法律、行政法规，政府在一些特殊情况下可以进行政府采购行为和政府担保行为，但这些行为都是为了国家利益和社会公共利益，而不是为了谋取自身利益。也正因为如此，本条特别强调，机关法人可以从事为履行职能所需要的民事活动。

五是机关法人的财产来源于国家和地方财政拨款。机关法人虽没有自己独立经营的财产，但是有独立的经费。这些独立的经费不来源于社会投资,也不源于国家投资,而是根据其工作需要,由国家和地方财政拨款形成的。因此,其最终责任承担也来源于国家财政经费。

关于机关法人的范围,与民法通则的规定相比,本法规定的范围有所变化。民法通则只规定了“有独立经费的机关”为机关法人。本法则规定了两类:一是有独立经费的机关。这与民法通则的规定是相同的。这里的“有独立经费的机关”的范围很宽,既包括人大常委会等权力机关,国务院和各级地方政府等行政机关,法院和检察院等司法机关,也包括党的各级机关、民主党派机关等。这里需要强调一点,判断某个组织是否为机关法人除了主要看其是否依法律法规和行政决定直接成立,且从事公共管理职能外,还要看其是否有独立的经费。一个机关的内部职能部门虽说也是依据法律和行政命令直接成立,也从事公共管理职能,但这些职能部门只是机关的组成部分,如某部委内部的一个司局,其没有独立的经费,所以机关内部的职能部门并不能成为机关法人,其从事民事活动所产生的法律后果应由该机关来承担。二是有独立经费的承担行政职能的法定机构。与民法通则相比,这是增加的机关法人类型。之所以增加这类机关法人,主要是为将来的行政机构改革留下空间。例如,根据2011年《中央关于推进事业单位分类改革决定》的精神和要求,未来承担行政职能的事业单位要脱离事业单位,转化为行政机关和承担行政职能的法定机构。目前,这类事业单位还有不少,如银监会、证监会、保监会等国家直属事业单位。

第九十八条　机关法人被撤销的,法人终止,其民事权利和义务由继任的机关法人享有和承担;没有继任的机关法人的,由

作出撤销决定的机关法人享有和承担。

【释义】 本条是关于机关法人终止的规定。

机关法人不但在设立上具有特殊性，在终止时也具有特殊性。营利法人和非营利法人可能因破产等原因被终止，而机关法人因其履行的是国家公共管理职能，不能因破产而终止。机关法人主要是因被撤销而终止，被撤销的原因可能是机构改革被合并，也可能是该机关完成了其阶段性的历史任务。对于机关法人被撤销而终止的，其民事权利和义务如何处理的问题，本条明确规定，其民事权利和义务由继任的机关法人享有和承担；没有继任的机关法人的，由作出撤销决定的机关法人享有和承担。

第九十九条　农村集体经济组织依法取得法人资格。

法律、行政法规对农村集体经济组织有规定的，依照其规定。

【释义】 本条是关于农村集体经济组织法人的规定。

一、农村集体经济组织的概况

农村集体经济组织是一种具有中国特色的经济组织形式，为了适应我国的农村集体所有制经济而设立。农村集体经济组织制度自创立至今已经六十多年了，从1950年的初级社、高级社，到人民公社、生产大队、生产队，又经20世纪80年代以来的改革。近年来，宪法和中央文件统一称为农村集体经济组织。农村集体经济组织在20世纪80年代以前实行村社合一，20世纪80年代中后期实行村社分开。后来，中央允许各地因地制宜，有些地方叫村委会，有些地方在村委会之外还加挂村经济联合社的牌子。所以，现在的大多数农村集体经济组织是从人民公社时期的“三级所有，队为基础”演变而来，以土地集体所有为基础的合作经济组织。集体经济组织按照集体资产产权归属，依法经营管理本集体成员集体所有的资产。随着城镇一体化进程的加快，一些乡镇、村、组在明晰产权归属的基础上，将集体经营性资产以股份或者份额形式量化到集体成员，积极发展农民股份合作，建立起股份经济合作社等新型集体经济组织。

农村集体经济组织的资产是在1956年基本完成农业生产合作化运动，农村土地和其他生产资料从农民个人所有转变为集体所有后逐步积累起来的。农村集体资产大体上可以分为三类：第一类是资源性资产，其中最主要的是土地，如耕地、林地和草地，这类资产不能以货币计算价值量。根据国土资源部第二次全国土地调查，农村集体土地总面积66.9亿亩，其中农用地55.3亿亩（耕地18.1亿亩）、建设用地3.1亿亩。第二类是经营性资产，截至2015年年底，全国（不含西藏）农村集体经济组织账面资产（不含资源性资产）总额2.86万亿元，村均493.9万元。其中，东部地区资产总额2.16万亿元，占资产总额的75%，村均929.5万元；中部地区资产总额0.44万亿元，占资产总额的15.5%，村均234.5万元；西部地区资产总额0.26万亿元，占资产总额的9%，村均162.4万元。第三类是非经营性资产，主要是指用于公共服务的教育、科技、文化、体育设施等集体资产。总体而言，农村集体经济组织资产的规模和数量都非常庞大。

二、是否赋予农村集体经济组织法人地位

农村集体经济组织具有鲜明的中国特色。根据宪法和物权法等相关法律的规定，农村集体经济组织依法代表农民集体行使农村集体土地所有权，在遵守有关法律的前提下，有独立进行经济活动的自主权。可以说,依据宪法等法律的规定,农村集体经济组织具有法律地位,但没有明确的民事主体地位。造成这种状况的原因是多方面的,主要原因有三方面:一是理论方面的原因。我国的集体所有制、农村集体经济组织等制度设计具有独特性,在制度方面很难有可供借鉴的先例。二是实践方面的原因。我国地域辽阔,地区差异大,农村之间的差异也很大,组织形式多种多样,很难形成明确统一的制度模式。三是经济发展水平的原因。集体土地大包干以后,随着乡镇企业改制的完成,许多地方集体经济组织的作用不再明显,并且很多地方由村民委员会代行集体经济组织的职能。在民法总则的立法过程中,不少意见提出,应当明确赋予农村集体经济组织民事主体地位。鉴于这个问题比较重大复杂,在立法过程中,对此进行了专题调研,广泛听取意见。经深入调查研究后,立法机关认为,明确赋予农村集体经济组织依法取得法人资格是必要的,也是可行的:

第一,赋予农村集体经济组织法人地位有理论和实践基础。目前,随着理论的不断发展和实践的不断丰富,有关农村集体产权制度改革的诸多问题都已基本达成共识,是推进农村集体经济组织制度改革的良好时机。为解决农村集体经济组织的民事主体地位问题,一些地方开展了多种形式的探索:一是以颁发组织证明书的方式赋予农村集体经济组织主体地位。如浙江省人大常委会颁布的《村经济合作社组织条例》、广东省人民政府制定的《农村集体经济组织管理规定》、北京市出台的《乡村集体经济组织登记办法》等。这些规范性文件对集体经济组织的组织结构、权利义务、注册登记等事项作出规定,明确由县级或者不设区的市级人民政府向集体经济组织颁发组织证明书,内容包括证号、名称、住所、法定代表人、经营范围、资产等事项。集体经济组织可以凭组织证明书到质量监督部门办理组织机构代码证、银行开户、税务登记等有关手续。这种方式可以部分解决集体经济组织主体缺位的主要矛盾，但只能是一种过渡性的解决办法。且按照2015年国务院批转的《法人和其他组织统一社会信用代码制度建设总体方案》精神，今后各类社会组织将由负责登记的部门统一赋予社会信用代码，质量监督部门不再向农村集体经济组织发放组织机构代码。以组织证明书方式获得主体地位的农村集体经济组织面临如何获得新代码的问题。二是登记为农民专业合作社法人。如江苏省2009年出台的《农民专业合作社条例》，规定农村集体经济组织成员可以量化到其名下的集体经营性净资产份额作为主要出资方式，设立相应的农民专业合作社，领取农民专业合作社法人营业执照，赋予其合作社法人地位，改革后村级集体经济组织统称为"社区股份合作社"。上海、河北、山东等省市也允许改制为社区股份合作社等形式的集体经济组织在工商行政管理部门登记为农民专业合作社法人。这种方式将集体经济组织按专业合作社法人进行登记，存在明显的局限性，二者在合作属性、业务范围、成员构成、管理方式等方面存在诸多不同，以合作社法人的名义进行登记并不准确。三是登记为企业法人。青岛、厦门、长沙等地的个别城中村、城郊村、经济发达村，采取了参照公司法规定将集体经济组织登记为企业法人的做法。这些村大都具有集体资产量大、已经完成撤村建居、已经没有集体统一经营土地等特征。目前，在全国范围内，注册登记为企业法人的集体经济组织数量很少。这一做法最大的问题在于，集体经济组织与一般企业存在重大差别，有关一般企业法人的很多规则并不能适用于集体经济组织。这些探索可以说为农村集体经济组织成为法人提供了实践基础。

第二,赋予农村集体经济组织法人地位有现实需要。农村集体经济组织是一种特殊的民事主体。根据宪法、物权法等法律规定,农村集体经济组织依法代表全体成员行使农村集体资产所有权,承担农村集体经济经营管理事务。按照农村土地等集体资产归属,农村集体资产在村、组两级分属 60.4 万个村、495.5 万个组的集体经济组织成员集体所有,目前已有 24.4 万个村、77.4 万个组建立了集体经济组织。实践中,农村集体经济组织既缺乏统一、规范、具体的名称和形式,也很难参与市场经济活动。由于现实中农村集体经济组织缺乏具体形式和法人地位,法律规定了村民委员会可以代行集体经济组织的职能。这一做法在实践中容易混淆农村集体经济组织和村民自治组织,客观上造成了农村政经不分的状态,影响集体经济组织开展正常的经济活动。法人地位缺失也限制了农村社区集体经济组织的民事权利能力和民事行为能力,突出表现在农村社区集体经济组织不能在工商部门登记取得经营资格,也就不能独立开展经营业务;不能在国家质量技术监督部门取得组织机构代码证,就没有依法参与经济社会活动的通行证,就不能在银行开账号,难以从金融部门获得贷款,不能在税务部门申请购买税票等。这些都使农村集体经济组织只能依附在其他经营主体上,只能将其资产以入股、承包、租赁等方式参与其他经营主体的经济活动,进而成为难以壮大的"小矮人"。如果不赋予农村集体经济组织法人地位,其财产权利也将无法得到保护,发展集体经济也无从谈起,特别是在农村集体产权改革中会造成集体资产流失。因此,充分发挥市场在资源配置中的决定性作用和更好发挥政府作用，明确农村集体经济组织市场主体地位，完善农民对集体资产股份权能，是实现好、维护好、发展好广大农民的根本利益的重要举措。

第三，赋予农村集体经济组织法人地位符合中央有关改革精神，符合物权法等法律规定，有利于完善农村集体经济实现形式和运行机制，增强农村集体经济发展活力。农村集体经济是集体成员利用集体所有的资源要素，通过合作与联合实现共同发展的一种经济形态，是社会主义公有制经济的重要形式。改革开放以来，农村实行以家庭承包经营为基础、统分结合的双层经营体制，极大解放和发展了农村社会生产力。如何进一步发展和搞活农村集体经济就成为我们党面临的一项重要任务。党的十八大以来，党中央高度重视农村经济的发展，出台了一系列政策，采取了一系列的举措，例如，党的十八届三中全会《关于全面深化改革若干重大问题的决定》《关于稳步推进农村集体产权制度改革的意见》等。这些文件的一个重要精神，就是适应健全社会主义市场经济体制新要求，不断深化农村集体产权制度改革，探索农村集体所有制有效实现形式，盘活农村集体资产，构建集体经济治理体系，形成既体现集体优越性又调动个人积极性的农村集体经济运行新机制。而赋予农村集体经济组织法人地位正是对中央这一系列文件精神的贯彻和落实，对于坚持中国特色社会主义道路，完善农村基本经营制度，增强集体经济发展活力，引领农民逐步实现共同富裕具有深远历史意义。

基于以上考虑，本条第1款明确规定，农村集体经济组织依法取得法人资格。

三、农村集体经济组织法人的内涵和外延

到目前为止，尚无法律法规和政策文件对农村集体经济组织给出定义和解释。理论界和实务界对于农村集体经济组织的概念内涵、具体范围在认识上也不尽一致。有的认为，农村集体经济组织应当是一个范围很宽的概念，它应当既包括公社型集体经济组织、社区合作型集体经济组织和社区股份型合作型集体经济组织，也包括各种专业合作社和乡镇企业，如农民专业合作社等。有的认为，农村集体经济组织的范围不宜过宽，不应包括各种专业合作社和乡镇企业，而应仅包括公社型集体经济组织、社区合作型集体经济组织和社区股份型合作型集体经济组织。农村集体经济组织的表述有一个发展变化的过程，从历史上看，根据 1955 年通过的《农业生产合作社示范章程》的规定，农业集体经济组织主要就是指农业生产合作社，该规定已于 1987 年失效。1986 年通过的民法通则在第 74 条作了“村农业生产合作社等农业集体经济组织”的表述。但是，农业生产合作社作为计划经济时代的产物，已经不能再适应改革开放以来新的发展形势。因此，目前，宪法和绝大部分法律都已经删除、修改了“农业生产合作社”的表述。“农业生产合作社”已经不再适宜作为法律概念出现，自然也不应该再认为农村集体经济组织主要是指农业生产合作社。综合我国土地管理法、农村土地承包法、农业法、村民委员会组织法、物权法等法律的规定，对于农村集体经济组织法人的内涵和外延作以下理解较为适宜：

一是资产的不可分割性。农村集体经济组织法人是农民集体作为民事主体，在法律主体上的表现形式。农村和城市郊区的土地，除由法律规定属于国家所有的以外，属于农民集体所有；宅基地和自留地、自留山，属于农民集体所有。农民集体所有的土地，由县级人民政府登记造册，核发证书，确认所有权。农民集体作为所有权人，其在法律主体上的表现形式就是农村集体经济组织。因此,农村集体经济组织以土地为中心,以地缘为基础,集体资产属于本集体成员集体所有,不可分割。需要强调的是,随着农村集体经济的发展,农村集体拥有的经营性资产越来越多,根据中央关于稳步推进农村集体产权制度改革的意见,将有序推进经营性资产股份合作制改革,将农村集体经营性资产以股份或者份额形式量化到本集体成员,作为其参加集体收益分配的基本依据。改革主要在有经营性资产的村镇,特别是城中村、城郊村和经济发达村开展。已经开展这项改革的村镇,要总结经验,健全制度,让农民有更多获得感;没有开展这项改革的村镇,可根据群众意愿和要求,由县级以上地方政府作出安排,先进行试点,再由点及面展开,力争用 5 年左右时间基本完成改革。农村集体经营性资产的股份合作制改革,不同于工商企业的股份制改造,要体现成员集体所有和特有的社区性,只能在农村集体经济组织内部进行。也就是说,对于土地等资源性财产,目前由于分产到户,既不能分割也不宜量化成股份或者份额;对于经营性资产,可以根据群众的意愿以股份或者份额形式量化到本集体成员,但只是作为成员参与分配的基本依据,也不是分割到成员个人。

二是成员的社区性。集体经济组织成员由社区内的农民以土地等集体财产为纽带组成,其加入、退出有特别的程序和限制性规定。农村集体经济组织法人与营利法人和非营利法人最大的区别是,农村集体经济组织法人的成员具有天然性和身份性。所谓天然性和身份性是指集体经济组织的成员与土地有依附关系,与农民的身份也有依附关系。因此,农村集体成员的加入、退出与其他法人有很大的区别,营利法人和非营利法人的成员原则上讲都是加入自愿,退出自由;而农村集体经济组织的成员原则上讲,其加入和退出都是与土地的性质和农民的身份密切相关的。从这个角度讲,农村集体经济组织的成员和股份都带有一定的封闭性,不能无限制地自由流动。

三是组织的稳定性。如前所述,由于农村集体经济组织具有天然的地域性和社区性,因此,农村集体经济组织非经法律规定不能任意消灭,也不能轻易宣布解散和清算。

四是职能的特定性。集体经济组织是集体资产管理的主体,农村集体经济组织依法经营、管理农民集体所有的土地;依法在农村土地承包过程中作为发包方对农村土地进行发包,发包本集体所有的或者国家所有依法由本集体使用的农村土地;尊重承包方的生产经营自主权,不得干涉承包方依法进行正常的生产经营活动;依照承包合同约定为承包方提供生产、技术、信息等服务;执行县、乡(镇)土地利用总体规划,组织本集体经济组织内的农业基础设施建设。农村集体经济组织应当在家庭承包经营的基础上,依法管理集体资产,为其成员提供生产、技术、信息等服务,组织合理开发、利用集体资源,壮大经济实力。农村集体经济组织也可以进行投资举办乡镇企业等经济活动。因此,农村集体经济组织的主要功能包括管理集体资产、开发集体资源、发展集体经济和服务集体成员。集体经济组织对外从事经营活动,具有营利性,但对内部成员则为非营利性。同时,不少集体经济组织既承担经济职能,也承担一定的村集体公益性的社会功能。伴随农村经济社会的深刻变化,农村集体经济组织呈现出三个新的特点:其一是经营范围日益扩大,由主要从事农业生产经营,向一、二、三产业融合发展转变。其二是服务对象日益扩展,由本集体经济组织成员向所在地区的居民扩展。其三是实现形式日益丰富,由“政社合一”的生产队、生产大队、人民公社,向“政社分设”的经济合作社、股份经济合作社等多种形式转变。

也正是因为农村集体经济组织具有以上特征,与其他法人有很大的不同,本法将农村集体经济组织法人作为特别法人的一种加以规定,并明确规定,农村集体经济组织依法取得法人资格。

正确理解农村集体经济组织法人,需要区分以下几对关系:

一是农村集体经济组织与村民委员会、村民小组的关系。村民委员会与集体经济组织的性质是不同的。村民委员会是村民自我管理、自我教育、自我服务的基层群众性自治组织,担负着办理本村公共事务和公益事业,调解民间纠纷,协助维护社会治安,向人民政府反映村民的意见、要求和提出建议等多种职能。村民小组也具有一定的自治管理职能。因此,村民委员会和村民小组是基层群众的自治组织,主要从事本集体的公益事务,或者受政府委托从事一些管理性事务,不是以纯粹的民事主体身份出现的。而农村集体经济组织是代表村集体从事各种经营活动的组织,其原则上不承担本集体的公益性事务。因此,二者的分工和职能都是不同的。当然,在我国很多地方,特别是中西部农村,由于集体经济不发达,没有成立单独的农村集体经济组织,根据物权法、村民委员会组织法等法律,在这种情况下,可以由村民委员会代行农村集体经济组织的职能,这就形成了“村社合一”,村民委员会“一体两面”的状况。但是,从促进农村集体经济发展的角度看,这种“村社合一”的局面容易导致二者职责不明,关系不清,甚至可能导致少数村委会干部控制集体资产,导致集体资产流失和滋生腐败,这不利于农村集体经济长远发展,也不利于农村集体经济的规范运作。因此,村委会与村集体经济组织原则上应当相分离，并从法律上对村委会和农村集体经济组织之间的关系作出更为清晰的规定，突出村委会的公共服务功能，剥离其在农村集体资产管理方面的功能，使之成为单纯的村民自治组织，其所需经费由公共财政和集体经济收益支付，村集体资产经营管理由村集体经济组织全权负责。

二是农村集体经济组织和农民专业合作社的关系。农村集体经济组织自20世纪50年代起至今，即便是经历人民公社体制改革、家庭承包经营改革、集体产权量化到成员改革等，始终坚持集体所有和民主管理，其与农民专业合作社的价值取向、组织属性和功能等方面有一定相似处。但是，二者是不完全相同的。首先，二者的合作基础不同。农村集体经济组织是20世纪50年代农业生产合作化及其后的农村人民公社化后传承下来的组织资源，以社区土地的农民集体所有为基础。农民专业合作社则以生产经营合作为基础，实行跨社区合作。其次，在成员资格的确定上不同。农村集体经济组织成员的资格确定，在实施集体产权量化到成员改革前，不是以自愿参与和承担相应权利义务而取得成员资格，而是以社区为单位，主要与户籍挂钩，自出身原则即可获得成员资格；在集体产权量化到成员的改革中，不少地方又往往与土地的第一轮承包挂钩。而农民专业合作社成员的确定，以自愿参与和权利义务对等为原则。再次，二者的分配方式不同。农村集体经济组织收益首先用于保障社区组织运转、兴办公益事业，在有结余的情况下才在成员中实施分配。农民专业合作社的收益主要用于成员分配，且按交易额分配为主。最后，二者在债务上不同。农村集体经济组织有在政社合一下发展集体经济和承担基础设施、社会事业等公益事业所形成的历史债务。农民专业合作社刚兴办，没有这类历史债务。这些差异的存在，就决定了农村集体经济组织要成为单独一类法人组织，其与农民专业合作社是不同的法人类型。

与农村集体经济组织相关的还有一个农村集体经济组织成员资格界定的问题。有的意见提出，对农村集体经济组织成员资格的认定，各地做法不一，建议明确成员资格的界定标准。有的意见则认为，农村情况千差万别，农村集体经济组织的形成历史、成员构成和资产组成均不完全相同，出台全国统一的标准难以适应不同情况，不宜由法律作出统一规定。经研究认为，根据中央关于农村集体产权制度改革的意见，应当按照尊重历史、兼顾现实、程序规范、群众认可的原则，统筹考虑户籍关系、农村土地承包关系、对集体积累的贡献等因素，协调平衡各方利益，确认农村集体经济组织成员身份。目前，对这个问题，一些地方正在进行改革试点，探索在群众民主协商基础上确认农村集体经济组织成员的具体程序、标准和管理办法。待改革试点结束后，根据试点情况可在相关单行法律中明确这个问题。草案目前不宜对此作出规定。

最后还需要强调一点：本法虽然赋予了农村集体经济组织法人地位，但是正如前述，农村集体经济组织法人的设立、变更、终止有许多特殊之处；还面临如何明确其权利义务关系，如何确定其成员资格，如何健全其组织结构、完善其治理机构，哪些财产可以处分，责任如何承担等一系列问题，对这些问题还有不同意见；且以明晰农村集体产权归属、维护农村集体经济组织成员权利为目的，以推进集体经营性资产改革为重点任务的农村集体产权制度改革都还在进行中，一些问题还需要进一步的探索。因此，本法只是明确了农村集体经济组织的法人地位，对于农村集体经济组织中的具体问题还需要根据农村集体产权制度改革的情况，下一步由其他法律或者行政法规作出进一步的细化规定。因此，本条第 2 款明确规定，法律、行政法规对农村集体经济组织有规定的，依照其规定。

第一百条　城镇农村的合作经济组织依法取得法人资格。

法律、行政法规对城镇农村的合作经济组织有规定的，依照其规定。

【释义】　本条是关于合作经济组织法人的规定。

在党和政府的鼓励、支持下，供销合作社等城镇农村的合作经济组织近年来取得了蓬勃的发展。供销合作社在长期为农服务实践中，形成了独具中国特色的组织和服务体系，是党和政府抓得住、用得上的为农服务骨干力量。在计划经济时期，供销合作社长期成为政府的职能部门，执行国家的统购统销政策，为支持农业生产、保护农民利益、保证国家需要、恢复国民经济发挥了积极作用，成为党和政府联系农民群众的纽带、沟通城乡的桥梁和巩固工农联盟的重要力量。改革开放以来，供销合作社坚持为农服务宗旨，保留了全国性组织体系，全系统依然是党和政府发挥调节市场、平稳物价的重要依靠力量。特别是最近十几年来，供销合作社组织网络和服务阵地得到迅速恢复和加强，在城乡统筹发展和农业现代化建设中发挥着重要作用。截至 2016 年年底，全国供销合作社系统有基层供销合作社 2.9 万个，覆盖全国 92.5% 的乡镇（涉农乡镇基本全覆盖）；除全国供销合作总社外，有 32 个省级联合社，335 个市地级联合社，2404 个县级联合社，上级社对下级社具有指导、协调、监督、服务、教育培训职责。为服务基层、服务“三农”、沟通城乡，供销合作社还兴办了社有企业 2.1 万个，领办创办农民专业合作社 17 万个，建立村级综合服务社（中心）37.4 万个，发展社会组织 1.8 万个，举办事业单位 280 个，发展连锁配送网点 98.2 万个，全系统干部职工 340 万人。

从组织设立、职能和管理体制看，供销合作社基本上按行政区划设置，县级以上联合社的设立需经同级党委政府批准，具有“三定”方案，人员基本上参公管理，负责人由同级党委提名，确保供销合作社执行党和政府的方针政策。这一独具中国特色的组织和服务体系，被社会形象比喻为农村流通巨无霸，已经成为供销合作社发挥为农服务独特优势和重要作用的基础，也是党和政府重视支持供销合作社的重要原因之一。实践中，在农村偏远地区、边疆少数民族地区，供销合作社也一直是地方党委政府以合作经济形式联系农民群众、开展农村公共服务、维护稳定的重要力量。

长期以来，供销合作社没有明确的法律地位，在民法通则规定的四类法人框架内，难以归入任何一类，不仅自身权益得不到有效保护，也制约其事业更好发展。对基层社来说，新建和改造基层社无法登记办证，工商部门认为没有法律法规依据。《乡村集体所有制企业条例》第 2 条第 2 款规定：“农业生产合作社、农村供销合作社、农村信用社不适用本条例。”《城镇集体所有制企业条例》第 65 条第 2 款规定：“供销合作社的管理办法，另行制定。”考虑到供销合作社的特殊性，无论是 2006 年制定农民专业合作社法时，还是目前正在进行的修改，都不将供销合作社列入调整范围。对联合社来说，1995 年中央决定联合社退出政府序列，但一直没有明确退出后的身份。由于无法出具主体资格证明，联合社连自己在出资企业中的股东身份，都难以证明。联合社人员纳入编制管理，使用的是事业编，但并未明确联合社是事业单位；联合社部分人员参公管理，并未明确联合社是机关法人。需要说明的是，供销合作社法律地位不明确，其主体指的是基层供销合作社，县级、市级、省级联合社，中华全国供销合作总社，这五级组织共31788个，共同面临的问题就是没有“户口本”。供销合作社出资企业、举办的事业单位、发展的社会组织等分别受公司法、《事业单位人事管理条例》、《社会团体登记管理条例》等相关法律法规调整，不存在法律地位不明确问题。

对于城镇农村的合作经济组织法人应当归入营利法人，还是非营利法人，抑或是特别法人，在立法过程中存在不同的意见。有的意见认为，合作经济组织法人应为营利法人；有的意见认为合作经济组织法人应为非营利法人；有的意见则认为合作经济组织法人具有特殊性，按照营利性法人和非营利性法人的分类，无法将其归入单纯的一类当中，应当作为特别法人。

经研究认为，供销合作社等合作经济组织对内具有共益性或者互益性，对外也可以从事经营活动，具有相当的特殊性。《中共中央、国务院关于深化供销合作社综合改革的决定》（中发〔2015〕11号）指出：供销合作社地位性质特殊，既体现党和政府政策导向，又承担政府委托的公益性服务，既有事业单位和社团组织的特点，又履行管理社有企业的职责，既要办成以农民为基础的合作经济组织，又要开展市场化经营和农业社会化服务……为更好地发挥供销合作社独特优势和重要作用，必须确立其特定法律地位，抓紧制定供销合作社条例，适时启动供销合作社法立法工作。

综合考虑上述因素，将供销合作社等城镇农村的合作经济组织法人列入特别法人。本条分2款对合作经济组织法人作了规定。第1款规定:“城镇农村的合作经济组织依法取得法人资格。”使用“依法”取得法人资格的表述,是为了适应城镇农村合作经济组织的现实需要。目前,对于供销合作社还没有专门的法律和行政法规进行规范。虽然中央已明确适时制定供销合作社法,但短时期内无法实现,目前正在研究制定的《供销合作社条例》将是其实际取得法人资格的具体依据,因此,使用“依法”具有较大的包容性。如果使用“依照法律”,供销合作社特别法人就需要将来制定供销合作社法时才能落实到位,这实际上是将这一规定架空,也不利于落实中央“必须确立其特定法律地位,抓紧制定供销合作社条例”的要求。此外,本款未规定“登记”或者其他具体形式,便于照顾到各种情形。本条第2款规定“法律、行政法规对城镇农村的合作经济组织有规定的,依照其规定”。本条第1款重在突出城镇农村合作经济组织法人资格的取得。第2款则在第1款的基础上,授权法律、行政法规可对合作经济组织法人作出特别的规定,具体落实民法总则的规定。

第一百零一条　居民委员会、村民委员会具有基层群众性自治组织法人资格,可以从事为履行职能所需要的民事活动。

未设立村集体经济组织的,村民委员会可以依法代行村集体经济组织的职能。

【释义】　本条是关于基层群众性自治组织法人的规定。

村民委员会和居民委员会都是我国的基层群众性自治组织。村民委员会组织法和城市居民委员会组织法对此作了明确规定。村民委员会组织法规定,村民委员会是村民自我管理、自我教育、自我服务的基层群众性自治组织,实行民主选举、民主决策、民主管理、民主监督。村民委员会办理本村的公共事务和公益事业，调解民间纠纷，协助维护社会治安，向人民政府反映村民的意见、要求和提出建议。同时，根据物权法等法律的规定，在没有农村集体经济组织的村，村民委员会还可以代行农村集体经济组织的职能。城市居民委员会组织法规定，居民委员会是居民自我管理、自我教育、自我服务的基层群众性自治组织。办理本居住地区居民的公共事务和公益事业；调解民间纠纷；协助维护社会治安；协助人民政府或者它的派出机关做好与居民利益有关的公共卫生、计划生育、优抚救济、青少年教育等项工作；向人民政府或者它的派出机关反映居民的意见、要求和提出建议。城市居民委员会组织法还规定，居民委员会应当开展便民利民的社区服务活动，可以兴办有关的服务事业。居民委员会管理本居民委员会的财产，任何部门和单位不得侵犯居民委员会的财产所有权。可以说，村民委员会和居民委员会都有明确的法律地位，但是到目前为止，却没有法律明确赋予这"两委会"民事主体地位。在立法过程中，不少意见提出，村民委员会和居民委员会没有明确的民事主体地位，严重地制约了其为社区提供公益服务，建议民法总则明确规定其具有法人地位。经研究认为，村民委员会和居民委员会作为基层群众性自治组织，在为社区提供公益服务，从事社区建设中需要进行大量的民事活动，如建设社区公益设施，代表村集体或者居民社区签订公益用品的买卖合同等，若不赋予其法人地位，将严重制约其职能的发挥，不利于社区公益事业的发展和建设。特别是如前所述，在我国不少农村，村委会还代行村集体经济组织管理集体资产的职能，但村委会不具备法人资格，无法人组织机构代码，无法独立进行经济活动，这也严重影响了农村集体经济的发展。

因此，赋予村民委员会和居民委员会法人资格是必要的。基于此，本条规定，居民委员会、村民委员会具有基层群众性自治组织法人资格，可以从事为履行职能所需要的民事活动。未设立村集体经济组织的，村民委员会可以依法代行村集体经济组织的职能。

村民委员会、居民委员会法人与其他法人相比，也具有以下特殊性：一是设立特殊。村民委员会、居民委员会都是依据法律直接设立的。村民委员会是各行政村依据村民委员会组织法设立的；居民委员会是依据居民委员会组织法设立的。二是变更和终止特殊。除非村乡合并或者居民社区的区划发生变化，否则村民委员会和居民委员会不终止。三是行使职能特殊。如前所述，村民委员会和居民委员会主要从事公益事业和提供公共服务，这与营利法人和非营利法人的职能有较大的不同。四是组织机构特殊。村民委员会一般由村主任等村干部组成，居民委员会一般由居委会主任等干部组成，根据村民委员会组织法和居民委员会组织法，这些成员都是经过公开选举产生。五是责任承担上特殊。根据城市居民委员会组织法的规定，居民委员会办理本居住地区公益事业所需的费用，经居民会议讨论决定，可以根据自愿原则向居民筹集，也可以向本居住地区的受益单位筹集，但是必须经受益单位同意；收支账目应当及时公布，接受居民监督。居民委员会的工作经费和来源，由不设区的市、市辖区的人民政府或者上级人民政府规定并拨付；经居民会议同意，可以从居民委员会的经济收入中给予适当补助。因此，其债务也只能以居民筹集的费用、政府拨付的工作经费和居民委员会的经济收入补助来承担。村民委员会原则上也应当以其办公经费承担债务，该债务是其代表村集体从事经济活动所欠，可以村集体财产承担，但不得处分村集体所有的土地。基于村民委员会法人和居民委员会法人的上述特殊性，本法将其作为特别法人在本节加以规定。

第四章　非法人组织

本章规定的是第三类民事主体非法人组织。鉴于合伙企业、个人独资企业等不具有法人资格的组织已为我国相关立法所承认，且在现实生活中发挥着重要作用，为便于其参与民事活动，有必要赋予其民事主体资格。为此，民法总则对非法人组织作了专章规定。民法总则起草制定过程中，对于在自然人、法人之外，是否要规定第三类民事主体，有不同意见。有的意见提出，合伙企业等非法人组织从事民事活动的情况非常普遍，对经济发展做出了贡献，合同法规定其他组织可以订立合同，民事诉讼法规定其他组织可以参与诉讼，民法总则有必要承认其民事主体地位，既符合民事主体多元化的历史发展趋势，能够满足现实需要，又有助于完善我国法律制度，实现法律之间的统一。有的意见提出，非法人组织虽能订立合同，参与诉讼，但这类组织没有独立的财产，无法独立承担民事责任，不宜承认其为独立的民事主体。有的意见提出，承认非法人组织的民事主体地位，与传统的民事主体理论要求民事主体独立承担责任的要求不符。有的意见提出，应当改造法人理论，放弃法人的成员承担有限责任的观念，将法人的外延扩展至成员可以承担无限责任，没有必要增设新的民事主体类型。最后，在各方共识基础上，作了本章规定。关于第三类民事主体的名称，也有不同的意见。有的意见提出，我国大量的法律、行政法规和司法解释使用的都是“其他组织”，其他组织已被广泛使用，建议沿用这一术语，保持统一。有的意见建议用“非法人团体”“非法人组织”“其他民事主体”。综合各方面意见，由于其他法律中所使用的“其他组织”，内涵和外延并非完全一致，不宜继续沿用以作为第三类民事主体的法定名称，第三类民事主体和法人一样属于自然人之外的组织体，且不具有法人资格，用非法人组织能够准确体现其特征。

非法人组织是指不具有法人资格但可以自己的名义从事民事活动的组织，与法人不同的是，非法人组织的民事责任由其出资人或者设立人承担无限责任。关于非法人组织的权利能力和行为能力问题，民法总则制定前的不少法律均有所规定。如合同法第2条规定，合同是平等主体的自然人、法人、其他组织之间设立、变更、终止民事权利义务关系的协议。担保法第7条规定，具有代为清偿债务能力的其他组织可以作保证人。著作权法第2条规定，其他组织的作品不论是否发表，依法享有著作权。商标法第4条规定，其他组织在生产经营活动中，对其商品或者服务需要取得商标专用权的，应当向商标局申请商标注册。这些法律都在一定程度上认可了非法人组织的民事行为能力或权利能力，民法总则在此基础上，确认了非法人组织的民事主体地位，既是对立法经验的总结，也是回应社会实际需要。

本章共七条，主要规定了非法人组织的定义、设立程序、民事责任承担、代表人、解散、清算等。

第一百零二条　非法人组织是不具有法人资格，但是能够依法以自己的名义从事民事活动的组织。

非法人组织包括个人独资企业、合伙企业、不具有法人资格

的专业服务机构等。

【释义】 本条是关于非法人组织的定义和范围的规定。

本条第1款规定的是非法人组织的定义，即非法人组织是无法人资格而能以自己名义从事民事活动的组织。从其定义可以看出，非法人组织的特征有：一是非法人组织为一种组织体，而不是自然人，这是非法人组织和法人的相同之处；二是非法人组织不具有法人资格。非法人组织与法人的最大区别在于，非法人组织不能独立承担民事责任，非法人组织的责任最终是由设立人或出资人承担无限责任；三是和法人一样，非法人组织可以自己的名义从事民事活动，非法人组织具有民事权利能力和民事行为能力，能够享有并行使民事权利，承担民事义务。

第2款规定的是非法人组织的范围，并列举了几种典型的非法人组织，包括个人独资企业、合伙企业、不具有法人资格的专业服务机构等。根据个人独资企业法第2条规定，个人独资企业是指依照该法在中国境内设立，由一个自然人投资，财产为投资人个人所有，投资人以其个人财产对企业债务承担无限责任的经营实体。根据合伙企业法第2条规定，合伙企业是指自然人、法人和其他组织依照该法在中国境内设立的普通合伙企业和有限合伙企业。不具有法人资格的专业服务机构主要是指不具有法人资格的律师事务所、会计师事务所等。此外，律师法规定，律师事务所包括合伙律师事务所和个人律师事务所，合伙律师事务所可以采取普通合伙或者特殊的普通合伙形式设立。根据注册会计师法规定，会计师事务所可以由注册会计师合伙设立，也可以设有限责任的法人制会计师事务所。因此，只有合伙制的会计师事务所才属于本章规定的非法人组织。

特别需要说明的是，第2款仅列举了几种典型的非法人组织,对于其他组织体是否属于非法人组织,需要根据具体情况判断。例如,根据中外合作经营企业法和外资企业法的规定,中外合作经营企业、外资企业只有符合中国法律关于法人条件规定的才能依法取得中国法人资格,不具备法人条件的,则属于非法人组织。又如,根据乡镇企业法的规定,乡镇企业只有符合企业法人条件的,依法取得企业法人资格。因此不具备法人条件的乡镇企业也属于非法人组织。

第一百零三条　非法人组织应当依照法律的规定登记。

设立非法人组织,法律、行政法规规定须经有关机关批准的,依照其规定。

【释义】　本条是关于非法人组织设立程序的规定。

本条第1款规定非法人组织设立的登记程序。关于非法人组织设立是否一律需要登记,民法总则制定过程中存在不同看法。有的意见提出,要求所有非法人组织必须登记设立没有必要,特别是对于一些松散型的组织,要求登记过于严格。有的意见提出,非法人组织作为一种独立的民事主体类型,只有办理登记,交易相对人才能加以识别,要求非法人组织登记设立有助于维护交易安全。综合各方面意见,本条规定,非法人组织应当依照法律的规定登记。如合伙企业法第9条规定,申请设立合伙企业,应当向企业登记机关提交登记申请书、合伙协议书、合伙人身份证明等文件。个人独资企业法第9条规定,申请设立个人独资企业,应当由投资人或者其委托的代理人向个人独资企业所在地的登记机关提交设立申请书、投资人身份证明、生产经营场所使用证明等文件。

本条第2款规定非法人组织设立的前置审批程序。即法律、行政法规规定设立非法人组织须经有关机关批准的，则应当按照法律、行政法规的规定办理审批手续。因此，只有法律、行政法规才有权规定设立非法人组织的审批程序，地方性法规、规章等其他规范性文件均不得为非法人组织的设立设置审批程序。如外资企业法第6条规定，设立外资企业的申请由国务院对外经济贸易主管部门或者国务院授权的机关审查批准。中外合作经营企业法第5条规定，申请设立合作企业，应当将中外合作者签订的协议、合同、章程等文件报国务院对外经济贸易主管部门或者国务院授权的部门和地方政府审查批准。律师法第18条规定，设立律师事务所应当向设区的市级或者直辖市的区人民政府司法行政部门提出申请，受理申请的部门应当自受理之日起二十日内予以审查。注册会计师法第25条规定，设立会计师事务所由省、自治区、直辖市人民政府财政部门批准。因此，设立不具备法人资格的外资企业、中外合作经营企业、律师事务所、会计师事务所等，根据法律的规定需要办理审批手续。

第一百零四条　非法人组织的财产不足以清偿债务的，其出资人或者设立人承担无限责任。法律另有规定的，依照其规定。

【释义】　本条是关于非法人组织民事责任的规定。

关于非法人组织的民事责任如何承担，民法总则制定中，有的意见提出，非法人组织的债务，应当先以非法人组织享有处分权的财产清偿，不足部分，再由出资人或者设立人承担责任，这样才能充分体现出非法人组织作为独立民事主体的价值。有的意见提出，由于非法人组织本身并无独立的财产所有权，不应当规定非法人组织债务承担的顺序，债权人可以选择要求非法人组织或者出资人、设立人承担责任。有的意见提出,非法人组织的债务承担问题,现有的法律规定并不一致,需要根据具体情况具体判断,不宜一概而论。综合各方面的意见,本条对非法人组织民事责任承担作了规定,非法人组织的债务可以先由非法人组织以其能够处分的财产清偿债务,不足以清偿的,出资人或者设立人对非法人组织的债务应当承担无限责任,即由设立人或者出资人承担所有清偿责任。如注册会计师法第 23 条第 2 款规定,合伙人对合伙设立的会计师事务所的债务承担连带责任。个人独资企业法第 2 条规定,个人独资企业的投资人以其个人财产对企业债务承担无限责任。

关于非法人组织的民事责任承担,除根据民法总则规定设立人或者出资人承担无限责任的一般性规定外,法律还可以作出特殊规定。作出特殊规定的法律有合伙企业法、律师法等。对于合伙企业的民事责任承担,因合伙企业类型不同而有差异。合伙企业法第 2 条第 2 款规定,普通合伙企业的合伙人"对合伙企业债务承担无限连带责任。该法对普通合伙人承担责任的形式有特别规定的,从其规定"。合伙企业法第 39 条进一步明确规定,普通合伙企业不能清偿到期债务的,合伙人承担无限连带责任。普通合伙企业的债务承担,也存在例外规定,即特殊的普通合伙企业。特殊的普通合伙企业的合伙人是否承担无限连带责任,需要根据合伙企业法第 57 条规定确定。合伙企业法第 57 条规定,特殊的普通合伙企业,一个合伙人或者数个合伙人在执业活动中因故意或者重大过失造成合伙企业债务的,应当承担无限责任或者无限连带责任,其他合伙人以其在合伙企业中的财产份额为限承担责任;合伙人在执业活动中非因故意或者重大过失造成的合伙企业债务以及合伙企业的其他债务,由全体合伙人承担无限连带责任。合伙企业法第2条第3款规定，有限合伙企业由普通合伙人和有限合伙人组成，普通合伙人对合伙企业债务承担无限连带责任，有限合伙人以其认缴的出资额为限对合伙企业债务承担责任。律师法第16条规定，个人律师事务所的设立人对律师事务所的债务承担无限责任。律师法第15条规定，合伙律师事务所可以采用普通合伙或者特殊的普通合伙形式设立。根据这些法律的特殊规定，合伙企业、合伙形式的律师事务所中，设立人是否承担无限责任则需根据具体情况判断。

第一百零五条　非法人组织可以确定一人或者数人代表该组织从事民事活动。

【释义】　本条是关于非法人组织代表人的规定。

非法人组织作为组织体，和法人一样，需要确定自然人作为代表人代表其作出意思表示、受领意思表示，从事民事活动。非法人组织的代表人对外能够以非法人组织的名义从事民事活动，与相对人形成民事法律关系。非法人组织的代表人可以是一人也可以是数人。非法人组织的设立人、出资人可以依法在非法人组织的章程或有关协议中确定非法人组织代表人的人数和权限。如合伙企业法第26条第2款规定，按照合伙协议的约定或者经全体合伙人决定，可以委托一个或者数个合伙人对外代表合伙企业，执行合伙事务。《中外合作经营企业法实施细则》第31条规定，董事长或者主任是合作企业的法定代表人，董事长或者主任因特殊原因不能履行职务时，应当授权副董事长、副主任或者其他董事、委员对外代表合作企业。《外资企业法实施细则》第24条规定，外资企业的法定代表人是依照其章程规定，代表外资企业行使职权的负责人，法定代表人无法履行其职权时，应当以书面形式委托代理人，代其行使职权。

第一百零六条　有下列情形之一的，非法人组织解散：

（一）章程规定的存续期间届满或者章程规定的其他解散事由出现；

（二）出资人或者设立人决定解散；

（三）法律规定的其他情形。

【释义】　本条是关于非法人组织解散事由的规定。

非法人组织的解散是非法人组织终止的原因，非法人组织解散意味着非法人组织民事主体资格的丧失，不再具有民事权利能力和民事行为能力。非法人组织解散事由就是引起非法人组织解散的法律事实，本条规定，非法人组织解散的事由包括：一是非法人组织章程规定的存续期间届满。在非法人组织设立时，如果设立人或出资人在章程中明确规定了存续期间，存续期间届满后，设立人或出资人没有使非法人组织继续存续的意愿的，非法人组织就应当解散。二是非法人组织章程规定的其他解散事由出现。非法人组织作为出资人或设立人合意而形成的组织体，其出资人或设立人根据意思自治原则，完全可以在设立非法人组织时，在章程中约定出现特定事由，非法人组织将解散。一旦发生约定的解散事由，非法人组织则应解散。三是出资人或者设立人决定解散。非法人组织在存续期间，如果出资人或设立人发现设立非法人组织的目的已经实现或者无法实现，或者基于其他事由而不愿意让非法人组织继续存续，完全可以按照自己的意愿作出解散非法人组织的决定。四是法律规定的其他解散事由。对于不同类型的非法人组织，相应的法律都对其解散事由做了相应的规定。合伙企业法第85条规定,合伙企业有下列情形之一的,应当解散:(1)合伙期限届满,合伙人决定不再经营;(2)合伙协议约定的解散事由出现;(3)全体合伙人决定解散;(4)合伙人已不具备法定人数满三十天;(5)合伙协议约定的合伙目的已经实现或者无法实现;(6)依法被吊销营业执照、责令关闭或者被撤销;(7)法律、行政法规规定的其他原因。个人独资企业法第26条规定,个人独资企业有下列情形之一时,应当解散:(1)投资人决定解散;(2)投资人死亡或者被宣告死亡,无继承人或者继承人决定放弃继承;(3)被依法吊销营业执照;(4)法律、行政法规规定的其他情形。因此,根据这些法律的特别规定,合伙企业一旦出现了合伙人已不具备法定人数满三十天,个人独资企业出现投资人死亡或者被宣告死亡等法律规定的原因时,也应当解散。

第一百零七条　非法人组织解散的,应当依法进行清算。

【释义】　本条是关于非法人组织清算的规定。

非法人组织的清算就是非法人组织解散后,依法确定清算人开展的清理结束现有业务、了结债权债务关系的活动。出资人或设立人在非法人组织出现解散事由后,应当解散非法人组织,指定清算人开展清算活动。非法人组织的清算人可以由非法人组织的设立人或出资人确定,或者按照法律规定的方式确定。清算人可以由非法人组织的出资人或者设立人担任,也可以是设立人或出资人委托的人,还可能是法律规定的其他人员。清算人的职责通常包括了结现有业务(即结束各种尚未完成的业务活动)、收取债权、偿还债务和移交剩余财产等。清算期间,非法人组织不得开展与清算目的无关的活动。非法人组织清算完成后，依法需要注销登记的非法人组织，还需要到登记机关办理注销登记手续，完成注销登记手续后非法人组织终止。

关于非法人组织的清算，各相关法律也都有专门的规定。如个人独资企业法第四章专门规定了个人独资企业的解散和清算程序，要求个人独资企业解散后由投资人自行清算或者由债权人申请人民法院指定清算人进行清算，清算人应当通知债权人申报债权，并规定了个人独资企业财产的清偿顺序。清算期间，个人独资企业不得开展与清算目的无关的经营活动，在清偿债务前，投资人不得转移、隐匿财产。清算结束后，还应到登记机关办理注销登记。合伙企业法对合伙企业的清算也作了具体规定。该法第86条规定，合伙企业解散应当由清算人进行清算。清算人由全体合伙人担任，或者由部分合伙人担任，或者由人民法院指定的人担任。合伙企业的清算人执行的事务包括：(1)清理合伙企业财产，分别编制资产负债表和财产清单；(2)处理与清算有关的合伙企业未了结事务；(3)清缴所欠税款；(4)清理债权、债务；(5)处理合伙企业清偿债务后的剩余财产；(6)代表合伙企业参加诉讼或者仲裁活动。清算结束，清算人应当编制清算报告，经全体合伙人签名、盖章后，在十五日内向企业登记机关报送清算报告，申请办理合伙企业注销登记。因此，法律对特定非法人组织的清算有特别规定的，清算人应当按照其规定开展清算活动。

第一百零八条　非法人组织除适用本章规定外，参照适用本法第三章第一节的有关规定。

【释义】　本条是关于参照适用的规定。

非法人组织作为一类独立的民事主体，虽有一定的特殊性，但作为与法人相对的一类民事主体，非法人组织与同样作为组织体的法人具有很多相似性，本章仅规定了非法人组织的一般性规定，其他未作规定的如非法人组织的住所、清算程序、分支机构等事项，可以参照第三章第一节即法人“一般规定”中的有关规定执行。

第五章 民事权利

保护民事权利是民法的重要任务。改革开放以来,我国高度重视对民事权利的保护。民法通则专章对民事主体的人身权利、财产权利作了规定。此后制定的合同法、物权法、侵权责任法等法律对民事权利的保护也作了相应规定。党的十八届四中全会决定提出“依法保障公民权利,加快完善体现权利公平、机会公平、规则公平的法律制度,保障公民人身权、财产权、基本政治权利等各项权利不受侵犯,保障公民经济、文化、社会等各方面权利得到落实,实现公民权利保障法治化”的要求。为了凸显对民事权利的尊重,加强对民事权利的保护,同时也为民法典各分编和民商事特别法律具体规定民事权利提供依据,民法总则继承了民法通则的做法,设专章规定了民事权利的种类和内容、权利的取得和行使等。

在立法过程中,对民法总则是否应该单独规定民事权利一章有不同意见。有的提出,民法通则规定民事权利一章是特定历史时期的产物,合同法、物权法等单行法律已分别规定,民事权利由分则规定即可,建议删除本章。经研究认为,民法通则设专章规定了民事权利,是我国民事立法的重大成就,凸显了对民事权利的尊重和保护,被称为权利宣言书,影响深远。民法总则应该继承这一做法,专章规定民事权利。

对民法总则是否专章规定民事权利客体也有不同意见。有的意见认为，应在总则中专章规定民事权利的客体。理由是从民法体系化、科学化的角度讲，权利客体必不可少，且规定新型权利客体可以为民法的发展留出空间，规定权利客体与国际也是接轨的。但也有意见提出，各种权利的客体不完全相同，差异较大，难以归纳出一般性规则，且多数规定基本上都是概念性、宣示性条款，不能解决实际问题，将物等权利客体放在物权编等民法典的各分编规定更好一些。经研究认为，是否专章规定权利客体实质上涉及民法总则到底规定哪些规则的问题。民法总则是民法典的纲，统领民法典各编并普遍适用于民法的各个部分。一般来说，民法总则应主要规定民法的基本原则和一般性规则，具体规则宜由民法典的各分编和民事单行法规定。各种民事权利客体不完全相同，差异性较大，很难归纳出一般性规则，例如物权的客体是物，债权的客体是行为，知识产权的客体主要是智力成果。有的民事权利客体可以在总则中作原则性规定，但具体内容还是在民法典的物权编、合同编等各分编和著作权法、专利法、商标法等单行法中规定更为合适。

此外，关于章名、体例和结构。在立法过程中，有的建议将本章章名修改为“民事权利的种类”。有的建议本章按照民事权利种类或者按照民事权利种类、民事权利的取得和行使分节规定。2016年2月的征求意见稿曾将现有的民事权利和民事责任两章规定为民事权利、民事权利的行使和保护两章，将现有民事权利一章中关于民事权利行使的内容和民事责任一章的内容规定在民事权利的行使和保护一章中。在征求意见过程中，有的意见认为，民法通则分为民事权利和民事责任两章的体例结构已经被广大人民群众和法律工作者普遍接受和熟悉，建议延续民法通则的做法。这一意见得到采纳，民法总则一审稿以后的草案稿都延续了民法通则规定民事权利和民事责任两章的做法。

本章共二十四条，主要规定了民事主体的人格权、身份权、物权、债权、知识产权、继承权、股权和其他投资性权利、其他民事权利和利益，对数据、网络虚拟财产的保护，对未成年人、老年人、残疾人、妇女、消费者等的民事权利的特别保护，民事权利的取得和行使等。

第一百零九条　自然人的人身自由、人格尊严受法律保护。

【释义】　本条是关于自然人的人身自由、人格尊严受法律保护的规定。

人身自由是自然人自主参加社会各项活动、参与各种社会关系、行使其他人身权和财产权的基本保障，是自然人行使其他一切权利的前提和基础。

人格尊严是人身权的重要内容，涉及姓名权、名誉权、荣誉权、肖像权、隐私权等方面。人格尊严不受侵犯，是自然人作为人的基本条件之一，也是社会文明进步的一个基本标志。

我国宪法对于人身自由、人格尊严高度重视，专门作了规定。宪法第37条规定，中华人民共和国公民的人身自由不受侵犯。任何公民，非经人民检察院批准或者决定或者人民法院决定，并由公安机关执行，不受逮捕。禁止非法拘禁和以其他方法非法剥夺或者限制公民的人身自由，禁止非法搜查公民的身体。宪法第38条规定，中华人民共和国公民的人格尊严不受侵犯。禁止用任何方法对公民进行侮辱、诽谤和诬告陷害。基于此，本法在民事权利一章第一条专门对此予以规定，明确“自然人的人身自由、人格尊严受法律保护”。

一些国家和地区的民法也对人格尊严或者人身自由作了相关规定。如《法国民法典》第 16 条规定，法律确保人的至上地位，禁止对人之尊严的任何侵犯，并且保证每一个人自生命开始即受到尊重。《日本民法典》第 2 条规定，本法须以个人的尊严及男女两性本质性平等为宗旨进行解释。我国台湾地区“民法”第 17 条第 2 款规定，自由之限制，以不悖于公共秩序和善良风俗者为限。我国澳门地区民法典第 72 条第 1 款规定，任何人均享有自由权。人身自由、人格尊严是自然人的重要权利。

第一百一十条　自然人享有生命权、身体权、健康权、姓名权、肖像权、名誉权、荣誉权、隐私权、婚姻自主权等权利。

法人、非法人组织享有名称权、名誉权、荣誉权等权利。

【释义】　本条是关于民事主体人格权的规定。

人格权是存在于民事主体人格上的权利，是民事主体对其特定的人格利益享有的权利。

一、自然人的人格权

本条第 1 款是对自然人人格权的规定。依据本款规定，自然人主要享有以下人格权：

（一）生命权

生命权是指以自然人的生命安全利益为内容的权利，它以生命安全和生命维持为客体，以维护人的生命活动延续为基本内容。生命权是自然人享有的最基本的人格权。民法通则第 98 条规定，公民享有生命健康权。因为生命权和健康权在权利内容上存在区别，侵权责任法已经将生命权和健康权区分为两种不同的民事权利予以规定，民法总则延续侵权责任法的规定，区分规定生命权和健康权。

（二）身体权

身体权是指自然人保持其身体组织完整并支配其肢体、器官和其他身体组织的权利。作为生命的载体，自然人的身体受法律保护，任何人不得非法侵害。身体包括头颈、躯干、四肢、器官以及毛发指甲等。民法总则首次规定身体权作为民事权利。身体权与生命权、健康权密切相关，侵害自然人的身体往往导致对自然人健康的损害，甚至剥夺自然人的生命。但生命权、健康权和身体权所保护的自然人的具体人格利益有区别，生命权以保护自然人生命的延续为内容，健康权以保护身体各组织及整体功能正常为内容，身体权以保护身体组织的完整及对身体组织的支配为内容。当他人侵害自然人的身体已经达到使自然人的组织和功能不正常时，侵害的是自然人的健康权，而非身体权。当他人侵害自然人的身体，但未侵害自然人的组织和功能正常时，侵害的仅是自然人的身体权，而非健康权。如甲未经乙同意突然将乙的长头发剪断，此时乙的身体组织和功能正常并未受到侵害，但甲侵害了乙对自己身体组织完整及对身体组织的支配，侵害了乙的身体权。

（三）健康权

健康权是指自然人维护其机体生理机能正常运作和功能完善发挥为内容的权利。

（四）姓名权

姓名权是指自然人决定、使用和依照规定改变自己姓名的权利。民法通则第 99 条第 1 款规定，公民享有姓名权，有权决定、使用和依照规定改变自己的姓名，禁止他人干涉、盗用、假冒。

（五）肖像权

肖像权是指自然人对在自己的肖像上体现的精神利益和物

质利益所享有的权利。民法通则第 100 条规定,公民享有肖像权,未经本人同意,不得以营利为目的使用公民的肖像。

(六)名誉权

名誉权是指自然人就其自身属性和价值所获得的社会评价,所享有的保有和维护的权利。民法通则第 101 条规定,公民、法人享有名誉权,公民的人格尊严受法律保护,禁止用侮辱、诽谤等方式损害公民、法人的名誉。

(七)荣誉权

荣誉权是指自然人对其获得的荣誉及其利益所享有的保持、支配的权利。民法通则第 102 条规定,公民、法人享有荣誉权,禁止非法剥夺公民、法人的荣誉称号。

(八)隐私权

隐私权是指自然人享有的私人生活安宁与私人生活信息依法受到保护,不受他人侵扰、知悉、使用、披露和公开的权利。隐私权有以下特点:一是隐私权的内容具有隐秘性,权利人不愿公开或者不希望他人非法干涉。二是隐私权的内容具有真实性,是客观存在的事实。这就把侵犯名誉权的行为和侵犯隐私权的行为区别开来。在隐私权侵权案件中,加害人不能因其所公开的事实为真而免责。捏造歪曲事实,损害他人形象的,属于侵犯名誉权。散布当事人不愿公开的属实情况,则属于侵犯隐私权。三是隐私权与其他民事权利一样,其保护要受公共利益的限制。主张隐私权不能违反法律的强制性规定,不能违背社会的公序良俗,不得损害他人的利益。

我国民法规范隐私权问题,有一个过程。1986 年民法通则第 101 条规定,公民、法人享有名誉权,公民的人格尊严受法律保护,禁止用侮辱、诽谤等方式损害公民、法人的名誉。第 120

条规定,公民的姓名权、肖像权、名誉权、荣誉权受到侵害的,有权要求停止侵害,恢复名誉,消除影响,赔礼道歉,并可以要求赔偿损失。1988 年《最高人民法院关于贯彻执行〈中华人民共和国民法通则〉若干问题的意见(试行)》第 140 条第 1 款规定:"以书面、口头等形式宣扬他人的隐私,或者捏造事实公然丑化他人人格,以及用侮辱、诽谤等方式损害他人名誉,造成一定影响的,应当认定为侵害公民名誉权的行为。"2001 年最高人民法院在《最高人民法院关于确定民事侵权精神损害赔偿责任若干问题的解释》中规定,违反社会公共利益、社会公德侵害他人隐私或者其他人格利益,受害人以侵权为由向人民法院起诉请求赔偿精神损害的,人民法院应当依法予以受理。可见,那时由于法律没有明确规定,司法机关对隐私权主要采取的是间接保护方式。20 世纪 90 年代初,未成年人保护法、妇女权益保障法规定"任何组织和个人不得披露未成年人的个人隐私。""妇女的名誉权和人格尊严受法律保护。禁止用侮辱、诽谤、宣扬隐私等方式损害妇女的名誉和人格。"其后,一些法律中也陆续使用隐私一词。2005 年修改妇女权益保障法时,规定"妇女的名誉权、荣誉权、隐私权、肖像权等人格权受法律保护。"这是法律中第一次明确出现隐私权的用语。2009 年侵权责任法第 2 条第 1 款规定侵害民事权益,应当依照本法承担侵权责任。第 2 款列举的民事权益包括隐私权。这就使隐私权作为一种民事权利,在民事基本法中得到了明确。侵权责任法关于责任构成和责任方式等的规定也适用于隐私权的侵权责任。例如,侵权责任法第 36 条第 1 款规定,网络用户、网络服务提供者利用网络侵害他人民事权益的,应当承担侵权责任。这里的侵害他人民事权益,就包括网络用户侵害他人的隐私权。权利人也可以依法要求侵权人停止侵害、赔礼道歉、赔偿损失。鉴于隐私权作为民事权利的一类已经是立法、司法、理论的共识，此次制度民法总则在本条增加规定了隐私权。

（九）婚姻自主权

婚姻自主权是指自然人享有的结婚、离婚自由不受他人干涉的权利。民法通则第 103 条规定，公民享有婚姻自主权，禁止买卖、包办婚姻和其他干涉婚姻自由的行为。婚姻法第 3 条第 1 款规定，禁止包办、买卖婚姻和其他干涉婚姻自由的行为。禁止借婚姻索取财物。

二、法人、非法人组织的人格权

本条第 2 款是对法人、非法人组织人格权的规定。依据本款规定，法人、非法人组织主要享有以下人格权：

（一）名称权。民法通则第 99 条第 2 款规定，法人、个体工商户、个人合伙享有名称权。企业法人、个体工商户、个人合伙有权使用、依法转让自己的名称。

（二）名誉权。名誉权是指法人、非法人组织就其自身属性和价值所获得的社会评价，所享有的保有和维护的权利。

（三）荣誉权。荣誉权是指法人、非法人组织对其获得的荣誉及其利益所享有的保持、支配的权利。

2016 年 2 月的征求意见稿曾将人身权放在财产权后进行规定，在征求意见过程中，有的提出，应与本法第 2 条关于调整对象的规定保持一致，本章规定民事权利应当按照人身权在前、财产权在后的顺序规定。这一意见得到了采纳，一审稿后的草案稿在民事权利一章都采用人身权在前，财产权在后的顺序进行规定。

在立法过程中，有的意见提出，信用是对民事主体经济能力的社会评价,信用权是市场经济下的一项重要的权利,应该将信用权作为一种独立的人格权加以规定。有的意见认为,民法通则和侵权责任法规定了名誉权,侵犯信用是侵犯名誉的一种情形。从理论上讲,信用是对民事主体经济能力的社会评价,名誉是对民事主体品德、才能以及其他素质的社会综合评价,其已经包含了信用的内容,且损毁他人名誉与损毁他人信用的民事责任也相同,没有必要将信用从名誉中分离出来单独规定。从实践情况来看,目前司法实践通过对名誉权的保护对信用进行保护,可以满足现实需要。基于此,本条没有明确规定信用权。

第一百一十一条　自然人的个人信息受法律保护。任何组织和个人需要获取他人个人信息的,应当依法取得并确保信息安全,不得非法收集、使用、加工、传输他人个人信息,不得非法买卖、提供或者公开他人个人信息。

【释义】 本条是关于自然人的个人信息受法律保护的规定。

在立法过程中,有的常委委员、部门、法学教学研究机构和社会公众提出,实践中,一些组织和个人非法获取公民个人信息,出售或者非法向他人提供公民个人信息,社会危害严重,建议进一步强调对个人信息的保护。经研究认为,个人信息权利是公民在现代信息社会享有的重要权利,明确对个人信息的保护对于保护公民的人格尊严,使公民免受非法侵扰,维护正常的社会秩序具有现实意义。据此,民法总则在民事权利一章中单列一条,对自然人的个人信息受法律保护和其他民事主体对自然人个人信息保护的义务作出明确规定。

一、自然人的个人信息受法律保护

（一）关于个人信息

信息社会，人的存在不仅涉及生物体征方面的信息，如身高、性别等，也涉及人作为社会成员的基本社会文化信息，如姓名、职业、宗教信仰、消费倾向、生活习惯等。越来越多的人类活动都有信息形式的记录。

根据网络安全法第76条第5款的规定，自然人的个人信息是指，以电子或者其他方式记录的能够单独或者与其他信息结合识别自然人个人身份的各种信息，包括但不限于自然人的姓名、出生日期、身份证件号码、个人生物识别信息、住址、电话号码等。个人信息的主体是自然人，以电子方式或者其他方式如文字、图表、图像记录，其能够单独或者与其他信息结合识别自然人个人身份。就法律上的名称而言，欧盟国家多采用“个人数据”，日本、俄罗斯、韩国采用“个人信息”，我国台湾地区“个人资料”与“个人数据”两个概念并用。虽然“个人信息”、“个人资料”与“个人数据”名称有所不同，但实质含义基本类似，都侧重信息的“可识别性”。如欧盟有关个人数据自动化处理的保护协定，将其界定为“已识别或可识别的个人相关的任何信息”。《日本个人信息保护法》第2条规定，个人信息指活着的自然人的相关信息，根据该信息所包含的姓名、出生年月及其他内容，能够识别出该特定自然人。我国台湾地区“电脑处理个人资料保护法”第3条第1款规定，个人资料，指自然人之姓名、出生年月日、身份证统一编号、特征、指纹、婚姻、家庭、教育、职业、健康、病例、财务情况、社会活动及其他足以识别该个人之资料。

个人信息保护成为法律关注的问题，始于20世纪60年代信息技术的广泛使用，部分西方国家于20世纪70年代陆续出台相关法律。至20世纪90年代末，随着互联网技术的进一步发展，快捷的信息处理与新的通讯技术、多媒体技术相结合，个人信息呈现多元化的特点，越来越多的国际组织、国家与地区着眼于个人信息安全，相继立法。除上述以“可识别性”作为个人信息的界定标准外，还有一些国家、地区和国际组织以“隐私”作为个人信息立法的保护客体，即以“隐私”界定应受保护的个人信息，认为个人信息属于个人隐私。如1974年《美国隐私权法》规定，凡与任何私人有关的，而与其他群体并无必然实质性利害关系的所有数据资料都属于个人隐私权的对象，任何利用计算机系统收集、存储、控制及使用与私人有关的数据资料，都可能构成对私人隐私权的侵害；与之类似的规定还有《加拿大隐私法》、《加拿大个人信息和电子档案法》和《澳大利亚隐私法》，以及《亚太经合组织电子商务隐私权保护规则》（该文件同时使用“个人数据”与“隐私”两个概念）；此外，我国香港个人资料（私隐）条例，也在法名中同时使用上述两个概念。

（二）关于个人信息与隐私权

个人信息与隐私权的概念存在一定的重合。隐私权是指自然人享有的私人生活安宁与私人生活信息依法受到保护，不受他人侵扰、知悉、使用、披露和公开的权利。一些国家和地区对个人信息与隐私权有不同的内涵、外延的界定。

美国法以隐私权作为个人信息保护立法的理论基础，主要原因在于美国法中的隐私权范围极广，几乎囊括了私人活动的各个领域，而不仅局限于私生活秘密。隐私权范围的扩展，有一个演变的过程。作为一个独立的法律概念，最早源于1890年美国学者沃伦和布兰戴斯发表在《哈佛法学评论》的《论隐私权》。

起初该权利被界定为“生活的权利”和“不被打扰的权利”，半个多世纪后该权利在1965年被美国联邦最高法院扩展为一项“与生命权、财产权并列的宪法权利”。总体看，目前美国法中的隐私权主要涉及四项内容：一是信息隐私权，涉及信用、诊疗与政府档案中个人数据的收集和处理；二是身体隐私权，涉及保护个人身体，免于基因测试、药品测试以及堕胎干预等方面的侵犯；三是通信隐私权，涉及通信、电话、电邮和其他形式的通信安全；四是地域隐私权，涉及保护个人不受非法搜查、非法取证等行为的侵犯等。隐私权的范围日益宽泛，因此有学者认为该权利在美国已经发展为一项宪法意义的一般人格权。

任何概念都具有文化与制度上的相对性，与美国宽泛的隐私权不同，欧洲国家对隐私权的理解较窄，多认为是“私生活秘密权”或者“私生活受尊重的权利”。在20世纪70至90年代，美国隐私权理论对许多国家的立法影响甚大。如德国早期移植了美国的隐私权理论，1977年《德国联邦个人资料保护法》第1条规定，个人信息保护的目的即个人隐私之保护。但由于美德两国对“隐私权”的界定相差甚远，德国宪法法院在1983年人口普查案的判决中明确，“法律在何种情况下对个人信息进行保护，不能以是否触及隐私而论”。1990年德国修订了1977年《德国个人资料法》，明确立法目的在于防止因个人信息的传输而造成人格权的侵害。事实上明确了个人信息不是隐私之下的概念，进而确立了以一般人格权作为个人信息保护的理论基础。总的来看，在主要欧洲国家，隐私权一般仅限于个人私生活，与姓名权、肖像权、名誉权并列属于具体的一项人格权；而个人信息因其具有的信息人格利益，被视为一般意义的人格权，属于基本人权的范畴，其内涵与外延都已经超出了私法领域隐私权的范畴。

隐私与个人信息二者的范围有交叉，重合部分可以称为隐私信息，即权利主体不愿为他人知晓的个人信息，如病史、犯罪记录等，但个人信息不仅包括不愿为外人知晓的隐私信息，还包括可以公开的非隐私信息，如姓名、性别等。并且，隐私带有主观色彩，如身高、住址、电话号码等个人信息，有些人视为隐私，有些人视为可公开信息。我国现有法律制度中涉及的隐私权，是与生命权、健康权、姓名权、名誉权、荣誉权、肖像权等并列的概念，范围比美国法窄得多。一些侵犯个人信息的行为，未必构成侵犯隐私。如自然人的姓名，当然属于个人信息，但却不是隐私权的保护客体；再如肖像也属于个人信息，但不当利用他人肖像，构成对肖像权而非隐私权的侵害；再如不当删除、不完整记录或者错误记录他人信息，或者根据不实信息对他人信用作出错误评级等，这些都属于侵犯他人信息权利的行为，但一般不涉及侵犯隐私。

从权利内容和救济方式而言，隐私权作为一种私生活受尊重的权利，多表现为消极被动和防御性的特点，它以侵害行为或侵害可能为前提，以维护人格尊严为目的，一般不具有财产利益。而个人信息得到保护的权利，从境外主要国家和地区的立法来看，表现为一种积极主动的请求权，不仅包括个人信息不受非法收集、处理的内容，还包括权利主体对其个人信息的积极控制：如权利人有权决定其个人信息能否被他人收集、处理和利用以及如何利用，有权要求信息处理者修改不正确、不完整的个人信息以保证信息质量，有权针对商业目的的个人信息利用获取报酬等。

（三）我国法律对个人信息保护的相关规定

立法机关高度重视对自然人个人信息的保护，不断完善保护个人信息的法律规定。目前,对个人信息的保护涉及多部法律。侵权责任法从传统民事权利的角度,明确规定了姓名权、名誉权、肖像权、隐私权属于受法律保护的民事权利,侵犯上述民事权利的,应当依法承担侵权责任。全国人大常委会通过关于加强网络信息保护的决定,对互联网上的公民信息保护作了较为系统和全面的规定,对网络服务提供者和其他企业事业单位收集、使用公民个人电子信息应当遵循的原则、保密义务及法律责任,有关部门依法应当履行的职责作了具体规定。消费者权益保护法第 14 条规定,消费者在购买、使用商品和接受服务时,享有人格尊严、民族风俗习惯得到尊重的权利,享有个人信息依法得到保护的权利。第 50 条规定,经营者侵害消费者的人格尊严、侵犯消费者人身自由或者侵害消费者个人信息依法得到保护的权利的,应当停止侵害、恢复名誉、消除影响、赔礼道歉,并赔偿损失。第 56 条对侵害消费者个人信息的经营者,除承担民事责任外,还规定了行政责任,加大了对违法行为的惩罚力度,如警告、没收违法所得、罚款及吊销营业执照等。网络安全法对网络运营者对个人信息保护的义务和责任作了具体规定。此外,还有多部法律也有对自然人个人信息保护的规定,如商业银行法第 29 条规定的银行对存款人存款信息的保护,执业医师法第 22 条规定的医师对患者隐私的保护,居民身份证法第 19 条规定国家机关或者有关单位不得泄露公民的个人身份信息等。这些法律及决定从不同角度对各自领域的自然人隐私权和个人信息进行保护。一方面在侵犯自然人隐私权和个人信息行为较为严重的领域,明确当事人各方的权利义务;另一方面规定了侵犯隐私权和个人信息的民事责任、行政责任及刑事责任,加大惩罚力度。

二、其他民事主体对自然人个人信息保护的义务

本条规定了其他民事主体对自然人个人信息保护的义务。根据本条规定,其他民事主体对自然人个人信息保护有以下义务:

一是任何组织和个人需要获取他人个人信息的,有依法取得并确保信息安全的义务。民事主体在正常的生活或者经营中不可避免地会取得一些他人的个人信息,如银行业、保险业、快递业经营者从事的经营业务以客户提供个人信息为前提。民事主体取得个人信息后,有义务采取技术措施和其他必要措施,确保信息安全,防止个人信息泄露、丢失。

二是不得非法收集、使用、加工、传输他人个人信息,不得非法买卖、提供或者公开他人个人信息。此义务既针对依法取得自然人个人信息的组织和个人,也针对非依法取得个人信息的组织和个人。没有得到法律授权或者个人信息主体同意,任何组织和个人不得收集、使用、加工、传输个人信息,不得非法买卖、提供或者公开个人信息。

违反个人信息保护义务的,应当依法承担民事责任、行政责任甚至刑事责任。其他法律对其他民事主体对自然人个人信息保护的义务有具体规定。网络安全法第 42 条规定,网络运营者不得泄露、篡改、毁损其收集的个人信息;未经被收集者同意,不得向他人提供个人信息。但是,经过处理无法识别特定个人且不能复原的除外。网络运营者应当采取技术措施和其他必要措施,确保其收集的个人信息安全,防止信息泄露、毁损、丢失。在发生或者可能发生个人信息泄露、毁损、丢失的情况时,应当立即采取补救措施,按照规定及时告知用户并向有关主管部门报告。消费者权益保护法第 29 条第 1、2 款规定,经营者收集、使

用消费者个人信息，应当遵循合法、正当、必要的原则，明示收集、使用信息的目的、方式和范围，并经消费者同意。经营者收集、使用消费者个人信息，应当公开其收集、使用规则，不得违反法律、法规的规定和双方的约定收集、使用信息。经营者及其工作人员对收集的消费者个人信息必须严格保密，不得泄露、出售或者非法向他人提供。经营者应当采取技术措施和其他必要措施，确保信息安全，防止消费者个人信息泄露、丢失。在发生或者可能发生信息泄露、丢失的情况时，应当立即采取补救措施。刑法还规定了侵犯公民个人信息罪。刑法第 253 条之一第 1、2、3 款规定："违反国家有关规定，向他人出售或者提供公民个人信息，情节严重的，处三年以下有期徒刑或者拘役，并处或者单处罚金；情节特别严重的，处三年以上七年以下有期徒刑，并处罚金。违反国家有关规定，将在履行职责或者提供服务过程中获得的公民个人信息，出售或者提供给他人的，依照前款的规定从重处罚。窃取或者以其他方法非法获取公民个人信息的，依照第一款的规定处罚。"

第一百一十二条　自然人因婚姻、家庭关系等产生的人身权利受法律保护。

【释义】 本条是关于自然人因婚姻、家庭关系等产生的人身权利受法律保护的规定。

自然人因婚姻、家庭关系等产生的人身权利主要包括以下内容：

一、自然人因婚姻关系产生的人身权利

男女双方通过结婚形成婚姻关系，夫妻之间因为婚姻关系产生一些人身权利。如夫妻双方的扶养权利和义务。婚姻法第

20 条规定，夫妻有互相扶养的义务。一方不履行扶养义务时，需要扶养的一方，有要求对方付给扶养费的权利。

二、自然人因家庭关系产生的人身权利

自然人因家庭关系产生一些人身权利。如父母对子女的亲权和履行监护职责产生的权利。本法第 27 条第 1 款规定，父母是未成年子女的监护人。第 34 条第 2 款规定，监护人依法履行监护职责产生的权利，受法律保护。婚姻法第 23 条规定，父母有保护和教育未成年子女的权利和义务……婚姻法第 21 条第 1、2、3 款规定，父母对子女有抚养教育的义务；子女对父母有赡养扶助的义务。父母不履行抚养义务时，未成年的或不能独立生活的子女，有要求父母付给抚养费的权利。子女不履行赡养义务时，无劳动能力的或生活困难的父母，有要求子女付给赡养费的权利。

在立法过程中，有的意见提出自然人因婚姻、家庭关系等产生的财产权利也应受保护，建议在人身权利后增加规定财产权利。经研究认为，本条是对自然人因婚姻、家庭关系等产生的人身权利受法律保护的规定，自然人因婚姻、家庭关系等产生的财产权利按照财产权利的权利种类纳入本章其他规范财产权利的条文进行保护，因此未增加规定财产权利。

第一百一十三条　民事主体的财产权利受法律平等保护。

【释义】　本条是关于民事主体的财产权利受法律平等保护的规定。

民事主体的财产权利受法律平等保护是由民法调整的社会关系的性质决定的。本法第 2 条规定，民法调整平等主体的自然人、法人和非法人组织之间的人身关系和财产关系。第 4 条规定，民事主体在民事活动中的法律地位一律平等。平等集中反映了民事法律关系的本质属性，是民事法律关系区别于其他法律关系的主要标志。本条在本法规定平等原则的基础上，单列一条规定民事主体的财产权利受法律平等保护。

本条的核心是“平等保护”。民事主体的财产权利受法律平等保护也是市场经济的内在要求。我国宪法规定，国家实行社会主义市场经济。物权法第3条第3款规定，国家实行社会主义市场经济，保障一切市场主体的平等法律地位和发展权利。平等是交换的前提和基础，也是交换得以正常实现的保障。公平竞争、平等保护、优胜劣汰是市场经济的基本法则。在社会主义市场经济条件下，各种所有制经济形成的市场主体都处于平等地位，享有相同权利，遵守相同规则，承担相同责任。如果不对民事主体的财产权利平等保护，解决纠纷的办法、承担的法律责任不一样，就不可能发展社会主义市场经济，也不可能坚持和完善社会主义基本经济制度。如对不同民事主体的财产权利不平等保护，势必损害民事主体依法创造、积累财产的积极性，不利于民富国强、社会和谐。

本条是在民法总则草案三次审议稿两条规定的基础上修改的。民法总则草案三次审议稿第112条规定，自然人的私有财产权利受法律保护。第116条规定，民事主体的物权受法律平等保护，任何组织或者个人不得侵犯。在立法过程中，有的意见认为，第112条规定自然人私有财产权利受法律保护，与基本原则的相关规定重复，建议删除。有的意见认为，第116条只规定物权受法律平等保护不妥，其他民事权利也应当受法律平等保护。经研究认为：民法的任务之一是保护我国宪法规定的基本经济制度下民事主体的财产权，中央一再强调，对各种民事主体所享有的财产权利应当给予平等保护。党的十八届三中全会提出，要完善产权保护制度，公有制经济财产权不可侵犯，非公有制经济财产权同样不可侵犯。国家保护各种所有制经济的产权和合法权益，保证各种所有制经济同等受法律保护。党的十八届四中全会明确提出，要实现公民权利保障的法治化。《中共中央、国务院关于完善产权保护制度依法保护产权的意见》和中央经济工作会议明确提出，加强产权保护制度建设，平等保护各种所有制组织的财产权和自然人的财产权。民法总则落实了中央的上述要求，结合各方面意见，将三次审议稿第 112 条修改为“民事主体的财产权利受法律平等保护”，并删除了三次审议稿第 116 条。

第一百一十四条　民事主体依法享有物权。

物权是权利人依法对特定的物享有直接支配和排他的权利，包括所有权、用益物权和担保物权。

【释义】　本条是关于民事主体依法享有物权的规定。

一、物权的特征

物权，是对物的权利。物权是一种财产权，财产权主要有物权、债权、继承权和知识产权中的财产权。财产可分为有形财产和无形财产，物权是对有形财产的权利。

物权是民事主体依法享有的一项重要的财产权利。这种权利是权利人在法律规定的范围内对特定的物享有的直接支配和排他的权利。由于物权是直接支配物的权利，因而物权又被称为“绝对权”；物权的权利人享有物权，任何其他人都不得非法干预，物权的权利人以外的任何人都是物权的义务人，因此物权又被称为“对世权”。在权利性质上，物权与债权不同。债权的权利义务限于当事人之间,如合同的权利义务限于订立合同的各方当事人;债权是要求债务人作为或者不作为的权利,债权人也只能要求债务人作为或者不作为,不能要求与其债权债务关系无关的人作为或者不作为;债权依赖于债务人而存在,债权的行使要基于相对人的意思和行为。正因为如此,债权被称为“相对权”“对人权”。

物权的权利人对物享有直接支配的权利,是物权的主要特征之一。各种物权均以直接支配物作为其基本内容。“直接”即权利人实现其权利不必借助于他人,在法律规定的范围内,完全可以按照自己的意愿行使权利。“支配”有安排、利用的意思,包括占有、使用、收益和处分的权能总合。“直接支配”指的是对于物不需要他人的协助、配合,权利人就能对物自主利用。对所有权来说,权利人可以按照自己的意愿行使占有、使用、收益和处分的权利。直接支配还有排除他人干涉的含义,其他人负有不妨碍、不干涉物权人行使权利的义务。

物权的排他性是指一物之上不能有相互冲突的物权,比如所有权,一物之上只能有一个所有权,此物是我的就不是你的(区分所有权等是特例);即使一物之上可以设定若干个抵押权,但由于是按照抵押权设定的先后顺序优先受偿,其间也不存在冲突。

二、物权的类型

物权包括所有权、用益物权和担保物权。

(一)所有权

所有权是指权利人依法对自己的不动产和动产享有全面支配的权利。所有权具有四项权能,即占有、使用、收益和处分。“占有”是对于财产的实际管领或控制,拥有一个物的一般前提就是占有,这是财产所有者直接行使所有权的表现。“使用”是权利主体对财产的运用,发挥财产的使用价值。拥有物的目的一般是为了使用。“收益”是通过财产的占有、使用等方式取得的经济效益。使用物并获益是拥有物的目的之一。“处分”是指财产所有人对其财产在事实上和法律上的最终处置。

(二)用益物权

用益物权是权利人对他人所有的不动产或者动产,依法享有占有、使用和收益的权利。现行物权法中规定了土地承包经营权、建设用地使用权、宅基地使用权和地役权这几种用益物权。

用益物权是以对他人所有的不动产或者动产为使用、收益的目的而设立的,因而被称作“用益”物权。用益物权制度是物权法律制度中一项非常重要的制度,与所有权制度、担保物权制度一同构成了物权制度的完整体系。

1. 用益物权人的基本权利

用益物权人对他人所有的不动产或者动产,依照法律规定享有的权利包括以下几个方面:

一是占有的权利。用益物权作为以使用收益为目的的物权,以权利人对物的实际占有为前提。利用他人的物为使用收益,必然要对物予以实际支配。没有占有就不能实现对物的直接利用。

二是使用的权利。权利人可以根据物的自然属性、法定用途或者约定的方式,对物进行实际上的利用。比如在集体所有的宅基地上自建房屋以供居住。

三是收益的权利。权利人可以通过对物的利用而获取经济上的收入或者其他利益。比如在集体所有的土地上从事种植业、林业、畜牧业等农业生产,出售出产物而获得收益;在国家所有的土地上建造商品房用以出售以取得收益等。

2. 用益物权的特征

用益物权作为物权体系的重要组成部分,具备物权的一般特征,同时还具有自身的特性,主要有以下几个方面:

第一,用益物权是由所有权派生的物权。所有权是权利人对自己的不动产或者动产,依法享有占有、使用、收益和处分的权利,包括在自己的财产上设立用益物权或担保物权的权利。用益物权则是在他人所有的财产上设立的权利,即对他人的财产享有占有、使用和收益的权利。因此,用益物权被称作“他物权”,以相对于所有权的“自物权”。

第二,用益物权是受限制的物权。相对于所有权而言,用益物权是不全面的、受一定限制的物权。因此,用益物权属于“定限物权”,以区别于所有权的“完全物权”。主要体现在三个方面:

一是所有权是物权种类中最完全、最充分的权利。用益物权的权利人享有的是对财产占有、使用和收益的权利。虽然权利人依法可以将其享有的用益物权予以转让、抵押等,但不具有对财产的所有权进行处分的权利。

二是所有权具有恒久性,只要所有物存在,所有权人对所有物便享有永久的权利。而用益物权则具有期限性。虽然设定的期限往往较长,但不是永久期限,期限届满时,用益物权人应将占有、使用的财产返还给所有权人,或者申请续期。

三是用益物权人必须根据法律的规定以及合同的约定正确行使权利。用益物权人应当保护和合理利用所有权人的不动产和动产,按照法定或者约定的用途和使用方法利用所有权人的财产，不得损害所有权人的权益。

第三，用益物权是一项独立的物权。用益物权虽由所有权派生，以所有权为权源，但用益物权一经设立，便具有独立于所有权而存在的特性。主要体现在两个方面：

一是用益物权使所有权对物的支配力受到约束，对物占有、使用和收益的权能由用益物权人行使，所有权人不得干涉。所有权人不得随意收回其不动产或者动产，不得妨碍用益物权人依法行使权利。同时，用益物权的义务人包括任何第三人，用益物权可以对抗所有第三人的侵害。

二是在所有权人的不动产或者动产被征收、征用致使所有权消灭或者影响所有权行使的，应当依法给予所有权人补偿。与此同时，导致用益物权消灭或者影响用益物权行使的，用益物权人也有权依法获得相应的补偿。

第四，用益物权一般以不动产为客体。用益物权多以不动产尤其是土地为使用收益的对象。由于不动产特别是土地的稀缺性、不可替代性且价值较高，以及土地所有权依法不可转让性，如国家所有和集体所有的土地，单位和个人不能取得所有权，这就使在土地这一不动产上设立用益物权成为经济社会发展的必然要求。而动产的特性决定了通常可以采用购买、租赁、融资租赁等方式获得其所有权和使用权。对一些价值较高、使用年限较长的动产，当事人也可以采用设立用益物权的方式，以稳定动产的利用关系。

（三）担保物权

担保物权是为了确保债务履行而设立的物权，当债务人不履行债务时，债权人就担保财产依法享有优先受偿的权利。担保物权对保证债权实现、维护交易秩序、促进资金融通，具有重要作用。担保物权包括抵押权、质权和留置权。

1. 抵押权。抵押权是为了确保债务履行而设立的一种担保物权，指债务人自己继续占有不动产或者动产，将该财产抵押给债权人，当债务人不履行债务时，债权人就抵押财产依法享有优先受偿的权利。比如以房产抵押设定的抵押权。

2. 质权。质权包括动产质权和权利质权。动产质权是指债务人将其动产交由债权人占有，当债务人不履行债务时，债权人就该动产依法享有优先受偿的权利，如将字画古董出质设定的质权。权利质权是指债务人将其拥有的财产权利凭证交由债权人占有，或者通过登记制度将该权利出质给债权人，当债务人不履行债务时，债权人就该财产权利依法享有优先受偿的权利，比如以仓单、存款单出质设立的质权。

3. 留置权。留置权是当债务人不履行债务时，债权人依法留置已经合法占有的债务人的动产，并就该动产享有优先受偿的权利。比如存货人不支付仓储费，仓储人依法有权留置仓储物，在法定期限内存货人仍不支付仓储费，仓储人有权变卖仓储物以获取仓储费。

第一百一十五条　物包括不动产和动产。法律规定权利作为物权客体的，依照其规定。

【释义】　本条是关于物权客体的规定。

法律上所指的物，主要是不动产和动产。“不动产”是不可移动的物，如土地以及房屋、林木等土地附着物。“动产”是不动产以外的可移动的物，如机动车、电视机等。不动产和动产是物权法上对物的分类，之所以进行这样的分类，主要是便于根据不动产和动产各自的特点分别予以规范。物权法上的物指有体物或者有形物，有体物或者有形物是物理上的物，包括固体、液体、气体，也包括电等没有形状的物。所谓有体物或者有形物主要是与精神产品相对而言的，著作、商标、专利等是精神产品，是无体物或者无形物，精神产品通常不是物权制度规范的对象。同时，并非所有的有体物或者有形物都是物权制度规范的对象，能够作为物权制度规范对象的还必须是人力所能控制、有利用价值的物。随着科学技术的发展，一些原来无法控制且无法利用的物也可以控制和利用了，也就纳入了物权制度的调整范围，物权制度规范的物的范围也在不断扩大。

精神产品不属于物权制度的调整范围，但是在有些情况下，财产权利可以作为担保物权的标的，比如可以转让的注册商标专用权、专利权、著作权等知识产权中的财产权，可以出质作为担保物权的标的，形成权利质权，由此权利也成了物权的客体。因此，本条规定，法律规定权利作为物权客体的，依照规定。

第一百一十六条　物权的种类和内容，由法律规定。

【释义】 本条是关于物权法定原则的规定。

物权法定中的“法”，指法律，即全国人大及其常委会制定的法律，除法律明确规定可以由行政法规、地方性法规规定的外，一般不包括行政法规和地方性法规。需要说明的是，物权法定中的法律，既包括物权法，还包括其他法律，如土地管理法、城市房地产管理法、矿产资源法、草原法、森林法、海域使用管理法、渔业法、海商法、民用航空法等，这些法律中都有对物权的规定。

物权法定，有两层含义：一是物权由法律规定，当事人不能自由创设物权；二是违背物权法定原则，所设“物权”没有法律效力。本条规定“物权的种类和内容，由法律规定。”其一是设立哪些物权的种类，只能由法律规定，当事人之间不能创立。物权的大的种类分所有权、用益物权和担保物权；用益物权中还可分为土地承包经营权、建设用地使用权、宅基地使用权和地役权；担保物权中还可分为抵押权、质权和留置权。其二是物权的权利内容，一般也只能由法律规定，物权的内容指物权的权利义务，如土地承包经营权的承包期多长，承包经营权何时设立，承包经营权的流转权限，承包地的调整、收回、被征收中的权利义务，等等。物权法的规定许多都是强制性规范，当事人应当严格遵守，不能由当事人约定排除，除非法律规定了“有约定的按照约定”“当事人另有约定的除外”这些例外情形。

物权是一项重要的民事权利，是一种直接支配权，被称为“绝对权”“对世权”。指的是权利人不需要他人的协助、配合，就能对物自主利用。因此，物权关系的义务人不同于债权关系的义务人，债权的实现在多数情况下需要债务人的积极配合，而物权关系的义务人最基本的义务是不妨碍、不干涉物权人行使权利。只要义务人不妨碍、不干涉，物权人就能实现其权利，达到对物的利用并享受收益的目的。物权不同于债权，债权的权利义务发生在当事人之间，遵循自愿原则，具体内容由当事人约定，比如合同是当事人之间的协议，对合同内容如何约定原则上由当事人决定。物权的权利人行使权利，对所有其他人都有约束力，物权人以外的任何人都是义务人，都有尊重物权不干涉权利人行使物权的义务。物权调整的权利人和义务人之间的关系与合同当事人之间的权利义务关系不同，其间的权利义务不能由权利人单方面决定，也难以由某个权利人和若干个义务人决定，权利人和义务人之间的权利义务必须由法律决定，对权利人和义务人之间的规范也只能由法律规定。

物权法定是一项原则，这项原则是否有松动余地，即能否有灵活性，是学术界多年争论的问题，坚守原则性和赞成有灵活性的都有道理。从实务层面看，这个问题的矛盾并不突出。物权制度虽然不断完善、发展，但绝大多数是在法定框架内的完善、发展。在当年物权法起草过程中，曾有意见认为，物权法定作为一条原则是对的，但如果法律没有规定的就不具有物权效力，限制太严，随着实践的发展还会产生新的物权，应该开个口子，以适应实践发展的需要。根据这一意见，物权法草案曾规定："物权的种类和内容，由法律规定；法律未作规定的，符合物权性质的权利，视为物权。"之后，在物权法审议过程中，有的意见提出，依照这条规定，哪些权利可以视为物权，谁来认定"符合物权性质"都不够清楚，建议删去例外规定。法律委员会认为：这一规定的本意是随着实践的发展为物权的种类留下一定空间，实际上哪些权利"符合物权的性质"还需要通过立法解释予以明确。考虑到依照立法法的规定，法律解释与法律具有同等效力，而且从一些国家和地区的实际情况看，新出现的物权种类并不多见。因此，物权法删去了这一规定。

第一百一十七条　为了公共利益的需要，依照法律规定的权限和程序征收、征用不动产或者动产的，应当给予公平、合理的补偿。

【释义】　本条是关于征收、征用的规定。

征收是国家以行政权取得集体、单位和个人的财产所有权的行为。征收的主体是国家，通常是政府以行政决定的方式从集体、单位和个人手中取得土地、房屋等财产。在物权法上，征收是物权变动的一种特殊情形，涉及所有权人的所有权丧失。

征用是国家为了抢险、救灾等公共利益需要，在紧急情况下强制性地使用单位、个人的不动产或者动产。征用的目的只在获得使用权，征用不导致所有权移转，被征用的不动产或者动产使用后，应当返还被征用人。征收、征用是政府行使行政权，属于行政关系，不属于民事关系，但由于征收、征用是对所有权或者使用权的限制，同时又是国家取得所有权或者使用权的一种方式，因此民法通常都从这一民事角度对此作原则规定。

需要说明的是，征收和征用是两个不同的法律概念。征收是指为了公共利益需要，国家将他人所有的财产强制地征归国有；征用是指为了公共利益需要而强制性地使用他人的财产。征收和征用的共同之处在于，都是为了公共利益需要，都要经过法定程序，并都要给予补偿。不同之处在于，征收主要是所有权的改变，征用只是使用权的改变。征收是国家从被征收人手中直接取得所有权，其结果是所有权发生了移转；征用则主要是在紧急情况下对他人财产的强制使用，一旦紧急情况结束，被征用的财产应返还原权利人。

征收和征用，应当遵循三个原则：

（一）公共利益需要的原则

实施征收、征用，必须是出于公共利益的需要，这是征收、征用的前提条件。公共利益通常是指全体社会成员的共同利益和社会的整体利益，是不特定多数人的利益。在实践中判断是否属于社会公共利益，一要同商业利益相区别。商业利益是个人和企业获取利润的利益，商业利益直接服务于个人或者企业，不能为了商业利益的需要而强行征收、征用他人的不动产和动产。二要同部门、单位和小集体的利益相区别。部门、单位和小集体的利益，其受益人是特定的少数人，与公共利益有着本质的区别。为了谋求商业利益或者单位的利益而需要他人转让其不动产或动产的,应当通过平等协商、公平买卖的办法解决,而不是借助国家强制力来实现。

基于公共利益的需要,是征收、征用应当遵循的一项原则,对此民法总则应予规定。但公共利益的界定在不同领域、不同情形下的表现是不同的,情况复杂难以划一,对公共利益作出具体界定,宜分别由单行法律作出具体规定。为了规范国有土地上房屋征收与补偿活动,维护公共利益,保障被征收房屋所有权人的合法权益,2011 年 1 月 21 日国务院颁布的《国有土地上房屋征收与补偿条例》第 8 条规定,为了保障国家安全、促进国民经济和社会发展等公共利益的需要,有下列情形之一,确需征收房屋的,由市、县级人民政府作出房屋征收决定:(1)国防和外交的需要;(2)由政府组织实施的能源、交通、水利等基础设施建设的需要;(3)由政府组织实施的科技、教育、文化、卫生、体育、环境和资源保护、防灾减灾、文物保护、社会福利、市政公用等公共事业的需要;(4)由政府组织实施的保障性安居工程建设的需要;(5)由政府依照城乡规划法有关规定组织实施的对危房集中、基础设施落后等地段进行旧城区改建的需要;(6)法律、行政法规规定的其他公共利益的需要。这一规定即为对公共利益的具体界定,主要适用于在城市国有土地上对单位、个人房屋的征收。

(二)依照法定程序的原则

征收、征用在一定程度上限制了他人的财产权。为了防止其滥用,平衡他人财产保护和公共利益需要的关系,依法保护权利人的财产权利,征收、征用必须严格依照法律规定的程序进行。相比而言,征收是所有权的改变,并且事先有较充分的准备,因此程序上要求比较严格;征用一般都是在紧急情况下采取的措施,通常是临时性的,程序上相对比较简便。

依照《国有土地上房屋征收与补偿条例》的规定,国有土地上房屋的征收与补偿应当遵循决策民主、程序正当、结果公开的原则。按照以下程序进行:房屋征收部门拟定征收补偿方案,报市、县级人民政府。市、县级人民政府应当组织有关部门对征收补偿方案进行论证并予以公布,征求公众意见。征求意见期限不得少于三十日。市、县级人民政府应当将征求意见情况和根据公众意见修改的情况及时公布。因旧城区改建需要征收房屋,多数被征收人认为征收补偿方案不符合该条例规定的,市、县级人民政府应当组织由被征收人和公众代表参加的听证会,并根据听证会情况修改方案。市、县级人民政府作出房屋征收决定后应当及时公告。公告应当载明征收补偿方案和行政复议、行政诉讼权利等事项。被征收人对市、县级人民政府作出的房屋征收决定不服的,可以依法申请行政复议,也可以依法提起行政诉讼。房屋征收部门与被征收人依照该条例的规定,就补偿方式、补偿金额和支付期限、用于产权调换房屋的地点和面积、搬迁费、临时安置费或者周转用房、停产停业损失、搬迁期限、过渡方式和过渡期限等事项,订立补偿协议。补偿协议订立后,一方当事人不履行补偿协议约定的义务的,另一方当事人可以依法提起诉讼。

(三)依法给予补偿的原则

尽管征收和征用是为了公共利益需要,但都不能采取无偿剥夺的方式,必须依法给予补偿。补偿的方式应视财产的类别而加以区别对待。征收的对象一般都是不动产,并且是所有权的改变,一般都要给予金钱补偿、相应的财产补偿或者其他形式的补偿。在征用过程中,如果是非消耗品,使用结束后,原物还存在的,应当返还原物,对于物的价值减少的部分要给予补偿;如果是消耗品,通常要给予金钱补偿。补偿的原则,宪法规定的是要依照法律规定给予补偿。本法原则规定要给予公平、合理的补偿。至于按什么标准补偿,需要在有关法律中根据不同情况作出具体规定。此外,补偿应当及时,补偿延误将给被征收、征用人造成损失。补偿是在事前给予,还是在征收、征用过程中给予,或是在事后给予,需要根据具体情况确定。即便在紧急情况下的征用,在事后给予补偿,也并不是意味着可以任意拖延,而应在使用后尽快给予补偿。

国家对他人的财产可以实行征收、征用,是为了公共利益的需要;而给予补偿,又是对他人财产的一种保护,有利于平衡和协调他人财产保护和公共利益需要之间的关系。

1. 关于征收集体土地的补偿。本法对补偿原则即给予公平合理的补偿作了明确规定。在征收集体土地时,对所有权人即农民集体和用益物权人即承包经营权人给予补偿,应当依照土地管理法等有关法律的规定,确定具体的补偿标准和补偿办法,并应当把握以下几点:

一是征地补偿和安置补助的原则是保证被征地农民的生活水平不因征收土地而降低。征收土地后通过补偿和采取各项安置措施,要使被征地农民的生活水平达到征地前的生活水平。如果达不到,应当采取相应的措施,包括提高补偿标准。

二是按照被征收土地的原用途给予补偿。原来是耕地的按耕地的标准补偿,原来是林地的按林地补偿,原来是草地的按草地补偿。

三是征收耕地的补偿费用包括土地补偿费、安置补助费、地上附着物补偿费和青苗补偿费。土地补偿费是给予土地所有人和用益物权人（承包人）的投入及造成损失的补偿，应当归土地所有人和用益物权人所有。安置补助费用于被征地农户的生活安置，如果是农民自谋职业或自行安置的，应当为农民个人所有。地上附着物和青苗补偿费归地上附着物、青苗的所有人（多为承包人）所有。

四是依据前述标准支付的土地补偿费和安置补助费不能保证被征地农民的原有生活水平的，经省级人民政府批准，可以提高补偿标准。根据社会、经济发展水平，在特殊情况下，国务院可以提高征收耕地的土地补偿费和安置补助费标准。

五是征收其他土地的土地补偿费和安置补助费，是指征收耕地以外其他土地，如林地、草地、建设用地等应当给予的补偿。其具体标准由各省、自治区、直辖市参照征收耕地的土地补偿费和安置补助费的标准规定。

2. 关于国有土地上房屋征收的补偿。因城市建设、旧城改造等而征收房屋，应当依照《国有土地上房屋征收与补偿条例》的规定给予补偿。该条例规定，为了公共利益的需要，征收国有土地上单位、个人的房屋，应当对被征收房屋所有权人（以下称被征收人）给予公平补偿。作出房屋征收决定的市、县级人民政府对被征收人给予的补偿包括：（1）被征收房屋价值的补偿；（2）因征收房屋造成的搬迁、临时安置的补偿；（3）因征收房屋造成的停产停业损失的补偿。对被征收房屋价值的补偿，不得低于房屋征收决定公告之日被征收房屋类似房地产的市场价格。被征收房屋的价值，由具有相应资质的房地产价格评估机构按照房屋征收评估办法评估确定。被征收人可以选择货币补偿，也可以选择房屋产权调换。被征收人选择房屋产权调换的，市、县级人民政府应当提供用于产权调换的房屋,并与被征收人计算、结清被征收房屋价值与用于产权调换房屋价值的差价。因征收房屋造成搬迁的,房屋征收部门应当向被征收人支付搬迁费;选择房屋产权调换的,产权调换房屋交付前,房屋征收部门应当向被征收人支付临时安置费或者提供周转用房。房屋征收部门与被征收人在征收补偿方案确定的签约期限内达不成补偿协议,或者被征收房屋所有权人不明确的,由房屋征收部门报请作出房屋征收决定的市、县级人民政府依照本条例的规定,按照征收补偿方案作出补偿决定,并在房屋征收范围内予以公告。实施房屋征收应当先补偿、后搬迁。

2016 年 11 月 4 日,《中共中央、国务院关于完善产权保护制度依法保护产权的意见》指出,完善土地、房屋等财产征收征用法律制度,合理界定征收征用适用的公共利益范围,不将公共利益扩大化,细化规范征收征用法定权限和程序。遵循及时合理补偿原则,完善国家补偿制度,进一步明确补偿的范围、形式和标准,给予被征收征用者公平合理补偿。本条的规定,贯彻了上述中央精神,体现了维护公共利益和对财产所有权人的保护。

第一百一十八条　民事主体依法享有债权。

债权是因合同、侵权行为、无因管理、不当得利以及法律的其他规定,权利人请求特定义务人为或者不为一定行为的权利。

【释义】　本条是关于民事主体依法享有债权的规定。

债是因合同、侵权行为、无因管理、不当得利以及法律的其他规定,特定当事人之间发生的权利义务关系。首先,债是一种民事法律关系,是民事主体之间以权利义务为内容的法律关系。其次,债是特定当事人之间的法律关系。债的主体各方均为特定当事人。再次,债是特定当事人之间得请求为或者不为一定行为的法律关系。享有权利的人是债权人,负有义务的人是债务人。债是以请求权为特征的法律关系,债权人行使债权,只能通过请求债务人为或者不为一定行为得以实现。最后,债是因合同、侵权行为、无因管理、不当得利以及法律的其他规定而发生的法律关系。本章规定的是民事权利,因此从权利角度对债作了规定。债权是因合同、侵权行为、无因管理、不当得利以及法律的其他规定,权利人请求特定义务人为或者不为一定行为的权利。债权是现代社会生活中民事主体的一项重要财产权利。根据本条规定,债的发生原因包括以下几种情况:

一是合同。合同是平等主体的自然人、法人、非法人组织之间设立、变更、终止民事权利义务关系的协议。合同依法成立后,即在当事人之间产生债权债务关系。基于合同所产生的债为合同之债。债权人有权按照合同约定,请求合同义务人履行合同义务。合同之债是民事主体为自己利益依自己意思自行设定的,合同之债属于意定之债。

二是侵权行为。侵权行为,是指侵害他人民事权益的行为。本法第 3 条规定,民事主体的人身权利、财产权利以及其他合法权益受法律保护,任何组织或者个人不得侵犯。在民事活动中,民事主体的合法权益受法律保护,任何人都负有不得侵害的义务。行为人侵害他人人身权利、财产权利以及其他合法权益的,应依法承担民事责任。民事权益受到侵害的,被侵权人有权请求侵权人承担侵权责任。因侵权行为,侵权人与被侵权人之间形成债权债务关系。侵权行为之债不是侵权人所愿意发生的法律后果,法律确认侵权行为之债的目的在于通过债权和民事责任使侵权行为人承担其不法行为所造成的不利后果,给被侵权人救济,从而保护民事主体的合法民事权益。

三是无因管理。无因管理,是指没有法定的或者约定的义务,为避免他人利益受损失进行管理的行为。无因管理行为虽为干预他人事务,但却是以为避免他人利益受损失为目的,有利于社会的互助行为。法律为鼓励这一行为赋予管理人请求受益人偿还因管理行为支出的必要费用的权利。因无因管理产生的债称为无因管理之债。无因管理之债并不是基于当事人的意愿设定的,而是根据法律的规定,为法定之债。

四是不当得利。不当得利,是指没有法律根据,取得不当利益,造成他人损失的情形。在社会生活中,任何民事主体不得没有法律根据,取得利益而致他人损害,因此,法律规定受损失的人有权请求取得不当得利的人返还不当利益。不当得利为债的发生原因,基于不当得利而产生的债称为不当得利之债。不当得利之债既不同于合同之债,也不同于无因管理之债。不当得利不是当事人双方间的合意,并非是当事人寻求的法律目的,也不以当事人的意志为转移,而是法律为纠正不当得利,直接赋予当事人的权利义务,也是法定之债。

五是法律的其他规定。合同、侵权行为、无因管理、不当得利是债的发生的主要原因,除此以外,法律的其他规定也会引起债的发生,使民事主体依法享有债权。如婚姻法第 21 条第 1、2、3 款规定,父母对子女有抚养教育的义务;子女对父母有赡养扶助的义务。父母不履行抚养义务时,未成年的或不能独立生活的子女,有要求父母付给抚养费的权利。子女不履行赡养义务时,无劳动能力的或生活困难的父母,有要求子女付给赡养费的权利。此时,未成年的或不能独立生活的子女和无劳动能力的或生活困难的父母依据法律的规定享有债权。

在立法过程中,有的提出,应该将单方允诺规定为债权的发生原因之一。单方允诺是指,行为人向相对人作出的为自己设定某种义务,使相对人取得某种权利的意思表示。单方允诺一般向社会上不特定的人发出,如悬赏广告。民法总则草案一审稿曾将单方允诺规定为债权的发生原因之一。在征求意见过程中,有的意见提出,对单方允诺的性质,理论上有要约说和单方行为说。要约说认为单方允诺是行为人以不特定多数人为对象发出完成某种义务而取得某种权利的要约,只要某个人完成了指定义务,即构成承诺,双方成立合同。完成指定义务的人享有请求单方允诺行为人履行承诺义务的请求权,行为人应按照允诺履行义务。单方行为说认为单方允诺是单方法律行为,行为人作出单方允诺,法律行为即生效,对完成特定行为的人负有履行允诺义务的义务。其他国家和地区对单方允诺的性质也有不同规定。如德国、意大利采用单方行为说,日本和瑞士采用要约说,我国台湾地区"民法"1999 年"债编"修正时将单方允诺性质从单方行为说改为要约说。我国最高人民法院合同法司法解释、民事案件案由规定以及最高人民法院公报案例对悬赏广告已采合同说,建议删除单方允诺。由于尚有争议,本条最终删除了单方允诺的规定。

第一百一十九条　依法成立的合同,对当事人具有法律约束力。

【释义】 本条是关于依法成立的合同对当事人具有法律约束力的规定。

合同是平等主体的自然人、法人、非法人组织之间设立、变更、终止民事权利义务关系的协议。合同法第 2 条第 1 款规定,本法所称合同是平等主体的自然人、法人、其他组织之间设立、变更、终止民事权利义务关系的协议。根据合同法的规定，首先，合同是平等主体之间的协议。其次，合同是设立、变更、终止民事权利义务关系的协议。民事权利义务关系，主要是指财产关系，有关婚姻、收养、监护等身份关系的协议不适用合同法，合同法第2条第2款规定，婚姻、收养、监护等有关身份关系的协议，适用其他法律的规定。最后，合同是双方或多方的民事法律行为，只有各方的意思表示一致才能成立。合同之债是当事人在平等基础上自愿设定的，是民事主体主动参与民事活动，积极开展各种经济交往的法律表现。合同是最常见的债的发生原因，合同之债在社会经济生活中占有重要的地位。

根据自愿原则，订不订合同、与谁订合同、合同的内容如何等，由当事人自愿约定。但是，合同依法成立以后，对当事人就具有了法律约束力。所谓法律约束力，是指当事人应当按照合同的约定履行自己的义务，非依法律规定或者取得对方同意，不得擅自变更或者解除合同。如果不履行合同义务或者履行合同义务不符合约定，应当承担违约责任。只有依法成立的合同才能产生合同之债。合同法第8条第2款规定，依法成立的合同，受法律保护。如果一方当事人未取得对方当事人同意，擅自变更或者解除合同，不履行合同义务或者履行合同义务不符合约定，使对方当事人的权益受到损害，受损害方向人民法院起诉要求维护自己的权益时，法院就要依法维护，擅自变更或者解除合同的一方当事人应当承担违约责任。

第一百二十条　民事权益受到侵害的，被侵权人有权请求侵权人承担侵权责任。

【释义】 本条是关于民事权益受到侵害的被侵权人的请求权的规定。

侵权责任法律制度的基本作用,一是保护被侵权人,二是减少侵权行为。保护被侵权人是建立和完善侵权责任法律制度的主要目的。本章规定了民事主体的各种人身权利、财产权利以及其他合法权益。法律规定的民事主体的民事权益受到侵害怎么办,就要通过侵权责任法律制度保护被侵权人。被侵权人在其民事权益被侵权人侵害构成侵权时,有权请求侵权人承担侵权责任。这种权利是一种请求权,所谓请求权,是指请求他人为一定行为或不为一定行为的权利。请求权人自己不能直接取得作为该权利内容的利益,必须通过他人的特定行为间接取得。在侵权人的行为构成侵权,侵害了被侵权人的民事权益时,被侵权人有权请求侵权人承担侵权责任。被侵权人可以直接向侵权人行使请求权,也可以向法院提起诉讼,请求法院保护自己的合法权益。

一、关于请求权的主体

侵权法律关系中,在民事主体的合法权益受到侵害时,被侵权人有权请求侵权人承担侵权责任,如果进行诉讼,则为原告。这里的被侵权人指的是侵权行为损害后果的直接承受者,是因侵权行为而使民事权益受到侵害的人。被侵权人可以是所有具有民事权利能力的民事主体,只要具有实体法上的民事权利能力,又因侵权行为而使其民事权益受到侵害的人,就具有被侵权人的资格,包括自然人、法人和非法人组织。被侵权人的资格不在于其是否具有民事行为能力,但是有无民事行为能力关系到其是否可以自己行使请求侵权人承担侵权责任的权利。有完全民事行为能力的被侵权人,可以自己行使请求权,请求侵权人承担侵权责任;无民事行为能力或限制民事行为能力的被侵权人,自己不能行使请求权,应当由其法定代理人代其行使请求权。在被侵权人死亡时,其近亲属有权请求侵权人承担侵权责任。侵权责任法第 18 条第 1 款规定,被侵权人死亡的,其近亲属有权请求侵权人承担侵权责任。被侵权人为单位,该单位分立、合并的,承继权利的单位有权请求侵权人承担侵权责任。

被侵权人可能是单个主体也可能是多个主体。在一个侵权行为有多个被侵权人的情况下,所有的被侵权人都享有请求侵权人承担侵权责任的权利,都可以提起侵权之诉,被侵权人的权利相互独立,一些被侵权人不请求不影响其他被侵权人提出请求权,被侵权人也可以提起共同诉讼。

我国一些现有司法解释对请求权的主体也有规定。《最高人民法院关于确定民事侵权精神损害赔偿责任若干问题的解释》第 7 条规定:"自然人因侵权行为致死,或者自然人死亡后其人格或者遗体遭受侵害,死者的配偶、父母和子女向人民法院起诉请求赔偿精神损害的,列其配偶、父母和子女为原告;没有配偶、父母和子女的,可以由其他近亲属提起诉讼,列其他近亲属为原告。"《最高人民法院关于审理人身损害赔偿案件适用法律若干问题的解释》第 1 条第 2 款规定:"本条所称'赔偿权利人',是指因侵权行为或者其他致害原因直接遭受人身损害的受害人、依法由受害人承担扶养义务的被扶养人以及死亡受害人的近亲属。"

二、关于侵权人

在侵权法律关系中,侵权人是承担侵权责任的主体,在诉讼中为被告。《最高人民法院关于审理人身损害赔偿案件适用法律若干问题的解释》第 1 条第 3 款规定:"本条所称'赔偿义务人’，是指因自己或者他人的侵权行为以及其他致害原因依法应当承担民事责任的自然人、法人或者其他组织。”侵权人一般是直接加害人，直接加害人是直接实施侵权行为，造成被侵权人损害的人。直接加害人分为单独的加害人和共同的加害人，共同加害人的侵权责任根据本法共同侵权的相关规定承担。在替代责任形式的特殊侵权责任中，直接造成损害的行为人不直接承担侵权责任，承担侵权责任的主体是替代责任的责任人。如侵权责任法第 34 条第 1 款规定，用人单位的工作人员因执行工作任务造成他人损害的，由用人单位承担侵权责任。

三、关于侵权责任

侵权人承担侵权责任有多种方式。根据本法第 179 条的规定，承担民事责任的方式主要有：停止侵害；排除妨碍；消除危险；返还财产；恢复原状；修理、重作、更换；继续履行；赔偿损失；支付违约金；消除影响、恢复名誉；赔礼道歉。法律规定惩罚性赔偿的，依照其规定。承担民事责任的方式，可以单独适用，也可以合并适用。

第一百二十一条　没有法定的或者约定的义务，为避免他人利益受损失而进行管理的人，有权请求受益人偿还由此支出的必要费用。

【释义】　本条是关于无因管理的规定。

无因管理，是指没有法定的或者约定的义务，为避免他人利益受损失而进行管理的行为。管理他人事务的人为管理人，因管理人管理其事务而受益的人为受益人。无因管理制度作为债的发生原因之一，使管理人和受益人之间产生了债权债务关系。无因管理行为虽为干预他人事务，但却是以为避免他人利益受损失为目的,有利于社会的互助行为。法律为鼓励这一行为,赋予管理人请求受益人偿还因管理行为而支出的必要费用的权利。因无因管理产生的债称为无因管理之债。

其他国家和地区对无因管理也有相关规定。《德国民法典》在第2编债务关系法第8章债务关系中专列一节规定了无因管理。第677条规定了管理人的义务,规定为他人处理事务而未受他人委托,或对他人无权以其他方式为之处理事务的人,必须在照顾本人真实或可推知的意思的情况下,以本人的利益所要求的方式管理该事务。第683条规定了费用的偿还,规定事务管理的承担符合本人的利益和本人真实或可推知的意思的,管理人可以像受托人一样,请求偿还其费用。《日本民法典》专列一章规定无因管理。第697条规定,没有义务而为他人开始管理事务的人,须按其事务的性质,以最适于本人利益的方法管理其事务。管理人已知本人的意思或可以推测到其意思时,须按其意思进行事务管理。第702条规定,管理人已支出的对本人有益的费用,可以向本人请求偿还。管理人已负担对本人有益的债务时,准用第650条第2项的规定。管理人违反本人意思进行管理时,只于本人所得现实利益的限度内,适用前两项的规定。我国台湾地区"民法"第二编债第一章通则第一节"债的发生"中专款规定了无因管理。第172条规定了无因管理之要件,规定未受委任,并无义务,而为他人管理事务者,其管理应依本人明示或可得推知之意思,以有利于本人之方法为之。

构成无因管理,有以下几个要件:

一是管理他人事务。管理他人事务,即为他人进行管理,这是成立无因管理的首要条件。如将自己的事务误认为他人事务进行管理,即使目的是为他人避免损失,也不能构成无因管理。

二是为避免他人利益受损失。一般来说，在既无法定义务又无约定义务的情况下，管理他人的事务，属于干预他人事务的范畴。而法律规定的无因管理，是为避免他人利益受损失而进行管理的行为。符合助人为乐、危难相助的道德准则的行为，应该得到鼓励和受到保护。

三是没有法定的或者约定的义务。无因，指没有法定的或者约定的义务。没有法定的或者约定的义务是无因管理成立的重要条件。如果行为人负有法定的或者约定的义务进行管理，则不能构成无因管理。

根据本条规定，符合以上三个要件，构成无因管理的，无因管理发生后，管理人享有请求受益人偿还因管理行为支出的必要费用的权利，受益人有偿还该项费用的义务。

民法通则第 93 条对无因管理的规定为，没有法定的或者约定的义务，为避免他人利益受损失进行管理或者服务的，有权要求受益人偿付由此而支付的必要费用。在立法过程中，有的提出，“管理”能够包括“服务”，“服务”也可包括“管理”，不易区分。因此，本条将民法通则规定的“管理或者服务的”修改为“管理的”。

第一百二十二条　因他人没有法律根据，取得不当利益，受损失的人有权请求其返还不当利益。

【释义】　本条是关于不当得利的规定。

不当得利，是指没有法律根据，取得不当利益，造成他人损失的情形。不当得利制度对民事主体之间的财产流转关系有调节作用，目的在于恢复民事主体之间在特定情形下所发生的非正常的利益变动。因不当得利产生的债称为不当得利之债。本条规定，因他人没有法律根据，取得不当利益，受损失的人有权请求其返还不当利益。不当得利在民法中产生的情况主要有以下几种：一是民事法律行为不成立、无效及被撤销所产生的不当得利。二是履行不存在的债务所引起的不当得利。三是因合同解除产生的不当得利。四是基于受益人、受害人或第三人行为而产生的不当得利。五是基于事件而产生的不当得利。

其他国家和地区对不当得利也有相关规定。《德国民法典》第 812 条规定，无法律上的原因，因他人的给付或以其他方式使他人蒙受损失而自己取得利益的人，有义务向他人返还所取得的利益。即使法律上的原因后来消失，或依法律行为的内容而为的给付所欲达到的结果并未出现，该项义务也存在。《瑞士债法典》第 62 条规定，任何人以不正当的行为从他人的财产上获取收益的，应当将该利益返还。取得利益没有任何有效依据或者依据未生效或者依据已经不复存在的，应当返还。《荷兰民法典》第 203 条规定，无法律依据给予他人财产的人，有权向不当受领人请求返还该财产。无因偿付涉及一定数额金钱的，可以请求返还同等数额的金钱。无法律依据实施上述无因偿付以外的给付的，也有权请求受领人返还该给付。《日本民法典》第 703 条规定，无法律上原因，由他人的财产或劳务而得到利益，为此致使他人遭受损失的人，在其利益存在的限度内负有返还义务。我国台湾地区“民法”第 179 条规定，无法律上之原因而受利益，致他人受损害者，应返还其利益。虽有法律上之原因，而其后已不存在者，亦同。

构成不当得利，有以下几个要件：

一是民事主体一方取得利益。取得利益，是指财产利益的增加。既包括积极的增加，即财产总额的增加；也包括消极的增加，即财产总额应减少而未减少，如本应支付的费用没有支付等。

二是民事主体他方受到损失。受到损失，是指财产利益的减少。既包括积极损失，即财产总额的减少；也包括消费损失，即应当增加的利益没有增加。

三是一方取得利益与他方受到损失之间有因果关系。一方取得利益与他方受到损失之间有因果关系是指他方的损失是因一方获得利益造成的。

四是没有法律根据。没有法律根据是构成不当得利的重要要件。如果一方取得利益和他方受到损失之间有法律根据，民事主体之间的关系就受到法律的认可和保护，不构成不当得利。

民法通则第 92 条规定，没有合法根据，取得不当利益，造成他人损失的，应当将取得的不当利益返还受损失的人。民法总则一审稿曾延续民法通则第 92 条的规定。在立法过程中，有的意见提出，合法根据强调是否违法性，而不当得利的适用前提是指没有“法律的规定和当事人的约定”，建议将“合法根据”改为“法律根据”。有的意见提出，本章规定的是民事权利，本条从取得不当利益的人应当有返还损失的义务的角度写，不妥，应当从受损失的人有权请求返还的权利角度写。因此，本条最终修改为：“因他人没有法律根据，取得不当利益，受损失的人有权请求其返还不当利益。”

第一百二十三条　民事主体依法享有知识产权。

知识产权是权利人依法就下列客体享有的专有的权利：

（一）作品；

（二）发明、实用新型、外观设计；

（三）商标；

（四）地理标志；

（五）商业秘密；

（六）集成电路布图设计；

（七）植物新品种；

（八）法律规定的其他客体。

【释义】 本条是关于民事主体依法享有知识产权的规定。

知识产权是国际上广泛使用的一个法律概念，是民事主体对其创造性的客体依法享有的专有权利。设立知识产权的目的在于调动人们从事智力创作和科学技术研究的积极性，从而创造出更多、更好的精神财富。民法通则将知识产权作为民事主体的基本民事权利之一予以规定，适应了我国改革开放和知识产权国际保护的需要。民法通则出台后，我国制定了多部保护知识产权的法律法规。1982 年通过商标法，1984 年通过专利法，1990 年通过著作权法，国务院也颁布实施了著作权法实施条例、专利法实施细则、商标法实施条例等。知识产权有以下特征：一是知识产权是一种无形财产权。二是知识产权具有财产权和人身权的双重属性，如作者享有发表权、署名权、修改权等人身权。三是知识产权具有专有性。本条规定，知识产权是权利人依法就下列客体享有的专有的权利。法律规定知识产权为权利人专有，除权利人同意或法律规定外，权利人以外第三人不得享有或者使用该项权利，否则为侵害他人的知识产权。四是知识产权具有地域性，法律确认和保护的知识产权，除该国与他国条约或参加国际公约外，只在一国领域内发生法律效力。五是知识产权具有时间性，各国法律对知识产权的保护都有严格的时间限制。丧失效力的知识产权客体进入公有领域，成为全

人类共有的财富。根据本条规定,知识产权是权利人依法就下列客体所享有的专有权利:

一、作品

对作品的知识产权保护主要规定在著作权相关法律法规中。著作权法第3条规定,本法所称的作品,包括以下列形式创作的文学、艺术和自然科学、社会科学、工程技术等作品:(一)文字作品;(二)口述作品;(三)音乐、戏剧、曲艺、舞蹈、杂技艺术作品;(四)美术、建筑作品;(五)摄影作品;(六)电影作品和以类似摄制电影的方法创作的作品;(七)工程设计图、产品设计图、地图、示意图等图形作品和模型作品;(八)计算机软件;(九)法律、行政法规规定的其他作品。

权利人依法就作品享有的专有权利是著作权。根据著作权法的规定,著作权是指著作权人对其作品享有的人身权和财产权,包括发表权、署名权、修改权、保护作品完整权、复制权、发行权、出租权、展览权、表演权、放映权、广播权、信息网络传播权、摄制权、改编权、翻译权、汇编权和应当由著作权人享有的其他权利。

二、发明、实用新型、外观设计

对发明、实用新型、外观设计的知识产权保护主要规定在专利权相关法律法规中。专利法第2条规定,本法所称的发明创造是指发明、实用新型和外观设计。发明,是指对产品、方法或者其改进所提出的新的技术方案。实用新型,是指对产品的形状、构造或者其结合所提出的适于实用的新的技术方案。外观设计,是指对产品的形状、图案或者其结合以及色彩与形状、图案的结合所作出的富有美感并适于工业应用的新设计。

权利人依法就发明、实用新型、外观设计享有的专有权利是专利权。专利权是指发专利权人依法就发明、实用新型、外观设计所享有的专有权利，任何组织或者个人未经专利权人许可，不得实施其专利。根据专利法第六十条的规定，未经专利权人许可，实施其专利，即侵犯其专利权，引起纠纷的，由当事人协商解决；不愿协商或者协商不成的，专利权人或者利害关系人可以向人民法院起诉，也可以请求管理专利工作的部门处理。

三、商标

对商标的知识产权保护主要规定在商标权相关法律法规中。商标法第3条第1、2、3款规定，经商标局核准注册的商标为注册商标，包括商品商标、服务商标和集体商标、证明商标……本法所称集体商标，是指以团体、协会或者其他组织名义注册，供该组织成员在商事活动中使用，以表明使用者在该组织中的成员资格的标志。本法所称证明商标，是指由对某种商品或者服务具有监督能力的组织所控制，而由该组织以外的单位或者个人使用于其商品或者服务，用以证明该商品或者服务的原产地、原料、制造方法、质量或者其他特定品质的标志。

权利人依法就商标享有的专有权利是商标专用权。商标专用权是商标专用权人在核准商品上使用注册商标的专有权利。根据商标法第三条规定，商标注册人享有商标专用权，受法律保护。商标法第五十七条规定，有下列行为之一的，均属侵犯注册商标专用权：（一）未经商标注册人的许可，在同一种商品上使用与其注册商标相同的商标的；（二）未经商标注册人的许可，在同一种商品上使用与其注册商标近似的商标，或者在类似商品上使用与其注册商标相同或者近似的商标，容易导致混淆的；（三）销售侵犯注册商标专用权的商品的；（四）伪造、擅自制造他人注册商标标识或者销售伪造、擅自制造的注册商标标识的；

（五）未经商标注册人同意，更换其注册商标并将该更换商标的商品又投入市场的；（六）故意为侵犯他人商标专用权行为提供便利条件，帮助他人实施侵犯商标专用权行为的；（七）给他人的注册商标专用权造成其他损害的。根据反不正当竞争法第5条的规定，假冒他人的注册商标属于经营者采用不正当手段从事市场交易，损害竞争对手的情形之一。

四、地理标志

地理标志，是指标示某商品来源于某地区，该商品的特定质量、信誉或者其他特征，主要由该地区的自然因素或者人文因素所决定的标志。权利人依法就地理标志享有专有权。目前我国没有专门的法律法规对权利人依法就地理标志享有的专有权利作出规定，对地理标志享有的专有权利分散规定在商标法、农业法、《商标法实施条例》等法律法规中。《商标法实施条例》第4条第1款规定，商标法第16条规定的地理标志，可以依照商标法和本条例的规定，作为证明商标或者集体商标申请注册。农业法第23条第3款规定，符合国家规定标准的优质农产品可以依照法律或者行政法规的规定申请使用有关的标志。符合规定产地及生产规范要求的农产品可以依照有关法律或者行政法规的规定申请使用农产品地理标志。农业法第49条第1款规定，国家保护植物新品种、农产品地理标志等知识产权，鼓励和引导农业科研、教育单位加强农业科学技术的基础研究和应用研究，传播和普及农业科学技术知识，加速科技成果转化与产业化，促进农业科学技术进步。

就地理标志享有专有权利的权利人有其特殊性。由于地理标志是标识商品产自某地区的特定质量、信誉或者其他特征，商品符合使用该地理标志条件的自然人、法人或者非法人组织都可以使用地理标志。商标法实施条例第 4 条第 2 款规定,以地理标志作为证明商标注册的,其商品符合使用该地理标志条件的自然人、法人或者其他组织可以要求使用该证明商标,控制该证明商标的组织应当允许。以地理标志作为集体商标注册的,其商品符合使用该地理标志条件的自然人、法人或者其他组织,可以要求参加以该地理标志作为集体商标注册的团体、协会或者其他组织,该团体、协会或者其他组织应当依据其章程接纳为会员;不要求参加以该地理标志作为集体商标注册的团体、协会或者其他组织的,也可以正当使用该地理标志,该团体、协会或者其他组织无权禁止。商标法第 16 条第 1 款规定,商标中有商品的地理标志,而该商品并非来源于该标志所标示的地区,误导公众的,不予注册并禁止使用;但是,已经善意取得注册的继续有效。

在立法过程中,有的提出,根据商标法第 16 条和商标法实施条例第 4 条的相关规定,地理标志可以作为证明商标或者集体商标申请注册,地理标记已被包含在商标的范畴中。建议删除本项。有的提出,与贸易有关的知识产权协议已将地理标志单列为知识产权的一种,即地理标记标示出某商品来源于某成员地域内,或来源于该地域中的某地区或某地方,该商品的特定质量、信誉或其他特征,主要与该地理来源相关联。因此,有必要在本条中将地理标记规定为知识产权的客体之一。最后本条采纳了后一种意见。

五、商业秘密

商业秘密,是指不为公众所知悉、能为权利人带来经济利益、具有实用性并经权利人采取保密措施的技术信息和经营信息。权利人依法对商业秘密享有专有权。

目前我国没有专门的法律法规对权利人依法就商业秘密享有的专有权利作出规定,对商业秘密专有权利的保护分散规定在反不正当竞争法、合同法等法律中。反不正当竞争法第10条规定,经营者不得采用下列手段侵犯商业秘密:(一)以盗窃、利诱、胁迫或者其他不正当手段获取权利人的商业秘密;(二)披露、使用或者允许他人使用以前项手段获取的权利人的商业秘密;(三)违反约定或者违反权利人有关保守商业秘密的要求,披露、使用或者允许他人使用其所掌握的商业秘密。第三人明知或者应知前款所列违法行为,获取、使用或者披露他人的商业秘密,视为侵犯商业秘密。合同法第43条规定,当事人在订立合同过程中知悉的商业秘密,无论合同是否成立,不得泄露或者不正当地使用。泄露或者不正当地使用该商业秘密给对方造成损失的,应当承担损害赔偿责任。

六、集成电路布图设计

集成电路布图设计,是指集成电路中至少有一个是有源元件的两个以上元件和部分或者全部互联线路的三维配置,或者为制造集成电路而准备的上述三维配置。权利人依法对集成电路布图设计享有专有权。

本法出台前,我国民事法律对权利人依法就集成电路布图设计享有的专有权利未作出规定,仅有科学技术进步法第20条第1款使用“集成电路布图设计专有权”。对集成电路布图设计专有权利的保护主要由国务院集成电路布图设计保护条例规范。集成电路布图设计保护条例第7条规定,布图设计权利人享有下列专有权:(一)对受保护的布图设计的全部或者其中任何具有独创性的部分进行复制;(二)将受保护的布图设计、含有该布图设计的集成电路或者含有该集成电路的物品投入商业利用。

七、植物新品种

植物新品种，是指经过人工培育的或者对发现的野生植物加以开发，具备新颖性、特异性、一致性和稳定性并有适当命名的植物品种。对植物新品种的知识产权保护主要规定在种子法、农业法《植物新品种保护条例》等相关法律法规中。种子法第25条规定，国家实行植物新品种保护制度。对国家植物品种保护名录内经过人工选育或者发现的野生植物加以改良，具备新颖性、特异性、一致性、稳定性和适当命名的植物品种，由国务院农业、林业主管部门授予植物新品种权，保护植物新品种权所有人的合法权益。植物新品种权的内容和归属、授予条件、申请和受理、审查与批准，以及期限、终止和无效等依照本法、有关法律和行政法规规定执行。国家鼓励和支持种业科技创新、植物新品种培育及成果转化。取得植物新品种权的品种得到推广应用的，育种者依法获得相应的经济利益。农业法第49条第1款规定，国家保护植物新品种、农产品地理标志等知识产权，鼓励和引导农业科研、教育单位加强农业科学技术的基础研究和应用研究，传播和普及农业科学技术知识，加速科技成果转化与产业化，促进农业科学技术进步。

权利人对植物新品种依法享有的专有权是植物新品种权。种子法第28条规定，完成育种的单位或者个人对其授权品种，享有排他的独占权。任何单位或者个人未经植物新品种权所有人许可，不得生产、繁殖或者销售该授权品种的繁殖材料，不得为商业目的将该授权品种的繁殖材料重复使用于生产另一品种的繁殖材料；但是本法、有关法律、行政法规另有规定的除外。

八、法律规定的其他客体。

除了本条明确列举的知识产权的客体，本条第8项规定了

“法律规定的其他客体”。本项规定实际上为未来知识产权客体的发展留出了空间。

在立法过程中,关于本条,对以下几个问题争议较大:

一是关于知识产权的权利特征。草案三次审议稿曾将知识产权规定为“专属的和支配的权利”。有的意见提出,“专属的和支配的权利”未能提示出知识产权的本质属性。知识产权是法律人为创设的制约他人行为的权利模式,所有权是所有权人对所有权客体所享有的最为典型的专属权和支配权。知识产权最重要的特征是排他性,所有权虽也有排他性,但是在所有权人直接支配所有物基础上的排他,是基于所有物自然属性的排他,而知识产权的排他,是法律人为创设的排他。通过界定所有权的方式界定知识产权,容易让人按照理解所有权的方式理解知识产权,难以让人准确把握知识产权的本质和特征。知识创造和使用有非排他性,但知识产权人无法专属其权利客体。知识产权客体一旦公开,任何人都可以学习、研究、欣赏,使其成为自己知识体系的一部分。即使未公开的商业秘密,他人也可通过独立研发或者反向工程获得。知识产权人也无法支配其权利客体。支配是权利人依照自己的意志,通过物理力量对特定动产或者不动产予以占有、使用、收益或者处分。知识产权的客体是没有物理形态的知识,不同于具有物理形态的有形物,无法凭借物理力量占有,也无法像处分有形物那样进行处分。知识的使用也不像有形物那样,会发生消耗。知识使用的非消耗性决定了发生知识产权侵权行为时,知识本身不会受到任何损害,侵权行为仅仅表现为未经知识产权人许可,也无法定事由,利用其知识产权排他范围内的知识。最后,本条将“专属的和支配的”修改为“专有的”。

二是关于是否在本条明确规定科学发现作为知识产权的客体。科学发现是指个人或者组织在探索阐明自然现象、特性或者规律的科学研究中，取得前人未知的、对科技发展有重大意义的成果。有的意见提出，《建立世界知识产权组织公约》第2条第8项明确将科学发现规定为知识产权的客体，我国作为该公约成员国，将科学发现剔除出知识产权客体范围，与公约规定不符。将科学发现列举为知识产权客体范围，并不意味着必须给科学发现者配置财产，知识产权本身包括财产权和人身权，科学发现者享有的只是发现者身份权。科学发现的激励问题，可以通过财政支持、税收减免、奖励等方式解决。有的意见提出，科学发现的权利，实际上是解决谁是第一发现者，谁是后来的证明者等问题，与法律上讲的知识产权不是一回事，科学发现不属于知识产权保护客体。民法总则草案二审稿曾规定科学发现，经研究，三审稿删除了科学发现，相关法律对与科学发现有关的知识产权有明确规定的，可以纳入本条第八项进行调整。

三是关于知识产权的客体。草案征求意见稿曾将最后一项即兜底项规定为“法律、行政法规规定的其他智力成果”。有的意见提出，“智力成果”的范围过窄，知识产权的客体是否都是智力成果存在一定争议，无法涵盖商标、商号等工商业标记。经研究，采纳了这一意见。同时，考虑到现行行政法规涉及的知识产权的客体，民法总则都已全部纳入，如植物新品种、集成电路布图设计等，且知识产权客体以后由法律规定为宜，所以删除了“行政法规”。最后，将本条最后一项规定为“法律规定的其他客体”。

第一百二十四条　自然人依法享有继承权。

自然人合法的私有财产，可以依法继承。

【释义】 本条是关于自然人依法享有继承权的规定。

一、自然人依法享有继承权

继承权是指自然人依照法律的规定或者被继承人生前立下的合法有效的遗嘱而取得被继承人遗产的权利。继承权是自然人的一项基本民事权利。宪法第13条第2款规定，国家依照法律规定保护公民的私有财产权和继承权。宪法作为根本大法，确立了关于保护公民私有财产权和继承权的原则。民法通则第76条规定，公民依法享有财产继承权。根据宪法规定，为保护公民的私有财产的继承权，1985年我国出台了继承法，调整继承法律关系。民法总则在本章单列一条，明确规定自然人依法享有继承权。对自然人继承权的保护，是保护自然人个人财产所有权的必然要求。当自然人死亡时，将其生前个人所有的合法财产，依法转移给他的继承人，有利于提高自然人参加经济建设的积极性，为社会、家庭和个人积累财富，满足人们日益增长的物质生活和文化生活的需要。

我国其他法律对自然人的继承权的保护也有所规定。物权法第65条第2款规定，国家依照法律规定保护私人的继承权及其他合法权益。未成年人保护法第52条第1款规定，人民法院审理继承案件，应当依法保护未成年人的继承权和受遗赠权。妇女权益保障法第34条第1款规定，妇女享有的与男子平等的财产继承权受法律保护。在同一顺序法定继承人中，不得歧视妇女。

二、自然人合法的私有财产，可以依法继承

依照我国法律规定，自然人享有继承权，自然人可以继承的被继承人的财产的范围为被继承人合法的私有财产。本条第2款的规定是对自然人合法的私有财产权在继承制度上的保护。

宪法第13条第1、2款规定,公民的合法的私有财产不受侵犯。国家依照法律规定保护公民的私有财产权和继承权。物权法第六十四条规定,私人对其合法的收入、房屋、生活用品、生产工具、原材料等不动产和动产享有所有权。物权法第65条第1款规定,私人合法的储蓄、投资及其收益受法律保护。对自然人合法的私有财产的保护在自然人生存时,通过对自然人对其合法的私有财产所享有的物权、债权、知识产权、股权等一系列民事权利的保护来实现。在自然人死亡后,其合法的私有财产可以作为遗产,由继承人依法继承,是对自然人合法私有财产的保护。根据继承法第三条的规定,遗产是公民死亡时遗留的个人合法财产,包括:公民的收入;公民的房屋、储蓄和生活用品;公民的林木、牲畜和家禽;公民的文物、图书资料;法律允许公民所有的生产资料;公民的著作权、专利权中的财产权利;公民的其他合法财产。

第一百二十五条 民事主体依法享有股权和其他投资性权利。

【释义】 本条是关于民事主体依法享有股权和其他投资性权利的规定。

一、股权

股权是指民事主体因投资于公司成为公司股东而享有的权利。股权根据行使目的和方式的不同可分为自益权和共益权两部分。自益权是指股东基于自身利益诉求而享有的权利,可以单独行使,包括资产收益权、剩余财产分配请求权、股份转让权、新股优先认购权等;共益权是指股东基于全体股东或者公司的利益诉求而享有的权利,包括股东会表决权、股东会召集权、提案权、质询权、公司章程及账册的查阅权、股东会决议撤销请求权等。

民事主体通过投资于公司成为公司股东后依法享有股权。根据本条规定,民事主体依法享有股权。公司法第 4 条规定,公司股东依法享有资产收益、参与重大决策和选择管理者等权利。公司法还区分不同的公司形式,对民事主体投资于公司成为公司股东后的权利作了详细规定。

二、其他投资性权利

其他投资性权利是指民事主体通过投资享有的权利。如民事主体通过购买证券、基金、保险等进行投资而享有的民事权利。根据本条规定,民事主体依法享有其他投资性权利。这些投资性权利的具体权利内容根据证券法等具体法律规定依法享有。

民法总则一审稿第 91 条规定,民事主体依法享有股权或者其他民事权利。一审稿未规定其他投资性权利。在立法过程中,有的意见提出,民事主体购买基金和其他有价证券的权利也应受到保护,建议将“股权”修改为“投资权”。有的意见建议,将本条修改为:“民事主体依法享有的股权及其他投资性权利受法律保护。”根据各方面意见,本条最终规定:“民事主体依法享有股权和其他投资性权利。”

第一百二十六条　民事主体享有法律规定的其他民事权利和利益。

【释义】　本条关于民事主体享有的民事权益的兜底性规定。

本章专章规定了民事主体的民事权利,具体规定了民事主体的人格权、身份权、物权、债权、知识产权、继承权、股权和其他投资性权利。考虑到民事权利和利益多种多样，立法中难以穷尽，而且随着社会、经济的发展，还会不断地有新的民事权益纳入法律的保护范围，因此，本条对民事主体享有的民事权利和利益作了兜底性规定。

在立法过程中，有的意见提出，应在本章增加规定如下权利种类：

一是土地承包经营权。有的意见提出，民法通则第 28 条规定，个体工商户、农村承包经营户的合法权益，受法律保护。根据民法通则第 80 条第 2 款的规定，公民、集体依法对集体所有的或国家所有由集体使用的土地的承包经营权，受法律保护。对以农耕为主的农民而言，土地承包经营权是重要权利，虽然物权法将土地承包经营权规定为用益物权的一种，本法第 114 条也规定了民事主体依法享有物权，但土地承包经营权有其特殊性和特色，建议在民事权利一章中予以明确。有的意见认为，民法总则规定民事权利一章仅规定大的权利种类，目前的体例结构按照人格权、身份权、物权、债权、知识产权、继承权、股权和其他投资性权利、其他民事权利的顺序排列。对于以后分则有规定的具体权利，总则没有展开规定。土地承包经营权是民事权利中的一项重要权利，其权利属性属于物权中用益物权的一种，物权法在第三编用益物权中单列一章规定了土地承包经营权。如果将土地承包经营权在总则民事权利物权项下规定，从体例结构上看，建设用地使用权、宅基地使用权、地役权等其他用益物权，所有权和担保物权等物权权利种类下的其他民事权利也应在民事权利一章中规定，与目前总则的体例不符。因此，土地承包经营权作为物权的一种，宜由分则物权篇作出规定。本章最终没有明确列举农村土地承包经营权。

二是环境权。有的意见认为，环境是公民作为生物个体生存的基本物质条件和空间场所，是人类生存的必要条件，环境资源已经成为重要的民事权利客体，应该规定环境权。有的意见认为，环境权是一种复合型的权利，其内容大致包括三个方面，即公众的环境知情权、环境决策参与权以及公众诉权。公众的环境知情权是公众实施其他环境权的基础和前提，只有公众获得了有关环境方面的情报资料，才有可能积极有效地行使环境决策参与权。公众诉讼与一般的侵权诉讼不同。一般的环境侵权诉讼是公民、法人等主体自身的利益受到他人侵害而提起的诉讼，而公众诉讼在性质上属于公益诉讼。公益诉讼的目的往往不是为了直接保护某个公民的个体利益，而是防止侵权人对不特定多数人的利益造成损害，或者督促政府积极履行某些保护公共利益的法定职责。环境权的公益性是其显著的特征，而民事主体行使民事权利的主要目的是保护自身的利益。环境权是环境法确认和保护的社会权，而非由民法确认和保护的私权。从境外的立法看，不少国家和地区并不在民法典规定环境权，而是在宪法或者专门的环境法中规定这种权利。如《俄罗斯宪法》第 42 条规定，每个人都有享受良好的环境和获得关于环境状况的信息的权利。美国一些州宪法中对环境权作了具体的规定，包括清洁空气权、清洁水权、免受过度噪音干扰权等。对因污染环境造成公民个人人身、财产权益损害的，各国一般是通过规定环境侵权的民事责任来实现的。如美国以环境专门立法的形式确立严厉的行政控制制度以及环境侵权民事责任。德国、日本陆续出台了多部环境保护法律，并规定因环境侵权需承担的民事责任。从我国目前的立法看，多部法律中已对环境侵权问题作了规定。因破坏环境生态损害民事主体人身财产权益的,民事主体可以依据侵权责任法主张权利。例如,侵权责任法第8章专章规定了环境污染责任。第65条规定,因污染环境造成损害的,污染者应当承担侵权责任。对污染环境损害社会公共利益的行为,民事诉讼法规定了公益诉讼制度。民事诉讼法第55条规定,对污染环境损害社会公共利益的行为,法律规定的机关和有关组织可以向人民法院提起诉讼。此外,环境保护法、大气污染防治法、水污染防治法等环境法对此也作了规定。目前理论界和实务界对环境权是否属于民事权利存在很大争议。本法最终没有明确规定环境权。

三是受教育权等权利。有的意见提出,宪法里列举了二十八种权利,民法总则列举的权利数量还不如宪法多。人民法院审判时不能援引宪法,宪法权利只有转化为民事权利才能更好地获得保护,建议进一步贯彻落实宪法精神,把宪法中已列举出来的权利尽可能地在民法当中体现出来,转化为民事权利,如人的表达自由、受教育权、社会权。有的意见提出,宪法规定的公民权利与民事权利有本质区别。从权利性质上看,宪法规定的基本权利反映的是国家机关与公民之间的关系,是公民针对国家所享有的权利,公民可以据此要求国家作为或者不作为;民事权利则是民事主体之间存在的私权利。从权利内容上看,宪法权利既包括生命、自由、安全等自然权利宪法化的权利,也包括选举权、被选举权、创制权、表决权与罢免权等体现民主价值的公民政治权利,还包括社会安全的权利、工作的权利、休息和闲暇的权利、受教育的权利、达到合理生活水准的权利和参与文化生活的权利等公民社会经济权利;而民事权利是平等主体之间的人身权利和财产权利。本法最终没有明确规定受教育权等权利。

第一百二十七条　法律对数据、网络虚拟财产的保护有规定的，依照其规定。

【释义】　本条是关于数据和网络虚拟财产的保护的规定。

在立法过程中，对于民法总则是否规定和如何规定数据和网络虚拟财产，存在较大争议。有的意见认为，数据和网络虚拟财产是民事权利的客体之一。但数据和网络虚拟财产是新兴事务，其概念范畴、保护范围、权利属性、权利和义务的内容等都较为复杂，理论和实践中对这些问题存在较大争议，其他国家和地区对数据和网络虚拟财产的保护也仍然处于探索阶段。民法总则未针对民事权利的客体作专门规定，可以将数据和网络虚拟财产纳入现有的各种民事权利中予以保护。有的意见认为，为了适应信息社会和互联网快速发展的新情况，体现民法总则的时代性，民法总则有必要对数据和网络虚拟财产等新型民事权利客体作出规定。这有助于解决实践纠纷，对于社会互联网未来发展提供保障支持。但鉴于数据和网络虚拟财产的复杂性，限于民法总则的篇章结构，如何界定数据和网络虚拟财产，如何具体规定数据和网络虚拟财产的权利属性和权利内容，应由专门法律加以规定。

经研究，最后本条对数据和网络虚拟财产的保护作了原则性规定，即规定“法律对数据、网络虚拟财产的保护有规定的，依照其规定”。一方面，确立了依法保护数据和网络虚拟财产的原则；另一方面鉴于数据和网络虚拟财产的权利性质存在争议，需要对数据和网络虚拟财产的权利属性作进一步深入研究，进一步总结理论和司法实践的经验，为以后立法提供坚实基础。

民法总则草案一审稿曾将数据和网络虚拟财产分开规定。草案一审稿第 104 条规定，物包括不动产和动产。法律规定具体权利或者网络虚拟财产作为物权客体的，依照其规定。草案一审稿第108条第2款规定，知识产权是指权利人依法就下列客体所享有的权利：……（八）数据信息；（九）法律、行政法规规定的其他内容。针对上述规定，有的意见提出，互联网的高速发展在便利人们生活的同时，对个人隐私、个人信息也造成了严重威胁，建议进一步明确网络虚拟财产的性质。有的意见提出，网络虚拟财产的财产属性毋庸置疑，但究竟属于何种财产权利客体，应待司法实践与法学研究进一步提炼，建议将"网络虚拟财产"修改为"其他无形物"。有的意见提出，网络虚拟财产权利不符合物权的特征。有的意见提出，对于数据信息的保护，应当着眼于数据信息所承载的对象，分析其对应的权利类型，综合运用物权、债权、著作权、商标权、隐私权等进行保护，不宜都作为知识产权。有的建议将"数据信息"规定在民事法律关系的客体之中，不规定在知识产权客体之中。有的意见建议，只规定加工后的数据信息，排除原始数据信息。有的意见提出，能够成为数据专有权的，是经过加工的衍生数据，建议将"数据信息"修改为"衍生数据"。有的意见建议，将"数据信息"修改为"数据库"。鉴于对数据和网络虚拟财产的概念范畴、保护范围、权利属性、权利和义务内容存在较大争议，草案二审稿将数据和网络虚拟财产单列一条作出规定，规定"法律对数据、网络虚拟财产的保护有规定的，依照其规定"，最终通过的民法总则保持了这一规定。

一、关于数据

随着信息技术和网络的快速发展与应用，各类数据信息迅猛增长，数据交易日益增多，各地大数据交易所应运而生。关于数据的一系列法律问题如数据的法律属性、保护模式等引起广泛讨论。如何界定数据的内涵和外延,数据的权利属性和权利人对数据享有哪些权利都存在较大争议。根据本条规定,法律对数据的保护有规定的,依照其规定。目前存在的与数据相关联的法律概念中,联系最密切的是汇编作品和数据库。具有独创性的数据构成汇编作品受著作权法保护。我国未专门规定对数据库的保护。欧盟《关于数据库法律保护的指令》第1条规定,数据库是指经系统或有序的安排,并可通过电子或其他手段单独加以访问的独立的作品、数据或其他材料的集合。世界知识产权组织1996年提出的《数据库知识产权条约草案》对数据库的定义与欧盟关于数据库法律保护的指令基本相同。

(一)我国大数据交易所和交易平台的情况

随着数据交易日益增多,各地大数据交易所或者交易平台应运而生,目前我国各地成立了多个大数据交易所或者交易平台。

2014年2月,中关村大数据交易产业联盟成立,是国内首个面向数据交易的产业组织。同年4月,中关村数海大数据交易平台正式上线运行,为客户提供大数据交易服务,交易对象为原始的或经处理后的数字化信息。

2015年2月,工信部将贵阳正式列为全国唯一的大数据产业发展试点示范区。同年4月15日,全国首家大数据交易所贵阳大数据交易所正式挂牌运营。截至2015年年底,已实现半年交易额逾6000万元。

2015年7月,武汉东湖大数据交易中心宣告成立。12月,河北大数据交易中心在京启动,该交易中心是全国第一家开展数据资产证券化的服务机构。12月,华东江苏大数据交易中心平台在江苏省盐城市正式上线运营。2016年4月,上海数据交易中心落户静安区。同时，浙江日报报业集团与桐乡市政府举行签约仪式，约定由浙报传媒投资建设浙江大数据交易中心，拟落户桐乡乌镇。

(二)我国法律对数据保护的相关规定

目前我国法律未对数据的保护作出专门规定，也未专门规定对数据库的保护。根据现有法律，对数据可以分别情况依据著作权、商业秘密来保护。我国著作权法第14条规定了汇编作品。具有独创性是作品受著作权法保护的前提，具有独创性的数据如果构成汇编作品，受著作权法的保护。反不正当竞争法第10条规定了对商业秘密的保护。第10条第3款规定，本条所称的商业秘密，是指不为公众所知悉、能为权利人带来经济利益、具有实用性并经权利人采取保密措施的技术信息和经营信息。符合上述条件的技术信息和经营信息等数据，可以作为商业秘密保护。

有的意见提出，清晰的权利归属和权利内容是交易的前提与基础。随着数据产业发展和数据交易实践的进行，数据法律属性问题成为人们关注且必须解决的问题之一。数据法律属性关系到以数据为客体所形成的法律关系类型及法律关系调整问题。数据法律问题，不仅关系到数据开发者的利益，也关系到社会公众获取信息，影响数据产业的生存和发展。但规定对数据的保护，需要规定一系列的制度，包括构成数据保护的情形、主体和客体、权利的内容、权利的限制、享有权利的期限、法律责任等。民法总则的定位和篇章结构无法对这一系列制度作系统详细的规定，宜对数据的保护作原则性和指引性规定。此外，对数据的保护应以保护民事主体个人信息权益为前提。在数据时代，收集利用数据信息很容易侵犯民事主体的个人信息权益。

属于他人个人信息权益范畴的信息,其权利主体为用户个人所有,其使用和经营,须经过用户的许可,否则为侵权。

二、关于网络虚拟财产

网络虚拟财产是计算机信息技术发展的产物,随着网络的普及发展,网络与人们生活的联系越来越紧密,围绕网络虚拟财产权利义务的各种纠纷时有发生,网络虚拟财产的法律属性等问题也引起了广泛争论。有的意见认为,广义的网络虚拟财产是指一切存在于网络虚拟空间内的虚拟财产,包括电子邮箱、网络账户、虚拟货币、网络游戏中虚拟物品及装备、经注册的域名等。狭义的网络虚拟财产是指网络游戏中存在的虚拟财产,包括游戏账号的等级、游戏货币、游戏人物等。网络游戏中,玩家投入大量时间、精力和金钱参与网络游戏,通过练级等个人劳动、购买游戏卡等真实财物付出、买卖装备等市场交易获得网络虚拟财产,从各种网络虚拟财产的得失中获得感官和精神上的享受,达到娱乐身心的目的,价值不言而喻。他们在虚拟空间从事创造的所得可以转化为现实的财富,网上、网下进行的交易充分彰显网络虚拟财产的交换价值。网络用户通过账号密码设置防止他人修改、增删自己的网络虚拟财产,通过一定的程序买卖、使用、消费网络虚拟财产,实现对网络虚拟财产的占有和处分。

(一)我国网络虚拟财产纠纷的情况

随着网络与生活的联系越来越紧密,围绕网络虚拟财产的纠纷也越来越多。目前我国网络虚拟财产纠纷主要有以下几种情况:一是网络虚拟财产被盗纠纷。深圳市南山区法院审理了国内首例网络虚拟财产的盗窃案,该案中被告人窃取了大量QQ号码的密码保护资料并出售给他人,因此承担了刑事责任及民事赔偿责任。二是网络虚拟财产交易纠纷。网络游戏中网络虚拟财产的交易行为大量存在，有的还价值不菲，有的交易发生欺诈行为，在交易双方间产生纠纷。三是网络虚拟财产权属确认纠纷。一些网络虚拟财产几经转手后，归属关系错综复杂，致使玩家与运营商之间、玩家与玩家之间因网络虚拟财产权属确认发生纠纷。四是网络游戏服务合同纠纷。例如合同履行期尚未届满，运营商提前终止服务；运营商未履行网络监管义务导致玩家的装备或数据丢失；因客户端协议的某些霸王条款使游戏服务合同显失公平等纠纷。在北京市朝阳区法院审理的国内首例网络虚拟财产争议案中，原告在游戏中积累和购买的虚拟的生物武器被另一玩家盗走，但运营商拒绝将盗号者资料交给原告。原告以运营商未履行服务义务造成他的私人财产损失为由，将运营商告上了法庭。五是因运营商对"外挂"等行为封号引发的玩家与运营商之间的纠纷。某些运营商对"私服"（私人服务器）、"外挂"（一种模拟键盘和鼠标运动修改客户端内存数据的作弊程序）的玩家进行处理，未尽告知义务、扩大处理范围或者处理不当，错误查封正常玩家的账号或者删除游戏装备的纠纷。

（二）我国关于网络虚拟财产法律属性的主要观点

关于网络游戏中存在的网络虚拟财产的法律属性，主要有以下几种观点：

1. 无形财产说

该说回避网络虚拟财产的权利属性，认为尽管网络虚拟财产的存在形式是保存在服务器上的一些字符或者数据，但和现实中的货币可以互相联系，有的职业玩家以网络游戏为生，付出劳动获取游戏装备，换取现实中的货币，其既有使用价值又有交换价值,具备商品的一般属性。由于网络虚拟财产最本质的特征是无形性,应作为无形财产受到法律的保护。北京市朝阳区法院审理李宏晨诉北京北极冰科技公司一案,法院判决认为,关于丢失装备的价值,虽然虚拟装备是无形的,且存在于特殊的网络游戏环境中,但并不影响虚拟物品作为无形财产的一种而获得法律上的适当评价和救济。

2. 知识产权说

该说认为,网络虚拟财产应属于智力成果,列入知识产权范畴。有的意见认为,网络虚拟财产属于网络游戏软件开发者的智力成果,应为著作权范畴。玩家购买或通过游戏活动获取网络虚拟财产,实际上是获取著作权中的使用权。有的意见认为,玩家在游戏过程中耗费了大量的时间和精力,其中伴随着智力性的劳动投入,因而获取的虚拟财产是玩家的创造性智力成果,应当对其享有知识产权。

3. 新型财产权类型说

该说认为,网络虚拟财产具有虚拟性、预先设定性、一定程度的复制性、交易空间的特定性等特点,且无法以客观的形态表现出来,既不属于债权、物权,也不属于知识产权,目前的权利类型不足以规制这一新兴的权利,应当设定一个全新的权利类型即网络财产权,指民事主体通过网络活动在特定网络环境中享有的能够自由处分的具有一定经济价值的权利。

4. 物权说

该说认为,只要具有法律上的排他支配或管理的可能性及独立的价值性,就可以被认定为法律上的物。网络虚拟财产本质上是电磁记录数据,是玩家付出了精力、时间等投入或者直接通过货币购买取得的,其表现形式客观存在,且具有价值性和可支配性，具有物权客体的法律特征，应该作为物权的客体看待。物权说又分为所有权说和用益物权两种。所有权说认为，网络虚拟财产属于网络环境中的动产，具备占有、使用、处分、收益的特征，权利人对网络虚拟财产享有所有权。用益物权说认为，网络虚拟财产是事先存在于运营商服务器上的电子数据，可以被视为动产，玩家与运营商之间是网络游戏服务合同关系，玩家是基于合同关系取得对网络虚拟财产的用益物权而不是所有权。

5. 债权说

该说从游戏运营商与玩家是服务合同关系出发，认为网络虚拟财产本质上从属于一种债权关系。

一是网络虚拟财产不是物权。物权的核心是直接支配性，是物权人可以依自己的意思，无须他人意思或行为的介入，对标的物管领、处分，实现权利内容。网络虚拟财产是虚拟环境中的财产，玩家对网络虚拟财产的管领、支配，享受其利益，必须基于运营商的介入。

二是玩家与游戏运营商之间是游戏服务合同关系。在这种服务合同关系中，运营商和玩家是消费者和服务提供者的法律关系，游戏本身和游戏中的各种辅助功能都是运营商提供服务的一部分，不存在所有权交易。服务提供者提供符合约定的服务，玩家接受服务并支付对应款项。游戏提供者不是以转移游戏及游戏中的辅助功能的所有权为目的，玩家购买游戏中的装备和物品的目的也是在游戏中运用。玩家支付价格购买的是服务而不是物，网络虚拟财产是玩家对运营商的债权凭证，可以凭电磁数据记录要求运营商提供特定水平的服务。

三是网络虚拟财产的转让是一种债权凭证的转让。现实社会中存在大量网络虚拟财产的网下交易，使人们觉得玩家对于网络虚拟财产如同对一件真正的物品行使物权的权能，其实是一种假象。所有权是物交易的前提，也是物交易的结果，更是物交易的实质。如果人们在现实中交易一把刀，所有权人对这把刀享有的是占有、使用、收益、处分的绝对权。物权的存在和让渡无须他人的承认或协助。网络虚拟财产的转让则不同，虽然玩家可对网络虚拟财产或卖或赠，但是这种买卖或赠予是一种不完全的处分行为，其来源于运营商的允许或授权，并受到游戏服务合同的限制。网络虚拟财产的转让所体现的不是物的所有权的转让，而是债权的转让，是对运营商服务行为请求权的转让。如玩家甲向玩家乙转让一把具有十点攻击力的游戏宝刀，实际上是甲将向运营商要求增加十点攻击力的请求权让给了乙，乙拥有了这把宝刀，就拥有了请求增加攻击力的权利。

目前，关于网络虚拟财产的法律属性，多数主张物权说或者债权说，但在很多问题上还有很大争议，尚无定论。

第一百二十八条　法律对未成年人、老年人、残疾人、妇女、消费者等的民事权利保护有特别规定的，依照其规定。

【释义】　本条是关于弱势群体民事权利的特别保护的衔接性规定。

未成年人、老年人、残疾人、妇女、消费者等民事主体，由于其心理、生理或者市场交易地位原因，可能在民事活动中处于弱势地位。为保护整体上处于弱势地位的民事主体的民事合法权益，法律对未成年人、老年人、残疾人、妇女、消费者等的民事权利有特别保护规定。本条是对弱势群体民事权利的特别保护的衔接性规定。根据本条规定，法律对未成年人、老年人、残疾人、妇女、消费者等的民事权利有特别保护规定的，依照其规定。

为保护整体上处于弱势地位的民事主体的民事合法权益，法律对未成年人、老年人、残疾人、妇女、消费者等的民事权利给予特别保护的规定，如消费者权益保护法通过规定消费者的权利和经营者的义务来保护消费者的合法权益，规定消费者的知情权、选择权等权利，规定经营者负有保障消费者安全、质量保证、告知和召回等义务。未成年人保护法、老年人权益保障法、残疾人保障法、妇女权益保障法对未成年人、老年人、残疾人、妇女的民事权利有特别保护规定。

第一百二十九条　民事权利可以依据民事法律行为、事实行为、法律规定的事件或者法律规定的其他方式取得。

【释义】　本条是关于民事权利的取得方式的规定。

民事权利的取得，是指民事主体依据合法的方式获得民事权利。根据本条规定，民事权利可以依据民事法律行为、事实行为、法律规定的事件或者法律规定的其他方式取得。

一、民事法律行为

民事法律行为是指民事主体通过意思表示设立、变更、终止民事法律关系的行为，民法理论一般称为法律行为。如订立买卖合同的行为、订立遗嘱、放弃继承权、赠与等。本法第 6 章专章规定了民事法律行为，对民事法律行为的概念、成立、效力等作了规定。民事法律行为以意思表示为核心要素，没有意思表示则没有民事法律行为。意思表示是指行为人为了产生一定民法上的效果而将其内心意思通过一定方式表达于外部的行为。根据本法第 143 条规定，具备下列条件的民事法律行为有效：(一)行为人具有相应的民事行为能力；(二)意思表示真实；(三)不违反法律、行政法规的强制性规定，不违背公序良俗。

民事权利可以依据民事法律行为取得。如订立合同是民事法律行为,合同一方可以通过订立合同取得合同约定的权利。

二、事实行为

事实行为是指行为人主观上没有引起民事法律关系发生、变更或者消灭的意思,而依照法律的规定产生一定民事法律后果的行为。如自建房屋、拾得遗失物、无因管理行为、劳动生产等。事实行为有合法的,也有不合法的。拾得遗失物等属于合法的事实行为,侵害他人的人身、财产的侵权行为是不合法的事实行为。民事权利可以依据事实行为取得,如民事主体因无因管理行为取得对他人的无因管理债权等。

三、法律规定的事件

法律规定的事件是指与人的意志无关而根据法律规定能引起民事法律关系变动的客观情况,如自然人的出生、死亡,自然灾害,生产事故,果实自落以及时间经过等。民事权利可以依据法律规定的事件取得,如民事主体因出生取得继承权等。

四、法律规定的其他方式

除了民事法律行为、事实行为、法律规定的事件,民事权利还可以依据法律规定的其他方式取得。如物权法第 28 条规定,因人民法院、仲裁委员会的法律文书或者人民政府的征收决定等,导致物权设立、变更、转让或者消灭的,自法律文书或者人民政府的征收决定等生效时发生效力。第 42 条第 1 款规定,为了公共利益的需要,依照法律规定的权限和程序可以征收集体所有的土地和单位、个人的房屋及其他不动产。

第一百三十条　民事主体按照自己的意愿依法行使民事权利,不受干涉。

【释义】　本条是关于民事主体按照自己的意愿依法行使民事权利的规定。

本条规定是自愿原则在民事权利行使中的体现。本法第5条规定了民法自愿原则:"民事主体从事民事活动,应当遵循自愿原则,按照自己的意思设立、变更、终止民事法律关系。"自愿原则是民法的一项基本原则,贯彻于整个民法之中。本条是自愿原则在行使民事权利中的体现,民事主体按照自己的意愿依法行使民事权利,不受干涉体现在:一是民事主体有权按照自己的意愿依法行使民事权利或者不行使民事权利。二是民事主体有权按照自己的意愿选择依法行使的民事权利内容。三是民事主体有权按照自己的意愿选择依法行使民事权利的方式。民事主体按照自己的意愿行使权利,任何组织和个人不得非法干涉。

我国其他法律对民事主体按照自己的意愿依法行使民事权利有相关规定。例如,合同法第4条规定,当事人依法享有自愿订立合同的权利,任何单位和个人不得非法干预。婚姻法第5条规定,结婚必须男女双方完全自愿,不许任何一方对他方加以强迫或任何第三者加以干涉。其他国家对民事主体按照自己的意愿依法行使民事权利也有规定。例如,《俄罗斯民法典》第1条第2款规定,公民(自然人)和法人以自己的意志和为自己的利益取得和行使民事权利。他们在根据合同确定自己的权利和义务方面及在规定任何不与立法相抵触的合同条件方面享有自由。

第一百三十一条　民事主体行使权利时,应当履行法律规定的和当事人约定的义务。

【释义】　本条是关于民事主体行使权利应当履行义务的

规定。

民事主体依法享有的民事权利和承担的民事义务是民事法律关系的内容。在民事法律关系中,民事权利和民事义务是相互对立、相互联系的。民事权利的内容要通过相应的民事义务表现,民事义务的内容由相应的民事权利限定。在很多情况下,民事主体享有权利的同时,负担法律规定的或者当事人约定的义务。如合同双方当事人一般相互约定各自的权利义务,一方当事人享有合同权利的同时,也负有约定的合同义务。民事主体行使权利时,应当履行法律规定的和当事人约定的义务。

民法总则草案一审稿将本条作为民事主体合法的民事权益受法律保护这一条的第 2 款,规定在第 1 章基本原则中,表述为"民事主体行使权利的同时,应当履行法律规定的或者当事人约定的义务,承担相应责任"。立法过程中,有的意见提出,只有违反了义务,才会带来不利的法律后果,才要承担民事责任。规定行使权利、履行义务就要承担责任,在逻辑上不通。权利与义务相对应,责任属于违反义务的后果,三者不宜并列,因为行使权利,如果履行了义务,责任是不会发生的。建议删掉最后一句"承担相应责任"。草案三审稿删除了"承担相应责任",规定"民事主体行使权利的同时,应当履行法律规定的或者当事人约定的义务"。又有意见提出,强调民事主体在享有权利的同时必须注重对义务的承担,教育公民正确行使权利,诚信履行义务,对建立法治社会、践行社会主义核心价值观具有重要现实意义,但放在基本原则一章不合适,应作为权利行使的规则在本章进行规定。最终,将本条放在民事权利一章中,作为民事权利行使的规则进行规定。

第一百三十二条 民事主体不得滥用民事权利损害国家利益、社会公共利益或者他人合法权益。

【释义】 本条是关于民事主体不得滥用民事权利的规定。

不得滥用民事权利,指民事权利的行使不得损害国家利益、社会公共利益或者他人合法权益。权利的行使,有一定界限,行使民事权利损害国家利益、社会公共利益或者他人合法权益的,为滥用民事权利。民法一方面鼓励权利主体正当地行使权利,另一方面为权利的行使划定了明确的界限,即不得滥用民事权利损害国家利益、社会公共利益或者他人合法权益。滥用民事权利损害国家利益、社会公共利益或者他人合法权益可构成侵权。滥用民事权利和侵权存在区别:权利滥用的前提是有正当权利存在,且是权利行使或与权利行使有关的行为,侵权行为一般事先没有正当权利存在;权利不得滥用原则是对民事主体行使民事权利的一定限制,通过限制民事主体不得滥用权利损害国家利益、社会公共利益或者他人合法权益达到民事权利与国家利益、社会公共利益、他人合法权益的平衡,而侵权责任制度的目的是保护民事主体的权利。

我国法律对权利不得滥用原则有相关规定。宪法第 51 条规定,中华人民共和国公民在行使自由和权利的时候,不得损害国家的、社会的、集体的利益和其他公民的合法的自由和权利。权利不得滥用是宪法上的一项基本原则。合同法第 7 条规定,当事人订立、履行合同,应当遵守法律、行政法规,尊重社会公德,不得扰乱社会经济秩序,损害社会公共利益。

其他国家和地区对不得滥用权利原则也有规定。《德国民法典》第 226 条规定,权利人不能仅仅以损害他人为目的行使权利。《瑞士民法典》第 2 条第 2 款规定,显系滥用权利时,不受法律保护。《日本民法典》第 1 条第 3 款规定，禁止权利滥用。《韩国民法典》第 2 条第 2 款规定，权利不得滥用。我国台湾地区“民法”第 148 条第 1 款规定，权利之行使，不得违反公共利益，或以损害他人为主要目的。《西班牙民法典》第 7 条规定，权利应善意行使。法律不保护滥用权利或利用权利从事反社会的行为。任何作为或不作为的意图、企图达到的目的和结果，明显地超越权利行使的范围，对第三人造成损害的，均应对其作出相应的赔偿，并通过司法或行政管理措施制止其继续滥用权利。《荷兰民法典》第 13 条规定，权利人不得滥用其权利。滥用权利是指行使权利完全出于损害他人利益的意图或为达到非设定权利的目的，或者权利人未能合理地决定其权利的行使，致使其行使权利所生的利益和所致的损害失衡。权利性质要求不得滥用。《加拿大魁北克民法典》第 7 条规定，任何人均不得以损害他人为目的或违背诚实信用的要求以过分且不合理的方式行使权利。

关于不得滥用民事权利是否是民法的基本原则，在立法过程中有不同意见。有的意见认为，权利不得滥用是中国宪法上的一项基本原则，根据合宪性解释方法，权利不得滥用也当然是民法的基本原则。禁止权利滥用原则不是对个别权利的限制性规定，而是对一切民事权利的行使给予限制的一般条款，反映了人类生存及人类社会可持续发展之根本利益高于个人自由的现代民法思想，在民法的基本价值体系中具有越来越重要的地位，将其作为基本原则更符合现代法的精神。考虑到权利不得滥用原则的重要性，且考虑到实践中权利滥用现象，规定该原则具有现实意义，从司法实践看，权利滥用原则也曾发挥了弥补法律漏洞的作用，需要在基本原则中规定此项原则。有的意见认为，禁止权利滥用原则仅为违反诚实信用原则的效果，是程序性、救济性原则，为权利行使的原则，是公序良俗原则的组成部分，非民法的基本原则，不宜在基本原则中规定，但可以在民事权利一章规定作为民事权利行使规范加以规定。立法过程中，本条根据各方意见不断进行修改完善。草案一审稿在第一章基本原则中规定一条，民事主体从事民事活动，应当遵守法律，不得违背公序良俗，不得损害他人合法权益。二审稿将这一条修改为，民事主体从事民事活动，不得违反法律，不得违背公序良俗，不得滥用权利损害他人合法权益。三审稿将权利不得滥用原则移至本章，规定民事主体不得滥用民事权利损害他人合法权益。最终通过的民法总则规定，民事主体不得滥用民事权利损害国家利益、社会公共利益或者他人合法权益。

第六章　民事法律行为

民事法律行为是对合同行为、婚姻行为、遗嘱行为等一系列能够产生具体权利义务关系的行为的抽象和概括，是民事主体在民事活动中实现自己意图的一项重要民事制度。在民法总则中规定民事法律行为制度具有重要意义：

第一，民事法律行为是民事主体实现意思自治的最重要手段和工具。自愿原则，即意思自治原则是民法的核心原则之一，体现了民事活动最基本的特征，其实质是民事主体根据自己的意愿自主从事民事活动，承担相应的法律后果。本法第5条规定，民事主体从事民事活动，应当遵循自愿原则，按照自己的意思设立、变更和终止民事法律关系。民事法律行为就是民事主体按照自己的意愿设立、变更和终止民事法律关系的行为。首先，民事法律行为的核心要素是意思表示。在社会经济生活中，平等的民事主体之间主要通过意思表示来体现自己的意图，实现民事权利义务关系设立、变更和终止的目的。其次，民事主体对自己的行为承担法律后果，这决定了民事法律行为规则大多数是任意性规则。所谓任意性规则，是指可以由民事主体通过约定加以排除的规则，即民事主体的约定优先于法律规定的任意性规范。这在合同领域中体现得极为明显。最后，民法关于合同自由、婚姻自由、家庭自治、遗嘱自由等基本理念，需要通过民事法律行为制度加以落实。

第二,民事法律行为制度是社会主义市场经济的内在要求。社会主义市场经济本质上是法治经济。完善社会主义市场经济法律制度,是社会主义市场经济运行规律的客观要求,也是保障经济持续健康发展的现实需要。党的十八届四中全会提出,使市场在资源配置中起决定性作用,必须以保护产权、维护契约、统一市场、平等交换、公平竞争等为基本导向。如何使市场在资源配置中起决定性作用呢?一个重要的前提就是要让民事主体在市场交易活动中依法自主决定是否交易、与谁交易、如何交易,任何单位和个人不得非法干预,即使是国家也不得随便介入民事主体之间的交易活动,除非有法律、行政法规明确的授权。而民事法律行为制度的本质就是允许民事主体通过其意思表示决定是否设立民事权利义务关系,通过意思表示决定是否变更、消灭其民事权利义务关系。这可以极大地发挥民事主体的积极性和主动性,激发市场的创造力和活力。所以,从这个角度讲,发展和完善社会主义市场经济离不开民事法律行为制度。

第三,民事法律行为制度有利于实现社会治理。在社会主义市场经济条件下,政府要到位而不越位,让社会的归社会,市场的归市场,政府的归政府。对于老百姓等民事主体在社会生产生活的事情,只要不涉及公共利益、公共道德和他人的合法权益,原则上都应由民事主体自主决定,按自己的意愿设立、变更和终止民事法律关系,政府不加以干涉。而在民法总则中规定民事法律行为制度,可以有效实现民事主体的自我管理、自我约束,为促使政府依法行政,构建服务型政府奠定了坚实的法律基础。

第四,民事法律行为制度是构建体例科学、逻辑严密的民事法律体系所必不可少的。民法总则是编纂民法典的开篇之作,在民法典中起统领性作用。民法总则规定民事活动必须遵循的基本原则和一般性规则,统领民法典各分编。民法总则是以民事主体、民事权利(包含了民事客体)、民事法律行为、民事责任为主线来构建的,这展现了民法的基本逻辑关系,而民事法律行为是这一逻辑体系中的重要组成部分,不可缺少。没有民事法律行为制度,自愿原则无法体现,民事行为能力制度也失去了存在的基础,代理制度也缺乏存在的前提。可以说,正是由于民事法律行为制度的设立,使得散见在民法各个部分的意思表示行为有了共性的东西,为合同行为、婚姻行为、遗嘱行为、收养行为等制度提供了依据,从而形成了一个有机统一的整体。

本章便是关于民事法律行为的规定,共分四节,二十八条。第一节为一般规定,主要规定了民事法律行为的定义、成立、形式和生效时间等。第二节为意思表示,主要规定了意思表示的生效、方式、撤回和解释等。第三节为民事法律行为的效力,主要规定了民事法律行为的有效要件,具体类型的无效、可撤销、效力待定的民事法律行为,无效的或者可撤销的民事法律行为自始无效,部分无效的民事法律行为,民事法律行为无效、被撤销以及确定不发生效力的后果等。第四节为民事法律行为的附条件和附期限,主要规定了附条件和附期限的民事法律行为、民事法律行为条件成就和不成就的拟制等。

第一节 一般规定

第一百三十三条 民事法律行为是民事主体通过意思表示设立、变更、终止民事法律关系的行为。

【释义】 本条是关于民事法律行为定义的规定。

理解民事法律行为,就必须先了解法律行为的概念。法律行为这个概念来源于德国民法典。其后,这一概念对其他国家和地区的民法立法产生了深远的影响,日本、意大利、荷兰、俄罗斯等国家民法典和我国台湾地区“民法”基本上都采用了这个概念,并作为一种重要的民事制度加以规定。传统民法理论也是采用法律行为这一概念。学理上对法律行为的含义通常表述为:民事主体作出的意图发生一定法律效果的意思表示行为。1986 年制定的民法通则没有采用法律行为这一表述,而是采用了民事法律行为和民事行为这两个概念。根据民法通则第四章的规定,民事法律行为是公民或者法人设立、变更、终止民事权利和民事义务的合法行为。与传统的法律行为概念相比,民法通则规定的“民事法律行为”有两个特点:一是突出了合法性,只包括合法的法律行为,不涵盖无效、可撤销和效力待定的行为。为此,民法通则还规定了一个概念“民事行为”,以涵盖无效和可撤销行为。二是没有强调法律行为中的核心要素意思表示。在这次民法总则的立法过程中,对是继续采用“民事法律行为”这个概念,还是借鉴境外立法例,采用“法律行为”的概念,有不同意见。有的意见提出,应当将民法通则的“民事法律行为”改为“法律行为”,主要理由有两个:一是民事法律行为和民事行为的概念不周延。民事法律行为限于合法行为,不能涵盖无效行为、可撤销行为和效力待定的法律行为。虽然民法通则还规定了一个民事行为的概念以涵盖无效和可撤销行为,但二者均不能涵盖效力待定的法律行为。二是民事法律行为和民事行为的概念无法体现当事人意思自治的核心内涵,在实践中也无法判定无效或者可撤销的民事行为能否适用意思表示的一系列规则。据此,建议参考其他国家和地区的立法,采用“法律行为”的表述。也有的意见提出，民法通则规定的民事法律行为和民事行为概念虽然在理论上存在不周延的问题，但在实践中问题不大，且“民事法律行为”的用法已约定俗成，符合我国的表述习惯，建议继续延用民法通则的相关表述。

经反复研究，民法总则仍采用了“民事法律行为”的表述，但对其内涵作了调整，使其既包括合法的法律行为，也包括无效、可撤销和效力待定的法律行为，同时强调了民事法律行为是民事主体通过意思表示设立、变更、终止民事法律关系的行为，突出了“意思表示”这一核心要素。也就是说，“民事法律行为”这个用语延续下来，但内涵发生了变化。作出这样调整的主要考虑：一是法律行为的核心要素是意欲达到一定法律效果的意思表示，无论是合法行为、无效行为、可撤销行为，还是效力待定行为，本质上都是基于意思表示实施的法律行为。从这个角度讲，民法通则规定的“民事法律行为”确有内涵不周延的地方，应当修改。同时，考虑到“民事法律行为”的用法已约定俗成，符合我国的表述习惯，可以在保留“民事法律行为”用语的同时，借鉴其他国家和地区的立法，重新界定其内涵，使其既包括合法有效的法律行为，也包括无效、可撤销和效力待定的法律行为。二是这样规定既表明了当事人在民事活动中可以按照自己的意愿设立、变更、终止民事权利义务关系，同时也强调了当事人在按照自己的愿意从事民事活动时，还应当承担相应的法律后果。民事法律行为无效的，应当承担无效的法律后果；民事法律行为被撤销的，应当承担被撤销的法律后果。这实际上是对当事人从事民事活动提出了要求，可以说具有更强的规范性。三是可以和其他领域的法律行为相区分。法律行为虽是传统民法领域的特有术语，但自从其被引入我国以来，已被广泛应用于其他法学领域，如刑法领域的刑事法律行为、行政法领域的行政法律行为。所以，在立法过程中，其他法律领域的学者提出，为了和其他领域的法律行为相区分，建议民事领域采用民事法律行为的表述。

基于前述考虑，本条规定，民事法律行为是指自然人、法人或者非法人组织通过意思表示设立、变更、终止民事权利和民事义务关系的行为。根据本条的规定，民事法律行为具有以下几个特征：

一是民事法律行为是民事主体实施的行为。民事法律行为作为一种法律事实，其必须是由自然人、法人和非法人组织这些民事主体实施的行为，非民事主体实施的行为不是民事法律行为，如司法机关作出的裁决、行政机关作出的处罚决定等也会产生法律后果，但其不是以民事主体身份作出的行为，因而裁决和处罚决定不属于民事法律行为。这里需要说明的是，本法第三章第四节特别法人中专门规定了机关法人。之所以要规定机关法人，是因为机关在履行公共管理职能过程中可能会进行一些民事活动，如行政机关购买办公用品、修建办公大楼等，需要赋予其在一定情况下享有民事主体资格。机关在从事这些活动时是以机关法人的民事主体进行的，其实施的行为也属于民事法律行为。

二是民事法律行为应当是以发生一定的法律效果为目的的行为。民事主体在社会生产生活中会从事各种各样的活动，但并非任何行为都是民事法律行为。根据本条的规定，只有以设立、变更、终止民事法律关系为目的行为才是民事法律行为，其最终结果是让民事主体具体地享受民事权利、承担民事义务。所谓设立民事法律关系，是指民事主体通过民事法律行为形成某种法律关系，例如在合同领域，双方当事人通过要约和承诺形成的买卖关系、租赁关系、委托关系等合同关系。所谓变更民事法系关系，是指民事主体在保持原有民事法律关系效力的基础上，通过民事法律行为对其内容作出一些调整。这里需要注意的是如果民事主体改变了原有民事法律关系的效力，就不属于这里的变更，而是消灭了原有民事法律关系，设立了一个新的民事法律关系。所谓消灭民事法律关系，是指民事主体通过民事法律行为消灭原民事法律关系，终止其效力。这里需要强调的是，民事法律行为虽然是民事主体期望发生一定法律效果为目的的行为，但并非任何民事法律行为都能最终产生民事主体所期望的法律效果。民事主体所从事的民事法律行为既可能是合法的，也可能是非法的，这与民法通则关于民事法律行为的规定有很大的不同。根据本章第三节关于民事法律行为效力的规定，合法有效的民事法律行为能产生民事主体所期望发生的法律效果，但是非法的民事法律行为则不一定能产生民事主体所期望的法律效果，例如无效的民事法律行为就确定地不发生民事主体所希望发生的法律效果；如果当事人提出撤销的申请，可撤销的民事法律行为也不能实现民事主体所希望的法律效果。非法的民事法律行为虽然可能不能实现民事主体意欲实现的法律效果，但是都可能产生一定的法律后果，例如根据本章的规定，欺诈、胁迫等民事法律行为是非法的，可能产生民事法律行为被撤销的法律后果；又如根据本章的规定，恶意串通损害他人合法权益的民事法律行为会产生无效的法律后果。

三是民事法律行为是以意思表示为核心要素的行为。意思表示是指民事主体意欲发生一定法律效果的内心意思的外在表达，是民事法律行为最为核心的内容。民事法律行为之所以能对民事主体产生法律约束力，就是因为其是民事主体按照自己的意思作出的，这也是民事法律行为与事实行为最根本的区别。民事主体在社会生活中从事的一些行为，虽然也表达于外，但由于不符合民事法律行为中意思表示的要求，所以不属于民事法律行为，例如A在酒席中承诺“B若喝下几杯酒就送他一幢房子”，A的承诺明显就是一种玩笑行为，内心并没有使这样的承诺产生法律效果的意思，不符合民事法律行为的要件。

民事法律行为作为民法中的一项重要法律制度，广泛适用于民法典的各个部分：

一是适用于合同行为。合同可以说是最为典型的民事法律行为，我国现行合同法、将来民法典合同编部分规定的各种有名合同都是民事法律行为具体规则的体现，而合同法总则部分的规定是民事法律行为一般性规则的体现。无名合同也可以适用本章关于民事法律行为的规定。

二是适用于婚姻、遗嘱、收养等身份关系。对于婚姻、遗嘱和收养行为，我国现行合同法并不承认是一种合同关系，根据合同法第2条规定，婚姻、继承、收养等有关身份关系的协议不适用于合同法的规定。我国婚姻法也不承认婚约的效力。这样规定的主要考虑是：民事主体在设立婚姻、继承和收养身份关系时，主要体现的是行为人的感情，这一点在设立婚姻关系中极为突出，对感情很难用一定标准加以判断，因此，法律对这一领域的调整要相当慎重。但是不承认婚姻、继承、收养是合同关系，并不意味着民事法律行为的规则不能适用于这些领域。根据我国现行婚姻法，许多制度可以适用民事法律行为的规则：(1)夫妻对财产的约定；(2)离婚协议；(3)无效婚姻和可撤销婚姻等。根据我国现行继承法，许多制度可以适用民事法律行为的规则：

(1)遗嘱;(2)遗赠扶养协议等。根据我国现行收养法,收养协议的成立、效力和解释等都可以根据民事法律行为的规则来判断。

三是在物权领域也有一定适用的空间。我国现行的物权法虽没有规定物权行为的独立性和无因性,但这不能完全排除民事法律行为的适用,例如许多用益物权和担保物权的设立都是通过订立合同来实现的,如签订抵押合同、质押合同、建设用地使用权合同,这些合同不但可以适用将来合同编的相关规定,也可以适用民事法律行为的相关规则。

四是适用于商事领域。我国实行民商合一的立法传统,公司法、票据法、信托法等民商事特别法也要适用民法总则的规定。商事领域的大量行为应当适用民事法律行为的规则,例如在设立公司的过程,设立协议的成立、效力和解释内容一般都需要按照民事法律行为的规则来解决;再如票据法领域的票据行为、信托领域的信托行为也要适用民事法律行为的相关规则。

第一百三十四条　民事法律行为可以基于双方或者多方的意思表示一致成立,也可以基于单方的意思表示成立。

法人、非法人组织依照法律或者章程规定的议事方式和表决程序作出决议的,该决议行为成立。

【释义】　本条是关于民事法律行为成立的规定。

依据不同的标准,民事法律行为可以有不同的分类。依据民事法律行为的行为人数的不同,可以分为单方民事法律行为、双方民事法律行为和多方民事法律行为。不同的民事法律行为,其成立要件和成立时间是不同的。本条第 1 款根据不同的民事法律行为类型对其不同的成立条件和成立时间作了规定:

第一，双方民事法律行为。双方民事法律行为是指双方当事人意思表示一致才能成立的民事法律行为。双方民事法律行为是现实社会经济生活中存在最多、运用最广的民事法律行为。最为典型的双方民事法律行为是合同。双方民事法律行为与单方民事法律行为的最大区别是行为的成立需要双方的意思表示一致，仅凭一方的意思表示而没有经过对方的认可或者同意不能成立。

第二，多方民事法律行为。多方民事法律行为是指根据两个以上的民事主体的意思表示一致而成立的行为。多方民事法律行为与双方民事法律行为的相同之处是都需要所有当事人意思表示才能成立；不同之处是双方民事法律行为的当事人只有两个，而多方民事法律行为的当事人有两个以上。订立公司章程的行为和签订合伙协议的行为就是较为典型的多方民事法律行为。

第三，单方民事法律行为。单方民事法律行为是指根据一方的意思表示就能够成立的行为。与双方民事法律行为不同，单方民事法律行为不存在相对方，其成立不需要其他人的配合或者同意，而是依据行为人自己一方的意志就可以产生自己所期望的法律效果。在现实生活中单方民事法律行为也不少，这些民事法律行为从内容上划分，主要可以分为两类：一是行使个人权利而实施的单方行为，如所有权人抛弃所有权的行为等，这些单方民事法律行为仅涉及个人的权利变动，不涉及他人的权利变动；二是涉及他人权利变动的单方民事法律行为，如立遗嘱，授予代理权，行使撤销权、解除权、选择权等处分形成权的行为。

除了本条第 1 款规定的多方民事法律行为、双方民事法律行为和单方民事法律行为外,本条第 2 款还规定了一种较为特殊的民事法律行为,即决议行为。决议行为是两个或者两个以上的当事人基于共同的意思表示而意图实现一定法律效果而实施的行为,其满足民事法律行为的所有条件,是一种民事法律行为。但是与多方民事法律行为、双方民事法律行为和单方民事法律行为相比,其又具有特殊性,这种特殊性体现在三个方面:一是双方民事法律行为或者多方民事法律行为需要所有当事人意思表示一致才能成立,决议行为一般并不需要所有当事人意思表示一致才能成立,而是多数人意思表示一致就可以成立。二是双方民事法律行为或者多方民事法律行为的设立过程一般不需要遵循特定的程序,而决议行为一般需要依一定的程序才能设立,根据本条的规定,决议行为的设立应当依照法律或者章程规定的议事方式和表决程序。三是双方民事法律行为或者多方民事法律行为适用的范围一般不受限制,而根据本条的规定,决议行为原则上仅适用于法人或者非法人组织内部的决议事项。

需要强调的是,民事法律行为的成立是其生效的前提,根据本法第 136 条的规定,民事法律行为自成立时生效,法律另有规定或者当事人另有约定的除外。也就是说,除了法律另有规定或者当事人另有约定外,民事法律行为原则上在成立时就对当事人产生法律约束力,任何一方都不得不得擅自变更或者解除。

第一百三十五条　民事法律行为可以采用书面形式、口头形式或者其他形式;法律、行政法规规定或者当事人约定采用特定形式的,应当采用特定形式。

【释义】　本条是关于民事法律行为形式的规定。

民事法律行为的形式是民事法律行为的核心要素意思表示的外在表现形式。对于民事法律行为应当采用什么形式,从理论上讲和境外的立法例看,主要有两种模式:一种模式是对民事法律行为的形式要求较严格。支持这种立法模式的观点认为,民事法律行为的形式直接与交易安全密切相关,因此原则上都要求采用书面形式,有的甚至要求采用公证的形式。不采用书面形式或者采用公证等特殊形式,原则上民事法律行为不成立或者不发生效力。这种模式固然有利于交易安全,但严重限制了当事人选择民事法律行为形式的自由,也不利于民事法律行为的成立和生效。另一种模式是不对民事法律行为的形式作强制性要求,而是给予当事人较大的选择民事法律行为形式的自由。这种模式虽然可能导致当事人在民事活动中产生争议,交易安全得不到很好的保障。但是,由于可以最大程度地尊重当事人的选择自由,也可以最大限度地实现民事活动的方便和快捷,降低交易成本。所以,现在世界上大多数国家和地区都采用了这种立法例,也是理论界的主流观点。

从我国的民事立法来看,对民事法律行为的形式规定也经历了一个发展变化的过程。我国已经废止的经济合同法、技术合同法和涉外经济合同法都对民事法律行为采取了较为严格的立法模式,如原经济合同法第 3 条规定,经济合同,除即时清结者外,应当采用书面形式。原涉外经济合同法第 7 条规定,当事人就合同条款以书面形式达成协议并签字,即为合同成立。我国参加国际公约,也往往对公约中不限定合同形式的规定予以保留。由于当时的法律对合同要求法定形式的规定中除了规定采用书面形式外,没有对未采用书面形式的法律后果作出明确规定。因此,在司法实践中有不少未采用书面形式的合同被确定为无效,严重影响了交易效率,妨碍了交易活动的进行。基于此,现行民法通则改变了这一模式,对民事法律行为的形式采取了较为宽松的模式。民法通则第 56 条规定,民事法律行为可以采取书面形式、口头形式或者其他形式;法律规定用特定形式的,应当依照法律规定。1999 年审议通过的合同法延续了民法通则的做法,在第 10 条规定,当事人订立合同,有书面形式、口头形式和其他形式。法律、行政法规规定采用书面形式的,应当采用书面形式。当事人约定书面形式的,应当采用书面形式。应当说民法通则和合同法的规定既充分尊重了当事人的选择自由,适应了当事人要求交易便捷和提高交易效率的现实需要;也提倡当事人尽量采取书面形式订立民事法律行为,避免口说无凭,使订立的民事法律行为规范化。从多年的实践效果来看,这些规定是好的。基于此,本条继承了民法通则和合同法的做法,明确规定,民事法律行为可以采用书面形式、口头形式或者其他形式;法律、行政法规规定或者当事人约定采用特定形式的,应当采用特定形式。

根据本条的规定,民事法律行为可以采用书面形式、口头形式或者其他形式。所谓书面形式,是指以文字等可以有形形式再现民事法律行为内容的形式。书面形式明确肯定,有据可查,对于防止争议和解决纠纷、保障交易安全有积极意义。在现实生活中,对于重要的民事法律行为,为了避免争议,当事人一般愿意采用书面形式。书面形式的种类很多,根据我国现行合同法第 11 条的规定,书面形式包括合同书、信件和数据电文(包括电报、电传、传真、电子数据交换和电子邮件)等可以有形地表现所载内容的形式。随着互联网技术的发展,微信、QQ 等已成为人们社会交往的重要载体,也可以成为民事法律行为的载体,有的也属于书面形式的种类。所谓口头形式,是指当事人以面对面的谈话或者以电话交流等方式形成民事法律行为的形式。口头形式的特点是直接、简便和快捷,在现实生活中数额较小或者现款交易的民事法律行为通常都采用口头形式,如在自由市场买菜、在商店买衣服等。口头形式也是老百姓在日常生活中广泛采用的一种形式。口头形式虽然也可以适用于法人、非法人组织之间,但由于口头形式没有凭证,容易发生争议,发生争议后,难以取证,不易分清责任。除了书面形式和口头形式外,本条还规定民事法律行为也可以采用其他形式。这是一个兜底性规定,主要是考虑到现实生活很复杂,民事法律行为的形式也多种多样,在有的情况下,当事人还可能采取书面形式和口头形式之外的方式形成民事法律行为。例如在合同领域,可以根据当事人的行为或者特定情形推定合同的成立,也被称为默示合同。此类合同是指当事人未用语言或者文字明确表示成立,而是根据当事人的行为推定合同成立。这类合同在现实生活中很多,例如租房合同的期限届满后,出租人未提出让承租人退房,承租人也未表示退房而是继续交房租,出租人也接受了租金。根据双方的行为,可以推定租赁合同继续有效。再如,乘客乘上公共汽车并到达目的时,尽管乘车人和承运人之间没有形成书面形式或者口头形式的合同,但可以依当事人的行为推定双方的运输合同成立。

对于民事法律行为是采用书面形式、口头形式还是其他形式,由当事人自主选择,法律原则上不干涉,但在一些特殊情况下,出于保护交易安全、避免纠纷等考虑,有的法律、行政法规会对民事法律行为提出特殊要求,或者当事人会约定民事法律行为采用特定形式,在这种情况下,应当采用特定形式。例如当事人约定民事法律行为采用公证形式的，则应当采用公证形式。对于未采用特殊形式的民事法律行为的后果问题，应当区分情况：一是如果法律、行政法规明确规定或者当事人明确约定不采用特殊形式的后果的，则民事法律行为的后果从法律、行政法规的规定或者当事人的约定，例如当事人明确约定民事法律行为不采用公证形式就不成立的，若该民事法律行为没有采有公证形式就不成立。二是如果法律、行政法规只明确要求或者当事人约定采用特殊形式，但没有对不采用该形式的民事法律行为的后果作出明确规定的，则从鼓励交易的角度出发，原则上不宜轻易否定民事法律行为的效力。

第一百三十六条　民事法律行为自成立时生效，但是法律另有规定或者当事人另有约定的除外。

行为人非依法律规定或者未经对方同意，不得擅自变更或者解除民事法律行为。

【释义】　本条是关于民事法律行为生效时间的规定。

民事法律行为的生效是指民事法律行为产生法律约束力。民事法律行为生效后，其法律拘束力主要体现在以下三个方面：一是对当事人产生法律拘束力。这种效力是民事法律行为的对内效力。一旦民事法律行为生效后，当事人应当依照民事法律行为的内容，按照诚信原则正确、全面地行使权利、履行义务，不得滥用权利，违反义务。在客观情况发生变化时，当事人必须依照法律规定或者取得对方同意后，才能变更或者终止民事法律行为。二是对当事人以外的第三人产生一定的法律拘束力，这种法律拘束力是民事法律行为的对外效力。民事法律行为一旦生效后，任何组织和个人不得侵犯当事人的权利，不得非法阻挠当事人履行义务。三是民事法律行为生效后的法律效果还表现在，当事人违反民事法律行为的，应当依法承担民事责任，必要时人民法院也可以采取强制措施要求当事人继续履行民事法律行为所规定的义务。这一点在合同领域体现得尤为明显。例如合同法第107条规定，当事人一方不履行合同义务或者履行合同义务不符合约定的，应当承担继续履行、采取补救措施或者赔偿损失等违约责任。

民事法律行为何时生效呢？对于这个问题，现行民法通则第57条规定，民事法律行为从成立时具有法律拘束力。本条的规定继承了民法通则的规定，明确规定，民事法律行为自成立时生效。也就是说，民事法律行为的生效时间与民事法律行为的成立原则上一致的。那么民事法律行为何时成立呢？根据本法第134条的规定，民事法律行为可以基于双方或者多方的意思表示一致成立，也可以基于单方的意思表示成立。法人、非法人组织依照法律或者章程规定的议事方式和表决程序作出决议的，该决议行为成立。需要强调两点：第一，成立时就生效的民事法律行为必须是具备一般有效要件的民事法律行为，就是说必须是依法成立的民事法律行为。根据本法第143条的规定，具备下列条件的民事法律行为有效：（1）行为人具有相应的民事行为能力；（2）意思表示真实；（3）不违反法律、行政法规的强制性规定，不违背公序良俗。也就是说，成立时就生效的民事法律行为的行为人应当具有相应的民事行为能力，意思表示应当真实，且不违反法律、行政法规的强制性规定，也不违背公序良俗。不具备一般有效要件的民事法律行为在成立时可能会有三种后果：一是无效，例如该民事法律行为违反法律、行政法规的强制规定的就无效；二是被撤销，例如该民事法律行为因一方当事人欺诈或者重大误解被撤销的，就发生被撤销的法律后果；三是效力待定，如限制民事行为能力人实施的超出其年龄、智力、精神健康状况的民事法律行为在被其法定代理人追认前处于效力待定状态。第二，一些特殊的民事法律行为即使具备一般有效要件，在成立时也不立即生效，只有满足特殊生效要件后才生效。例如，本章第三节规定的附生效条件和附生效期限的民事法律行为在成立时并不立即生效，只有在条件成就时或者期限届至时才生效。再如遗嘱行为只有在遗嘱人死亡后才生效。我国合同法规定，法律、行政法规规定合同应当办理批准、登记等手续生效的，依照其规定。例如，我国的中外合资经营企业法规定，中外合资经营合同必须经有关部门审批后才生效。此外，基于自愿原则，当事人对民事法律行为何时生效也可以约定。基于此，本条第1款规定，民事法律行为自成立时生效，法律另有规定或者当事人另有约定的除外。这里的“法律另有规定或者当事人另有约定的除外”就是指前面所讲的各种情形。

本条第2款规定，行为人非依法律规定或者未经对方同意，不得擅自变更或者解除民事法律行为。本款规定表达了两层意思：一是已成立生效的民事法律行为对当事人具有法律拘束力，这时的法律拘束力体现在当事人必须尊重该民事法律行为，并通过自己的行为全面履行民事法律行为所设定的义务。除非当事人另有约定或者法律另有规定，不允许任何一方当事人擅自解除或者变更民事法律行为。这时的法律拘束力对当事人来说既包括全面积极地履行民事法律行为所设定的义务，也包括履行不擅自解除或者变更民事法律行为的不作为义务。二是对于具备一般有效要件且成立，但还不具备特殊生效要件的民事法律行为，在特殊生效要件尚不具备前，除非当事人另有约定或者法律另有规定，任意一方当事人也不得擅自变更或者解除民事法律行为。例如，对于附条件的民事法律行为，在条件未成就前，其虽还没有生效，但任何一方当事人也不得擅自解除或者变更。这时的法律拘束力主要体现在当事人的这种不作为义务上。但这并不妨碍要求当事人履行一些使民事法律行为完全生效的附随义务，例如对于具备一般生效要件，但须满足登记这个特殊要件才能生效的民事法律行为，在未登记前虽暂未生效，但对当事人仍有一定的法律拘束力，当事人应当依诚信原则履行协助办理登记的义务，也不得擅自解除或者变更民事法律行为。

第二节 意思表示

第一百三十七条 以对话方式作出的意思表示，相对人知道其内容时生效。

以非对话方式作出的意思表示，到达相对人时生效。以非对话方式作出的采用数据电文形式的意思表示，相对人指定特定系统接收数据电文的，该数据电文进入该特定系统时生效；未指定特定系统的，相对人知道或者应当知道该数据电文进入其系统时生效。当事人对采用数据电文形式的意思表示的生效时间另有约定的，按照其约定。

【释义】 本条是关于有相对人的意思表示生效时间的规定。

意思表示是指行为人为了产生一定民法上的效果而将其内心意思通过一定方式表达于外部的行为。意思表示中的“意思”是指设立、变更、终止民事法律关系的内心意图，“表示”是指将内心意思以适当方式向适当对象表示出来的行为。意思表示具有如下特征：一是意思表示的表意人具有使民事法律关系发生变动的意图。通过这种意图，表意人可以依据自己的主观意志发生法律关系，所以从这种角度讲，意思表示是实现意思自治的工具。二是意思表示是一个将意思由内到外表示的过程。一个人内心可能有很多的主观意思，但是若不通过适当的方式表示出来，让他人知晓，其内心意思就没有任何法律意义。三是意思表示可以产生一定的法律效果。符合法定生效要件的意思表示可以发生当事人预期的法律效果。意思表示作为民事法律行为中最为核心的要素，对于确定民事法律行为的效力具有重要作用。这里需要指出的是，虽然意思表示是民事法律行为的核心要素，与民事法律行为关系密切，但二者仍有很大区别：一是意思表示只能是一方的意思表示，而民事法律行为既可能由一个意思表示构成，如单方民事法律行为，也可能由双方或者多方的意思表示构成，如双方民事法律行为和多方民事法律行为。二是意思表示与民事法律行为的生效要件不同。民事法律行为的一般生效要件包括当事人、意思表示和标的，而意思表示只是民事法律行为的组成部分。三是意思表示和民事法律行为的生效时间不同。根据本条的规定，以对话方式作出的意思表示是相对人知道其内容时生效；以非对话方式作出的意思表示，原则上是到达相对人时生效。第138条规定，无相对人的意思表示，表示完成时生效。法律另有规定的，依照其规定。第139条规定，以公告方式作出的意思表示，公告发布时生效。而民事法律行为为单方民事法律行为的，原则上以意思表示作出时间为生效时间；双方民事法律行为或者多方民事法律行为以各方当事人意思表示一致时成立生效；决议行为则要按照法律或章程规定的程序和方式才能成立生效。如果法律规定或者当事人约定了特殊生效要件的，只有具备特殊生效要件时才能生效。基于此，有必要单独规定意思表示的类型、生效、解释等规则。

意思表示的类型很多，依据是否向相对人作出，意思表示可区分为有相对人的意思表示和无相对人的意思表示。所谓有相对人的意思表示，又称为需要受领的意思表示，是指向特定对象作出的意思表示。现实生活中这类意思表示是最普遍的，如订立合同的要约和承诺、行使撤销权的意思表示、行使解除权的意思表示等。有相对人的意思表示大多数是双方或者多方民事法律行为，如合同；也有一些是单方民事法律行为，如行使撤销权的意思表示，这些意思表示的生效虽不需要特定对象的同意，但需要该意思表示被特定对象所受领。所谓无相对人的意思表示，又称为无须受领的意思表示，是指无须向特定对象作出的意思表示。现实生活中这类意思表示也较多，如悬赏广告、遗嘱、抛弃权利的意思表示等。有相对人的意思表示和无相对人的意思表示的生效时间是不一样的。本条及下面两条根据意思表示有无相对人对其生效时间分别作了规定。

本条是对有相对人的意思表示生效时间的规定。对于此类情况，本条又根据是否采用对话方式作了不同规定：

一是以对话方式作出的意思表示。所谓以对话方式作出的意思表示，是指采取使相对方可以同步受领的方式进行的意思表示，如面对面交谈、电话等方式。在以这种方式进行的意思表示中，表意人作出意思表示和相对人受领意思表示是同步进行的，没有时间差。因此，表意人作出意思表示并使相对人知道时即发生效力。基于此，本条第 1 款规定，以对话方式作出的意思表示，相对人知道其内容时生效。

二是以非对话方式作出的意思表示。以非对话方式作出的意思表示，是表意人作出意思表示的时间与相对人受领意思表示的时间不同步，二者之间存在时间差。非对话的意思表示在现实生活中存在的形式多样，如传真、信函等。对于非对话的意思表示何时生效，其他国家和地区的立法有四种立法例：表示主义、发信主义、到达主义与了解主义。表示主义和发信主义对表意人有利，对相对人不利；了解主义对相对人有利，但对表意人不利；相比较而言，到达主义兼顾了表意人和相对人的利益，所以现在大多数国家和地区的立法采用了到达主义。所谓到达主义，是指意思表示进入了相对人的实际控制范围内，至于相对人对意思表示是否了解不影响意思表示的生效时间。我国的民事立法对意思表示的生效时间的规定也采用了到达主义的模式。合同法规定，当事人的要约和承诺到达对方当事人时生效。本条延续了合同法的做法，规定以非对话方式作出的意思表示，到达相对人时生效。需要强调的是，这里“到达”并不意味着相对人必须亲自收到，只要进入相对人通常的地址、住所或者能够控制的地方（如信箱）即可视为到达，意思表示被相对人的代理人收到也可以视为“到达”。送达相对人时生效还意味着即使在意思表示送达相对人前相对人已经知道该意思表示内容的，该意思表示也不生效。

三是以非对话方式作出的采用数据电文形式的意思表示。随着科学技术的发展，人们除了可以采用信件等传统的非对话方式作出意思表示外，还可以采取数据电文的方式作出意思表示。“数据电文”系指经由电子手段、电磁手段、光学手段或类似手段生成、发送、接收或存储的信息，这些手段包括但不限于电子数据交换、电子邮件、电报、电传或传真。根据合同法的规定，数据电文包括电报、电传、传真、电子数据交换和电子邮件。

随着互联网技术的发展，数据电文的范围还在扩展，如现在广泛应用于社会交往的文字型微信、微博等。采用数据电文方式作出的意思表示虽然也是以非对话方式进行的，但由于其发出和到达具有自动性、实时性等特点，意思表示发出即到达，其生效规则也与一般的非对话方式作出的意思表示的生效时间有所区别。那么以数据电文作出意思表示何时生效呢？我国合同法参考联合国国际贸易法委员会制定的《电子商务示范法》规定，要约到达受要约人时生效。采用数据电文形式订立合同，收件人指定特定系统接收数据电文的，该数据电文进入该特定系统的时间，视为到达时间；未指定特定系统的，该数据电文进入收件人的任何系统的首次时间，视为到达时间。本条第2款在继承合同法规定的基础上作了一定的发展，分三个层次对以数据电文形式作出的意思表示的生效时间作了规定：

第一，对以非对话方式作出的采用数据电文形式的意思表示，相对人指定特定系统接收数据电文的，该数据电文进入该特定系统时生效。这一规定与合同法的规定是一致的。这针对的是相对人指定了接收意思表示的特定信息系统的情况。在这种情况下，应当以意思表示进入该特定信息系统的时间作为意思到达的时间，也即生效的时间。这里的“特定系统”是指由某一方特别指定的接收系统。例如在合同领域，一项要约明确指定了承诺应当发回的系统。如果只是在文件中显示了电子邮件或者传真印件的地址，但没有特别指定，则不应视为明确指定的一个信息系统。“进入”概念用以界定数据电文的收到时间。所谓一项数据电文进入一个信息系统，其时间是在该信息系统内可投入处理的时间。至于进入该信息系统的数据电文是否能够为收件人所识读或者使用则不影响该数据电文意思表示的生效时间。

第二，未指定特定系统的，相对人知道或者应当知道该数据电文进入其系统时生效。这一规定与合同法的规定不完全相同。在这种情况下，合同法规定，该数据电文进入收件人的任何系统的首次时间，为生效时间，而不问相对人是否知道或者应当知道该数据电文进入其系统。鉴于我国新加入的《联合国国际合同使用电子通信公约》明确规定，在这种情况下，以相对人了解到该数据电文已发送到相对人的任何系统的时间为生效时间。这里的"了解"即知道或者应当知道。为了与公约的规定相一致，本条按照公约的规定对合同法的规定作了相应修改。在实践中，可能存在的问题是"知道或者应当知道"的主观性相对较大，意思表示的表意人一般很难证明相对人是否知道或者应当知道。为了平衡表意人和相对人的利益，《联合国国际合同使用电子通信公约》规定，当数据电文抵达收件人的系统时，即应推定收件人能够知道该数据电文。也就是说，数据电文一旦进入相对人的系统，就视为相对人知道或者应当知道该意思表示。若相对人否认的，必须要承担自己不知道或者不应当知道的证明责任。

第三，当事人对采用数据电文形式的意思表示的生效时间另有约定的，按照其约定。这主要是为了尊重当事人对意思表示生效时间的约定，体现意思自治。在现实生活中，当事人可以约定数据电文形式意思表示的生效时间可以不是该意思表示进入特定系统的时间。有这种约定的，从其约定。

第一百三十八条　无相对人的意思表示，表示完成时生效。法律另有规定的，依照其规定。

【释义】 本条是关于无相对人的意思表示生效时间的规定。

本条对无相对人的意思表示的生效时间作了规定。正如前文所述,无相对人的意思表示由于不涉及意思表示的受领问题,所以一般自意思表示完成时就发生法律拘束力。基于此,本条规定,无相对人的意思表示在完成时生效。这是无相对人意思表示生效的一般性规则。但有时法律对无相对人的意思表示的生效时间会作出特别规定,例如我国继承法就明确规定,遗嘱这种无相对人的意思表示自遗嘱人死亡时发生效力。所以,本条还规定,法律对无相对人意思表示的生效时间另有规定的,依照其规定。

第一百三十九条 以公告方式作出的意思表示,公告发布时生效。

【释义】 本条是关于以公告方式作出的意思表示生效时间的规定。

实践中,在意思表示有相对人的情况下,可能会发生意思表示的表意人不知道相对人的具体地址、相对人下落不明的情形。对表意人来说,要通过信函、邮件等方式送达相对人是困难的,其意思表示就有可能迟迟不能生效,影响其利益。例如,合同中的一方当事人根据法律或者当事人的约定行使解除权,但找不到另一方当事人,按照传统方式就很难将意思表示送达到相对人,这就会严重影响该当事人行使撤销权。对此,必须允许表意人采取特殊方式送达其意思表示。基于此,本法借鉴民事诉讼法关于公告送达司法文书的规定,明确规定了表意人在这种情况下可以公告方式作出意思表示。本条规定,对于以公告方式作出的意思表示,公告发布时生效。这里的“公告方式”既可以是在有关机构的公告栏,例如人民法院的公告栏;也可以是在报纸上刊登公告的方式。以公告方式作出的意思表示,表意人一旦发出公告能够为社会公众所知道,就认为意思表示已经到达,即发生效力。理解本条还需要注意:本条所规定的表意人并不是在任何情况都可以采用公告方式作出意思表示,只有在表意人非因自己的过错而不知相对人的下落或者地址的情况下才可以采用公告方式作出意思表示,否则对相对人很不公平。在表意人知道相对人下落的情况下,表意人不得采用公告方式作出意思表示,除非相对人同意。

第一百四十条　行为人可以明示或者默示作出意思表示。

沉默只有在有法律规定、当事人约定或者符合当事人之间的交易习惯时,才可以视为意思表示。

【释义】 本条是关于作出意思表示的方式的规定。

在现实生活中,行为人作出意思表示的方式很多,归纳起来大体上可以分为两类:一是以明示的方式作出意思表示。所谓明示的意思表示,就是行为人以作为的方式使得相对人能够直接了解到意思表示的内容。以明示方式作出的意思表示具有直接、明确、不易产生纠纷等特征。所以,实践中,明示的意思表示是运用得最为广泛的一种形式。比较典型的是表意人采用口头、书面方式直接向相对人作出的意思表示。二是以默示方式作出的意思表示。这种方式又称为行为默示,是指行为人虽没有以语言或文字等明示方式作出意思表示,但以行为的方式作出了意思表示。这种方式虽不如明示方式那么直接表达出意思表示的内容,但通过其行为可以推定出其作出一定的意思表示。

在现实生活中，以默示方式作出的意思表示也比较常见。例如，某人向自动售货机投入货币的行为即可推断其作出了购买物品的意思表示。又比如某人乘坐无人售票的公交车时，其投币行为就可以视为其具有缔结运输合同的意思表示。

意思表示原则上都需要以明示或者默示的方式作出。但是在现实生活中也会出现一种特殊情形，即行为人作出意思表示时既无语言等明示方式，也无行为等默示方式，在一定条件下仍可视为意思表示。这种情形就是以沉默的方式作出的意思表示。沉默是一种既无语言表示也无行为表示的纯粹的缄默，是一种完全的不作为，从法学理论上讲和境外的立法例来看，原则上纯粹的不作为不能视为当事人有意思表示。也就是说，与明示和默示原则上可以作为意思表示的方式不同，沉默原则上不得作为意思表示的方式。只有在有法律规定、当事人约定或者符合当事人之间的交易习惯时，才可以视为意思表示。例如，合同法第 171 条规定，试用买卖的买受人在试用期内可以购买标的物，也可以拒绝购买。试用期间届满，买受人对是否购买标的物未作表示的，视为购买。在这条规定中，试用期间届满后，买受人对是否购买标的物未作表示就是一种沉默，但这种沉默就可以视为买受人作出了购买的意思表示。再如，在买卖合同订立的过程中，双方当事人约定，一方向另一方发出订立合同的要约后，只要另一方当事人在收到三天内没有回复的，就视为作出了接受要约内容的承诺，这种约定以沉默作出意思表示也是可以的。

第一百四十一条　行为人可以撤回意思表示。撤回意思表示的通知应当在意思表示到达相对人前或者与意思表示同时到达相对人。

【释义】 本条是关于意思表示撤回的规定。

意思表示的撤回,是指在意思表示作出之后但在发生法律效力之前,意思表示的行为人欲使该意思表示不发生效力而作出的意思表示。意思表示之所以可以撤回,是因为意思表示生效才能发生法律约束力,在其尚未生效之前,不会对意思表示的相对人产生任何影响,也不会对交易秩序产生任何影响,因此,在此阶段应当允许行为人使未发生法律效力的意思表示不产生预期的效力,这也是对行为人意思自由的充分尊重。基于此,本条规定,行为人可以撤回意思表示。

行为人可以撤回意思表示,但不是在任何情况下都可以撤回其意思表示,而是有条件的。根据本条的规定,撤回意思表示的通知应当在意思表示到达相对人前或者与意思表示同时到达相对人。如果撤回意思表示的通知在意思表示到达相对人之后到达的,该意思表示已经生效,是否能够使其失效,则取决于相对人是否同意。因此,行为人若要撤回意思表示,必须选择以快于意思表示作出的方式发出撤回的通知,使之能在意思表示到达之前到达相对人。如果意思表示的行为人作出意思表示以后又立即以比作出意思表示更快的方式发出撤回通知,按照通常情况,撤回的通知应当先于或者最迟会与意思表示同时到达相对人,但因为其他原因耽误了,撤回的通知在意思表示到达相对人后才到达相对人,在这种情况下,相对人应当根据诚信原则及时通知意思表示的行为人,告知其撤回的通知已经迟到,意思表示已经生效;如果相对人怠于通知行为人,行为人撤回意思表示的通知视为未迟到,仍发生撤回表示的效力。

理解本条需要注意两点:

一是意思表示的撤回原则上只有在该意思表示有相对人的

情况下才有意义，若是无相对人的意思表示则不存在撤回不撤回的问题。这是因为根据本法第 137 条的规定，以对话方式作出的有相对人的意思表示，相对人知道其内容时生效。以非对话方式作出的有相对人的意思表示，到达相对人时生效。也就是说，在以对话方式作出的有相对人的意思表示，因为相对人知道其内容时就生效，相当于即时生效，行为人很难作出撤回的通知，这种情况下适用撤回的规定空间比较小。以非对话方式作出的有相对人的意思表示因是到达相对人时生效，则行为人发出撤回意思表示的通知，且该通知在意思表示到达之前或者同时到达相对人的，当然视为意思表示没有到达，所以可以适用本条撤回的规定。而根据本法第 138 条的规定，无相对人的意思表示，表示完成时生效。也就是说，无相对人的意思表示在表示作出时就发生效力，不可能撤回，只可能撤销。

二是意思表示的撤回与意思表示的撤销是不同的。根据本条的规定，意思表示的撤回是在意思表示未生效前使其不发生效力；而意思表示的撤销是指在意思表示作出并生效之后，行为人又作出取消其意思表示的表示。由于意思表示在到达后已经生效，相对人已知悉了意思表示的内容，甚至可能已经对该意思表示产生了合理的信赖，因此，行为人能否在意思表示生效后取消其意思表示，需要考虑保障相对人合理信赖的问题。这与意思表示撤回中仅考虑保护意思表示行为人对其意思表示的自由处分权利存在较大区别。考虑到意思表示生效后，已经对行为人产生了法律约束力，能否撤销，要平衡行为人和相对人的利益，不宜泛泛规定行为人可以撤销意思表示。基于此，合同法规定，要约可以撤销，但撤销要约的通知应当在受要约人发出承诺通知之前到达受要约人。同时还规定，有下列情形之一的，要约不得撤销:(1)要约人确定了承诺期限或者以其他形式明示要约不可撤销;(2)受要约人有理由认为要约是不可撤销的,并已经为履行合同做了准备工作。所以,本法只规定了意思表示的撤回,未规定意思表示的撤销。

第一百四十二条　有相对人的意思表示的解释,应当按照所使用的词句,结合相关条款、行为的性质和目的、习惯以及诚信原则,确定意思表示的含义。

无相对人的意思表示的解释,不能完全拘泥于所使用的词句,而应当结合相关条款、行为的性质和目的、习惯以及诚信原则,确定行为人的真实意思。

【释义】　本条是关于意思表示解释的规定。

任何意思表示都是通过语言、文字、行为等一定外在表现形式体现出来的,而这些外在表现形式与表意人的内心真实意思表示是否一致,常常因表意人的表达能力或者表达方式的不同而出现差异,或者意思表示不清楚、不明确。这就导致在现实生活中,对表意人作出的意思表示,不同的人可能就会产生不同理解,甚至产生争议。为了定纷止争,在对意思表示的含义产生争议时,就需要人民法院或者仲裁机构对意思表示进行解释。因此,所谓意思表示的解释,就是指因意思表示不清楚或者不明确发生争议时,由人民法院或者仲裁机构对意思表示进行的解释。解释的目的就是明确意思表示的真实含义。意思表示的解释具有以下特征:一是意思表示解释的对象是当事人已经表示出来的、确定的意思,而非深藏于当事人内心的意思。深藏于当事人内心的意思无法作为认识的对象,是无法解释的。二是这里的意思表示解释主体是人民法院或者仲裁机构,并不是任何机构或者个人都可以对意思表示作出有权解释。现实生活中其他机构或者个人自己对意思表示的解释不是有权解释,不会对当事人产生法律约束力,只有人民法院或者仲裁机构对意思表示作出的解释才是有权解释,才会对当事人产生法律约束力。三是人民法院或者仲裁机构对意思表示的解释不是任意的主观解释,而是必须遵循一定的规则进行解释,这些规则就是解释意思表示的方法。

在立法过程中,对意思表示的解释问题有两个争论点:第一,是规定意思表示的解释问题,还是规定民事法律行为的解释问题。有的意见认为,意思表示只是民事法律行为的一部分,在现实生活中,主要是对民事法律行为产生争议,规定民事法律行为的解释制度更有意义。经研究认为,意思表示与民事法律行为不完全相同,在有的情况下,只有意思表示,但其还不构成民事法律行为,如单纯的要约或者承诺;在有民事法律行为的情况,意思表示虽只是民事法律行为的一部分,但其是民事法律行为的核心内容,解释民事法律行为其实也主要是解释其中的意思表示的含义。因此,规定意思表示的解释问题涵盖更广,也更能准确地体现解释的真正对象。第二,是区分有相对人的意思表示和无相对人的意思表示分别规定不同的解释规则,还是不区分,规定统一的解释规则。这实际上代表了对意思表示解释的两种观点。本法采纳了前一种观点,区分情形分别规定了意思表示的解释,分为有相对人的意思表示解释和无相对人意思表示的解释两种形式。有相对人的意思表示是指对表意人向相对人发出的意思表示进行的解释。最为典型的是对订立合同的要约或者承诺进行解释,要约和承诺都是意思表示,但必须向相对人发出且到达相对人才产生效力。无相对人的意思表示解释就是对不需要相对人的意思表示进行的解释,如对遗嘱、悬赏广告等意思表示的解释。之所以作出这样的区分,主要是基于以下考虑:有相对人的意思表示中,需要有意思表示的受领人,所以意思表示必须到达受领人或者为受领人所了解才能发生效力;无相对人的意思表示不需要意思表示的受领人,则不存在意思表示需要到达某人或者为某人所了解才发生效力的问题。因此,有相对人的意思表示一旦为相对人所受领,相对人就会对此产生合理信赖。如果出现表意人的内心真实意思和外在表示出来的意思表示不一致的情况,就需要平衡保护相对人的信赖利益与保护表意人的内心真实意思;同时,在这种情况下还需要考虑相对人对意思表示的理解水平。而在无相对人的意思表示的情况下,因不存在受领人,就不会产生受领人信赖利益保护的问题,且在这种情况下,因无受领人,则不需要考虑受领人的理解水平问题。因此,对无相对人的意思表示的解释就是主要探究表意人的内心真实意思。

本条第 1 款对有相对人的意思表示的解释规则作了规定。在实践中,有相对人的意思表示主要存在于合同领域,所以对相对人的意思表示进行解释大多数情况下是对合同的解释。我国合同法第 125 条规定,当事人对合同条款的理解有争议的,应当按照合同所使用的词句、合同的有关条款、合同的目的、交易习惯以及诚实信用原则,确定该条款的真实意思。本条规定的内容与合同法规定的内容基本是一致的。根据本条第 1 款的规定,对有相对人的意思表示的解释,应当遵循以下规则:

第一,首先要按照意思表示所使用的词句进行解释。法理上,这种解释方法又被称为文义解释。意思表示是由词句构成的,所以,解释意思表示必须首先从词句的含义入手。这些词句是由表意人和相对人双方形成的，对有相对人的意思表示的解释又涉及对相对人信赖利益的保护，因此绝不能抛开词句对意思表示进行完全的主观解释。对词句的解释应当按照一个合理人通常的理解来进行。也就是说，法官应当考虑一个合理的人在通常情况下对有争议的意思表示用语所能理解的含义作为解释词句含义的标准。对于何谓“合理人”应当结合具体情况来判断，如果是一般的民事活动，则“合理人”就是社会一般的人，例如一个人到商场买一件衣服，对买卖合同的含义发生争议，对该买卖合同的理解就应当按照一个普通人的理解进行解释；如果是某种特殊交易，则“合理人”就是该领域内的人，例如医疗器械的买卖合同的解释就应当按照医疗界的人士的理解来解释该买卖合同的含义。

第二，如果按通常的理解对有相对人的意思表示所使用的词句进行解释比较困难或者不合理的，则应当结合相关条款、行为的性质和目的、习惯以及诚实信用原则，确定意思表示的含义。相关条款是意思表示的构成部分，与其他条款有着密切联系，因此不仅要从词句的含义去解释，还要结合相关条款对意思表示进行分析判断，而不是孤立地去看待某个条款。这一点在解释合同的含义时极为重要，对合同含义的解释一定要整体考虑合同的上下文，根据不同条款之间的关联性来进行解释。根据行为的性质和目的进行解释是指在对意思表示进行解释时，应当根据当事人作出该意思表示所追求的目的，来对有争议的意思表示进行解释。按照自愿原则，民事主体可以在法律规定的范围内，为追求其目的而表达其意思，进而与相对人设立、变更、终止民事法律关系。因此，意思表示本身不过是行为人实现自己目的的手段。因此，在解释意思表示时，应当充分考虑行为人作出该意思表示的目的。如果意思表示的词句与当事人所明确表达的目的相违背,且行为人与相对人对该词句的含义发生了争议的,可以按照双方当事人的目的进行解释。按照习惯进行解释是指在意思表示发生争议以后,应当根据当事人所知悉的生活和交易习惯来对意思表示进行解释。在运用习惯进行解释时,双方当事人应当对运用的习惯是否存在以及其内容进行举证证明,在当事人未举证的情况下,人民法院也可以主动适用习惯进行解释。依据诚信原则解释是指根据诚信原则对有争议的意思表示进行解释。本法第7条将诚信原则作为民事基本原则,这一基本原则贯穿于民事主体行使和履行义务的全过程,也是法官在解释意思表示时所应遵循的主要规则。它要求法官将自己作为一个诚实守信的当事人来理解、判断意思表示的内容,平衡双方当事人的利益,合理地确定意思表示内容。这里需要注意是,诚信原则虽然很重要,但由于该原则是一个较为抽象的概念,只有在依据意思表示的词句、相关条款、目的或者性质、习惯等较为具体的解释规则无法对意思表示进行解释时,才可以适用诚信原则进行解释。这是为了增进司法公信力,同时也防止滥用司法裁量权。

本条第2款对无相对人的意思表示的解释规则作了规定。根据本款规定,无相对人的意思表示的解释,不能完全拘泥于所使用的词句,而应当结合相关条款、行为的性质和目的、习惯以及诚实信用原则,确定行为人的真实意思。对有相对人的意思表示解释,既需要考虑表意人的内心真实意思,即主观想法,更要考虑相对人的信赖利益,即客观情况,将二者结合起来考虑,学理上也称为主客观相结合解释主义;与有相对人的意思表示解释规则相比,无相对人的意思表示解释规则最大的不同就是,无相对人的意思表示因无相对人，因此对这种意思表示的解释就主要探究表意人的内心真实意思，对客观情况考虑较少，学理上也称为主观解释主义。因此，对有相对人的意思表示的解释，本条强调了首先要按照意思表示所使用的词句进行解释，只有在按照所使用的词句进行解释还很困难时，才可以使用其他解释规则，实际上要以客观情况为主。对无相对人的意思表示的解释，本条则强调了不能完全拘泥于所使用的词句，而是要综合运用所使用的词句、相关条款、行为的性质和目的、习惯以及诚实信用原则探究表意人的内心真实意思。这里需要强调一点，本款规定，对无相对人的意思表示的解释，不能完全拘泥于意思表示所使用的词句，但不是完全抛开意思表示所使用的词句，这主要是为了防止在解释这类意思表示时自由裁量权过大，影响当事人的利益。例如，在对遗嘱进行解释时，虽说主要是探究遗嘱人立遗嘱的真实意思，但也不能完全不考虑遗嘱本身的词句。

第三节 民事法律行为的效力

第一百四十三条 具备下列条件的民事法律行为有效：

（一）行为人具有相应的民事行为能力；

（二）意思表示真实；

（三）不违反法律、行政法规的强制性规定，不违背公序良俗。

【释义】 本条是关于民事法律行为有效要件的规定。

民事法律行为效力的有效发生，是当事人实现意思自治目的的关键。但是，民事法律行为并不是在任何情况下都能具备完全有效的条件。民事法律行为的效力可能因民事主体的民事行为能力是否健全、意思表示是否真实、是否违法及违背公序良俗等情形而受影响。因此，民事法律行为除有效外，还包括无效、可撤销、效力待定等其他效力形态。从其他国家和地区看，明确规定民事法律行为有效要件的立法例并不多见。例如，德国、日本和我国台湾地区等的立法，均未明确规定法律行为的有效要件，而是从反向规定了影响法律行为效力状态的各种情形，法律行为如果不具备这些情形，则应当是有效的。但是，也有一些立法例从正面规定了有效要件。例如，《法国民法典》第1108条规定，下列四条件为契约有效成立的必要条件：负担债务当事人的同意；订立契约的能力；构成约束客体的确定标的；债的合法原因。《乌克兰民法典》第194条规定：(1)法律行为的合意不能违反法律、行政法规的当事人必须遵守的强制性规定以及社会的道德原则。(2)当事人应具有相应的民事能力。(3)当事人的意思表示自由，并与其内心意思一致。(4)法律行为应以符合法律规定的形式订立。(5)法律行为的当事人应追求法律行为本身的法律后果。(6)未成年人的父母或养父母订立的合同不能违背未成年人的利益。我国民法通则规定了民事法律行为应当具备的条件。民法通则第55条规定："民事法律行为应当具备下列条件：(一)行为人具有相应的民事行为能力；(二)意思表示真实；(三)不违反法律或者社会公共利益。"民法通则的这一规定，清楚明确地从正面规定了民事法律行为需要具备的一般要件，为当事人通过民事法律行为实现私法目的提供了指引。从民法通则颁行以来的司法实务看，法官在遇到法律对具体案件没有特别规定的情况下，也会经常援引本条作为裁判依据。

立法过程中，对于是否应当正面规定民事法律行为的有效要件这一问题，有的观点认为，从世界主要国家和地区的立法例看，正面规定法律行为有效要件的属于少数。对于体现意思自治的法律行为制度来说，只要明确规定了法律行为的各种瑕疵类型及其效力，在这些之外的法律行为都应当是有效的。因此，不需要正面规定法律行为的有效要件。同时，正面规定有效要件的做法，会让人认为不符合这些要件的法律行为都是无效的，这明显与实际不符。也有的观点认为，我国民法通则曾经规定了民事法律行为的有效要件，实践中该规定发挥了引导行为人正确实施民事法律行为、实现意思自治的作用，民法总则应该继续保留这一规定。经反复研究，民法总则采纳了后一种观点，在民事法律行为的效力一节对行为的有效要件作了规定。其主要考虑是：第一，在民事法律行为的效力一节开宗明义地规定行为的有效要件，能够起到正确指引民事主体通过民事法律行为实现意思自治的目的，保障民事活动顺利开展的作用。法律作为社会治理的手段，不仅应当为司法提供裁判规范，还应当成为民事主体的行为规范。对民事法律行为的有效要件加以规定，可以引导民事主体从行为能力、意思表示、合法性等各个方面注意可能影响行为效力的要素，确保行为有效。第二，本条从主体的行为能力、意思表示、合法性三个方面对民事法律行为的有效要件作了规定，充分体现了民法在尊重当事人意思自治的同时也需要对民事法律行为施加必要的控制尤其是合法性控制，这体现了现代民法本身的要求，较好地处理了民法中意思自治与国家强制的关系。第三，民法通则规定了民事法律行为的有效要件，从三十多年施行的情况来看，这一规定展现了较好的实践价值，已成为判断民事法律行为效力的重要标准，民法总则应当继续予以坚持。第四，从正面规定民事法律行为的有效要件，并不意味着任何一项要件不具备,就必然导致行为无效。从逻辑角度来说,正确的推论应当是:同时符合这些条件的行为有效;行为如果不是完全有效(如无效、可撤销或者效力待定),必然有一项或者几项要件没有具备。事实上,本节接下来的一系列条文正是分别从不同要件欠缺的角度规定民事法律行为的不同效力形态。

根据本条规定,民事法律行为应当具备的有效条件包括:

第一,行为人具有相应的民事行为能力。民事行为能力是行为人通过自己行为参与民事活动,享有权利和承担义务的能力。与作为法律资格的民事权利能力相比,民事行为能力是行为人实施民事法律行为的相应保证。这里的"相应",强调行为人所实施的民事法律行为应当与其行为能力相匹配:对于完全民事行为能力人而言,可以从事一切民事法律行为,其行为能力不受限制;对于限制行为能力人而言,只能实施与其年龄、智力、精神健康状况等相适应的民事法律行为,实施其他行为需要经过法定代理人的同意或者追认;而无行为能力人由于不具备行为能力,其实施的民事法律行为是无效的。

第二,意思表示真实。意思表示作为法律行为的核心要素,其真实性对于保证行为人正确实现行为目的至关重要。应当注意,此处的真实应作扩大解释,实际上还包含了传统民法理论意思表示自由的含义。例如,在因欺诈、胁迫实施民事法律行为的情形中,受欺诈人、受胁迫人的意思表示虽然从表面看是真实的,但实际上并非其内心自由意志的体现。在意思表示不真实的情况下,民事法律行为不能具备完全有效的效力。

第三,不违反法律、行政法规的强制性规定,不违背公序良俗。关于违法与行为效力的关系,民法通则、合同法的规定不尽一致。根据民法通则第 58 条第 1 款第 5 项规定，违反法律或者社会公共利益的民事行为无效。根据合同法第 52 条第 5 项规定，违反法律、行政法规的强制性规定的合同无效。与民法通则将一切违法行为均认定无效的规定相比，合同法将违反任意性规范的合同排除在无效范围之外，且将民法通则中的“法律”修改为“法律、行政法规”。《最高人民法院关于适用〈中华人民共和国合同法〉若干问题的解释（二）》在合同法规定的基础上，进一步对“强制性规定”作了限定，其第 14 条规定：“合同法第五十二条第（五）项规定的‘强制性规定’，是指效力性强制性规定。”无论从立法还是从司法的角度看，法律对于民事法律行为无效的认定都越来越趋于严格。这实际上体现了民法尊重意思自治、鼓励交易自由的精神。需要说明的是，立法过程中，对于本项前半句的表述如何规定存在不同意见。有的意见认为，民法总则应当借鉴吸收司法解释的有益成果，将民事法律行为不违法的范围明确限定为“法律、行政法规的效力性强制性规定”。有的意见认为，司法解释使用“效力性强制性规定”的表述以来，实践中对于如何认定“效力性强制性规定”争议不断，建议总则不采这一表述。经研究，总则仍采用了民事法律行为“不违反法律、行政法规的强制性规定”这一表述，既与现行法律的规定保持一致，也可避免争议。同时，对于违反法律、行政法规的强制性规定的行为效力问题规定在第 153 条，并在该条中对违法无效的行为作出限定。关于不违背公序良俗，民事法律行为除不得违反法律、行政法规的强制性规定外，还有不得违背公序良俗的要求。前者侧重于具体的法律规范对民事法律行为效力的要求，后者则是从公共秩序和善良习俗方面对民事法律行为提出的要求。

本条作为“民事法律行为的效力”一节的首条规定，明确了一项有效的民事法律行为需要具备的基本要件。相反，如果其中某项要件不具备，则民事法律行为的效力就可能受到影响。本节其他条文规定即从不同方面规定了民事法律行为的不同效力形态。

第一百四十四条　无民事行为能力人实施的民事法律行为无效。

【释义】 本条是关于无民事行为能力人实施的民事法律行为的效力的规定。

本节是关于民事法律行为效力的规定。其中第143条从民事法律行为有效条件的角度作了正面规定。从本条开始的本节其他条文，则分别从不同角度规定了民事法律行为的效力瑕疵及其相应的法律后果。本条首先规定的是无民事行为能力人所实施的民事法律行为的效力问题，即无民事行为能力人实施的民事法律行为无效。

民法总则第二章第一节对自然人的民事权利能力和民事行为能力作了规定。自然人的民事权利能力始于出生，终于死亡，且一律平等。但自然人的民事行为能力却因年龄、智力、精神健康状况等划分为三种不同类型。其中，第一类是完全民事行为能力人，指的是年满十八周岁的成年人。十六周岁以上的未成年人，以自己的劳动收入为主要生活来源的，视为完全民事行为能力人。完全民事行为能力人可以独立实施民事法律行为。第二类是限制民事行为能力人，包括八周岁以上的未成年人以及不能完全辨认自己行为的成年人。限制民事行为能力人可以独立实施纯获利益的民事法律行为或者与其年龄、智力、精神健康状况相适应的民事法律行为;实施其他民事法律行为由其法定代理人代理,或者经其法定代理人同意、追认。第三类是无民事行为能力人,包括不满八周岁的未成年人以及不能辨认自己行为的成年人。无民事行为能力人由其法定代理人代理实施民事法律行为。

无民事行为能力人尽管在民事权利能力方面同其他民事主体一律平等,但由于其不具备自己实施民事行为的能力,因此在法律上规定由其法定代理人代理其实施民事法律行为,而将其自身实施的民事法律行为则一律规定为无效。这样规定,符合民事法律行为有效要件中“行为人具有相应的民事行为能力”的要求,也是许多国家和地区立法例的通行做法。如《德国民法典》第 105 条规定:(1)无行为能力人的意思表示无效。(2)在丧失知觉或暂时的精神错乱的状态下作出的意思表示亦无效。我国台湾地区“民法”第 75 条规定:无行为能力人之意思表示,无效;虽非无行为能力人,而其意思表示,系在无意识或精神错乱中所为者亦同。《俄罗斯民法典》第一编总则第 171 条规定:(1)由于精神病而被确认为无行为能力的公民所实施的法律行为,自始无效。此类法律行为的每一方当事人均有义务将全部所得以实物返还给另一方当事人,而在不可能以实物返还所得时,有义务赔偿其全部所得的价值。此外,如果具有行为能力的一方当事人知悉或者应该知悉另一方当事人不具有行为能力,则具有行为能力的一方当事人有义务赔偿另一方当事人所遭受的实际损失。(2)因精神病而被确认为无行为能力的公民所实施的法律行为,如果法律行为的实施对该公民有利,则为了该公民的利益,依据其监护人的请求,可以由法院确认为有效。

关于无民事行为能力人实施的民事法律行为是否一律确认为无效,立法过程中曾有过争论。有的意见认为,无民事行为能力人实施的民事法律行为并非全部无效,如接受他人捐赠等纯获利益的民事法律行为应当认为是有效的。有的提出,无民事行为能力人实施的行为即使纯获利益也应无效,否则会导致概念不清晰,但可考虑通过日常行为有效的规定涵盖此类行为。经反复研究,最终总则采纳了无民事行为能力人实施的民事法律行为无效的规定。主要考虑是:第一,这样规定符合自民法通则以来的立法传统。根据民法通则第 58 条的规定,无民事行为能力人实施的民事行为无效。民法总则对无民事行为能力人实施民事法律行为效力的规定沿袭了民法通则的规定。第二,将无民事行为能力人实施的民事法律行为的效力规定为无效,与自然人民事行为能力三分法的逻辑相契合,概念和体系上更加清晰。第三,纯获利益的行为在实践中类型多样,并非一望便知、简单识别,总则规定无民事行为能力人实施此种行为无效,并不妨碍其代理人代理实施这种行为,实际上是给予无民事行为能力人的一种保护。

第一百四十五条　限制民事行为能力人实施的纯获利益的民事法律行为或者与其年龄、智力、精神健康状况相适应的民事法律行为有效;实施的其他民事法律行为经法定代理人同意或者追认后有效。

相对人可以催告法定代理人自收到通知之日起一个月内予以追认。法定代理人未作表示的,视为拒绝追认。民事法律行为被追认前,善意相对人有撤销的权利。撤销应当以通知的方式作出。

【释义】 本条是关于限制民事行为能力人实施的民事法律行为的效力的规定。

根据总则确定的民事行为能力的三分法，自然人的民事行为能力分为完全民事行为能力、限制民事行为能力以及无民事行为能力。其中，限制民事行为能力人是指不能完全辨认自己行为的人，其民事行为能力介于完全民事行为能力人和无民事行为能力之间，包括八周岁以上的未成年人以及不能完全辨认自己行为的成年人。限制民事行为能力人由于具备一定的行为能力，因此法律上认可其从事一定民事法律行为的效力，而不像无民事行为能力人那样一概否定其行为效力。但是，限制民事行为能力人的行为能力又不像完全民事行为能力人那样完全、充分，因此法律又必须对其从事的民事法律行为的效力进行一定限制，这既是对限制民事行为能力人的保护，避免其因实施与行为能力不匹配的民事法律行为而利益受损，同时也有助于维护交易安全。

本条第 1 款是关于限制民事行为能力人从事的民事法律行为效力的规定，具体包括两层含义：

第一，原则上，限制民事行为能力人所从事的民事法律行为，须经法定代理人同意或者追认才能有效。对于限制民事行为能力人而言，监护人为其法定代理人。限制民事行为能力人实施的民事法律行为要具有效力，一个重要的条件就是要经过法定代理人的同意或者追认，经过同意或者追认，民事法律行为就具有法律效力。如果没有经过同意或者追认，民事法律行为即使成立，也并不实际生效，而处于效力待定状态。这里对法定代理人补正限制民事行为能力人的行为能力规定了两种方式：一种是同意，指的是法定代理人事先对限制民事行为能力人实施某种民事法律行为予以明确认可;另一种是追认,指的是法定代理人事后明确无误地对限制民事行为能力人实施某种民事法律行为表示同意。无论是事先的同意还是事后的追认,都是法定代理人的单方意思表示,无须行为相对人的同意即可发生效力。需要说明的是,法定代理人对限制民事行为能力人行为的同意或者追认应当采用明示的方式作出,同时应当为行为相对人所知晓才能发生效力。

第二,考虑到限制民事行为能力人并非完全没有民事行为能力,因此除原则上规定其行为须经法定代理人同意或者追认有效之外,本条还规定了部分民事法律行为无须经法定代理人同意或者追认即可有效。这些行为主要包括两类:一是纯获利益的民事法律行为。所谓"纯获利益",一般是指限制民事行为能力人在某种民事法律行为中只享有权利或者利益,不承担任何义务,如限制民事行为能力人接受赠与、奖励、报酬等。限制民事行为能力人如果实施了此类行为,他人不得以其限制民事行为能力为由主张行为不发生效力。二是与限制民事行为能力人的年龄、智力、精神健康状态相适应的民事法律行为,这些民事法律行为多与日常生活相关,如对于八周岁以上的未成年人购买价值不高的学习用品、平日出行乘坐交通工具等;对于不能完全辨认自己行为的精神病人,在其健康状况允许时,可以实施某些民事法律行为,而不经其法定代理人追认。法律之所以认可限制民事行为能力人独立实施纯获利益或者与其年龄、智力、精神健康状况相适应的民事法律行为,是因为这些行为要么属于只给限制民事行为能力人增利获益的行为,要么属于限制民事行为能力人在其能力范围内可以独立实施、不致因行为能力欠缺而权益受损的行为。除此之外的其他民事法律行为,只有经过法定代理人的同意或者追认后,才能发生效力。

本条第2款是对法定代理人追认的有关规定。根据本款规定,限制民事行为能力人实施民事法律行为后,与其从事民事法律行为的相对人可以催告限制民事行为能力人的法定代理人在一个月内予以追认。法定代理人未作表示的,视为拒绝追认。所谓催告,是指民事法律行为的相对人要求法定代理人在一定期限内就是否认可限制民事行为能力人所实施民事法律行为的效力作出表示,逾期不作表示的,视为法定代理人拒绝承认行为的效力。催告在民法理论上被称为"准法律行为",因为尽管催告具有类似意思表示的行为外观,但其最终效力的发生却仍然来自于法律规定。限制民事行为能力人在其行为能力范围之外实施的民事法律行为属于效力待定,此种效力不确定的状态不应一直持续。立法赋予相对人以催告权,可以避免这种效力不确定的状态长期持续,从而保护相对人权益,维护交易安全。在相对人催告法定代理人对行为是否予以追认的期间内,如果法定代理人不对此作出表示,意味着法定代理人对通过追认补足行为效力的态度是消极的、放任的,此时应视为其拒绝追认,因此该行为不发生效力。需要说明的是,相对人的催告应当以明示方式作出,期间也应从法定代理人收到通知之日起算。本条确定的期间为一个月,法定代理人超过一个月未作表示的,视为拒绝追认。

本条第2款除规定相对人的催告权外,还规定了善意相对人的撤销权,即民事法律行为被追认前,善意相对人有撤销的权利。民法中的撤销权有多种类型,如合同法中因债务人放弃到期债权或者无偿转让财产,对债权人造成损害的,债权人可以请求人民法院撤销债务人的行为;一方以欺诈、胁迫的手段或者乘人之危,使对方在违背真实意思的情况下订立的合同,受损害方有权请求人民法院或者仲裁机构撤销等。这里的撤销权,是指民事法律行为的相对人在法定代理人追认限制民事行为能力人实施的民事法律行为前,撤销自己在该民事法律行为中所作的意思表示。对于限制民事行为能力人实施的此类民事法律行为来说,如果仅规定法定代理人的追认权,相当于肯定或否定行为效力的权利只交由法定代理人来行使,而在法定代理人对行为作出追认前,相对人无法根据自身利益对行为效力作出选择,只能被动地接受法定代理人的追认或者否认,这对于相对人尤其是善意相对人而言是不公平的。此处的撤销权在性质上属于形成权,即相对人可以直接通过自己的行为而无须借助他人即可行使的权利。本条撤销权的行使应注意以下几点:一是相对人撤销权的行使须在法定代理人追认之前,法定代理人一经追认,相对人不得再行使这一权利。二是仅善意相对人可行使撤销权。所谓善意,是指相对人实施民事法律行为时并不知晓对方为限制民事行为能力人,且此种不知晓不构成重大过失。三是相对人行使撤销权时,应当通过通知的方式作出,这种通知必须是明示的、明确的,不得通过默示的方式。

第一百四十六条　行为人与相对人以虚假的意思表示实施的民事法律行为无效。

以虚假的意思表示隐藏的民事法律行为的效力,依照有关法律规定处理。

【释义】 本条是关于以虚假意思表示实施的民事法律行为的效力以及隐藏行为效力的规定。

虚假意思表示又称虚伪表示,其法律概念源于德国民法,后被日本、韩国、我国台湾地区等民法所采。所谓虚伪表示,是指行为人与相对人都知道自己所表示的意思并非真意,通谋作出与真意不一致的意思表示。虚伪表示的特征在于,双方当事人都知道自己所表示出的意思不是真实意思,民事法律行为本身欠缺效果意思,双方均不希望此行为能够真正发生法律上的效力。一般而言,虚伪表示在结构上包括内外两层行为:外部的表面行为是双方当事人共同作出与真实意思不一致的行为,也可称作伪装行为;内部的隐藏行为则是被隐藏于表面行为之下,体现双方真实意思的行为,也可称作非伪装行为。比如,双方名为买卖实为赠与,买卖并非双方的真实意思表示,属于表面行为或伪装行为;赠与是双方的真实意思表示,属于隐藏行为或者非伪装行为。尽管隐藏行为的存在与虚伪表示联系在一起,但虚伪表示与隐藏行为并不总是一一对应。具体而言,无虚伪表示就无所谓隐藏行为,有隐藏行为也就存在虚伪表示,但存在虚伪表示,并不一定有隐藏行为。比如,以逃避债务为目的假装财产赠与,赠与行为是虚伪表示,但并不存在隐藏行为。

本条第1款是对双方以虚假意思表示作出的民事法律行为效力的规定,即行为人与相对人以虚假的意思表示实施的民事法律行为无效。这一规定的含义是:双方通过虚假的意思表示实施的民事法律行为是无效的。之所以对通过虚伪表示实施的民事法律行为的效力予以否定,是因为这一"意思表示"所指向的法律效果并非双方当事人的内心真意,双方对此相互知晓,如果认定其为有效,有悖于意思自治的原则。本款虽未明确规定行为人与相对人须通谋而为虚假的意思表示,实际上双方对虚假意思表示达成一致的结果反映出二者必须有一个意思联络的过程。这也是虚伪表示区别于真意保留的重要一点,真意保留的相对人并不知晓行为人表示的是虚假意思。

大陆法系的不少国家和地区均对虚伪表示及其效力作了规定。《德国民法典》第117条第1款规定：须以他人为相对人而做出的意思表示，系与相对人通谋而只是虚伪地做出的，无效。《日本民法典》第94条规定：与相对人通谋而进行虚伪意思表示者，其意思表示为无效。前款意思表示的无效，不得以之对抗善意第三人。《韩国民法典》第108条规定：与相对人通谋而作出的虚伪意思表示无效。前项的意思表示无效，不得对抗善意第三人。我国台湾地区“民法”第87条第1款规定：表意人与相对人通谋而为虚伪意思表示者，其意思表示无效。但不得以其无效对抗善意第三人。

本条第2款是对隐藏行为效力的规定：行为人以虚假的意思表示隐藏的民事法律行为的效力，依照有关法律规定处理。所谓隐藏行为，又称隐匿行为，是指在虚伪表示掩盖之下行为人与相对人真心所欲达成的民事法律行为。根据虚伪表示与隐藏行为的对应关系，有虚伪表示，未必存在隐藏行为；但有隐藏行为，则一定存在虚伪表示。前者如以逃避债务为目的的假赠与，赠与行为是通过虚伪表示而实施的行为，但并不存在隐藏行为；后者如名为赠与实为买卖，赠与行为是通过虚伪表示实施的行为，而买卖则是掩盖在虚伪表示之下的隐藏行为。根据本条规定，当同时存在虚伪表示与隐藏行为时，虚伪表示无效，隐藏行为并不因此无效，其效力如何，应当依据有关法律规定处理。具体来说，如果这种隐藏行为本身符合该行为的生效要件，那么就可以生效。如在名为赠与实为买卖的行为中，赠与行为属于双方共同以虚假意思表示实施的民事法律行为，无效；而隐藏于赠与形式之后的买卖则是双方共同的真实意思表示，其效力能否成就取决于其是否符合买卖合同有关的法律规定:如果符合买卖合同生效要件的法律规定,则为有效;反之,则无效。本款对隐藏行为的效力作出上述规定,主要考虑是:第一,实践中当存在虚伪表示时,往往同时存在隐藏行为。如果仅规定虚伪表示的效力规则而不对隐藏行为的效力作出规定,将导致大量隐藏行为的处理没有依据。第二,虚伪表示背后隐藏的民事法律行为,体现了双方当事人的真实意思表示,原则上不应否定其效力。但隐藏行为的效力最终如何,仍然应当根据该行为自身的效力要件予以判断,不宜不加限制地一律承认其效力。这既体现了对双方意思自治的充分认可,同时也对隐藏行为的效力发生施加了必要的限定,根据具体类型民事法律行为的有关规定予以判断。第三,从有关国家和地区的立法例看,一些规定了虚伪表示的民事立法,也同时规定了隐藏行为及其效力规则。如《德国民法典》第117条第2款规定:另一法律行为被虚伪行为所隐藏的,适用关于被隐藏的法律行为的规定。我国台湾地区“民法”第87条第2款规定:虚伪意思表示,隐藏他项法律行为者,适用关于该项法律行为之规定。

第一百四十七条 基于重大误解实施的民事法律行为,行为人有权请求人民法院或者仲裁机构予以撤销。

【释义】 本条是关于基于重大误解实施的民事法律行为的效力规定。

重大误解,是我国民法自民法通则和合同法以来一直沿用的概念。民法通则第59条规定:“下列民事行为,一方有权请求人民法院或者仲裁机关予以变更或者撤销:(一)行为人对行为内容有重大误解的;(二)显失公平的。被撤销的民事行为从行为开始起无效。"合同法第54条第1款规定:"下列合同,当事人一方有权请求人民法院或者仲裁机构变更或者撤销:(一)因重大误解订立的;(二)在订立合同时显失公平的。"尽管民法通则和合同法均规定了重大误解制度,但对于如何界定重大误解,法律并未作出规定。《最高人民法院关于贯彻执行〈中华人民共和国民法通则〉若干问题的意见(试行)》第71条规定:"行为人因对行为的性质、对方当事人、标的物的品种、质量、规格和数量等的错误认识,使行为的后果与自己的意思相悖,并造成较大损失的,可以认定为重大误解。"根据这一规定,认定重大误解需满足以下几个条件:一是行为人主观上存在错误认识,这种错误可以是关于行为的性质,也可以是关于行为的相对人、交易标的的质量、数量等;二是行为的结果与行为人的意思相悖;三是行为人的错误认识与行为后果之间存在因果关系,即如果没有这种错误认识,将不会产生该行为后果;四是行为人在客观上遭受了较大损失,如果没有损失或者损失较小,也不能构成重大误解。

传统民法理论与重大误解相关的概念是错误。错误是指表意人非故意地使意思与表示不一致。按照意思表示本身的两个阶段,可以划分为意思形成阶段的错误和意思表达阶段的错误。其中,意思表达阶段的错误,是错误制度的主要规范对象,又可细分为表示错误与内容错误。所谓表示错误,是指表意人错误使用表示符号,该表示符号所表达的法律后果并非表意人内心的真实想法,典型的如将合同价款10000元写成1000元、误将A画当作B画取走等,可以通俗地理解为"说错""写错""拿错"等;所谓内容错误,不同于表示错误,它是指表意人使用的表示符号并没有错,但对该符号所表示的内容产生理解错误。

典型的内容错误又可细分为同一性错误和行为类型错误。同一性错误如甲想和乙订立合同,却误将丙当作乙;A 想买橘子,却指着橙子说:“买两斤这个”。行为类型错误如甲想把画卖给乙,对乙说:“我有一幅画,你要不要?”由于没有约定价格,乙理解为赠与而予以接受。此时,买卖合同因未形成合意而不成立,赠与因符合表示主义而成立。甲可以基于行为类型错误而主张撤销赠与合同。意思形成阶段的错误,是指表意人在形成意思表示时所产生的错误,也称为动机错误。原则上,法律行为的效力与动机错误无关。比如,当事人对相对人的履约能力是否符合自己需求产生错误认识,不应作为错误主张撤销。但是,动机错误一律不得作为错误予以撤销的原则也有例外,当有关人或物的性质错误被视为对交易具有重要作用时,这种情形下的动机错误视为内容错误,同样可以适用错误规则。性质错误的典型例子,如甲以为 A 赛马赢得过竞赛冠军,故以重金买下,但实际上赢得竞赛冠军的是 B 赛马。此时甲对 A 赛马是否赢得过竞赛冠军的能力产生错误认识,属于性质错误。

大陆法系国家和地区的民法对于错误及其效力规则的规定不尽相同。《德国民法典》第 119 条规定:(1)在作出意思表示时,就它的内容发生错误或根本无意做出这一内容的表示的人,如需认为他在知道事情的状况和合理地评价情况时就不会做出该表示,则可以撤销该表示。(2)关于在交易上被认为重要的人的资格或物的特性的错误,也视为关于表示内容的错误。《意大利民法典》第 1428 条规定,当错误是本质性的(参阅第 1429 条)并为缔约另一方可以识别(参阅第 1431 条)时,错误是契约得被撤销的原因。第 1429 条规定,下列错误是本质性的:(1)涉及契约的本质的(参阅第 1322 条)或者标的物(参阅第

1346 条)时;(2)涉及交付标的物的同一性(参阅第 1346 条)或者根据一般标准或有关情况应当由合意确认的同一标的物的质量时;(3)涉及由缔约方确认他方缔约人的身份或基本情况时;(4)涉及构成唯一或主要原因的法律错误时(参阅第 624 条、第 787 条、第 1969 条、第 2732 条)。《韩国民法典》第 109 条规定:(1)意思表示,于法律行为内容的重要部分有错误时,可撤销。但该错误是因表意人的重大过失而引起时,不得撤销。(2)前项的意思表示的撤销,不得对抗善意第三人。我国台湾地区“民法”第 88 条第 1 款规定,意思表示之内容有错误,或表意人若知其事情即不为意思表示者,表意人得将其意思表示撤销之。但以其错误或不知事情,非由表意人自己之过失者为限。第 2 款规定,当事人之资格或物之性质,若交易上认为重要者,其错误,视为意思表示内容之错误。同以上国家和地区立法将错误规定为可撤销不同,法国和日本采取了将错误规定为无效的立法例。《法国民法典》第 1110 条规定,错误仅于涉及契约标的物的本质时,始构成无效的原因。如错误涉及当事人一方愿与之订约的他方当事人个人时,错误不成为无效的原因,但他方当事人个人被认为契约的主要原因时,不在此限。《日本民法典》第 95 条规定,意思表示,于法律行为的要素有错误时,为无效。但是,表意人有重大过失时,不得自己主张其无效。

本条规定,基于重大误解实施的民事法律行为,行为人有权请求人民法院或者仲裁机构予以撤销。民法总则立法过程中,关于这一规定的意见及考虑主要有:第一,是否参照大陆法系国家和地区立法例采用“错误”概念。有的意见提出,民法总则应当与大陆法系主要国家和地区的规定保持一致,在立法中采“错误”概念,并尽量明确“错误”内涵。经研究,重大误解的概念自民法通则创立以来,实践中一直沿用至今,已经为广大司法实务人员以及人民群众所熟知并掌握,且其内涵经司法解释进一步阐明后已与大陆法系的“错误”的内涵比较接近,在裁判实务中未显不当,可以继续维持民法通则和合同法的规定。第二,是否在条文中详细列举重大误解的情形。有的意见提出,司法解释对如何认定重大误解作了规定,针对性强,实践效果不错,应当在总则中加以规定。我们认为,最高人民法院从法律适用的角度对民法通则中“重大误解”的认定加以规定是可行的,能够更加清晰地为裁判提供指引,防止自由裁量权的滥用,统一裁判尺度。但完全将目前司法解释的规定上升为法律是否能够涵盖重大误解的所有情形,仍存在疑问。随着民事法律行为理论以及实践类型的不断发展,重大误解制度的涵摄范围会有变化,但这本质上是一个司法问题,立法可以不对其作具体限定。第三,关于重大误解撤销权的行使。有的意见提出,重大误解行为人的撤销权属于形成权,其行使仅须行为人向相对人为之,无须采用诉讼或者仲裁的方式。经研究认为,撤销权的行使将彻底改变民事法律行为的效力,关涉当事人的重大利益,民法通则及合同法均规定撤销权须经诉讼或者仲裁,这样有利于维护正常的法律秩序,妥善保护当事人双方的合法权益。经长期实践证明,民法通则和合同法关于撤销权行使方式的规定符合中国实际,本法予以维持。

第一百四十八条　一方以欺诈手段,使对方在违背真实意思的情况下实施的民事法律行为,受欺诈方有权请求人民法院或者仲裁机构予以撤销。

【释义】 本条是关于行为人以欺诈手段实施的民事法律

行为的效力规定。

民法中的欺诈,一般是指行为人故意欺骗他人,使对方陷入错误判断,并基于此错误判断作出意思表示的行为。欺诈的构成要件一般包括四项:一是行为人须有欺诈的故意。这种故意既包括使对方陷入错误判断的故意,也包括诱使对方基于此错误判断而作出意思表示的故意。二是行为人须有欺诈的行为。这种行为既可以是故意虚构虚假事实,也可以是故意隐瞒应当告知的真实情况等。三是受欺诈人因行为人的欺诈行为陷入错误判断,即欺诈行为与错误判断之间存在因果关系。四是受欺诈人基于错误判断作出意思表示。

我国民法通则和合同法均对欺诈作了规定,但二者对欺诈的效力规范有所不同。根据民法通则第 58 条第 1 款第 3 项的规定,一方以欺诈、胁迫的手段或者乘人之危,使对方在违背真实意思的情况下所为的民事行为无效。合同法没有将因欺诈订立的合同一律认定无效,而是区分情况作了规定。根据合同法第 52 条第 1 项、第 54 条第 2 款的规定,一方以欺诈手段所订立的损害国家利益的合同无效;一方以欺诈的手段,使对方在违背真实意思的情况下订立的合同,受损害方有权请求人民法院或者仲裁机构变更或者撤销。对于欺诈的具体含义,民法通则和合同法没有作出规定。《最高人民法院关于贯彻执行〈中华人民共和国民法通则〉若干问题的意见(试行)》第 68 条规定:"一方当事人故意告知对方虚假情况,或者故意隐瞒真实情况,诱使对方当事人作出错误意思表示的,可以认定为欺诈行为。"

世界主要国家和地区的民事立法均对欺诈行为及其效力作了规定。其中,德国、日本、韩国以及我国台湾地区"民法"的规定较为接近。《德国民法典》第 123 条第 1 款规定,因被恶意欺诈或被不法胁迫，致使做出意思表示的人，可以撤销该表示。《日本民法典》第96条第1款规定，因欺诈或胁迫而作出的意思表示，可以撤销。《韩国民法典》第110条第1款规定，因欺诈或胁迫而为的意思表示，可撤销。我国台湾地区“民法”第92条规定，因被诈欺或被胁迫而为意思表示者，表意人得撤销其意思表示。意大利民法同样将欺诈规定为可撤销的行为，其民法典第1439条第1款规定，在缔约一方实施欺骗致使另一方缔结了在未受欺骗时不会缔结的契约的情况下，诈欺是契约得被撤销的原因。第1440条规定，如果欺诈不是能够导致合意形成的欺诈，则尽管没有诈欺该契约会根据不同的条件缔结，但是契约有效；不过，恶意缔约人要承担损害赔偿责任（参阅第1337条）。与其他国家和地区的立法例不同，《法国民法典》将欺诈规定为无效行为，其民法典第1109条规定，如同意由于错误、胁迫或诈欺的结果，不得认为同意已有效成立。第1116条规定，如当事人一方不实施诈欺，他方当事人决不缔结契约者，此种诈欺构成契约无效的原因。诈欺不得推定，应证明之。从这些立法例的情况看，将欺诈实施的法律行为规定为可撤销行为是比较通行的做法，能够最大程度地尊重受欺诈方的选择，保护其合法权益。

本条规定包括以下几点内容：第一，欺诈系由民事法律行为的一方当事人实施，而相对人因此欺诈行为陷入错误判断，并进而作出了意思表示。换言之，如果没有行为人的欺诈行为，相对人将不会作出这种意思表示，民事法律行为不会成立。第二，欺诈的构成并不需要受欺诈人客观上遭受损害后果的事实，只要受欺诈人因欺诈行为作出了实施民事法律行为的意思表示，即可成立欺诈。第三，欺诈的法律后果为可撤销，享有撤销权的是受欺诈人。关于欺诈的法律后果，民法通则规定的是无效，合同法则区分欺诈行为是否损害国家利益而分别规定，如损害国家利益，则无效；如不损害，则为可变更或者可撤销。应当说，合同法在民法通则规定的基础上，修正了凡欺诈一律无效的规定，考虑到了对受欺诈人意思自治的尊重和保护，是可取的。但其又区分合同是否损害国家利益将欺诈的法律后果分别规定为无效和可撤销，这既与传统民法理论及世界各国立法例不符，在实践中也难以把握，甚至容易导致裁判者滥用自由裁量权随意判定民事法律行为无效的情形，反而损害特定情形下受欺诈人对民事法律行为效力的自主选择权，因此不宜采纳。同时，将欺诈行为的法律后果规定为可撤销，也是立法中的多数意见，因此本法采纳这一意见，将欺诈的后果规定为可撤销。

此外，还有两个问题需要说明。一是关于撤销权的行使。立法过程中，有的意见认为，撤销权性质上属于形成权，撤销权人可以通过自己的行为行使，无须借助诉讼或者仲裁的方式。我们研究认为，撤销权人撤销权的行使与否，直接关涉民事法律行为的效力，也因此会对双方当事人的利益产生重大影响，应以通过法院或者仲裁机构行使为宜。同时，通过法院或者仲裁机构行使撤销权，可以避免双方为此进一步滋生争议，也符合我国一直以来的立法传统和司法实际，应当予以坚持。二是关于是否保留变更权的规定。有的意见提出，合同法规定了欺诈相对人可以向法院或者仲裁机构申请变更或者撤销合同的权利，民法总则应当维持合同法关于变更权的规定。经研究，民法总则最终没有采纳这一意见。其主要理由包括：第一，从实践的情况看，合同法虽然规定了变更权，但这一制度在实践中并未得到广泛适用，真正发挥作用的空间较小。绝大多数欺诈行为的相对人仍然选择通过撤销权的行使来保护其合法权益。第二,从各国立法的情况来看,也没有赋予欺诈相对人有权变更法律行为的立法例,赋予相对人变更权不符合国际上的立法趋势。第三,民事法律行为因欺诈被撤销后,如果行为人与相对人有意重新达成合意实施民事法律行为,法律并不禁止。但如果法院或者仲裁机构根据受欺诈人的申请对民事法律行为进行变更,则并不一定符合当事人包括受欺诈人的内心意思,反而容易形成公权力对私人权利领域的不当干扰,甚至导致自由裁量权的滥用。基于以上几点考虑,民法总则没有延续合同法对欺诈行为可变更的规定。

第一百四十九条　第三人实施欺诈行为,使一方在违背真实意思的情况下实施的民事法律行为,对方知道或者应当知道该欺诈行为的,受欺诈方有权请求人民法院或者仲裁机构予以撤销。

【释义】　本条是关于第三人欺诈的民事法律行为的效力规定。

民法中的欺诈,一般是指行为人故意欺骗他人,使对方陷入错误判断,并基于此错误判断作出意思表示的行为。在这一过程中,受欺诈人一定是民事法律行为的一方当事人,其由于欺诈人的欺诈行为陷入错误判断,并据此作出意思表示;但实施欺诈行为的人除民事法律行为的当事人外,还有可能是第三人。这里的第三人,一般是指民事法律行为的双方当事人之外、与一方存在某种关系的特定人。当事人之外的第三人对其中一方当事人实施欺诈的目的,有可能是仅仅为了帮助对方当事人达成交易,如得知买受人欲购买朋友的二手汽车,便极力劝说,尽管知道该车性能不好、出过事故，但谎称该车性能良好，从未出过事故，买受人遂信以为真，购买了该二手汽车。第三人实施欺诈也有可能最终为实现自己的目的，如第三人为达到使 A 尽快偿还所欠其债务的目的，劝说 B 购买 A 所收藏的仿真画作，谎称该画作为真品，B 信以为真，购买了该画作，A 用所得的价款偿还了对第三人的债务。由于第三人欺诈的行为同样对受欺诈人的利益造成了损害，因此本条对此加以规制。

从民法通则及合同法的规定来看，现行法对于欺诈的规定，以民事法律行为的一方当事人实施欺诈为规范对象，并未规定第三人实施欺诈的情形。根据民法通则第 58 条第 1 款第 3 项的规定，一方欺诈手段，使对方在违背真实意思的情况下所为的民事行为无效。根据合同法第 52 条第 1 项规定，一方以欺诈手段订立的损害国家利益的合同无效；第 54 条第 2 款规定，一方以欺诈的手段，使对方在违背真实意思的情况下订立的合同，受损害方有权请求人民法院或者仲裁机构变更或者撤销。而从世界各国和地区的立法例看，凡规定了欺诈行为的立法，也大多同时规定了第三人欺诈。如《德国民法典》第 123 条第 2 款规定，第三人已进行欺诈的，仅在相对人知道或应当知道欺诈时，须以他人为相对人而做出的表示才是可撤销的。该表示的作出所须相对的人以外的人已因该表示而直接取得权利的，如其知道或应当知道欺诈，则该表示对他是可撤销的。《日本民法典》第 96 条第 2 款规定，在对相对人的意思表示中有第三人实施诈欺时，以相对人知道其事实之时为限，可以撤销其意思表示。《韩国民法典》第 110 条第 2 款规定，对于有相对人的意思表示，第三人进行欺诈或胁迫情形，以相对人知道或应当知道该事实的情形为限，可撤销其意思表示。《意大利民法典》第 1439 条第 2

款规定，当欺诈是第三人所为时（参阅第 1434 条），如涉及缔约人的利益，则契约被撤销。

本条借鉴大陆法系多数国家和地区立法例，针对第三人欺诈的行为作了规定，主要内容包括：第一，当事人以外的第三人对一方当事人实施了欺诈行为，并致使该当事人陷入错误判断且据此作出了意思表示。欺诈行为的具体形式，有可能是故意告知虚假信息，或者故意隐瞒真实情况，也可能存在其他不同形式，但其根本目的在于使受欺诈人陷入错误认识，作出“若了解真实情况便不会作出的”意思表示。第二，受欺诈人享有对民事法律行为的撤销权，但该撤销权行使须满足一定条件。具体来说，第三人实施欺诈行为，只有在受欺诈人的相对方非属于善意时，受欺诈人才能行使撤销权。相对方的这种非善意表现为，对于第三人的欺诈行为，其知道或者应当知道。实践中，对于第三人实施的欺诈行为，受欺诈人的相对方既可能知情，也可能不知情。例如，在欺诈买受人购买朋友二手车的例子中，二手车的出卖人既可能知道交易的达成系其朋友欺诈买受人的结果，也可能对此并不知情，单纯认为买受人愿意购买自己的二手车。法律仅赋予相对方不知情时受欺诈人撤销民事法律行为的权利，体现了对善意相对人的保护。第三，撤销权的行使仍须通过人民法院或者仲裁机构行使。

还有一个问题需要说明，有的意见提出，无论是一方当事人欺诈，还是第三人欺诈，都是对受欺诈人意思表示自由的侵害，均应当赋予受欺诈人撤销权，对此法律可不作区分。我们研究认为，在一方当事人实施欺诈行为时，相对人对欺诈并不知情，由此陷入错误判断并作出意思表示。在此种情形下，相对人必然为善意，应当享有撤销权。而在第三人欺诈的情况下，仅赋予受欺诈人在相对方知道或者应当知道存在欺诈行为时的撤销权,同样体现了对善意相对人的保护,两种情况下的立法理念是一致的。此时,受欺诈人尽管不能通过行使撤销权的方式保护其自身权益,但如果其权益因此受损,并不妨碍其向实施欺诈的第三人主张赔偿。

第一百五十条　一方或者第三人以胁迫手段,使对方在违背真实意思的情况下实施的民事法律行为,受胁迫方有权请求人民法院或者仲裁机构予以撤销。

【释义】　本条是关于以胁迫手段实施的民事法律行为的效力的规定。

所谓胁迫,是指行为人通过威胁、恐吓等不法手段对他人思想上施加强制,由此使他人产生恐惧心理并基于恐惧心理作出意思表示的行为。在民法理论中,胁迫与欺诈一样,都属于意思表示不自由的情形。当事人因受胁迫而作出意思表示,其意思表示并没有产生错误,受胁迫人在作出符合胁迫人要求的意思表示时,清楚地意识到自己意思表示的法律后果,只是这种意思表示的作出并非基于受胁迫人的自由意志。胁迫的构成要件一般应当包括:一是胁迫人主观上有胁迫的故意,即故意实施胁迫行为使他人陷入恐惧以及基于此恐惧心理作出意思表示。二是胁迫人客观上实施了胁迫的行为,即以将要实施某种加害行为威胁受胁迫人,以此使受胁迫人产生心理恐惧。这种加害既可以是对受胁迫人自身的人身、财产权益的加害,也可以是对受胁迫人的亲友甚至与之有关的其他人的人身、财产权益的加害,客观上使受胁迫人产生了恐惧心理。三是胁迫须具有不法性,包括手段或者目的的不法性,反之则不成立胁迫。例如,出租人以向法院起诉为要挟，要求承租人按合同约定及时履行交付租金的义务，此种情形便不属于应受法律调整的胁迫行为。四是受胁迫人基于胁迫产生的恐惧心理作出意思表示。换言之，意思表示的作出与胁迫存在因果关系。此处因果关系的判断，应以受胁迫人自身而非其他人为标准。由于胁迫侵害了被胁迫人的自由意志，法律对通过胁迫手段实施的民事法律行为加以规制。

我国民法通则和合同法对胁迫及其效力作了规定，但未对胁迫的具体含义加以规定。根据民法通则第 58 条第 1 款第 3 项规定，一方以胁迫的手段，使对方在违背真实意思的情况下所为的民事行为无效。合同法并没有完全沿用民法通则对胁迫行为效力无效的规定，而是区分情况加以规定：根据合同法第 52 条第 1 项规定，一方以胁迫手段订立的损害国家利益的合同无效。根据合同法第 54 条第 2 款规定，一方以胁迫的手段，使对方在违背真实意思的情况下订立的合同，受损害方有权请求人民法院或者仲裁机构变更或者撤销。民法通则和合同法虽然没有明确规定胁迫的具体含义，但最高人民法院的相关司法解释却从司法认定的角度对胁迫作了规定。《最高人民法院关于贯彻执行〈中华人民共和国民法通则〉若干问题的意见（试行）》第 69 条规定："以给公民及其亲友的生命健康、荣誉、名誉、财产等造成损害，或者以给法人的荣誉、名誉、财产等造成损害为要挟，迫使对方作出违背真实的意思表示的，可以认定为胁迫行为。"从司法解释的这一规定看，民法理论所要求胁迫应当具备的主观的故意、客观的行为、胁迫的不法性以及因果关系等条件都已经得到了体现。

由于胁迫对意思自治原则的侵害和对当事人利益的损害，世界各国和地区均通过立法对胁迫加以规制。有的立法仅使用了“胁迫”的概念并对其效力作出规定，如《德国民法典》第123条第1款规定，因被恶意欺诈或被不法胁迫，致使做出意思表示的人，可以撤销该表示。《日本民法典》第96条第1款规定，因欺诈或胁迫而作出的意思表示，可以撤销。《韩国民法典》第110条规定，因欺诈或胁迫而为的意思表示，可撤销。我国台湾地区“民法”第92条规定，因被诈欺或被胁迫而为意思表示者，表意人得撤销其意思表示。也有的立法除规定胁迫的行为效力外，还对其含义作了界定，如《法国民法典》第1111条规定，对债务人行使胁迫为无效的原因，纵使胁迫的行使出于取得合意利益人以外的法国民法典第三人者亦同。第1112条规定，凡行为的性质足使正常之人产生印象，并使其发生自己身体或财产面临重大且迫切危害的恐惧者，成立胁迫。关于此问题，应考虑受胁迫人的性别、年龄及个人的情况。《意大利民法典》第1434条规定，胁迫是契约得撤销的原因，尽管其是由第三人实施的。第1435条规定，胁迫应当具有使一个明智的人感到不安并担心其人身或财产受到不法行为严重威胁的性质。其涉及年龄、性格和个人的情况。从上述立法例看，将胁迫的效力规定为可撤销是多数国家和地区的立法选择。

本条规定：“一方或者第三人以胁迫手段，使对方在违背真实意思的情况下实施的民事法律行为，受胁迫方有权请求人民法院或者仲裁机构予以撤销。”这一规定包括以下内容：第一，民事法律行为的一方当事人或者第三人实施了胁迫行为。这种行为的具体方式，既可以是威胁对受胁迫人或其亲友的人身权益造成损害，如以损害受胁迫人的荣誉为要挟；也可以是威胁对受胁迫人或其亲友的财产权益造成损害，如不将房子出租给胁迫人，胁迫人就烧掉房子。实施胁迫行为的主体既包括民事法律行为的一方当事人,也可以是民事法律行为之外的第三人。第二,受胁迫人基于对胁迫行为所产生的恐惧作出了意思表示。受胁迫人尽管作出的意思表示是其真实意思的外在表达,但这种意思表示的作出系受到胁迫人胁迫行为的结果。第三,受胁迫人享有对民事法律行为的撤销权。胁迫是对受胁迫人意志自由的侵害,其效力不应得到法律的承认。从民法理论上讲,胁迫行为具有不法性,且构成对受胁迫人利益的侵害,应当认定因胁迫实施的民事法律行为无效。但考虑到民事活动的复杂性以及意思自治的民事基本原则,受胁迫人在其权益受损时,有权基于自身的利益衡量对民事法律行为的效力作出选择。因此,本条规定采世界多数国家和地区立法例,将因胁迫实施的民事法律行为效力规定为可撤销,同时赋予受胁迫人以撤销权。

关于本条,还有两个问题需要进一步说明。一是,有的意见提出,本条应当比照欺诈的规定,区分一方胁迫与第三人胁迫分别作出规定。在第三人实施胁迫时,应当仅在相对人知道或者应当知道存在胁迫时,受胁迫人才享有撤销权。经研究认为,胁迫相较于欺诈而言,对当事人意思自由的侵害更为严重,法律应当赋予受胁迫人程度更为严格的保护。同时,这也与世界各国和地区多数立法例的规定一致。因此,本条规定,无论是一方胁迫还是第三人胁迫,受胁迫人均享有对民事法律行为的撤销权。二是,有的意见提出,本条应对胁迫的具体含义作出界定。我们研究认为,最高人民法院相关司法解释对实践中较为常见的胁迫情形进行列举式规定,有助于法律的具体适用,是可行的。但是,考虑到民事活动的复杂性以及民事法律行为实践的不断发展,民法总则不宜对胁迫作出限定性的规定,而应为实践的发展留出空间。同时,自民法通则颁行以来的三十多年间,无论是理论界还是司法实务界，对于“胁迫”概念的内涵已经形成较为广泛的共识，民法总则不对其含义进行规定并不影响这一制度的理解与适用。

第一百五十一条　一方利用对方处于危困状态、缺乏判断能力等情形，致使民事法律行为成立时显失公平的，受损害方有权请求人民法院或者仲裁机构予以撤销。

【释义】 本条是关于显失公平的民事法律行为的效力的规定。

显失公平这一概念在传统民法理论及我国的现行法中均有所体现，但二者的内涵并不完全相同。传统民法理论中的显失公平，需要同时具备客观和主观两项要件。客观上，双方的权利义务要达到显失均衡的状态；主观上，这种权利义务失衡的状态系由于一方利用对方缺乏经验和判断能力、急迫、轻率等不利的情境所最终达成的结果。这种主、客观条件须同时具备的“显失公平”又被称为暴利行为，为继受传统民法理论的部分国家和地区的立法例所采。例如，《德国民法典》第 138 条第 2 款规定，某人利用他人处于急迫情势、无经验、欠缺判断能力或意志显著薄弱，以法律行为使该他人就某项给付向自己或第三人约定或给予与该项给付明显不相当的财产利益的，该法律行为尤其无效。我国台湾地区“民法”第 74 条规定，法律行为，系乘他人之急迫、轻率或无经验，使其为财产上之给付或为给付之约定，依当时情形显失公平者，法院得因利害关系人之声请，撤销其法律行为或减轻其给付。前项声请，应于法律行为后一年内为之。但是，也有部分国家的立法例仅从客观要件的角度对显失公平加以界定，如《法国民法典》第 1118 条规定，当事人双方债务有失公平因此一方遭受损失的事实,依本章第五节第七目规定,仅关于一定的契约和对于一定的当事人,得构成取消契约的原因。

我国民法通则和合同法均对显失公平作了规定。民法通则第59条第1款规定:"下列民事行为,一方有权请求人民法院或者仲裁机关予以变更或者撤销:(一)行为人对行为内容有重大误解的;(二)显失公平的。"合同法第54条第1款规定:"下列合同,当事人一方有权请求人民法院或者仲裁机构变更或者撤销:(一)因重大误解订立的;(二)在订立合同时显失公平的。"从民法通则和合同法的上述规定看,现行法律似乎仅从行为后果的角度界定显失公平,并不强调传统理论中显失公平的主观要件或者产生显失公平后果的原因。《最高人民法院关于贯彻执行〈中华人民共和国民法通则〉若干问题的意见(试行)》第72条规定:"一方当事人利用优势或者利用对方没有经验,致使双方的权利与义务明显违反公平、等价有偿原则的,可以认定为显失公平。"司法解释的这一规定强调对显失公平的认定要考虑到主观方面的原因,即"一方当事人利用优势或者利用对方没有经验",相比民法通则和合同法的规定,界定更为清晰,也与传统民法理论及多数立法例较为接近。与各国立法例不同,除显失公平外,我国民法通则和合同法还同时规定了乘人之危的民事法律行为。根据民法通则第58条第1款第3项的规定,一方乘人之危,使对方在违背真实意思的情况下所为的民事行为无效。根据合同法第54条第2款规定,一方乘人之危,使对方在违背真实意思的情况下订立的合同,受损害方有权请求人民法院或者仲裁机构变更或者撤销。《最高人民法院关于贯彻执行〈中华人民共和国民法通则〉若干问题的意见(试行)》第

70条同样对乘人之危的认定作了规定，即一方当事人乘对方处于危难之机，为牟取不正当利益，迫使对方作出不真实的意思表示，严重损害对方利益的，可以认定为乘人之危。与显失公平相比，乘人之危的概念更加强调行为人利用对方“处于危难之机”以及“牟取不正当利益”的主观要件，这一点与传统民法理论中显失公平的主观要件非常接近。因此，不少观点认为，我国法律中所规定的显失公平与乘人之危，事实上是传统民法理论中暴利行为一分为二的结果。

本条所规定的显失公平，采取了与传统民法理论以及德国、我国台湾地区关于暴利行为相类似的做法，须包括两项要件：一是，主观上民事法律行为的一方当事人利用了对方处于危困状态、缺乏判断能力等情形。这意味着，一方当事人主观上意识到对方当事人处于不利情境，且有利用这一不利情境之故意。所谓危困状态，一般指因陷入某种暂时性的急迫困境而对于金钱、物的需求极为迫切等。例如，一方利用对方家有重病患者、为治疗病患出卖房产之机，以远低于市场价格购买该房产；所谓缺乏判断能力，是指缺少基于理性考虑而实施民事法律行为或对民事法律行为的后果予以评估的能力，如金融机构的从业人员向文化水平较低的老年人兜售理财产品，由于缺少判断能力，这些老年人以高昂价格购买了实际收益率较低的理财产品。二是，客观上民事行为成立时显失公平。此处的显失公平是指双方当事人在民事法律行为中的权利义务明显失衡、显著不相称。至于“失衡”“不相称”的具体标准，则需要结合民事法律行为的具体情形，如市场风险、交易行情、通常做法等加以判断。同时，需要说明的是，对于显失公平的判断时点，应以民事法律行为成立时为限。由于民事法律行为从成立到实际履行往往有一个过程，这一过程中的许多因素都可能对双方当事人的权利义务产生影响，如果不限定判断的时点，对于显失公平的判定将会缺少客观标准，也无法将原已存在的"权利义务失衡"结果与民事法律行为成立后当事人以外因素对权利义务产生的影响相区分。因此，本条采我国台湾地区以及合同法的立法例，将显失公平结果的判定限定为民事法律行为成立时。关于显失公平民事法律行为的效力，从尊重权益受损方意思自治的角度，本条将其规定为可撤销的民事法律行为。受损害方可以基于民事法律行为的具体情况，选择是否向法院或者仲裁机构撤销这一行为。

在立法过程中，有的意见提出，民法通则和合同法将乘人之危与显失公平分别规定，二者有不同的适用条件，民法总则应延续这一做法。经研究，我们认为，民法通则和合同法规定的显失公平与乘人之危虽各有侧重，但从相关司法实践对二者的界定来看，它们均在主观和客观两方面有相类似的要求，如显失公平中的"一方明显违反公平、等价有偿原则"，即是严重损害了对方利益；"利用优势或者利用对方没有经验"与乘人之危的手段相近，均利用了对方的不利情境。基于此，民法总则将二者合并规定，赋予显失公平以新的内涵，这既与通行立法例的做法一致，同时也便于司法实践从严把握，防止这一制度被滥用。

第一百五十二条　有下列情形之一的，撤销权消灭：

（一）当事人自知道或者应当知道撤销事由之日起一年内、重大误解的当事人自知道或者应当知道撤销事由之日起三个月内没有行使撤销权；

（二）当事人受胁迫，自胁迫行为终止之日起一年内没有行使撤销权；

（三）当事人知道撤销事由后明确表示或者以自己的行为表明放弃撤销权。

当事人自民事法律行为发生之日起五年内没有行使撤销权的，撤销权消灭。

【释义】 本条是关于撤销权消灭期间的规定。

民事法律行为因不同事由被撤销的，其撤销权应当在一定期间内行使。这一点是由撤销权的性质所决定的。在民法理论上，撤销权属于形成权，行为人可以通过自己的行为直接行使权利，实现权利目的。但是，撤销权的行使将使得可撤销的民事法律行为效力终局性地归于无效，这将对相对人的利益产生重大影响，因此，享有撤销权的权利人必须在一定期间内决定是否行使这一权利，从而保护相对人的利益，维护交易安全。这一期间被称为除斥期间，除斥期间经过，撤销权终局性地归于消灭，可撤销的民事法律行为自此成为完全有效的民事法律行为。

由于导致民事法律行为可撤销的事由多样，因此不同情况下除斥期间的起算以及期间的长短也应有所不同。我国有关法律和司法解释对撤销权的除斥期间作了规定。《最高人民法院关于贯彻执行〈中华人民共和国民法通则〉若干问题的意见（试行）》第 73 条第 2 款规定："可变更或者可撤销的民事行为，自行为成立时起超过一年当事人请求变更或者撤销的，人民法院不予保护。"合同法第 55 条规定："有下列情形之一的，撤销权消灭：（一）具有撤销权的当事人自知道或者应当知道撤销事由之日起一年内没有行使撤销权；（二）具有撤销权的当事人知道撤销事由后明确表示或者以自己的行为放弃撤销权。"从上述规定看，司法解释所规定的期间起算点为"行为成立时"，并不考虑撤销权是否具备行使条件。这一期间属于客观期间，其优点是时间确定，便于计算，有利于法律关系的尽快稳定，但缺点是对于撤销权人不利，在撤销权人不知撤销事由存在时，极易因期间经过而丧失撤销权。合同法的规定修正了司法解释的缺陷，改采主观期间，将除斥期间的起算点规定为权利人知道或者应当知道撤销事由之日。这样规定，将撤销权人不知撤销事由从而导致期间经过的风险分配给相对人，有利于保护撤销权人。但是，民法关于撤销权除斥期间的规定，应当同时兼顾撤销权人与相对人的利益，不应仅仅强调一方的利益保护而忽略另一方。因此，应当结合两种期间起算的方式，在规定主观期间的同时，辅之以客观期间补充，以此实现二者利益的平衡保护。

从各国和地区的立法例看，除了同时规定主观期间与客观期间外，有的还根据不同的撤销事由规定了不同长度的除斥期间以及不同的期间起算点。例如，《德国民法典》第 121 条规定，在第 119 条、第 120 条（注：指错误的意思表示）的情形下，撤销必须在撤销权人知悉撤销原因后，在没有有过错的迟延的情况下（不迟延地）为之。撤销的表示已被不迟延地发送的，对不在场者而为的撤销，视为已适时地为之。第 2 款规定，自意思表示做出时起已经过十年的，该项撤销即被排除。第 124 条规定：（1）依第 123 条（注：指被欺诈和被胁迫的意思表示的撤销）可撤销的意思表示，只能在 1 年的期间内撤销。（2）在恶意欺诈的情形下，撤销期间自撤销权人发现欺诈时起算，在胁迫的情形下，自急迫情势停止时起算。（3）自意思表示做出时起已经过十年的，该项撤销被排除。我国台湾地区“民法”第 93 条规定，前条之撤销（注：指被欺诈和被胁迫的意思表示的撤销），应于发现诈欺或胁迫终止后，一年内为之。但自意思表示后，经过十年，不得撤销。《日本民法典》第 126 条规定，撤销权自可以追认时起，五年间不行使时，因时效而消灭。自行为时起，经过二十年时，亦同。《韩国民法典》第 146 条规定，撤销权，应于可追认之日起三年内，自实施法律行为之日起十年内行使。《意大利民法典》第 1442 条规定，撤销契约的诉权五年届满而消灭。第 2 款规定，当撤销是基于意思瑕疵或者法律上的无能力而发生时，时效期间自被强迫中止之日、发现错误或者欺诈之日，或者禁治产或准禁治产终止之日，或者未成年人达到成年年龄之日起算。第 3 款规定，在其他情况下，期间自契约成立之日起算。

本条在民法通则和合同法规定的基础上，借鉴其他国家和地区的立法例，对撤销权的除斥期间作了以下规定：一是，撤销权原则上应在权利人知道或者应当知道撤销事由之日起一年内行使，但自民事法律行为发生之日起五年内没有行使的，撤销权消灭。将期间起算的标准规定为“权利人知道或者应当知道撤销事由之日”有利于撤销权人的利益保护，防止其因不知撤销事由存在而错失撤销权的行使。同时，辅之以“自民事法律行为发生之日起五年”的客观期间，有助于法律关系的稳定，稳定交易秩序，维护交易安全。二是，对于因重大误解享有撤销权的，权利人应在知道或者应当知道撤销事由之日起三个月内行使，否则撤销权消灭。同欺诈、胁迫、显失公平等影响意思表示自由的情形相比，重大误解权利人的撤销事由系自己造就，不应赋予其与其他撤销事由同样的除斥期间。因此，本条将重大误解的撤销权除斥期间单独确定为三个月，并仍以权利人知道或者应当知道撤销事由之日起算。三是，对于因胁迫享有撤销权的，应自胁迫行为终止之日起一年内行使，否则撤销权消灭。同欺诈、重大误解等其他撤销事由相比，胁迫具有特殊性。受胁迫人在胁迫行为终止前，即使知道胁迫行为的存在，事实上仍然无法行使撤销权。考虑到这一特殊情况，本条将因胁迫享有撤销权的除斥期间起算规定为“自胁迫行为终止之日起”，期间仍为一年。四是，对于权利人知道撤销事由后明确表示或者以自己的行为表明放弃撤销权的，撤销权消灭，不受一年期间的限制。权利人无论是明确表示还是通过行为表示对撤销权的放弃，均属于对自己权利的处分，依据意思自治的原则，法律予以准许。

第一百五十三条　违反法律、行政法规的强制性规定的民事法律行为无效，但是该强制性规定不导致该民事法律行为无效的除外。

违背公序良俗的民事法律行为无效。

【释义】 本条是关于违反法律、行政法规的强制性规定以及违背公序良俗的民事法律行为的效力的规定。

在民事法律行为有效的三项要件中，不违反法律、行政法规的强制性规定以及不违背公序良俗是其中能够体现对个人意思自治与行为限制的一项重要条件。民事法律行为虽然是彰显意思自治、保障权利实现的主要制度，但这种自由必须限定在不损害国家利益、社会公共利益的范围之内。民事主体的民事法律行为一旦超越法律和道德所容许的限度，构成对国家利益、社会公共利益的侵害，其效力就必须被否定。而法律、行政法规的强制性规定以及公共秩序和善良习俗，即是对民事主体意思自治施加的限制。

由于强制性规定和公序良俗背后所体现的对国家利益、社会公共利益的维护，世界各国和地区的民事立法均将违反这些规定以及违背公序良俗的行为确定为无效。例如，《法国民法典》(2016 年新债法)第 1162 条规定,合同内容或目的不得违背公序良俗,无论全体当事人是否知情。第 1179 条第 1 款,违反保护公共利益的规则时,绝对无效。《德国民法典》第 134 条规定,法律不另有规定的,违反法定禁止的法律行为无效。第 138 条第 1 款规定,违反善良风俗的法律行为无效。《瑞士债务法》第 20 条规定,合同内容不能、违法或违背公序良俗的,无效。《荷兰新民法典》第 3:40 条规定:(1)法律行为的内容或目的违背公共秩序或善良风俗的,无效。(2)除从法律规定的目的中得出其他结论者以外,违反法律强制规定的法律行为无效。《魁北克新民法典》第 1411 条规定,合同原因为法律禁止或违反公共秩序的,合同无效。第 1413 条规定,合同标的为法律禁止或违反公共秩序的,合同无效。2013 年《匈牙利新民法典》第 6:95 条规定,违反法律或规避法律的合同无效。第 6:96 条规定,显然违背善良风俗的合同无效。除此之外,我国台湾地区“民法”第 71 条规定,法律行为违反强制或禁止之规定者,无效。但其规定并不以之为无效者,不在此限。第 72 条规定,法律行为有悖于公共秩序或善良风俗者,无效。我国澳门地区民法典第 273 条第 2 款规定,违反公共秩序或侵犯善良风俗之法律行为无效。

民法总则第 143 条规定了民事法律行为的有效要件。其中,根据该条第 3 项规定,民事法律行为不得违反法律、行政法规的强制性规定,不得违背公序良俗。从立法技术和逻辑来看,应当同时从反面规定违反法律、行政法规以及违背公序良俗的民事法律行为的法律后果。本条即明确规定了违反法律、行政法规以及违背公序良俗的民事法律行为无效。相比而言,第 143 条属于对民事法律行为有效的一般性要求,而本条则属于可以直接判定行为效力的裁判性规范，即当民事法律行为具有违反法律、行政法规强制性规定或者违背公序良俗情形的，法院和仲裁机构可以依据本条规定确认该行为无效。从我国以往的民事立法来看，民法通则规定的是违反法律或者社会公共利益的民事行为无效；合同法规定的是违反法律、行政法规的强制性规定以及损害社会公共利益的合同无效。这些规定均在审判、仲裁实践中发挥了裁判性规范的作用。如果本条不对违反法律、行政法规的强制性规定以及违背公序良俗的法律后果直接作出规定，司法机关和仲裁机构就会丧失判定依据，导致裁决尺度不一，引发法律适用的混乱。

本条第 1 款规定，违反法律、行政法规的强制性规定的民事法律行为无效，但是该强制性规定不导致该民事法律行为无效的除外。法律规范分为强制性规范与任意性规范。任意性规范的目的是引导、规范民事主体的行为，并不具备强制性效力，民事法律行为与任意性规范不一致的，并不影响其效力。任意性规范体现的是法律对主体实施民事法律行为的一种指引，当事人可以选择适用，也可以选择不适用。与任意性规范相对的是强制性规范，后者体现的是法律基于对国家利益、社会公共利益等的考量，对私人意思自治领域所施加的一种限制。民事主体在实施民事法律行为时，必须服从这种对行为自由的限制，否则会因对国家利益、社会公共利益等的侵害而被判定无效。但是，民事法律行为违反强制性规定无效有一种例外，即当该强制性规定本身并不导致民事法律行为无效时，民事法律行为并不无效。这里实际上涉及对具体强制性规定的性质判断问题。某些强制性规定尽管要求民事主体不得违反，但其并不导致民事法律行为无效。违反该法律规定的后果应由违法一方承担，对没有违法的当事人不应承受一方违法的后果。例如，一家经营水果的商店出售种子，农户购买了该种子，该商店违法经营种子，必须承担相应违法责任，但出于保护农户的目的，不宜认定该买卖行为无效。再如，我国台湾地区“民法”第 912 条规定，典权约定期限不得逾三十年，逾三十年者，缩短为三十年。此种情形下，如果双方约定的典权超过三十年，该约定并不无效，只是缩短为三十年。

本条第 2 款规定，违背公序良俗的民事法律行为无效。公序良俗是公共秩序和善良习俗的简称，属于不确定概念。民法学说一般采取类型化研究的方式，将裁判实务中依据公序良俗裁判的典型案件，区别为若干公序良俗违反的行为类型。法院或者仲裁机构在审理案件时，如果发现待决案件事实与其中某一个类型相符，即可判定行为无效。这些类型包括但不限于：(1)危害国家政治、经济、财政、税收、金融、治安等秩序类型；(2)危害家庭关系行为类型；(3)违反性道德行为类型；(4)违反人权和人格尊重行为类型；(5)限制经济自由行为类型；(6)违反公正竞争行为类型；(7)违反消费者保护行为类型；(8)违反劳动者保护行为类型等。同强制性规定一样，公序良俗也体现了国家对民事领域意思自治的一种限制。因此，对公序良俗的违背也构成民事法律行为无效的理由。

第一百五十四条　行为人与相对人恶意串通，损害他人合法权益的民事法律行为无效。

【释义】 本条是关于恶意串通的民事法律行为的效力的规定。

所谓恶意串通，是指行为人与相对人互相勾结，为牟取私利而实施的损害他人合法权益的民事法律行为。恶意串通的民事法律行为在主观上要求双方有互相串通、为满足私利而损害他人合法权益的目的，客观上表现为实施了一定形式的行为来达到这一目的。比如，甲公司生产的一批产品质量低劣，卖不出去，甲公司找到乙公司负责采购的业务人员向其行贿，二者相互串通订立该产品的买卖合同，乙公司将其以合格产品买入。在该例中，甲公司与乙公司采购人员相互勾结签订合同，损害乙公司利益的行为就属于恶意串通的民事法律行为。尽管民法的基本原则中包含自愿原则，即当事人可以按照自己的意思设立、变更、终止民事法律关系，但民事主体却不得滥用民事权利损害国家利益、社会公共利益或者他人合法权益。

我国民法通则和合同法都对恶意串通作了规定。根据民法通则第 58 条第 1 款第 4 项规定，恶意串通，损害国家、集体和第三人利益的民事行为无效。根据合同法第 52 条第 2 项规定，恶意串通，损害国家、集体或者第三人利益的合同无效。从民法通则到合同法，尽管不少情形下的民事法律行为的效力规定发生了变化，如不损害国家、集体利益的欺诈、胁迫、乘人之危等情形，民法通则规定为无效，而合同法规定为可撤销。但对于恶意串通的民事法律行为，无论是民法通则还是合同法，始终将其规定为无效。从各项制度的设立目的看，无论是欺诈、胁迫、重大误解还是显失公平，大多调整的是仅涉及双方当事人之间的利益关系，而在恶意串通的情形下，实际是双方共同损害他人的合法权益。在这种情况下，双方串通的直接目的就是通过损害他人来实现自己的利益，因此，法律上对这种恶意串通行为确定为无效的做法，能够最大限度地实现对第三方合法权益的保护。

民法总则立法过程中，关于是否保留恶意串通无效的规定，一直存在不同意见。有的意见提出，民法通则当时所规定的恶意串通制度，主要规范的是行为人与国有企业的工作人员或者代理人等恶意串通，以低价贱卖国有资产，损公肥私的行为。但这种情况实际上可以通过代理制度中的相关规定，如总则第164条第2款（代理人和相对人恶意串通，损害被代理人合法权益的，代理人和相对人应当承担连带责任）的规定予以解决，无须再单独规定恶意串通。同时，恶意串通并非一种具体的行为样式，其在实践中可以表现为不同的行为类型，如欺诈、无权处分等，而这些行为都已经有具体的规则可以解决。因此，不需要在总则中继续规定恶意串通。有的意见则认为，恶意串通是自民法通则、合同法以来一直存在的制度，体现了我国民事立法的鲜明特色，能够最大化地体现对民事主体合法权益的保护，应当予以保留。经研究，我们在民法总则中继续规定了恶意串通制度，主要考虑是：第一，行为人恶意串通损害他人合法权益的行为，多数情况下权益受损的人当时并不知情，如果不对这种行为科以无效后果，无法体现对其合法权益的有力保护。第二，民法通则、合同法规定恶意串通行为无效以来，为司法实践提供了明确的裁判指引，民法总则应当继续沿用这一规定。第三，虽然民法总则及其他民事法律对欺诈、无权处分等具体规则作了规定，但民事生活的复杂性决定了实践中仍有可能出现现有具体规则无法解决的情形。保留恶意串通的规定可以在没有具体规则可供适用时发挥规则填补的作用。

还有一个问题需要说明一下。民法总则第146条第1款规定了虚伪表示的民事法律行为无效。有的意见提出，虚伪表示和恶意串通存在重复，建议统一规定。我们认为，在虚伪表示的民事法律行为中，行为人与相对人所表示出的意思均非真意，而恶意串通的双方当事人所表达的都是内心真意,二者尽管在法律后果上相同,但不可混淆。尽管在某些情况下,双方通谋的虚伪表示也表现为主观上的恶意,且同时损害了他人的合法权益,但二者的侧重点不同,不能相互替代。

第一百五十五条 无效的或者被撤销的民事法律行为自始没有法律约束力。

【释义】 本条是关于无效的或者被撤销的民事法律行为自始无效的规定。

民事法律行为的效力形态包括多种,如有效、无效、可撤销、效力待定等。对于无效和被撤销的民事法律行为来说,必然涉及其行为效力的问题。民事法律行为无效或者被撤销后,效力自然对将来不再发生。那么,这种状态是否可以溯及既往?本条即对此作出规定,无效或者被撤销的民事法律行为自始没有法律约束力。

我国民法通则和合同法对于无效以及被撤销的民事法律行为效力问题都作了规定。民法通则第 58 条第 2 款规定:“无效的民事行为,从行为开始起就没有法律约束力。”第 59 条第 2 款规定:“被撤销的民事行为从行为开始起无效。”合同法第 56 条规定:“无效的合同或者被撤销的合同自始没有法律约束力。合同部分无效,不影响其他部分效力的,其他部分仍然有效。”从上述规定来看,无效和被撤销的民事法律行为是自始无效的,具有溯及力。即使在身份行为当中,这一原则也在现行法律规定中得到了体现,如婚姻法第 12 条规定,无效或被撤销的婚姻,自始无效;收养法第 25 条第 2 款规定,收养行为被人民法院确认无效的,从行为开始时起就没有法律效力。这种自始无效意味着，民事法律行为一旦无效或者被撤销后，双方的权利义务状态应当恢复到这一行为实施之前的状态，已经履行的，应当恢复原状。

对无效以及被撤销的民事法律行为的效力作出规定，也是世界不少国家和地区立法例的做法。《德国民法典》第 142 条第 1 款规定，可撤销的法律行为被撤销的，必须视为自始无效。《日本民法典》第 121 条规定，可撤销的行为，视为自始无效。但限制行为能力人，以其因行为而受利益为限度，负偿还义务。《韩国民法典》第 141 条规定，撤销的法律行为，视为自始无效。但无能力人只于因其行为而得到的现存利益限度内，负偿还责任。我国台湾地区“民法”第 114 条规定，法律行为经撤销者，视为自始无效。当事人知其得撤销或可得而知者，其法律行为撤销时，准用前条之规定。从这些立法例可以看出，对无效或被撤销的民事法律行为规定为溯及既往地无效，也是各国和各地区的普遍选择。

关于本条，还有两点需要进一步说明。一是，无效的民事法律行为除自始无效外，还应当是当然无效、绝对无效。所谓当然无效，是指只要民事法律行为具备无效条件，其便当然产生无效的法律后果，无须经过特定程序的确认才无效；所谓绝对无效，是指这种民事法律行为的无效是绝对而非相对的，对包括当事人在内的其他任何人而言均是无效的。二是，有的意见提出，被撤销的民事法律行为自始无效的规定过于绝对，身份行为以及具有持续性的民事法律行为被撤销后，其无效的效果应仅向将来发生，不应溯及既往。经研究，婚姻法、收养法等现行法律规定已经对无效或被撤销婚姻、无效收养等身份行为的无效溯及既往作了规定，总则应当延续这一规定，对符合无效情形以及被撤销的此类行为，仍坚持无效溯及既往的规定。对于诸如劳动关系、合伙关系等特别领域中存在的某些持续性民事法律行为无效以及被撤销的效力问题，可以考虑在具体单行法中作出特别规定。

第一百五十六条 民事法律行为部分无效，不影响其他部分效力的，其他部分仍然有效。

【释义】 本条是关于民事法律行为部分无效的规定。

在传统民法理论中，根据民事法律行为无效原因与整体行为内容之间的关系，可以将民事法律行为的无效分为全部无效以及部分无效。如果无效原因及于整体的民事法律行为，则民事法律行为自然全部无效，这一点没有问题。但是，当无效原因只及于民事法律行为的部分内容，此时部分无效的民事法律行为，如何处置其他部分的民事法律行为的效力问题？本条对此作出规定，如果民事法律行为的部分无效不影响其他部分效力，其他部分仍然有效。具体来说，民事法律行为的无效事由既可以导致其全部无效，也可以导致部分无效。在部分无效时，如果不影响其他部分的效力，其他部分仍可有效。这意味着，只有在民事法律行为的内容效力可分且相互不影响的情况下，部分无效才不会导致其他部分同时无效。反之，当部分无效的民事法律行为会影响其他部分效力的，其他部分也应无效。

我国民法通则和合同法均对民事法律行为的部分无效作了规定。民法通则第 60 条规定：“民事行为部分无效，不影响其他部分的效力的，其他部分仍然有效。”合同法第 56 条规定：“无效的合同或者被撤销的合同自始没有法律约束力。合同部分无效，不影响其他部分效力的，其他部分仍然有效。”对于民事法律行为的部分无效，许多国家和地区的立法也有规定。《德国民法典》第 139 条规定，法律行为的一部分无效的，如不能认为除去无效的部分，该法律行为仍会被实施，则整个法律行为无效。我国台湾地区“民法”第 111 条规定，法律行为之一部分无效者，全部皆为无效。但除去该部分亦可成立者，则其他部分，仍为有效。《意大利民法典》第 1419 条规定，在契约如没有无效部分或者无效的个别条款缔约人将无法缔结契约的情况下，契约的部分无效或者个别条款的无效将导致整个契约的无效。第 2 款规定，当无效的个别条款依法被强制性规范所取代时，个别条款的无效不导致契约的无效。《俄罗斯民法典》第 180 条规定，如果可以断定，法律行为即使不包括其无效部分也可以实施，则法律行为的部分无效不会导致法律行为其他部分的无效。

本条所规定的“民事法律行为部分无效不影响其他部分效力”的情形，主要包括以下几种：一是民事法律行为的标的数量超过国家法律许可的范围。例如，借贷合同中，双方当事人约定的利息高于国家限定的最高标准，则超过部分无效，不受法律保护，但在国家所限定的最高标准以内的利息仍然有效。又如，遗嘱继承中，被继承人将其全部遗产均遗赠他人，并未给胎儿保留必要的遗产份额，违反了继承法的相关规定。因此，在遗产的应继份范围内的那部分遗赠是无效的，但其他部分的遗赠仍然有效。二是民事法律行为的标的可分，其中一项或数项无效。比如，同一买卖合同的标的物有多个，其中一个或数个标的物因属于国家禁止流通物而无效，其他标的物的买卖仍为有效。三是民事法律行为的非根本性条款因违法或违背公序良俗而无效。例如，雇佣合同中有条款约定“工作期间发生的一切人身伤害，雇主概不负责”。这一条款因违反相关劳动法律以及公序良俗原则而无效,但雇佣合同的其他权利义务条款并不因此无效。

本条在民事法律行为无效部分与其他部分效力可分的情况下,规定部分无效在不影响其他部分效力的情况下,其他部分仍然有效。这实际上体现了民法尽可能尊重双方意思自治、承认民事法律行为效力的原则。当然,如果无效部分属于整体民事法律行为成立生效的必要条款,或者无效部分事实上与其他部分不可分割,那么这种部分无效当然会同时导致其他部分的无效,进而影响整体的行为效力。

第一百五十七条　民事法律行为无效、被撤销或者确定不发生效力后,行为人因该行为取得的财产,应当予以返还;不能返还或者没有必要返还的,应当折价补偿。有过错的一方应当赔偿对方由此所受到的损失;各方都有过错的,应当各自承担相应的责任。法律另有规定的,依照其规定。

【释义】　本条是关于民事法律行为无效、被撤销以及确定不发生效力的后果的规定。

民事法律行为无效、被撤销以及确定不发生效力后,意味着民事法律行为的目的不能实现,应当恢复到民事法律行为成立或实施之前的状态,就如同这一行为未曾发生一样。这其中包括三种情况:民事法律行为无效,即民事法律行为因具备无效条件而被确定为自始无效、当然无效、绝对无效;民事法律行为被撤销,是指民事法律行为因具备撤销事由,经撤销权人行使撤销权而无效。民事法律行为被撤销前属于有效行为,撤销以后则自始没有法律约束力;民事法律行为确定不发生效力,是指民事法律行为虽已成立,但由于生效条件确定无法具备而不能生效的情况。典型的情形包括两种:一是法律、行政法规规定须经批准生效的民事法律行为,因未经批准而无法生效;二是附条件生效民事法律行为,生效条件确定无法具备。这两种情况下,民事法律行为因双方合意一致已经成立,但却不能生效,属于确定不生效。

民事法律行为无效、被撤销以及确定不发生效力后,由于其法律效果相当于这一行为未曾实施,因此,需要回复至各方当事人在民事法律行为实施前的状态。已经履行或者部分履行的,各方需要承担相应的法律后果。我国民法通则和合同法均对此作出过规定。民法通则第 61 条第 1 款规定:"民事行为被确认为无效或者被撤销后,当事人因该行为取得的财产,应当返还给受损失的一方。有过错的一方应当赔偿对方因此所受的损失,双方都有过错的,应当各自承担相应的责任。"合同法第 58 条规定:"合同无效或者被撤销后,因该合同取得的财产,应当予以返还;不能返还或者没有必要返还的,应当折价补偿。有过错的一方应当赔偿对方因此所受到的损失,双方都有过错的,应当各自承担相应的责任。"

本条在民法通则和合同法规定的基础上,规定了民事法律行为无效、被撤销以及确定不发生效力的如下几种法律后果:

一是返还财产。这是指民事法律行为被确认无效、被撤销或者确定不发生效力后,行为人因民事法律行为所取得的财产应当予以返还,相对人亦享有对已交付财产的返还请求权。民事法律行为无效、被撤销或者确定不发生效力后,行为人对所取得的财产已没有合法占有的根据,双方的财产状况应当恢复到民事法律行为实施前的状态。当然,返还财产主要适用于民事法律行为已经实际履行的情况,如果行为被宣告无效、被撤销或者确定不发生效力时尚未履行，或者财产并未交付，则不适用这种方式。这里需要说明的是，返还财产的目的在于使双方的财产关系恢复到民事法律行为实施前的状态，因此无论双方是否存在过错，都负有返还财产的义务。一方存在过错的，相对方可以通过主张损失的赔偿来维护其利益。返还财产包括单方返还和双方返还。单方返还适用于民事法律行为的一方当事人已经履行、另一方尚未履行的情况。此时仅接受对方交付财产的当事人负有向对方返还财产的义务。双方返还适用于民事法律行为无效、被撤销或者确定不发生效力后，双方均已实际履行的，应当互负返还财产的义务。比如，民事法律行为因重大误解被撤销的，双方当事人应当相互返还财产。对于返还财产，还有几点需要明确：首先，返还财产的范围应以对方实际交付的财产数额为标准予以确定。即使当事人返还时实际的财产已经减损甚至不存在了，仍应承担返还责任。其次，如果当事人接受交付的是实物或者货币，原则上应当返还原物或者货币，不能相互替代。最后，如果原物已经灭失，造成无法实际返还的，如果存在可以替代的种类物，则应返还同一种类物。

二是折价补偿。本条规定，对于不能返还财产，或者没有必要返还的，应当折价补偿。民事法律行为无效、被撤销或者确定不发生效力后，返还财产应当作为恢复原状的原则做法。但是，在有些情况下，返还财产并不具备现实条件或者没有必要，此时应当通过折价补偿的方式来达到使财产关系恢复原状的目的。所谓财产不能返还，包括法律上的不能返还和事实上的不能返还。法律上的不能返还主要是指财产返还受到善意取得制度的影响，即一方当事人将通过民事法律行为取得的财产转让给第三人，第三人取得财产时符合善意取得制度的各项要件，此时该第三人因善意取得制度成为财产的所有权人，该财产又是不可替代的。民事法律行为虽事后被确认无效、被撤销或者确定不发生效力，当事人也不能实际返还财产，只能依当时市价折价补偿给对方当事人。事实上的不能返还主要是指因标的物已经灭失，造成客观上无法返还，且原物又是不可替代物。此时，取得该财产的当事人应当依据原物的市价进行折价补偿。所谓没有必要返还财产的，主要包括以下两种情况：(1)如果当事人接受的财产是劳务或者利益，在性质上不能恢复原状，应以国家规定的价格计算，以金钱返还；没有国家规定的，按照市价或者同类劳务的报酬标准计算返还。(2)如果一方当事人是通过使用对方的知识产权获得的利益，因知识产权属于无形财产，此时应折价补偿对方当事人。

三是赔偿损失。根据本条规定，有过错的一方应当赔偿对方由此所受到的损失；各方都有过错的，应当各自承担相应的责任。民事法律行为无效、被撤销以及确定不发生效力后，一般而言都存在损失赔偿的问题。如果因无效、被撤销以及确定不发生效力而给对方造成损失，主观上有故意或者过失的当事人应当赔偿对方的损失；双方都有过错的，应当各自承担相应的赔偿责任。比如，一方以欺诈手段与对方订立合同，合同因欺诈被撤销后，在返还财产或者折价补偿之外，受欺诈方还可能为合同的履行实际支出了其他费用，这部分损失应当由欺诈方予以赔偿。需要指出的是，这里规定的损失赔偿是一种过错责任，行为人只有主观上对民事法律行为无效、被撤销以及确定不发生效力的情形存在过错时才予以承担。

本条除规定以上内容外，还在条文最后作了“法律另有规定的，依照其规定”的除外规定。这种情况主要是指，民事法律行为效力被否定后，并非在任何情况下都存在返还财产、折价补偿或者赔偿损失的责任问题。如在民事法律行为因违法被宣告无效后，并不存在双方当事人相互返还财产的问题，而是需要根据相关法律、行政法规的规定对其予以没收、收缴等。以毒品买卖为例，双方签订的买卖合同显然因违反法律、行政法规的强制性规定而无效。但此时，双方因毒品交易产生的非法所得则应根据禁毒法等法律的规定予以收缴，而不是返还给一方当事人。

第四节　民事法律行为的附条件和附期限

第一百五十八条　民事法律行为可以附条件，但是按照其性质不得附条件的除外。附生效条件的民事法律行为，自条件成就时生效。附解除条件的民事法律行为，自条件成就时失效。

【释义】　本条是关于附条件的民事法律行为的规定。

民事法律行为成立之后的效力问题，当事人之间可以自行约定，这也是意思自治原则的体现。民事法律行为中所附条件是指，当事人以未来客观上不确定发生的事实，作为民事法律行为效力的附款。所附条件具有以下特点：第一，条件系当事人共同约定，并作为民事法律行为的一部分内容。条件体现的是双方约定一致的意思，这是与法定条件最大的不同之处，后者是指由法律规定的、不由当事人意思决定并具有普遍约束力的条件。当事人不得以法定条件作为其所附条件。第二，条件是未来可能发生的事实。这意味着，已经过去的、现在的以及将来确定不会发生的事实不能作为民事法律行为的所附条件。如果是将来必然发生的事实，应当作为附期限。应当注意，这种条件事实发生的不确定性应当是客观存在的，如果仅仅是当事人认为事实发生与否不确定，但实际上必然发生或者不发生的，也不能作为所附条件。第三，所附条件是当事人用以限定民事法律行为效力的附属意思表示。应当将所附条件与民事法律行为中的供货条件、付款条件等相互区分，后者是民事法律行为自身内容的一部分而非决定效力的附属意思表示。第四，所附条件中的事实应为合法事实，违法事实不能作为民事法律行为的附条件。如不能约定以故意伤害他人作为合同生效的条件。

以所附条件决定民事法律行为效力发生或消灭为标准，条件可以分为生效条件和解除条件。所谓生效条件，是指使民事法律行为效力发生或者不发生的条件。生效条件具备之前，民事法律行为虽已成立但未生效，其效力是否发生处于不确定状态。条件具备，民事法律行为生效；条件不具备，民事法律行为就不生效。比如，甲、乙双方签订房屋买卖合同，约定甲将所居住的房产出卖给乙，在条件是甲出国定居，不在国内居住。但条件具备时，此房屋买卖合同才生效。所谓解除条件，又称消灭条件，是指对已经生效的民事法律行为，当条件具备时，该民事法律行为失效；如果该条件确定不具备，则该民事法律行为将继续有效。

在附条件的民事法律行为中，所附条件的出现与否将直接决定民事法律行为的效力状态。附生效条件的民事法律行为，自条件成就时生效。附解除条件的民事法律行为，自条件成就时失效。需要特别指出的是，附条件的民事法律行为虽然在所附条件出现时才生效或失效，但在条件尚未具备时，民事法律行为对于当事人仍然具有法律约束力，当事人不得随意变更或者撤销。因此，可以将附条件的民事法律行为的效力分为条件成就前的效力和条件成就后的效力。对于附生效条件的民事法律行为来说,条件成就前的效力表现为当事人不得随意变更、撤销民事法律行为以及对于民事法律行为生效的期待权;对于附解除条件的民事法律行为来说,条件成就前的效力表现为条件具备后民事法律行为效力归于消灭的期待权。

我国民法通则和合同法均规定了附条件的民事法律行为。民法通则第62条规定:"民事法律行为可以附条件,附条件的民事法律行为在符合所附条件时生效。"合同法第45条第1款规定:"当事人对合同的效力可以约定附条件。附生效条件的合同,自条件成就时生效。附解除条件的合同,自条件成就时生效。"世界上其他国家和地区也都对附条件的行为作出了规定。《德国民法典》第158条规定:(1)法律行为系附停止条件而实施的,该停止条件所决定的效力在条件成就时发生。(2)法律行为系附解除条件而实施的,该法律行为的效力在条件成就时终止;原先的法律状态于此时恢复。《日本民法典》第127条规定:(1)附停止条件的法律行为,自条件成就时发生效力。(2)附解除条件的法律行为,自条件成就时丧失效力。(3)当事人已做出条件成就的效果溯及于成就之前的意思表示时,从其意思。《韩国民法典》以及我国台湾地区的规定同《日本民法典》的规定相类似。

民事法律行为以可以附条件为原则,这是意思自治原则的体现,但对于某些行为而言,则依其性质不得附条件。这主要是指,某些民事法律行为的性质要求其应当即时、确定地发生效力,不允许效力处于不确定状态,因此不得附条件。例如,票据行为,为保障其流通性,不得附条件;撤销权、解除权等形成权的行使,本身就是为了使不确定的法律关系尽快确定,如果允许其附条件,会使本不确定的法律关系更加不确定,因此不得附条件。

第一百五十九条　附条件的民事法律行为，当事人为自己的利益不正当地阻止条件成就的，视为条件已成就；不正当地促成条件成就的，视为条件不成就。

【释义】　本条是关于民事法律行为条件成就和不成就拟制的规定。

在附条件的民事法律行为中，条件的成就或不成就直接关系到民事法律行为的效力状况。对附生效条件的民事法律行为来说，条件成就，民事法律行为就开始生效；条件不成就，民事法律行为就确定不发生效力。对附解除条件的民事法律行为来说，条件成就，民事法律行为就失效，反之民事法律行为继续有效。尽管民事法律行为成立时，当事人可以对于民事法律行为的效力共同约定附条件，但自此之后，当事人却有可能从自己的利益出发，不正当地促成或者阻止条件成就，以达到对自己有利的结果。比如，在附生效条件的民事法律行为中，一方当事人希望行为尽快生效，就可能采取不正当手段促使条件成就；在附解除条件的民事法律行为中，一方当事人希望行为继续其效力，就可能以不正当手段阻止条件成就。在附条件的民事法律行为中，无论是生效条件还是解除条件，条件的成就与否都具有或然性。这种或然性恰恰体现了民事法律行为当事人的意思自治，应当予以尊重。当一方当事人为了自己的利益通过不正当手段人为促成或者阻止条件成就时，不仅对意思自治原则造成了侵害，更有可能损害对方当事人的利益，因此法律应当予以规范。

我国民法通则未对条件成就或不成就的拟制作出规定。合同法在规定了附条件合同的同时，也规定了条件成就或不成就的拟制。合同法第45条第2款规定："当事人为自己的利益不正当地阻止条件成就的，视为条件已成就；不正当地促成条件成就的，视为条件不成就。”世界各国和地区的立法例中，有不少也对此作出了规定。《德国民法典》第 162 条规定：(1)因条件的成就会受不利益的当事人违背诚实信用，阻止条件成就的，条件视为已成就。(2)因条件的成就会受利益的当事人违背诚实信用，促成条件成就的，条件视为不成就。《日本民法典第》130 条规定，因条件成就而会受不利的当事人，故意妨害其条件成就时，相对人可以视为其条件已成就。《韩国民法典》第 150 条规定：(1)因条件成就而蒙受不利益的当事人，违反信义诚实而妨碍条件的成就时，相对人可主张视为条件已成就。(2)因条件的成就而应得到利益者，因违反信义诚实使条件成就时，相对人可主张视为该条件不成就。我国台湾地区“民法”第 101 条规定，因条件成就而受不利益之当事人，如以不正当行为阻其条件之成就者，视为条件已成就。因条件成就而受利益之当事人，如以不正当行为促其条件之成就者，视为条件不成就。

本条参考合同法以及世界上大多数国家和地区的立法例，对条件成就或不成就的拟制作了规定。根据本条规定，当事人为自己的利益不正当地阻止条件成就的，视为条件已成就；不正当地促成条件成就的，视为条件不成就。对本条的把握应当注意以下几点：第一，当事人主观上有为自己利益人为改变条件状态的故意。换言之，当事人从自己利益的角度考虑，主观上具有使条件成就或者不成就的故意。第二，当事人为此实施了人为改变条件成就状态的行为。民事法律行为中所附条件，其成就与否本不确定。当事人为自己利益实施了促成或阻止条件成就的行为。第三，该行为具有不正当性。这主要是指当事人的此种行为违反了诚信原则，不符合事先约定。例如，甲和乙约定，当甲不在 A 公司工作时，就把位于 A 公司附近的自住房产出卖给乙。乙为了尽快得到甲的房产，暗中找到A公司的经理，让其辞退甲，从而使得买卖合同生效。

第一百六十条　民事法律行为可以附期限，但是按照其性质不得附期限的除外。附生效期限的民事法律行为，自期限届至时生效。附终止期限的民事法律行为，自期限届满时失效。

【释义】　本条是关于附期限的民事法律行为的规定。

当事人除可以通过附条件决定民事法律行为效力状态之外，还可通过对民事法律行为附期限的方式来决定民事法律行为的效力发生与终止，这同样体现了当事人意思自治的民事基本原则。与所附条件相比，民事法律行为所附期限具有以下特点：第一，条件的发生与否属于不确定的事实，但期限的到来则是确定发生的事实。因此，对附期限的民事法律行为来说，其生效或失效本身并不具有或然性，是将来一定能够发生的事实。第二，附期限的民事法律行为体现了当事人对民事法律行为生效或失效的期限约定，所附期限属于民事法律行为的附属意思表示，体现了双方的意思自治。第三，期限的到来是必然确定的，但到来的具体时日却未必十分确定。比如，"等到下次天下雨时，我就把那批雨伞卖给你"，下次下雨是将来必定发生的事实，但具体哪一天会下雨则不能确定。

根据所附期限决定民事法律行为的生效或失效，期限可以分为生效期限和终止期限。所谓生效期限，是指决定民事法律行为效力发生的期限。期限届至，民事法律行为生效；期限届至前，民事法律行为虽已成立但并未生效。例如，甲对乙说"下次天下雨时，从你那里购买100把雨伞"。"下次天下雨"是将来必定发生的事实，且期限届至时，购买雨伞的买卖合同生效，因此这一期限属于生效期限。所谓终止期限，是指决定民事法律行为效力消灭的期限。期限届至，民事法律行为失效；期限届至前，民事法律行为始终有效。例如，甲对乙说“明年3月1日，把我租给你的房屋还给我”。“明年3月1日”是必然到来的事实，且期限届至时，房屋租赁合同失效。

我国民法通则未规定附期限的民事法律行为。《最高人民法院关于贯彻执行〈中华人民共和国民法通则〉若干问题的意见（试行）》第76条规定：“附期限的民事法律行为，在所附期限到来时生效或者解除。”合同法第46条规定：“当事人对合同的效力可以约定附期限。附生效期限的合同，自期限届至时生效。附终止期限的合同，自期限届满时失效。”一些国家和地区的民事立法规定了附期限的民事法律行为。《德国民法典》第163条规定，在法律行为实施时，已就其效力而限定始期或终期的，第158条、第160条、第161条关于停止条件的规定准用于限定始期的情形，第158条、第160条、第161条关于解除条件的规定准用于限定终期的情形。《日本民法典》第135条规定：(1)法律行为附始期时，不得于期限届至前，请求履行该法律行为。(2)法律行为附终期时，该法律行为的效力，于期限届至时消灭。《韩国民法典》第152条规定：(1)附始期的法律行为，自期限到来时起，发生其效力。(2)附终期的法律行为，自期限届满时起，始丧失其效力。我国台湾地区“民法”第102条规定，附始期之法律行为，于期限届至时，发生效力。附终期之法律行为，于期限届满时，失其效力。第100条之规定，于前二项情形准用之。

本条根据合同法及境外立法例，对附期限的民事法律行为作了规定。根据本条，附生效期限的民事法律行为，自期限届至时生效。附终止期限的民事法律行为，自期限届满时失效。关于本条，还有两点需要说明：一是，附期限民事法律行为中的所附期限，不同于民事法律行为的履行期限。履行期限，是当事人对已生效民事法律行为的履行义务所施加的期限限制。这种情况下，民事法律行为已经生效，权利义务已经发生，只是由于履行期限尚未届至，当事人所负义务没有强制履行的效力。这就意味着，履行期限届至前，义务人可以不履行义务，权利人也不得强制义务人履行义务。但是，如果义务人提前履行且权利人同意，法律不作禁止。而对于附生效期限的民事法律行为而言，在期限到来前，民事法律行为并未生效，权利义务尚未生成，当事人当然不存在义务履行的问题。二是，同附条件的民事法律行为一样，原则上，民事法律行为均可附期限。但是，依民事法律行为的性质不得附期限的除外。这样的行为主要包括身份上的行为，如结婚、收养等。

第七章　代　理

代理是指代理人代被代理人实施民事法律行为，其法律效果直接归属于被代理人的行为。代理制度是调整被代理人、代理人和第三人之间关系的法律制度。19世纪以来，民事活动中奉行意思自治，个人依自己的自由意思处理社会生活关系。随着经济发展速度越来越快、规模越来越大、交易范围越来越广，再加上社会分工的精细化、市场交易的信息化等需求，民事主体亲自从事民事法律行为越来越力不从心，代理制度由此应运而生，成为社会经济生活的重要组成部分。代理制度的产生和发展，对于意思自治的实现，具有重要意义。代理的功能主要体现在以下两个方面：一是扩张功能。有的被代理人由于时间、精力有限，很多事情难以亲自进行；有的被代理人受本身知识、经验等的限制，从事民事活动存在困难。代理制度使民事主体能够通过代理人的行为来实现自己的利益，从而更加广泛深入地参与民事活动。从这个意义上讲，代理制度扩张了民事主体意思自治的空间。二是辅助功能。完全民事行为能力人才能独立实施民事法律行为。对于无民事行为能力人和限制民事行为能力人来说，他们要参与民事活动，实现自己的利益，必须通过代理制度，由法定代理人来弥补其行为能力的不足。从这个意义上讲，代理制度是意思自治的补充。随着经济社会的发展，代理活动越来越广泛，也越来越复杂，为了保护被代理人、第三人的合法权益,维护交易安全,法律应当对代理行为予以规范。

民法总则制定前,我国法律中有关代理的规定主要集中在民法通则和合同法中。民法通则在第四章“民事法律行为和代理”中专门规定了一节“代理”,共8条。合同法在第三章“合同的效力”中有些规定涉及代理问题,第二十一章专门规定了“委托合同”。另外,还有一些法律、行政法规、部门规章和司法解释对代理也作了规定。这次制定民法总则,在上述规定的基础上作了进一步的完善和补充,专门单独规定了“代理”一章。

本章分三节,共十五条。第一节为一般规定,主要规定了代理的适用范围、效力、类型,代理人不当履职的民事责任及代理人和相对人恶意串通的民事责任等。第二节为委托代理,主要规定了授权委托书、共同代理、复代理、职务代理、无权代理和表见代理等。第三节为代理终止,主要规定了委托代理和法定代理的终止情形。

第一节 一般规定

第一百六十一条　民事主体可以通过代理人实施民事法律行为。

依照法律规定、当事人约定或者民事法律行为的性质,应当由本人亲自实施的民事法律行为,不得代理。

【释义】　本条是关于代理适用范围的规定。

代理作为一项独立的法律制度,有其特定的适用范围,对此,民法通则作了明确规定。民法通则第63条第1款规定:“公民、法人可以通过代理人实施民事法律行为。”第3款规定:“依照法律规定或者按照双方当事人约定,应当由本人实施的民事法律行为,不得代理。”本条规定在民法通则上述规定的基础上,作了进一步的完善。

本条第1款规定,民事主体可以通过代理人实施民事法律行为。民事法律行为是指民事主体通过意思表示设立、变更、终止民事法律关系的行为。代理的适用范围原则上限于民事法律行为。但一般认为,一些与合同密切相关的准民事法律行为、事实行为和程序行为,如要约邀请、要约撤回、订约时样品的交付和受领、办理合同公证等,也允许代理。

不是所有民事法律行为都允许代理。根据本条第2款的规定,下列三类民事法律行为不得代理:一是依照法律规定应当由本人亲自实施的民事法律行为。例如,婚姻法第8条规定:“要求结婚的男女双方必须亲自到婚姻登记机关进行结婚登记。”二是依照当事人约定应当由本人亲自实施的民事法律行为。当事人双方基于某种原因,约定某一民事法律行为必须由本人亲自实施的,当事人自然应当遵守这一约定,不得通过代理人实施该民事法律行为。三是依照民事法律行为的性质,应当由本人亲自实施的民事法律行为。这主要是指具有人身性质的身份行为,如结婚、离婚、收养、遗嘱、遗赠等。这些身份行为不得代理,有的法律中已作了明确规定,如上述婚姻法第8条的规定,有的法律中没有作出明确规定,但由于其人身性质不允许他人代理。因此,这次制定民法总则,在民法通则的基础上增加规定了这一类民事法律行为不得代理。

第一百六十二条　代理人在代理权限内,以被代理人名义实施的民事法律行为,对被代理人发生效力。

【释义】 本条是关于代理效力的规定。

一般民事法律行为只涉及行为人与相对人的关系。而民事主体通过代理人实施了民事法律行为，由此形成的代理法律关系则存在三个主体，即被代理人（本人）、代理人和相对人。该民事法律行为的效力就与一般民事法律行为存在区别，需要在法律中作出明确规定。根据本条规定，代理人在代理权限内，以被代理人名义实施的民事法律行为，对被代理人发生效力。这里所说的“对被代理人发生效力”，是指民事法律行为产生的法律效果归属于被代理人，即代理人实施的民事法律行为所设立、变更、终止民事法律关系的一切结果都归属于被代理人。一方面，代理的民事法律行为有效时，形成的权利义务应当由被代理人承受；另一方面，代理的民事法律行为无效时，引起的赔偿损失等民事责任也应当由被代理人承担。但代理人实施的民事法律行为并不都能发生代理的效力，根据本条规定，代理行为发生代理效力必须符合下列两个条件：

一是代理人在代理权限内实施民事法律行为。代理人超越代理权限实施民事法律行为的，除符合本法第 172 条规定的表见代理的构成要件外，为无权代理，须经被代理人追认才能对被代理人产生效力。代理分为法定代理和指定代理，法定代理中代理人的代理权限由法律直接作出规定，比如本法第 34 条第 1 款规定：“监护人的职责是代理被监护人实施民事法律行为，保护被监护人的人身权利、财产权利以及其他合法权益等。”这一条就是对监护人作为法定代理人时代理权限的规定。本法第 43 条第 1 款规定：“财产代管人应当妥善管理失踪人的财产，维护其财产权益。”这一条是对失踪人的财产代管人作为法定代理人时代理权限的规定。

委托代理中代理人的权限则由被代理人在授予代理人时确

定,该权限的范围原则上由被代理人自由决定。委托代理权限分为两类,即特别代理权和概括代理权。特别代理权是指授权代理人为一项或者一类特定行为,如授权代理人转让或者出租某物,授权代理人在一定数额内买卖股票等。概括代理权是指授权代理人为被代理人处理一切民事法律行为。如合同法第397条规定:"委托人可以特别委托受托人处理一项或者数项事务,也可以概括委托受托人处理一切事务。"划分特别代理权和概括代理权的意义在于,使代理人能够明确自己可以从事哪些代理活动,也使第三人知道代理人的身份和权限,使之有目的、有选择地与其共同实施订立合同等民事法律行为,以防止因代理权限不明确而引起不必要的纠纷。如果发生了纠纷,也便于根据代理权限确定当事人之间的相互责任。

二是代理人必须以被代理人的名义实施民事法律行为。代理人在实施民事法律行为时,必须以被代理人的名义进行,即明确向相对人表明是替被代理人来实施该民事法律行为。

在民法总则制定过程中,对是否规定代理人必须以被代理人的名义来实施民事法律行为即显名代理,进而对是否在民法总则中规定隐名代理和间接代理,争议较大。显名代理是指代理人明确地以被代理人的名义实施民事法律行为,该民事法律行为的效力直接对被代理人发生。隐名代理是指代理人以自己的名义实施民事法律行为,但其代理人身份为相对人知悉,在这种情况下,也发生代理的效果,即该民事法律行为的效力直接对被代理人发生。显名代理和隐名代理合称直接代理。间接代理是指代理人以自己的名义实施民事法律行为,该民事法律行为的效力首先对代理人发生,再由代理人移转给被代理人。

代理要显名的主张,称为"显名主义",是大陆法系主要国家的普遍要求。《德国民法典》第 164 条第 1 款规定,代理人在代理权限内以被代理人的名义作出的意思表示,直接为被代理人和对被代理人发生效力。《法国民法典》第 1984 条规定,委托或者代理是指一人授权另一人以委托人的名义,为委托人完成某种事务的行为。《意大利民法典》第 1388 条规定,由代理人以被代理人的名义并为其利益,在授权的范围内订立的契约,直接对被代理人发生效力。《俄罗斯民法典》第 182 条第 1 款规定,基于委托书、法律规定或者被授权的国家机关或地方自治机关文件而产生的授权,一人(代理人)以他人(被代理人)名义所实施的法律行为,直接创设、变更和终止被代理人的民事权利和民事义务。《日本民法典》第 99 条第 1 款规定,代理人在其权限内表示为被代理人而为的意思表示,直接对被代理人发生效力。我国台湾地区"民法"第 103 条规定,代理人于代理权限内,以本人名义所为之意思表示,直接对本人发生效力。我国民法通则也是采纳了显名主义,第 63 条第 2 款规定:"代理人在代理权限内,以被代理人的名义实施民事法律行为。被代理人对代理人的代理行为,承担民事责任。"

大陆法系的显名主义,原则上要求必须公开被代理人的姓名,但在例外情况下,即使没有公开被代理人的姓名,但相对人已经知道代理人与被代理人之间的代理关系的,也能够产生代理的效果,这就是隐名代理。大陆法系国家和地区有的在民法中对隐名代理作了规定,有的并没有作出明确规定。《德国民法典》第 164 条第 1 款规定,该意思表示无论是明示以被代理人的名义作出,还是按照情况可以断定是以被代理人的名义作出的,均无区别。《日本民法典》第 100 条规定,代理人没有表示为被代理人而为的意思表示,视为自己所为。但是相对人已经知道或者应当知道其为被代理人而为时,准用前条第1款的规定。前条第1款规定是指意思表示直接对被代理人发生效力。我国台湾地区“民法”对隐名代理未作规定,司法实践中通过判例予以承认,代理人虽未以本人之名义为法律行为,而实际上有代理之意思,且为相对人所明知或可得而知者,即难谓不发生代理之效果,此即所谓之“隐名代理”。我国民法通则仅规定了显名代理,没有规定隐名代理。合同法在“总则”部分所规定的无权代理和表见代理等也都要求“以被代理人名义”,但在第402条规定:“受托人以自己的名义,在委托人的授权范围内与第三人订立的合同,第三人在订立合同时知道受托人与委托人之间的代理关系的,该合同直接约束委托人和第三人,但有确切证据证明该合同只约束受托人和第三人的除外。”从内容来看,该条规定实际上规定了隐名代理。

大陆法系国家和地区所规定的代理一般都仅指直接代理。在间接代理中,代理人以自己的名义来实施民事法律行为,该行为的效力直接在代理人和相对人之间发生,然后再由代理人将取得的权利义务移转给被代理人,因而间接代理不会在被代理人和相对人之间直接设定任何权利义务关系。实际上,间接代理并非真正的代理,不会产生代理的三方关系。合同法所规定的行纪就是典型的间接代理。只有在某些情况下,为了交易活动的便捷,减少纠纷,法律特别规定具备一定条件的,间接代理可以发生直接代理的部分效力。但作为对代理显名主义的补充,此种情形应当是特殊的,适用范围是狭窄的。如合同法第403条规定:“受托人以自己的名义与第三人订立合同时,第三人不知道受托人与委托人之间的代理关系的,受托人因第三人的原因对委托人不履行义务,受托人应当向委托人披露第三人,委托人因此可以行使受托人对第三人的权利，但第三人与受托人订立合同时如果知道该委托人就不会订立合同的除外。受托人因委托人的原因对第三人不履行义务，受托人应当向第三人披露委托人，第三人因此可以选择受托人或者委托人作为相对人主张其权利，但第三人不得变更选定的相对人。委托人行使受托人对第三人的权利的，第三人可以向委托人主张其对受托人的抗辩。第三人选定委托人作为其相对人的，委托人可以向第三人主张其对受托人的抗辩以及受托人对第三人的抗辩。”

在民法总则制定过程中，有的意见建议，在民法总则中仅规定显名代理即可，隐名代理和间接代理应当在合同法中作规定；有的意见建议，在民法总则中规定显名代理和隐名代理；有的意见建议，合同法第 403 条规定的特殊情形的间接代理也应当在民法总则中明确规定。在民法总则草案前面三个审议稿中，采纳了第二种意见，对显名代理和隐名代理都作了规定。主要考虑是，间接代理不是真正的代理，只有在特殊情况下基于法律的特别规定才会发生代理的部分效力，在合同法分则中作出规定即可，民法总则没有必要专门作规定。第十二届全国人民代表大会第五次会议审议民法总则时，有的意见提出，隐名代理也没有必要规定在总则中，在合同法中规定即可。因此，最后通过的民法总则删除了隐名代理的规定。

第一百六十三条　代理包括委托代理和法定代理。

委托代理人按照被代理人的委托行使代理权。法定代理人依照法律的规定行使代理权。

【释义】 本条是关于代理类型的规定。

根据代理权产生依据的不同，代理可以分为委托代理和法定代理。民法通则第 64 条规定:“代理包括委托代理、法定代理和指定代理。委托代理人按照被代理人的委托行使代理权,法定代理人依照法律的规定行使代理权,指定代理人按照人民法院或者指定单位的指定行使代理权。”可见,民法通则将代理分为委托代理、法定代理和指定代理三种类型。在制定民法总则的过程中,对指定代理是否为一种单独的代理类型,争议较大。我们认为,指定代理只是法定代理的一种特殊形式,没有必要单独列为一种代理的类型,据此,本法将代理分为委托代理和法定代理两类。

一、委托代理

本条第 2 款规定,委托代理人按照被代理人的委托行使代理权。根据这一规定,委托代理是指按照代理人的委托来行使代理权的代理,有的学者又称为“意定代理”“授权代理”等。委托代理是代理的主要类型,本章设专节规定了委托代理。需要注意的是委托代理与委托合同的差异。一方面,委托合同所生的委托关系是委托代理的基础法律关系,但除委托合同外,基于劳动合同等也能产生委托代理,有的情况下甚至只有单纯的授权行为而无基础关系也能产生委托代理。另一方面,委托关系并不一定产生代理权。当事人之间可能仅存在委托合同而并无委托代理关系。

二、法定代理

本条第 2 款规定,法定代理人依照法律的规定行使代理权。根据这一规定,法定代理是指依照法律的规定来行使代理权的代理。法定代理人的代理权来自于法律的直接规定,无须被代理人的授权,也只有在符合法律规定条件的情况下才能取消代理人的代理权。

民法通则将代理分为委托代理、法定代理和指定代理。本法取消了指定代理这一类型，本条规定的法定代理，涵盖了民法通则规定的法定代理和指定代理。在制定民法总则的过程中，对指定代理是否为一种单独的代理类型，争议较大。一种意见认为，指定代理与法定代理有一定的区别，主要表现为以下几个方面：一是指定代理人需要人民法院或者法律规定的有关单位等特定机关来选定，而法定代理是基于法律的规定自动产生的。二是在指定代理中，即使由特定机关选定，在许多情况下还需要获得被指定人的同意或者征求其意见。比如，本法第 31 条第 2 款规定，居民委员会、村民委员会、民政部门或者人民法院应当尊重被监护人的真实意愿，按照最有利于被监护人的原则在依法具有监护资格的人中指定监护人。而法定代理却没有这种限制，法定代理的产生不需要被代理人的同意。三是在指定代理中，代理的事务是特别限定的，而法定代理的事务范围却比较宽泛。另一种意见认为，两者只是在确定具体的代理人时存在区别，法定代理由法律直接规定，指定代理由特定机关根据法律来指定。但无论是法定代理还是指定代理，其代理权都来源于法律的直接规定，代理人都是在法律规定的代理权限内来履行代理职责。指定代理相比法定代理，仅是多了一个指定程序，完全可以纳入法定代理的范畴。经研究认为，法定代理和指定代理的分类在学理上有一定的意义，毕竟它们在代理人的确定上存在不同。但是，两者代理权的来源都是法律规定，代理人必须根据法律的规定取得代理权并行使代理职责，在法律上和实务中区别意义不大，因此，本法取消了民法通则规定的“指定代理”这一类型，将其纳入法定代理的范围中加以规范。

对委托代理，本章设专节作了规定，法定代理则没有设专节规定，主要是考虑到法定代理的内容在本法其他章节以及其他法律中已经作了明确规定，各类法定代理其内容差异较大，难以也没有必要作出概括规定。根据本法和其他法律的规定，法定代理人的类型主要有：

1. 监护人。这包括未成年人的父母，无民事行为能力人、限制民事行为能力人在父母之外的监护人。本法第 23 条就明确规定："无民事行为能力人、限制民事行为能力人的监护人是其法定代理人。"

2. 失踪人的财产代管人。本法第 42 条规定："失踪人的财产由其配偶、成年子女、父母或者其他愿意担任财产代管人的人代管。代管有争议，没有前款规定的人，或者前款规定的人无代管能力的，由人民法院指定的人代管。"

3. 清算组。公司法第 183 条规定："公司因本法第一百八十条第(一)项、第(二)项、第(四)项、第(五)项规定而解散的，应当在解散事由出现之日起十五日内成立清算组，开始清算。有限责任公司的清算组由股东组成，股份有限公司的清算组由董事或者股东大会确定的人员组成。逾期不成立清算组进行清算的，债权人可以申请人民法院指定有关人员组成清算组进行清算。人民法院应当受理该申请，并及时组织清算组进行清算。"

还有一个关于家事代理的问题需要说明一下。家事代理是指夫妻双方因日常家庭事务与第三人进行一定民事法律行为时可以相互代理的制度，即夫妻一方代表家庭所为的行为，另一方也应承担因此而产生的法律后果。有的意见认为，家事代理属于代理的一种特殊类型，在实践中比较普遍，但目前法律尚无相关规定，建议在民法总则中专门作出规定。有的意见认为，家事代理与一般民事代理有较大区别，应当放到亲属法中规定。经研究认为，家事代理与一般民事代理确实有较大的不同。首先，从适用范围上看，其只适用于婚姻家庭领域，不具有普遍适用性。其次，从法律效果上讲，家事代理中的妻或者夫任何一方的民事法律行为的效果由夫和妻双方共同承担；而一般民事代理中，代理人实施的民事法律行为的法律效果原则上由被代理人承担，代理人不承担。因此，对于家事代理问题不宜规定在民法总则的民事代理中，可在将来编纂民法典婚姻家庭编时再统筹考虑。

第一百六十四条　代理人不履行或者不完全履行职责，造成被代理人损害的，应当承担民事责任。

代理人和相对人恶意串通，损害被代理人合法权益的，代理人和相对人应当承担连带责任。

【释义】　本条是关于代理人不当履职的民事责任及代理人和相对人恶意串通的民事责任的规定。

代理是意思自治的扩张和补充，代理人行使代理权，应当基于被代理人利益的考虑，忠实履行代理职责，否则，就要承担相应的民事责任。对此，民法通则第 66 条第 2 款、第 3 款已有规定："代理人不履行职责而给被代理人造成损害的，应当承担民事责任。代理人和第三人串通，损害被代理人的利益的，由代理人和第三人负连带责任。"本条在民法通则规定的基础上作了进一步的完善。

本条第 1 款是关于代理人不当履行职责的民事责任的规定。代理人行使代理权完全是为了被代理人的利益，应当在代理权限内忠实履行代理职责，如果不履行或者不完全履行代理职责，造成被代理人的损害的，自应承担民事责任。关于代理人职责的内容，以及如何履行代理职责，在委托代理和法定代理情况下各有不同，本法没有作出统一规定。

委托代理时，被代理人对于代理事项、权限和期间等一般都有明确授权，代理人首先应当根据被代理人的授权来行使代理权，在授权范围内认真维护被代理人的合法权益，想方设法完成代理事项。有时，被代理人授予代理权的范围规定得并不十分具体明确，代理人就应当根据诚信原则来从事代理行为。法律为了保护被代理人的合法权益，还对一些滥用代理权的行为作了明确规制，代理人应当根据这些法律规定来行使代理权。比如，本法第 168 条规定："代理人不得以被代理人的名义与自己实施民事法律行为，但是被代理人同意或者追认的除外。代理人不得以被代理人的名义与自己同时代理的其他人实施民事法律行为，但是被代理的双方同意或者追认的除外。"第 169 条第 1 款规定："代理人需要转委托第三人代理的，应当取得被代理人的同意或者追认。"代理人越权行使代理权或者违反相关法律规定行使代理权，都属于不履行或者不完全履行代理职责，造成被代理人损害的，应当承担民事责任。

法定代理时，法律会对代理人的权限及相关职责作明确规定，代理人必须根据法律规定来行使代理权。如监护人作为法定代理人时的职责，本法第 34 条第 1 款明确规定："监护人的职责是代理被监护人实施民事法律行为，保护被监护人的人身权利、财产权利以及其他合法权益等。"第 35 条进一步规定："监护人应当按照最有利于被监护人的原则履行监护职责。监护人除为维护被监护人利益外，不得处分被监护人的财产。未成年人的监护人履行监护职责，在作出与被监护人利益有关的决定时，应当根据被监护人的年龄和智力状况，尊重被监护人的真实意愿。成年人的监护人履行监护职责，应当最大程度地尊重被监护人的真实意愿，保障并协助被监护人实施与其智力、精神健康状况相适应的民事法律行为。对被监护人有能力独立处理的事务，监护人不得干涉。”

本条第2款是关于代理人和相对人恶意串通的民事责任的规定。代理人和相对人恶意串通，损害被代理人合法权益时，代理人的行为属于本条第1款规制的范围，自应承担民事责任，但此时相对人也应承担责任。法律严格禁止这类损害被代理人利益的行为，据此，本款规定，代理人和相对人应当承担连带责任。根据本款规定，代理人和相对人承担连带责任的前提是恶意串通。恶意是指双方都明知或者应知其实施的行为会造成被代理人合法权益的损害还故意为之。串通是指双方在主观上有共同的意思联络。此处的恶意串通就是双方串通在一起，共同实施某种行为来损害被代理人的合法权益。如果双方当事人或者一方当事人不知且不应知其行为的损害后果，就不构成恶意串通，不能适用本款规定，应当根据各自的行为来承担相应的民事责任。

第二节　委托代理

第一百六十五条　委托代理授权采用书面形式的，授权委托书应当载明代理人的姓名或者名称、代理事项、权限和期间，并由被代理人签名或者盖章。

【释义】 本条是关于授权委托书的规定。

委托代理是指按照代理人的委托来行使代理权的代理。此时，代理人行使的代理权称为委托代理权，是基于被代理人的意思而产生的。被代理人授予代理人委托代理权的行为，称为授权行为。

关于授权行为的形式，民法通则第65条第1款规定："民事法律行为的委托代理，可以用书面形式，也可以用口头形式。法律规定用书面形式的，应当用书面形式。"在民法总则立法过程中，对于授予代理权的意思表示是否需要采取代理人实施民事法律行为所应采取的方式，有过不同意见。境外也有两种立法例：有的国家和地区要求授权行为必须采取代理人实施民事法律行为所采取的方式，如《意大利民法典》第1392条规定，如未采用与代理人应当订立合同的形式给予授权，则代理权是无效的。《路易斯安那州民法典》第2993条规定，代理合同不需要以特别形式订立。但是，如果法律对某行为规定了一定的形式，对该行为的代理授权必须以该形式作出。我国台湾地区"民法"第531条规定，为委任事务之处理，须为法律行为，而该法律行为，依法应以文字为之者，其处理权之授予，亦应以文字为之。其授予代理权者，代理权之授予亦同。我国澳门地区民法典第255条第2款规定，授权方式须为就授权人因实施法律行为所要求的方式，但法律另有规定的除外。也有的国家不要求授权行为采取代理人实施民事法律行为所采取的方式，如《德国民法典》第167条规定，代理权的授予，应向代理人或者向其为代理行为之第三人为意思表示。前款意思表示不需要依照有关代理权的法律行为所规定的方式。经研究认为，法律不应当强行规定授予代理权的意思表示与代理人实施民事法律行为所采取的方式相同，因为两者的性质完全不同。只要法律、行政法规没有明确规定或者当事人没有专门约定，代理权的授予采取何种方式都应当是允许的。民法通则的规定是合理的，应当予以维持。之所以没有在本条体现民法通则第 65 条第 1 款的内容,是因为授权行为也为民事法律行为,关于民事法律行为的形式本法第 135 条已作了规定:“民事法律行为可以采用书面形式、口头形式或者其他形式;法律、行政法规规定或者当事人约定采用特定形式的,应当采用特定形式。”本条没有必要再重复规定相关内容。

根据本法第 135 条的规定,在法律、行政法规没有特别规定或者当事人没有约定的情况下,委托代理授权可以采取书面形式、口头形式或者其他形式中的任何一种。其中,书面形式是最主要的一种授权形式,称为授权委托书。根据本条规定,授权委托书的内容包括代理人的姓名或者名称、代理事项、代理权限、代理期间等,被代理人还应当在授权委托书上签名或者盖章。本条规定是对授权委托书应当包括的内容作提示性规定,目的是减少实践中产生纠纷。

第一百六十六条　数人为同一代理事项的代理人的,应当共同行使代理权,但是当事人另有约定的除外。

【释义】 本条是关于共同代理的规定。

共同代理是指数个代理人共同行使一项代理权的代理。共同代理有如下几个特征:一是有数个代理人。如果只有一个代理人,属于单独代理,而不是共同代理。二是只有一个代理权。如果数个代理人有数个代理权,属于集合代理,而不是共同代理。例如,被代理人授权甲为其购买一台电视机、乙为其购买一台电冰箱,即为集合代理。被代理人授权甲、乙一起为其购买一台电视机和一台电冰箱,才属于共同代理。三是共同行使代理权。共同行使是指只有经过全体代理人的共同同意才能行使代理权，即数人应当共同实施代理行为，享有共同的权利义务。任何一个代理人单独行使代理权，均属于无权代理。如果数个代理人对同一个代理权可以单独行使，也属于单独代理，而不是共同代理。比如，被代理人授权甲、乙一起为其购买一台电视机和一台电冰箱，但谁买都可以，此种情况属于单独代理，而不是共同代理。

共同代理，应当由被代理人授权，但在被代理人就同一代理权指定了数个代理人，有约定的当然按约定处理，但如果没有明确约定是共同代理还是单独代理时，应当推定为共同代理还是单独代理，不同国家和地区的立法态度存在差别：一是推定为共同代理。例如，《奥地利民法典》第 1011 条规定，数个受任人如同时受任处理事务时，除委任状明白授予其中一个或者数人以全权者外，对有效处理该项事务，与对委任人成立一项义务，需要全体受任人之共同行为。《瑞士债法典》第 403 条第 2 款规定，数人接受一个委任的，数人受任人应当承担连带责任，只有他们的共同行为对委任人有约束力，但他们授权派代表对第三人行为的除外。我国台湾地区“民法”第 168 条规定，代理人有数人者，其代理行为应共同为之。但法律另有规定或者本人另有意思表示者，不在此限。二是推定为单独代理。例如，《意大利民法典》第 1716 条第 2 款规定，如果在委托没有表示应当由数个委托人共同为其行为的情况下，受托人得各自完成该事项。在这种情况下，被告知结果的受托人应当立即通知其他受托人。在没有立即通知的情况下，委托人要承担因疏忽或者迟延而导致的损害赔偿责任。《荷兰民法典》第二编第 6:110 条规定，数个代理人有代理权限为同一本人为法律行为的，得单独为代理行为。三是没有作出明确规定，如德国、日本等。我国民法通则和合同法对此都没有作出明确规定。

为更好地保护被代理人的合法权益,减少实践纠纷,本法采纳了第一种立法例。根据本条规定,除非另有约定,被代理人就同一代理事项确定了数个代理人时,法律推定为共同代理,数个代理人应当共同行使代理权,任何一个代理人都不得擅自单独实施代理行为。

第一百六十七条　代理人知道或者应当知道代理事项违法仍然实施代理行为,或者被代理人知道或者应当知道代理人的代理行为违法未作反对表示的,被代理人和代理人应当承担连带责任。

【释义】　本条是关于代理违法的民事责任的规定。

被代理人、代理人利用委托代理关系从事的违法行为可分为两类:一是代理事项本身违法,如委托代理人销售假冒伪劣产品;二是代理事项不违法,但代理人实施的代理行为违法,如委托代理人销售合法产品,代理人将该产品贴上假冒商标进行销售。代理违法造成第三人损害的,自应承担民事责任,但由被代理人承担还是代理人承担应当区分不同情形加以确定:

第一,代理事项违法,但代理人不知道或者不应当知道该代理事项违法,此时应由被代理人承担民事责任。如甲将假冒伪劣产品委托乙代为销售,但乙不知道该产品为假冒伪劣产品,则由甲承担民事责任,乙不承担责任。

第二,代理事项违法,代理人知道或者应当知道该代理事项违法仍然实施了代理行为,此时代理人与被代理人应当承担连带责任。如甲将假冒伪劣产品委托乙代为销售,乙知道该产品为假冒伪劣产品仍然对外销售,则甲和乙承担连带责任。

第三,代理事项不违法,但代理人实施了违法的代理行为,被代理人不知道或者不应当知道该行为违法,或者知道后表示反对的,此时应由代理人承担民事责任。如甲委托乙销售合法产品,乙将该产品贴上假冒商标进行销售,甲对此毫不知情,则乙承担民事责任,甲不承担责任。

第四,代理事项不违法,但代理人实施了违法的代理行为,被代理人知道或者应当知道该行为违法未作反对表示的,此时被代理人应与代理人承担连带责任。如甲委托乙销售合法产品,乙将该产品贴上假冒商标进行销售,甲知道后装作不知情,则甲和乙承担连带责任。

以上四种情形中,第一种和第三种情形下的责任承担,与一般的违法民事法律行为没有区别,无须再作出特别规定。第二种和第四种情形下的责任承担,与一般的违法民事法律行为存在区别,需要在法律中作出特别规定。民法通则第 67 条对此已有规定:“代理人知道被委托代理的事项违法仍然进行代理活动的,或者被代理人知道代理人的代理行为违法不表示反对的,由被代理人和代理人负连带责任。”本条沿用了民法通则的这一规定,在文字表述上作了一定的修改完善。

第一百六十八条 代理人不得以被代理人的名义与自己实施民事法律行为,但是被代理人同意或者追认的除外。

代理人不得以被代理人的名义与自己同时代理的其他人实施民事法律行为,但是被代理的双方同意或者追认的除外。

【释义】 本条是关于禁止自己代理和双方代理的规定。

代理人行使代理权时,应当从被代理人的利益出发,忠实履行代理职责。但在某些特定情形下,可能会存在被代理人、代理人与相对人之间的利益冲突，代理人难免会厚己薄人或者厚此薄彼，此时，法律须作出规范，以保护被代理人的合法权益。最典型的情形就是自己代理和双方代理。

自己代理是指代理人以被代理人的名义与自己实施民事法律行为。实践中，自己代理主要有两种情况：一是代理人以自己的名义向被代理人发出要约且代理人以被代理人的名义予以承诺；二是代理人以被代理人的名义向自己发出要约且以自己的名义予以承诺。比如，甲授权乙销售一吨钢材，乙以甲的名义将钢材卖给自己，便构成自己代理。或者，甲授权乙购买一吨钢材，乙以甲的名义向自己购买钢材，也构成自己代理。

双方代理是指代理人同时代理被代理人和相对人实施同一民事法律行为。构成双方代理，必须符合两个条件：一是代理人必须既获得被代理人的委托代理授权，又获得相对人的委托代理授权。二是代理人同时代理双方为同一民事法律行为的当事人。比如，甲授权乙销售一吨钢材，丙授权乙购买一吨钢材，乙作为两方的代理人以甲和丙的名义签署一份钢材买卖合同，便构成双方代理。

大陆法系诸多国家和地区的立法大都明文限制自己代理和双方代理。《德国民法典》第 181 条规定，除另有许可外，代理人不得以被代理人的名义与自己为法律行为，或者以被代理人的名义和作为第三人的代理人为法律行为；但该法律行为专为履行债务的，不在此限。《意大利民法典》第 1395 条规定，代理人为自己的利益或者作为另一方的代理人与自己缔结的合同，可以被撤销。但经被代理人特别授权的或者契约的内容被确认排除了利益冲突可能的，不在此限。异议只有被代理人可以提出。《日本民法典》第 108 条规定，任何人，不得就同一法律行为，任其相对人的代理人或当事人双方的代理人。但债务之履行，不在此限。《俄罗斯民法典》第182条第3款规定，代理人不得以被代理人的名义与本人实施法律行为，也不得以被代理人的名义与他同时代理的其他人实施法律行为，但法律规定的情形除外。我国台湾地区"民法"第106条规定，代理人非经本人之许诺，不得为本人与自己之法律行为，亦不得既为第三人之代理人，而为本人与第三人之法律行为。但其法律行为，系专履行债务者，不在此限。我国1981年制定现已失效的经济合同法第7条第1款第3项曾对自己代理和双方代理作了规定，代理人超越代理权限签订的合同或以被代理人的名义同自己或者同自己所代理的其他人签订的合同无效。但民法通则和合同法都没有对自己代理和双方代理作出规定。

在自己代理的情形，代理人自己的利益可能会与被代理人的利益发生冲突，代理人往往更会注重自己的利益，从而损害被代理人的利益。在双方代理的情形，一个民事法律行为的双方当事人利益难免冲突，不免会厚此薄彼，很容易损害其中一方当事人的利益。因此，法律应当对自己代理和双方代理加以规制。根据本条规定，代理人不得以被代理人的名义与自己实施民事法律行为，也不得以被代理人的名义与自己同时代理的其他人实施民事法律行为，即原则上禁止自己代理和双方代理。

但是，法律禁止自己代理的目的是保护被代理人的利益，如果被代理人觉得没有损害其利益或者愿意承受这种不利益，法律没有必要强行干预。故本条第1款同时规定，但是被代理人同意或者追认的除外。即如果被代理人事先同意的，或者被代理人虽然没有事先同意，但事后经权衡后，追认了代理人的自己代理行为，法律自然要尊重被代理人的选择，认可自己代理行为的效力。

同理,法律禁止双方代理的目的是保护被代理人和相对人的利益,如果这两方都觉得没有损害其利益或者愿意承受这种不利益,法律也没有必要强行干预。因此,本条第 2 款规定,禁止双方代理,但是被代理的双方同意或者追认的除外。

第一百六十九条　代理人需要转委托第三人代理的,应当取得被代理人的同意或者追认。

转委托代理经被代理人同意或者追认的,被代理人可以就代理事务直接指示转委托的第三人,代理人仅就第三人的选任以及对第三人的指示承担责任。

转委托代理未经被代理人同意或者追认的,代理人应当对转委托的第三人的行为承担责任,但是在紧急情况下代理人为了维护被代理人的利益需要转委托第三人代理的除外。

【释义】　本条是关于复代理的规定。

复代理,又称再代理、转代理或者次代理,是指代理人为了实施其代理权限内的行为,而以自己的名义为被代理人选任代理人的代理。与复代理相对的是本代理,或者称原代理,是指被代理人直接选任代理人而成立的代理。在复代理关系中,存在原代理人和复代理人两个代理人,存在原代理人对被代理人的代理和复代理人对被代理人的代理两层代理。

一、复代理的特征

复代理具有以下几个特征:

1. 以本代理的存在为前提。必须有一个本代理,才能在其基础上产生复代理。没有本代理,复代理就无从谈起。

2. 复代理人是原代理人以自己的名义选任的代理人。原代理人以自己的名义选任复代理人是复代理的重要特征。如果是被代理人自己选任,当然就是本代理。如果原代理人以被代理人的名义选任另一个代理人,则不属于复代理,而是在该代理人与被代理人之间直接产生一个新的代理关系。

3. 复代理人行使的代理权是原代理人的代理权,但原代理人的代理权并不因此丧失。复代理人是由原代理人以自己名义选任的,其代理权直接来源于原代理人的代理权,而且权限范围不得大于原代理权的权限范围。同时,原代理人选任复代理人后,其代理权并不因此而消灭,仍然保有其代理人地位,其与被代理人之间的代理法律关系没有发生变化。如果代理人失去其代理权,而向被代理人推介他人接替自己担任代理人的,是向被代理人推介新代理人的行为,而不是选任复代理人的行为。

4. 复代理人是被代理人的代理人,而不是代理人的代理人。复代理人以被代理人的名义实施民事法律行为,其法律效果直接归属于被代理人。如果复代理人以代理人的名义实施民事法律行为,就不是复代理,而属于一般代理了。

二、复代理的条件

在委托代理中,代理关系一般都是建立在被代理人对代理人一定的人身信任基础上,代理人是否合适,被代理人在委托授权时都会充分考虑。如果代理人自己擅自另行选任复代理人,其选任的复代理人不一定能够得到被代理人的信任,因此不能强加于被代理人。同时,如果代理人觉得自己不合适继续担任代理人,随时可以辞任,由被代理人另行选任其他代理人,而没有必要由代理人擅自选任复代理人。基于此,原则上应当不允许代理人选任复代理人。但在特殊情况下,允许代理人选任复代理人,有利于更好地保护被代理人的合法权益,不应一概否定复代理的存在。

大陆法系多数国家和地区对复代理也都原则禁止、例外允许。例如,《德国民法典》第 664 条第 1 款规定,有疑义时,受委人不得将委托的执行转托给第三人。转托被许可的,受托人仅对在转托时自己所犯的过错负责任。《瑞士债法典》第 398 条第 3 款规定,受托人应当自己完成委托事务,但其被授权或者由于客观情况不得已由第三人执行的或者劳务关系依习惯可以由第三人替代履行的除外。《日本民法典》第 104 条第 1 款规定,委托代理人非经本人同意或有不得已的事由,不得选任复代理人。《俄罗斯民法典》第 187 条第 1 款规定,被授予委托书的人,应亲自实施授权给他的行为。如果委托书有相关授权或者为了维护委托人的利益而迫不得已时,可以转委托他人实施这些行为。我国台湾地区“民法”第 537 条规定,受任人应自己处理委任事务。但经委任人之同意或另有习惯或有不得已之事由者,得使第三人代为处理。我国民法通则和合同法对复代理也作了规定,民法通则第 68 条规定:“委托代理人为被代理人的利益需要转托他人代理的,应当事先取得被代理人的同意。事先没有取得被代理人同意的,应当在事后及时告诉被代理人,如果被代理人不同意,由代理人对自己所转托的人的行为负民事责任,但在紧急情况下,为了保护被代理人的利益而转托他人代理的除外。”合同法第 400 条规定:“受托人应当亲自处理委托事务。经委托人同意,受托人可以转委托。转委托经同意的,委托人可以就委托事务直接指示转委托的第三人,受托人仅就第三人的选任及其对第三人的指示承担责任。转委托未经同意的,受托人应当对转委托的第三人的行为承担责任,但在紧急情况下受托人为维护委托人的利益需要转委托的除外。”本条继

承了民法通则和合同法的规定,明确只有在两种情况下才允许复代理:

1. 被代理人允许。被代理人的允许,包括事先同意和事后追认。本条第1款规定:“代理人需要转委托第三人代理的,应当取得被代理人的同意或者追认。”有的情况下,被代理人考虑到代理人独任代理存在一些困难,准许代理人便宜行事,选任复代理人协助其实施民事法律行为;有的情况下,代理人选任复代理人的行为事先没有征得被代理人同意,但被代理人经考虑事后追认了复代理的行为。在这两种情况下,被代理人基于自己利益等考虑同意复代理,法律自无再加禁止的理由。

2. 出现紧急情况。根据本条第3款的规定,在紧急情况下代理人为了维护被代理人利益的需要,可以转委托第三人代理。关于“紧急情况”,《最高人民法院关于贯彻执行〈中华人民共和国民法通则〉若干问题的意见(试行)》第80条作了一定的界定:“由于急病、通讯联络中断等特殊原因,委托代理人自己不能办理代理事项,又不能与被代理人及时取得联系,如不及时转托他人代理,会给被代理人的利益造成损失或者扩大损失的,属于民法通则第六十八条中的‘紧急情况’。”出现了紧急情况,从维护被代理人利益的需要出发,法律允许复代理的存在。

三、复代理的法律效果

对被代理人和复代理人而言,一方面,代理人经被代理人同意、追认或者紧急情况下选任了复代理人,复代理人就成为了被代理人的代理人,可以被代理人的名义实施民事法律行为,该民事法律行为直接对被代理人发生效力。另一方面,复代理人是被代理人的代理人,被代理人就代理事务可以越过原代理人直接指示复代理人,复代理人应当按照被代理人的指示实施民事法律行为。

对原代理人和复代理人而言,原代理人以自己的名义选任了复代理人,其可以基于自己的判断指示复代理人实施民事法律行为,即复代理人需要接受被代理人和原代理人的双重指示。当然,在被代理人和原代理人的指示不一致时,复代理人应当优先按照被代理人的指示来实施民事法律行为。

对被代理人和原代理人而言,原代理人选任了复代理人后,复代理人所实施的民事法律行为的效力直接对被代理人发生,如果出现问题造成被代理人损害的,原则上原代理人不再承担任何责任。但根据本条第2款规定,在两种情况下原代理人仍然需要承担责任:一是原代理人在选任复代理人时存在过错,比如明知复代理人的品德或者能力难以胜任代理工作仍然选任其担任复代理人的;二是复代理人的行为是根据原代理人的指示来实施的。这两种情况下,原代理人也需要对被代理人承担责任。

还有一个问题需要注意。根据本条第3款的规定,在原代理人未经被代理人同意或者追认而选任复代理人时,复代理人实施的代理行为就构成无权代理,除非符合本法第172条规定的表见代理外,其行为对被代理人不发生效力,代理人应当对复代理人的行为承担责任。

第一百七十条　执行法人或者非法人组织工作任务的人员,就其职权范围内的事项,以法人或者非法人组织的名义实施民事法律行为,对法人或者非法人组织发生效力。

法人或者非法人组织对执行其工作任务的人员职权范围的限制,不得对抗善意相对人。

【释义】 本条是关于职务代理的规定。

职务代理，顾名思义，是指根据代理人所担任的职务而产生的代理，即执行法人或者非法人组织工作任务的人员，就其职权范围内的事项，以法人或者非法人组织的名义实施的民事法律行为，无须法人或者非法人组织的特别授权，对法人或者非法人组织发生效力。职务代理能够弥补商事交易中法定代表人制度的不足，满足法人对外交易的需求，也能够增强交易结果的确定性和可预见性，使交易相对人能够迅速、准确地判断代理人是否有代理权，维护正常的交易秩序、降低交易成本、提高交易效率。我国法律中以前对职务代理没有作出明确规定，民法通则第 43 条规定："企业法人对它的法定代表人和其他工作人员的经营活动，承担民事责任。"有的学者将其解释为对职务代理人代理权限的规定。侵权责任法第 34 条则对用人单位的责任和劳务派遣单位、劳务用工单位的责任作了规定："用人单位的工作人员因执行工作任务造成他人损害的，由用人单位承担侵权责任。劳务派遣期间，被派遣的工作人员因执行工作任务造成他人损害的，由接受劳务派遣的用工单位承担侵权责任；劳务派遣单位有过错的，承担相应的补充责任。"这次制定民法总则，专门在本条规定了职务代理。

对职务代理的法律定位，学界有几种意见：一是将职务代理纳入委托代理的范畴，视为委托代理的一种具体类型；二是将职务代理纳入法定代理的范畴，因为其代理权来自于法律的直接规定；三是认为应当将职务代理与委托代理、法定代理并列，作为一种独立的代理类型。经研究认为，委托代理本质上是指基于被代理人的意思而产生的代理，这种意思既可以体现于被代理人的授权行为，也可以体现于被代理人基于其与代理人之间的雇佣、劳动关系而对代理人的默示授权。在我国法律体系下，适当拓展委托代理的范围，将职务代理纳入委托代理的范畴加以规范，不仅理论上可行，也符合实践的需要。但职务代理与一般的委托代理相比有其特殊性，理解职务代理制度，应注意以下几点：

一是被代理人须是法人或者非法人组织。法人是指具有民事权利能力和民事行为能力，依法独立享有民事权利和承担民事义务的组织。非法人组织是指不具有法人资格，但是能够依法以自己的名义从事民事活动的组织。法人、非法人组织作为被代理人时才能适用职务代理制度。如果被代理人是自然人，只能采用一般的委托代理。

二是代理人须是执行法人或者非法人组织工作任务的人员。执行法人或者非法人组织工作任务的人员，既包括基于劳动、雇佣关系而产生的法人、非法人组织的工作人员，如工厂采购员、商店售货员等；也包括其他执行法人或者非法人组织工作任务的人员，如劳务派遣单位派到用工单位的工作人员。

三是代理事项须是职权范围内的事项。法人或者非法人组织对执行其工作任务的人员，一般情况下都会确定一定的职权范围。超越职权范围实施民事法律行为的，就构成无权代理。职权范围有时由法律、行政法规或者规章规定，有时由法人或者非法人组织的内部规定来规定，有时法人或者非法人组织还会临时授予工作人员一定的职权。但应注意的是，本条第 2 款明确规定，法人或者非法人组织对执行其工作任务的人员职权范围的限制，不得对抗善意相对人。法人或者非法人组织对执行其工作人员的人员都赋予其一定的职权范围，有的情况下是对社会公开的，相对人可以知悉，但有的情况下相对人难以知道该职权的具体范围，只能依据公开信息或者交易习惯来判断。如果相对人是善意的，即对法人或者非法人组织对执行其工作任务的人员职权范围的限制，不知道也不应当知道，那么法律应当对这种合理信赖予以保护，以维护其合法权益。

第一百七十一条 行为人没有代理权、超越代理权或者代理权终止后，仍然实施代理行为，未经被代理人追认的，对被代理人不发生效力。

相对人可以催告被代理人自收到通知之日起一个月内予以追认。被代理人未作表示的，视为拒绝追认。行为人实施的行为被追认前，善意相对人有撤销的权利。撤销应当以通知的方式作出。

行为人实施的行为未被追认的，善意相对人有权请求行为人履行债务或者就其受到的损害请求行为人赔偿，但是赔偿的范围不得超过被代理人追认时相对人所能获得的利益。

相对人知道或者应当知道行为人无权代理的，相对人和行为人按照各自的过错承担责任。

【释义】 本条是关于无权代理的规定。

广义上的无权代理，是指行为人（无权代理人）没有代理权仍以被代理人名义实施民事法律行为。代理权的存在是代理法律关系成立的前提，行为人只有基于代理权才能以被代理人的名义从事代理行为。一般来说，行为人没有代理权，其实施的民事法律行为对被代理人而言就不应当产生代理的效力。但实际情况错综复杂，无权代理发生的原因多种多样，简单地一概否定无权代理的效力，一方面，未必完全符合被代理人的利益；另一方面，也不能置善意地相信代理人有代理权的相对人的利益不顾,否则将对交易安全、便捷造成较大冲击。因此,各国和地区一般都区分情况,以有无代理权表象为标准,将无权代理分为表见代理和狭义上的无权代理两类,赋予其不同的法律效果。本条规定的就是狭义上的无权代理,即指行为人没有代理权,也不具有使相对人有理由相信其有代理权的外部表象的代理。下文提到的无权代理,如无特别指出,都仅指狭义上的无权代理。

一、大陆法系主要国家和地区的立法例

无权代理制度涉及被代理人、代理人和相对人利益的调和,需要进行细致的制度建构,大陆法系有关国家和地区对此都作了明确具体的规定。

《德国民法典》第 177 条规定,无代理权而以他人名义订立合同的,对被代理人有利或者不利的合同的效力,依被代理人追认与否而定。相对人催告被代理人作出追认的意思表示的,该意思表示只能向相对人作出;在催告前向代理人所表示的追认或者拒绝追认,均为无效。追认仅得在收到催告后两星期内予以表示;不表示追认的,视为拒绝追认。第 178 条规定,合同在被被代理人追认之前,相对人有撤回的权利,但相对人在合同订立时已知道代理人没有代理权的除外。合同的撤回,也可以向代理人作出。第 179 条规定,以代理人身份订立合同的,如不能证明其有代理权,而被代理人又拒绝追认时,相对人有权选择要求代理人履行合同或者赔偿损失。代理人不知道自己没有代理权的,仅对因信其有代理权而受损毁的相对人承担赔偿的责任。但其赔偿额不得超过相对人在合同有效时可以得到的利益。相对人知道或者应当知道代理人没有代理权的,代理人不负责任。代理人的行为能力受有限制的,亦同。但经其法定代理人同意的行为,不在此限。

《意大利民法典》第 1398 条规定,无权代理或者超越代理权订立合同的人,要对第三人因相信合同效力而没有过错所遭受的损害负赔偿责任。第 1399 条规定,在前条规定的情况中,利害关系人可以按照规定的缔约形式对合同进行追认。追认具有溯及力,但不得侵害第三人的权利。第三人和作为代理人订立合同的人可以在追认前协议解除合同。第三人可以请求利害关系人在指定期间内追认。期间届满,利害关系人保持沉默的,视为拒绝追认。追认权可以转让给继承人。

《俄罗斯民法典》第 183 条规定,未被授权而以他人名义实施的法律行为或者超越权限实施的法律行为,被认为是实施人以自己的名义和为自己的利益而实施的法律行为,但事后得到他人(被代理人)对该法律行为的追认的情形除外。被代理人事后对法律行为的追认,自法律行为实施之时起对该被代理人确立、变更和终止民事权利和义务。

《日本民法典》第 113 条规定,无代理权人作为他人代理人而订立的合同,非经被代理人追认,不对被代理人发生效力。追认或者拒绝追认,除非对相对人为之,不得以之对抗相对人。但相对人已知其事实时,不在此限。第 114 条规定,于前条情形,相对人可以定相当期间,催告被代理人于期间内,作出是否追认的确答。如被代理人于该期间内未作确答,则视为拒绝追认。第 115 条规定,无代理权人订立的合同,于被代理人未追认期间,相对人可以撤销。但是,相对人于订立合同的当时已知无代理权的事实时,不在此限。第 116 条规定,如无另外意思表示,追认溯及于订立合同时发生效力,但不得侵害第三人的权利。第 117 条规定,作为他人代理人订立合同者,如不能证明其代理权,且得不到被代理人追认时,应依相对人的选择,或履行合同,或承担损害赔偿责任。前款规定,不适用于相对人已知或因过失而不知无代理权情形或者作为代理人订立合同者无其能力情形。

我国台湾地区"民法"第 110 条规定,无代理权人,以他人之代理人名义所为之法律行为,对于善意之相对人,负损害赔偿之责。第 170 条规定,无代理权人以代理人之名义所为之法律行为,非经本人承认,对于本人不生效力。第 170 条之一规定,无代理权人以代理人之名义所为之法律行为,非经本人承认,对于本人不生效力。前项情形,法律行为之相对人,得定相当期限,催告本人确答是否承认。本人逾期末为确答者,视为拒绝承认。第 171 条规定,无代理权人所为之法律行为,其相对人于本人未承认前,得撤回之。但为法律行为时,明知其无代理权者,不在此限。

我国民法通则和合同法对无权代理都作了规定。民法通则第 66 条第 1 款规定:"没有代理权、超越代理权或者代理权终止后的行为,只有经过被代理人的追认,被代理人才承担民事责任。未经追认的行为,由行为人承担民事责任。本人知道他人以本人名义实施民事行为而不作否认表示的,视为同意。"第 4 款规定:"第三人知道行为人没有代理权、超越代理权或者代理权已终止还与行为人实施民事行为给他人造成损害的,由第三人和行为人负连带责任。"合同法第 48 条规定:"行为人没有代理权、超越代理权或者代理权终止后以被代理人名义订立的合同,未经被代理人追认,对被代理人不发生效力,由行为人承担责任。相对人可以催告被代理人在一个月内予以追认。被代理人未作表示的,视为拒绝追认。合同被追认之前,善意相对人有撤销的权利。撤销应当以通知的方式作出。"本条在民法通则和合同法规定的基础上，作了进一步的修改完善。

二、无权代理的类型

本条将无权代理分为三种类型：

1. 没有代理权的无权代理。其是指行为人根本没有得到被代理人的授权，就以被代理人名义从事的代理。比如，行为人伪造他人的公章、合同书或者授权委托书等，假冒他人的名义实施民事法律行为，就是典型的无权代理。

2. 超越代理权的无权代理。其是指行为人与被代理人之间有代理关系存在，行为人有一定的代理权，但其实施的代理行为超出了代理范围的代理。例如，甲委托乙购买 300 台电视机，但是乙擅自与他人签订了购买 500 台电视机的合同；或者甲委托乙购买电视机，但是乙购买了电冰箱，这些都是超越代理权的无权代理。

3. 代理权终止后的无权代理。其是指行为人与被代理人之间原本有代理关系，由于法定情形的出现使得代理权终止，但是行为人仍然从事的代理。法定情形主要指本法第 173 条规定的情形，包括代理期限届满、代理事务完成或者被代理人取消委托等。

三、无权代理行为的效力

行为人没有代理权却以被代理人的名义实施民事法律行为，不符合被代理人的意愿，法律效果不能直接及于被代理人，本当无效。但是，考虑到行为人实施的民事法律行为并非都是对被代理人不利，有些对被代理人可能是有利的；而且，既然代理行为已经完成，行为人有为被代理人实施民事法律行为的意思表示，相对人有意与被代理人缔约，如果被代理人愿意事后承认，从鼓励交易、维护交易秩序稳定以及更好地保护各方当事人利益的角度出发,也没有必要一概否定其效力。因此,法律规定了一定的条件,如果符合法定条件的,允许行为人实施的民事法律行为对被代理人发生效力。大陆法系各国的立法也都规定无权代理行为为效力待定的行为,即该行为是否发生效力尚未确定,有待于其他行为使之确定。我国民法通则、合同法和本法也采纳了这一做法。

根据本条规定,对于无权代理行为,被代理人可以追认该行为,使之确定地发生法律效力,也可以拒绝追认使之确定地不发生法律效力;善意相对人可以在被代理人追认前行使撤销权使之确定地不发生效力,如果相对人希望尽早确定其效力,可以催告被代理人予以追认。

四、被代理人的追认权和拒绝权

无权代理发生后,根据本条规定,被代理人有追认和拒绝的权利。这里所指的"追认",是指被代理人对无权代理行为事后予以承认的一种单方意思表示。被代理人的追认应当以明示的意思表示向相对人作出,如果仅向行为人作出意思表示,也必须使相对人知道后才能产生法律效果。追认必须在相对人催告期限尚未届满前以及善意相对人未行使撤销权前行使。一旦被代理人作出追认,无权代理就变成有权代理,行为人实施的民事法律行为就从成立时起对被代理人产生法律效力。

追认权是被代理人的一项权利,被代理人既有权作出追认,也可以拒绝追认。被代理人行使拒绝权有两种方式:一是被代理人在知道无权代理行为后,明确地向相对人表示拒绝承认该无权代理行为;二是被代理人在收到相对人催告的通知之日起一个月内未作表示的,则视为拒绝追认。被代理人拒绝追认后,无权代理行为便确定无效,因无权代理而实施的民事法律行为就不能对被代理人产生法律效力，由此而产生的责任就应该由行为人自己承担。

五、相对人的催告权和善意相对人的撤销权

无权代理经被代理人追认即产生效力，拒绝追认便不产生效力，这是为了更好地保护被代理人的合法权益。但同时相对人的合法权益也应当予以妥善保护，基于此，法律赋予了相对人催告权和善意相对人撤销权。

所谓催告权，是指相对人催促被代理人在一定期限内明确答复是否承认无权代理行为。根据本条第2款的规定，催告权的行使一般需具备以下要件：一是要求被代理人在一定的期限内作出答复，本条第2款规定的期限为一个月；二是催告应当以通知的方式作出；三是催告的意思必须是向被代理人作出。

为了维护当事人之间的利益平衡，本条第2款还规定相对人享有撤销权。这里的撤销权，是指相对人在被代理人未追认无权代理行为之前，可撤回其对行为人所作的意思表示。相对人撤销权的行使必须满足以下条件：一是必须在被代理人作出追认之前作出，如果被代理人已经对无权代理行为作出了追认，该民事法律行为就对被代理人产生了效力，相对人就不能再撤销其意思表示了；二是相对人在行为人实施民事法律行为时必须是善意的，也就是说，相对人在作出意思表示时，并不知道对方是无权代理的。如果明知对方是无权代理而仍与对方共同实施民事法律行为，那么相对人就无权撤销其意思表示；三是撤销应当以通知的方式作出。

六、行为人（无权代理人）的责任

行为人实施的行为未被被代理人追认时，则其实施的民事法律行为的效力不能对被代理人发生效力，此时，行为人对相对人应当承担责任，但其承担何种内容的责任存在争议，从其他国家和地区的立法例来看，主要有三种做法：一是行为人承担损害赔偿责任，如意大利和我国台湾地区；二是行为人直接承担行为后果，如俄罗斯；三是允许相对人选择行为人直接承担行为后果或者损害赔偿责任。我国民法通则和合同法对此都仅规定"由行为人承担责任"，至于行为人承担何种内容的责任没有明确，这次制定民法总则对这一问题作了规定。

根据本条第3款、第4款的规定，行为人承担的责任基于相对人是否善意而有所区别。

1. 相对人为善意时。本条第3款规定："行为人实施的行为未被追认的，善意相对人有权请求行为人履行债务或者就其受到的损害请求行为人赔偿，但是赔偿的范围不得超过被代理人追认时相对人所能获得的利益。"根据本款规定，行为人实施的无权代理行为未被被代理人追认时，允许相对人选择，或者让行为人直接承担行为后果，或者让行为人承担损害赔偿责任。

在立法过程中，有的意见认为，让行为人承担行为后果不太妥当，善意相对人并无与行为人发生法律关系的意思，而且行为人一般不具备履行相应民事法律义务的能力，让行为人承担行为后果，既不现实，也无必要。但是经研究认为，为了更好地保护善意相对人的合法权益，赋予其更多的选择权未尝不可，由善意相对人根据实际情况自己判断采用何种方式更符合自己的利益。

需要注意的是，如果善意相对人要求行为人承担损害赔偿责任，本款对赔偿责任的范围作了一定的限制，即"赔偿的范围不得超过被代理人追认时相对人所能获得的利益"。也就是说，赔偿的范围不得超过履行利益。这主要是考虑到善意相对人对因无权代理而遭受损害也有一定的过失,不能因此而多获利益,应当对行为人的赔偿责任适当加以限制。

2. 相对人为恶意时。根据本条第 4 款的规定,相对人知道或者应当知道行为人无权代理的,相对人和行为人按照各自的过错承担责任。此时,行为人和相对人对无权代理都心知肚明,法律自无对哪一方加以保护的必要,双方应当根据各自的过错来确定相应的责任。

第一百七十二条 行为人没有代理权、超越代理权或者代理权终止后,仍然实施代理行为,相对人有理由相信行为人有代理权的,代理行为有效。

【释义】 本条是关于表见代理的规定。

所谓表见代理,是指行为人虽无代理权而实施代理行为,如果相对人有理由相信其有代理权,该代理行为有效。如前所述,无权代理非经被代理人追认,不对被代理人发生效力,这是法律为了保护被代理人的合法权益,维护其意思自治,不让其承担不测之损害。但在某些情况下,相对人是善意的且无过失,如果完全尊重被代理人的意思,强令代理行为无效,置善意相对人的利益于不顾,势必影响交易安全。要求相对人在任何情况下都必须详细考察被代理人的真正意思,不仅要花费很大的成本,实际中也很难做到。因此,只要相对人对行为人有代理权形成了合理信赖,即使实际情况相反,也应保护这种信赖利益,在一定程度上牺牲被代理人的利益,而将无权代理的效果归属于被代理人,以维护交易安全。本条便是基于以上理由,规定了表见代理制度。

根据本条规定,构成表见代理需要满足以下两个条件:

1. 行为人并没有获得被代理人的授权就以被代理人的名义与相对人实施民事法律行为。本条规定了没有代理权、超越代理权或者代理权终止三种情形。

2. 相对人在主观上必须是善意、无过失的。所谓善意,是指相对人不知道或者不应当知道行为人实际上是无权代理;所谓无过失,是指相对人的这种不知道不是因为其大意造成的。如果相对人明知或者应知行为人没有代理权、超越代理权或者代理权已终止,而仍与行为人实施民事法律行为,那么就不构成表见代理,而成为无权代理。

在本条的立法过程中,对于是否要求以被代理人的过错作为表见代理的构成要件,有不同意见。一种意见认为,应当以被代理人的过错作为表见代理的要件,否则对被代理人不公平。另一种意见认为,表见代理最重要的特征就是相对人有正当理由相信行为人有代理权,而不问被代理人是否有过错。本法采纳了第二种意见。一般来说,表见代理的产生与被代理人的过错有关,比如,因为被代理人管理制度的混乱,导致其公章、介绍信等被他人借用或者冒用;被代理人在知道行为人以其名义与第三人实施民事法律行为而不作否认表示等。这些都表明被代理人是有过错的。但是,设立表见代理制度的目的是保护交易的安全性,不至于使没有过失的相对人劳而无获。因此,相对人只要证明自己和行为人实施民事法律行为时没有过失,至于被代理人在行为人实施民事法律行为时是否有过失,相对人很多情况下难以证明。故在本条的规定中,对于行为人没有代理权、超越代理权或者代理权终止后,仍然以被代理人的名义实施代理行为的情况下,只要相对人有理由相信行为人有代理权的,代理行为就有效。

第三节 代理终止

第一百七十三条 有下列情形之一的,委托代理终止:

(一)代理期间届满或者代理事务完成;

(二)被代理人取消委托或者代理人辞去委托;

(三)代理人丧失民事行为能力;

(四)代理人或者被代理人死亡;

(五)作为代理人或者被代理人的法人、非法人组织终止。

【释义】 本条是关于委托代理终止的规定。

委托代理终止,是指被代理人与代理人之间的代理关系消灭。关于哪些情况下委托代理终止,民法通则第69条作了列举式规定:“有下列情形之一的,委托代理终止:(一)代理期间届满或者代理事务完成;(二)被代理人取消委托或者代理人辞去委托;(三)代理人死亡;(四)代理人丧失民事行为能力;(五)作为被代理人或者代理人的法人终止。”合同法对委托合同终止也作了相关规定。合同法第410条规定:“委托人或者受托人可以随时解除委托合同。因解除合同给对方造成损失的,除不可归责于该当事人的事由以外,应当赔偿损失。”第411条规定:“委托人或者受托人死亡、丧失民事行为能力或者破产的,委托合同终止,但当事人另有约定或者根据委托事务的性质不宜终止的除外。”第412条规定:“因委托人死亡、丧失民事行为能力或者破产,致使委托合同终止将损害委托人利益的,在委托人的继承人、法定代理人或者清算组织承受委托事务之前,受托人应当继续处理委托事务。”第413条规定:“因受托人死亡、丧失民事行为能力或者破产,致使委托合同终止的,受托人的继承人、法定代理人或者清算组织应当及时通知委托人。因委托合同终止将损害委托人利益的,在委托人作出善后处理之前,受托人的继承人、法定代理人或者清算组织应当采取必要措施。"本条在上述规定的基础上,明确有下列五种情形之一的,委托代理终止:

1. 代理期间届满或者代理事务完成。代理期间就是委托代理授权时确定的代理权的存续期间。如果授权时明确了具体的代理期间,期间届满,没有继续授权,委托代理就应当终止。同时,代理人完成了全部代理事务,即使代理期间没有届满,代理关系也已失去继续存在的理由,也应当终止。

2. 被代理人取消委托或者代理人辞去委托。被代理人授权代理人委托代理权,该委托代理权被代理人可以依法取消,代理人也可以依法辞去,此两种情形之下,委托代理终止。当然,如果因为被代理人取消委托或者代理人辞去委托造成损失的,行为人应当依法赔偿损失。

3. 代理人丧失民事行为能力。代理人要以被代理人的名义实施民事法律行为,必须具有行为能力。如果代理人丧失民事行为能力,委托代理当然终止。

4. 代理人或者被代理人死亡。委托代理关系是建立在被代理人与代理人之间信任的基础之上,具有严格的人身属性,如果代理人或者被代理人死亡,委托代理也应终止。但应注意的是,如果被代理人突然死亡,要求代理人随即停止所有的代理活动,客观上有时难以做到,而且可能会损害被代理人的继承人的利益,因此,本法第 174 条规定了一些例外情形,在这些情形下,代理人实施的代理行为仍然有效。

5. 作为代理人或者被代理人的法人、非法人组织终止。如果代理人或者被代理人是法人或者非法人组织的，该法人或者非法人组织由于种种原因终止，此时，委托代理也当然终止。

第一百七十四条　被代理人死亡后，有下列情形之一的，委托代理人实施的代理行为有效：

（一）代理人不知道并且不应当知道被代理人死亡；

（二）被代理人的继承人予以承认；

（三）授权中明确代理权在代理事务完成时终止；

（四）被代理人死亡前已经实施，为了被代理人的继承人的利益继续代理。

作为被代理人的法人、非法人组织终止的，参照适用前款规定。

【释义】　本条是关于委托代理终止例外的规定。

本法第 173 条规定了委托代理终止的情形，其中规定被代理人死亡和作为被代理人的法人、非法人组织终止时，委托代理终止。但实践情况较为复杂，一概规定委托代理终止不太合理。《最高人民法院关于贯彻执行〈中华人民共和国民法通则〉若干问题的意见（试行）》第 82 条对此已有规定："被代理人死亡后有下列情况之一的，委托代理人实施的代理行为有效：（一）代理人不知道被代理人死亡的；（二）被代理人的继承人均予承认的；（三）被代理人与代理人约定到代理事项完成时代理权终止的；（四）在被代理人死亡前已经进行、而在被代理人死亡后为了被代理人的继承人的利益继续完成的。"本条在借鉴司法解释有益经验的基础上，对一些例外情形作了规定。

根据本条第 1 款的规定，在下列情形下，被代理人死亡的，委托代理人实施的代理行为仍然有效：

1. 代理人不知道并且不应当知道被代理人死亡。被代理人突然死亡,代理人不一定能及时知道,比如此时代理人正在外地忙于代理事务,被代理人没有继承人,被代理人的继承人不知道代理人的存在,被代理人的继承人没有及时通知代理人被代理人死亡,等等,种种原因使得代理人不知道并且不应当知道被代理人死亡的,此时代理人仍然在继续实施代理行为。如果令代理行为无效,对代理人和相对人不甚合理。当然,如果代理人知道或者应当知道被代理人死亡的,代理关系终止,代理人就应当立刻停止实施代理行为。

2. 被代理人的继承人予以承认。被代理人死亡,其继承人知道代理人的存在后,对其代理人地位予以承认的,代理人可以继续实施代理行为。

3. 授权中明确代理权在代理事务完成时终止。被代理人的委托授权中明确了代理权直到代理事务完成时才终止的,即使被代理人死亡,也应当尊重其意思,代理人可以继续从事代理活动,其实施的代理行为仍然有效。

4. 被代理人死亡前已经实施,为了被代理人的继承人的利益继续代理。被代理人死亡前代理人已经实施了代理行为,被代理人死亡后,如果继续实施该代理行为有利于被代理人的继承人的利益,代理人应当完成该代理行为。

如果被代理人是法人、非法人组织,其终止类似于自然人的死亡,因此,本条第 2 款规定,作为被代理人的法人、非法人组织终止的,参照适用前款规定。

第一百七十五条　有下列情形之一的,法定代理终止:

(一)被代理人取得或者恢复完全民事行为能力;

（二）代理人丧失民事行为能力；

（三）代理人或者被代理人死亡；

（四）法律规定的其他情形。

【释义】 本条是关于法定代理终止的规定。

法定代理依法律规定的情形而产生，也应依法律规定的情形而终止。民法通则第70条规定："有下列情形之一的，法定代理或者指定代理终止：（一）被代理人取得或者恢复民事行为能力；（二）被代理人或者代理人死亡；（三）代理人丧失民事行为能力；（四）指定代理的人民法院或者指定单位取消指定；（五）由其他原因引起的被代理人和代理人之间的监护关系消灭。"本条在民法通则规定的基础上，明确有下列四种情形之一的，法定代理终止：

1. 被代理人取得或者恢复完全民事行为能力。法定代理产生的一个重要原因，是被代理人为无民事行为能力人或者限制民事行为能力人，需要监护人作为其法定代理人，代理其实施民事法律行为。如果被代理人取得或者恢复完全民事行为能力，比如未成年人年满18周岁，或者健康障碍患者恢复健康，法定代理就没有存在的必要，自然终止。

2. 代理人丧失民事行为能力。代理人代理被代理人实施民事法律行为，当然必须具有行为能力。如果代理人丧失民事行为能力，法定代理当然终止。

3. 代理人或者被代理人死亡。代理人或者被代理人死亡的，法定代理当然终止。

4. 法律规定的其他情形。上述三种情形之外，法律还规定了其他一些终止情形，比如，本法第44条第1款规定，财产代管人不履行代管职责、侵害失踪人财产权益或者丧失代管能力的，失踪人的利害关系人可以向人民法院申请变更财产代管人。如果财产代管人变更，原来的财产代管人与失踪人之间的代理关系自然终止。

第八章 民事责任

民事责任是保障民事权利实现的重要制度，是民法的重要组成部分。我国民法通则第六章专章规定了民事责任。在民法总则制定过程中，对于是否应当专章规定民事责任有不同意见。有的意见认为，违约责任和侵权责任的规则差异较大，很难抽象出共同性规则，建议由将来的合同编和侵权责任编规定为好。此外，在传统的民法典体系中，民事责任没有独立的地位，很少有国家在民法总则中专章规定民事责任。多数意见认为，民法总则应当继承民法通则的做法专章规定民事责任。许多学者提出，民法总则专章规定民事责任的一般概念和原则是必要的：一是可将各类责任抽象出一般的规则，从而使其普遍适用于各类民事责任；二是总则在规定了法律关系的主体、客体以及列举了各种民事权利之后规定民事责任，顺理成章，有利于体现民法总则体系的合理性、科学性；三是单独规定民事责任是民法通则的成功创举，这一经验应继续保留下来。有的意见认为，民法通则对民事责任专章规定，创立了民事权利、民事义务、民事责任"三位一体"的立法模式，这一有中国特色的立法模式有必要继承沿用，这也有利于民法典的系统化、科学化、规范化。此外，从总则与分则的关系看，总则是对分则的统领，在分则无法穷尽规定全部民事责任的情况下，可以适用总则关于民事责任的一般性规定。对实践有着指导意义。从法律的功能上看，法律具有教育、规范和引导的功能。在总则中规定民事责任,可以使民事主体更好地了解其在民事活动中可能承担的民事责任,从而强化其责任意识,自觉按照法律规定实施民事法律行为。

经研究,民法总则专设一章规定了民事责任,主要考虑是:一是民事责任是民事主体违反民事义务应承担的法律后果,是保障民事权利实现的措施,也是对不履行义务行为的一种制裁。基于总则和分则的关系,专章规定民事责任,建立民事责任这一上位概念,对分则、民事单行法中的具体民事责任制度具有统领、指引作用。二是民法通则对民事责任进行专章规定,在国际上创立了民事权利、义务和责任“三位一体”的立法模式。经过三十年的法治宣传教育和司法实践,这种立法模式已为广大人民群众和法律工作者普遍接受和熟悉。在规定了法律关系的主体、列举了各种民事权利之后规定民事责任,体系更加合理。明确法律责任,有利于引导民事主体强化自觉履行法定或者约定义务的意识,预防并制裁违反民事义务的行为,切实保护权利人的民事权益。民法总则关于民事责任的规定进一步完善了民事权利受到侵害后的救济渠道和方式。

本章共十二条,主要规定了民事责任的承担,按份责任,连带责任,承担民事责任的方式,不可抗力,正当防卫,紧急避险,因保护他人民事权益而使自己受到损害的责任承担主体,因自愿实施紧急救助行为造成受助人损害的不承担民事责任,侵害英雄烈士等的姓名、肖像、名誉、荣誉,损害社会公共利益的民事责任,违约责任与侵权责任的竞合,财产优先承担民事责任等。

第一百七十六条　民事主体依照法律规定和当事人约定,履行民事义务,承担民事责任。

【释义】 本条是关于民事主体依法承担民事责任的规定。

法律责任分为民事责任、行政责任和刑事责任。民事责任是指由于违反民事义务所应承担的责任。违反民事义务包括违反法律规定的民事义务和违反当事人约定的民事义务。

民事责任是民法上保护民事权利的重要措施。民事主体享有广泛的民事权利，民法总则第五章以专章规定了自然人、法人、非法人组织享有的民事权利。民法保护民事主体的民事权利主要通过两个方面予以实现：一是赋予民事主体权利，使民事主体在权利受到损害的情况下依法采取自救措施，或者是请求有关部门、组织或者法院等给予保护；二是规定不依照法律规定或者当事人约定履行民事义务的民事主体承担一定的法律后果，以恢复被损害的权利。后者就是以不履行民事义务的主体承担民事责任的方式来保护民事权利。所以，民事责任是民事主体行使民事权利的保障，没有民事责任，享受民事权利就是一句空话。通过承担民事责任，使被侵害的民事权利得以恢复和赔偿，从而保护民事主体的民事权利，同时也能起到对违反民事义务的行为予以惩罚的作用。

民事责任的基本特征包括两个方面：

1. 民事责任是民事主体违反民事义务所应承担的责任，是以民事义务为基础的。法律规定或者当事人约定民事主体应当做什么和不应当做什么，即要求应当为一定的行为或者不为一定的行为，这就是民事主体的义务。法律也同时规定了违反民事义务的后果，即应当承担的责任，这就是民事责任。民事责任不同于民事义务，民事责任是违反民事义务的后果，而不是民事义务本身。

本条规定民事主体依照法律规定和当事人约定履行民事义

务，根据这一规定，民事义务分为两类：

一是法律直接规定的义务。例如，本法第 8 条规定："民事主体从事民事活动，不得违反法律，不得违背公序良俗。""不得违反法律，不得违背公序良俗"，就是每个民事主体的法律义务。

二是在法律允许的范围内民事主体自行约定的义务。例如，合同当事人双方在合同中约定的义务。合同法第 2 条第 1 款规定："合同是平等主体的自然人、法人、其他组织之间设立、变更、终止民事权利义务关系的协议。"第 8 条规定："依法成立的合同，对当事人具有法律约束力。当事人应当按照约定履行自己的义务，不得擅自变更或者解除合同。依法成立的合同，受法律保护。"

民事主体无论违反哪一类义务都要依法承担民事责任。

2. 民事责任具有强制性。强制性是法律责任的重要特征。法律责任不同于道德责任，道德责任是社会对人们实施的不符合道德规范行为的谴责。这种谴责只能通过社会舆论和行为人自我良心的反省来实现，而不能通过国家强制力实现，因而不具有强制性。法律责任中的民事责任的强制性表现在对不履行民事义务的行为予以制裁，要求民事主体承担民事责任。因此，本条规定："民事主体依照法律规定和当事人约定，履行民事义务，承担民事责任。"

第一百七十七条　二人以上依法承担按份责任，能够确定责任大小的，各自承担相应的责任；难以确定责任大小的，平均承担责任。

【释义】　本条是关于按份责任的规定。

按份责任，是指责任人为多人时，各责任人按照一定的份额向权利人承担民事责任，各责任人之间无连带关系。也就是说，责任人各自承担不同份额的责任，不具有连带性，权利人只能请求属于按份责任人的责任份额。按份责任产生的前提，是二个以上的民事主体不依照法律规定或者当事人约定履行民事义务产生的民事责任。

适用本条规定应当符合下列构成要件：

1. 主体的复数性。不依照法律规定或者当事人约定履行民事义务的主体应当为二个或者二个以上的民事主体，可以是自然人，也可以是法人或者非法人组织。

2. 造成同一法律后果。二个或者二个以上的民事主体不依照法律规定或者当事人约定履行民事义务产生的民事责任是同一的，性质是相同的。

根据本条规定，二个或者二个以上的民事主体依法承担按份责任。每个民事主体应当承担的份额，又分两种情形：

1. 能够确定责任大小的。二个或者二个以上的民事主体没有依照法律规定或者当事人的约定履行民事义务，可以根据每个民事主体对造成损害的后果的可能性来确定责任份额。判断这种可能性，可以综合每个民事主体的过错程度、未依照法律规定或者当事人约定履行义务的具体行为与法律后果之间的因果关系的紧密程度、公平原则、诚信原则等因素。有的学者将这种可能性称为“原因力”，这是指在构成不依照法律规定或者当事人约定履行民事义务产生的共同原因中，每一个原因对于结果的发生或扩大所产生的作用力。法律不可能脱离具体案件，事先抽象出各种确定责任份额的标准，只能由人民法院、仲裁机构在具体案件中综合考虑各种因素来确定。

2. 难以确定责任大小的。责任分配的尺度有时很难有一个可以量化的标准，在某些情形下，由于案情复杂，很难分清每一个不依照法律规定或者当事人约定履行民事义务的行为对损害后果的作用力究竟有多大。针对这种情形，本条规定，难以确定责任大小的，每个行为人平均承担民事责任。其他国家和地区在确定每个民事主体责任内部份额时的做法也有类似规定，如《俄罗斯民法典》第 108 条第 2 款规定，当过错程度不能确定时，份额应均等。《意大利民法典》第 2055 条第 3 款规定，在有疑问的情况下，推定所有人的责任相同。

第一百七十八条　二人以上依法承担连带责任的，权利人有权请求部分或者全部连带责任人承担责任。

连带责任人的责任份额根据各自责任大小确定；难以确定责任大小的，平均承担责任。实际承担责任超过自己责任份额的连带责任人，有权向其他连带责任人追偿。

连带责任，由法律规定或者当事人约定。

【释义】　本条是关于连带责任的规定。

连带责任，是指依照法律规定或者当事人的约定，两个或者两个以上当事人对共同产生的不履行民事义务的民事责任承担全部责任，并因此引起内部债务关系的一种民事责任。连带责任是一项重要的责任承担方式。连带责任可能基于合同产生，也可能基于侵权行为产生。司法实践中，连带责任是不履行义务的行为人承担责任的一种重要方式。连带责任的意义在于增加责任主体的数量，加强对受损害人的保护，确保受损害人获得赔偿。

连带责任的特征主要表现在：(1) 连带责任对于违反民事

义务的主体而言是一种比较严厉的责任方式。连带责任对外是一个整体的责任。连带责任中的每个主体都需要对被损害者承担全部责任。被请求承担全部责任的连带责任主体,不得因自己的过错程度而只承担自己的责任。(2)连带责任对于被损害者的保护更为充分。连带责任给了被损害者更多的选择权,被损害者可以请求一个或者数个连带责任人承担全部或者部分的赔偿责任。(3)连带责任是法定责任,连带责任人之间不能约定改变责任的性质,对于内部责任份额的约定对外不发生效力。

我国一些法律对连带责任作了规定,例如侵权责任法第8条规定,二人以上共同实施侵权行为,造成他人损害的,应当承担连带责任。第13条规定,法律规定承担连带责任的,被侵权人有权请求部分或者全部连带责任人承担责任。第14条规定,连带责任人根据各自责任大小确定相应的赔偿数额;难以确定责任大小的,平均承担赔偿责任。支付超出自己赔偿数额的连带责任人,有权向其他连带责任人追偿。

近几十年来,随着经济的不断发展和保险制度的日益完善,一些国家对连带责任制度的适用范围进行了反思。有的学者认为,连带责任与为自己行为负责之间可能存在矛盾,会造成连带责任中有经济赔偿能力但过错程度不重的人承担较重的责任,破坏了损害者之间的利益平衡。当某一损害者没有偿还能力时,已经承担了赔偿责任的损害者就无法行使追偿权,承担了超出其过错程度的责任。而且,连带责任制度会鼓励原告在诉讼中起诉"深口袋",即以有偿付能力的损害者作为被告,即使这些人只有微小过错,仅仅因为他们比其他损害者有偿付能力,就需要对全部损失承担责任。但是,不能否认,连带责任有利于被损害者得到充分的救济,减轻了被损害者的举证责任,使被损害者不必因为部分共同损害者的赔付能力而妨碍得到全额的赔偿。而且,对于连带责任而言,这种责任方式也并非不公平,不履行民事义务的每一个行为人都应当对结果的发生具有预见性,因此,有理由让他们对结果的发生承担责任。连带责任内部的追偿制度也能导致最终责任的公平承担。在我国保险制度还不健全的情况下,连带责任所具有的担保价值,有利于充分保护被损害者的合法权益。因此,本法在现行法律和司法实践的基础上对连带责任作出规定:“二人以上依法承担连带责任的,权利人有权请求部分或者全部连带责任人承担责任。”据此,对于依法应当承担连带责任的,权利人向一个或者数个连带责任人请求的,被请求的连带责任人就应当承担全部责任。

连带责任人对外承担了责任后,通常需要在内部确定各自的责任。责任大小一般依据如下原则确定:一是根据各自的过错。大多数不履行民事义务的行为以过错为构成要件,以过错程度确定连带责任人之间的责任份额,能够体现公平,这也是我国司法实践的通常做法。确定责任份额时,应当对每个责任主体在不履行民事义务时的过错进行比较,有故意或者有重大过失等较大过错的,承担的责任份额较大;过错较小的,如只有轻微过失的,可以承担较少的责任份额。二是对原因力进行比较。原因力是指在构成不履行义务的多个原因中,每一个原因对于结果的发生或者扩大所起的作用。原因力也是确定连带责任人责任数额的一个方面,特别是在无过错责任的情况下,需要对各责任主体在不履行民事义务时所起的作用进行比较,所起的作用较大的,应当承担较大的责任份额;所起的作用较小的,应当承担较小的责任份额。三是平均分担责任份额。如果根据过错和原因力难以确定连带责任人责任大小的,可以视为各连带责任人的过错程度和原因力大小是相当的，在这种情况下应当由连带责任人平均承担责任份额。如三名连带责任人承担连带责任，那么每人分担责任份额的三分之一。需要指出的是，不能简单地、不加条件地让连带责任人平均分担责任份额，本条第 2 款"难以确定责任大小的，平均承担责任"的适用前提是，具有通过对过错、原因力等进行比较分析后，仍难以确定责任份额的情形。

在一个或者数个连带责任人清偿了全部责任后，实际承担责任的人有权向其他连带责任人追偿。连带责任中的追偿权在连带责任的内部关系中处于重要地位，能保障连带责任人内部合理分担风险。通过行使追偿权，实际承担民事责任的连带责任人也完成了角色的转化，从对外以不履行民事义务人的身份承担民事责任，转化为对内以债权人的身份请求公平分担责任。行使追偿权的前提是连带责任人实际承担了超出自己责任的份额，没有超出自己责任的份额，不得行使追偿权。对此本条第 2 款予以明确规定："实际承担责任超过自己责任份额的连带责任人，有权向其他连带责任人追偿。"

在第十二届全国人民代表大会第五次会议审议民法总则草案的过程中，有的代表提出，连带责任是两个或者两个以上的债务人共同向债权人承担民事责任，是一种较为严厉的责任方式，除当事人有约定外，宜由法律作出规定。经研究，最后在本条增加一款作为第三款："连带责任，由法律规定或者当事人约定。"

第一百七十九条　承担民事责任的方式主要有：

（一）停止侵害；

（二）排除妨碍；

（三）消除危险；

（四）返还财产；

（五）恢复原状；

（六）修理、重作、更换；

（七）继续履行；

（八）赔偿损失；

（九）支付违约金；

（十）消除影响、恢复名誉；

（十一）赔礼道歉。

法律规定惩罚性赔偿的，依照其规定。

本条规定的承担民事责任的方式，可以单独适用，也可以合并适用。

【释义】 本条是关于承担民事责任方式的规定。

民事主体应当依照法律规定或者当事人约定履行民事义务。民事主体不履行或者不完全履行民事义务的，就要承担民事责任。承担民事责任的方式是民事责任的具体体现，没有承担民事责任的方式，民事责任就难以落实。

民法通则第134条第1款规定，承担民事责任的方式主要有：(1)停止侵害；(2)排除妨碍；(3)消除危险；(4)返还财产；(5)恢复原状；(6)修理、重作、更换；(7)赔偿损失；(8)支付违约金；(9)消除影响、恢复名誉；(10)赔礼道歉。司法解释对承担民事责任的方式的适用也作了具体规定。从民法通则多年的实施效果看，这些责任方式对保护民事主体的民事权益发挥了积极作用。本条对承担民事责任方式的规定基本延续了民法通则的立法模式，这是对我国三十多年的民事立法和司法经验的总结和继承。同时,随着社会的发展,承担民事责任的方式也要适应发展的需要。此外,现代社会不履行或者不完全履行民事义务的形态也变得多样,这也要求对承担民事责任的方式作出多样化的规定。根据本条规定,承担民事责任的方式主要有:

1. 停止侵害。这主要是要求行为人不实施某种侵害。这种责任方式能够及时制止侵害,防止侵害后果的扩大。例如,某人正在散布谣言诽谤他人,受害人有权请求其停止侵害。采用这种责任方式以不履行民事义务正在进行或者仍在延续为条件,对于未发生或者已经终止的不履行义务的情形不适用。人民法院根据受害人的请求,依据案件的具体情况,可以在审理案件之前发布停止侵害令,或者在审理过程中发布停止侵害令,也可以在判决中责令行为人停止侵害。

2. 排除妨碍。这是指行为人实施的行为使他人无法行使或者不能正常行使人身、财产权益,受害人可以要求行为人排除妨碍权益实施的障碍。根据物权法第 35 条的规定,妨害物权或者可能妨害物权的,权利人可以请求排除妨害。行为人不排除妨碍,受害人可以请求人民法院责令其排除妨碍。例如,某人在他人家门口堆放垃圾,妨碍他人通行,同时污染了他人的居住环境,受害人有权请求行为人将垃圾清除。受害人也可以自己排除妨碍,但排除妨碍的费用由行为人承担。

3. 消除危险。这是指行为人的行为对他人人身、财产权益造成现实威胁,他人有权要求行为人采取有效措施消除这种现实威胁。例如,某人的房屋由于受到大雨冲刷随时有倒塌可能,危及邻居的人身、财产安全,但房屋的所有人不采取措施。此时,邻居可以请求该房屋的所有人采取措施消除这种危险。物权法第 35 条规定,妨害物权或者可能妨害物权的,权利人可以请求排除妨害或者消除危险。适用这种责任方式可以有效防止现实损害的发生,充分保护他人的人身、财产安全。适用这种责任方式必须是危险确实存在,对他人人身、财产安全造成现实威胁,但尚未发生实际损害。

4. 返还财产。返还财产责任是因行为人无权占有他人财产而产生。没有法律或者合同根据占有他人财产,就构成无权占有,侵害了他人的财产权益,行为人应当返还该财产。例如,某人借用他人的电脑到期不还据为己有,构成了无权占有,电脑所有人有权要求无权占有人返还电脑。物权法第 34 条规定,无权占有不动产或者动产的,权利人可以请求返还原物。有权请求返还财产的主体一般是该财产的所有人,但该财产被他人合法占有期间,被第三人非法占有的,该合法占有人也可以请求返还财产。适用返还财产责任方式的前提是该财产还存在,如果该财产已经灭失,就不可能适用该责任方式,受害人只能要求赔偿损失;该财产虽然存在,但已经损坏的,权利人可以根据自己的意愿,选择返还财产、恢复原状或者赔偿损失等责任方式。

5. 恢复原状。这是指行为人通过修理等手段使受到损坏的财产恢复到损坏发生前的状况的一种责任方式。采取恢复原状责任方式要符合以下条件:一是受到损坏的财产仍然存在且有恢复原状的可能性。受到损坏的财产不存在或者恢复原状不可能的,受害人可以请求选择其他责任方式如赔偿损失。二是恢复原状有必要,即受害人认为恢复原状是必要的且具有经济上的合理性。恢复原状若没有经济上的合理性,就不宜适用该责任方式。如果修理后不能或者不能完全达到受损前状况的,义务人还应当对该财产价值贬损的部分予以赔偿。

6. 修理、重作、更换。这主要是违反合同应当承担的民事责任形式,是违反合同后所采取的补救措施。修理包括对产品、工作成果等标的物质量瑕疵的修补,也包括对服务质量瑕疵的改善,这是最为普遍的补救方式。在存在严重的质量瑕疵,以致不能通过修理达到约定的或者法定的质量情形下,受损害方可以选择更换或者重作的补救方式。例如,修建的房屋不符合要求,义务人应当无偿地进行修理;加工制作的产品不符合约定,虽经修理也不能使用,义务人就应当重作。修理、重作、更换不是恢复原状,如果将损坏的财产修理复原,则是承担恢复原状的责任。

7. 继续履行。就是按照合同的约定继续履行义务。当事人订立合同都是追求一定的目的,这一目的直接体现在对合同标的的履行,义务人只有按照合同约定的标的履行,才能实现权利人订立合同的目的。所以,继续履行合同是当事人一方违反合同后应当负的一项重要的民事责任。对合同一方当事人不能自觉履行合同的,另一方当事人有权请求违约方继续履行合同或者请求人民法院、仲裁机构强制违约当事人继续履行合同。例如,没有交付商品的,应当交付合同约定的商品;没有提供劳务的,应当继续提供合同约定的劳务。合同法第 107 条规定,当事人一方不履行合同义务或者履行合同义务不符合约定的,应当承担继续履行、采取补救措施或者赔偿损失等违约责任。

8. 赔偿损失。这是指行为人向受害人支付一定额数的金钱以弥补其损失的责任方式,是运用较为广泛的一种责任方式。赔偿的目的,最基本的是补偿损害,使受到损害的权利得到救济,使受害人能恢复到未受到损害前的状态。

9. 支付违约金。违约金是当事人在合同中约定的或者由法律直接规定的一方违反合同时应向对方支付一定数额的金钱,这是违反合同可以采用的承担民事责任的方式，只适用于合同当事人有违约金约定或者法律规定违反合同应支付违约金的情形。违约金的标的物通常是金钱，但是当事人也可以约定违约金标的物为金钱以外的其他财产。违约金根据产生的根据可以分为法定违约金和约定违约金。法定违约金是由法律直接规定违约的情形和应当支付违约金的数额。只要当事人一方发生法律规定的违约情况，就应当按照法律规定的数额向对方支付违约金。如果违约金是由当事人约定的，为约定违约金。约定违约金是一种合同关系，有的称为违约金合同。约定违约金又被看成为一种附条件合同，只有在违约行为发生的情况下，违约金合同才生效；违约行为不发生，违约金合同不生效。当事人约定违约金的，一方违约时，应当按照该约定支付违约金。如果约定的违约金低于造成的损失的，当事人可以请求人民法院或者仲裁机构予以增加；约定的违约金过分高于造成的损失的，当事人可以请求人民法院或者仲裁机构予以适当减少。如果当事人专门就迟延履行约定违约金的，该种违约金仅是违约方对其迟延履行所承担的违约责任，因此，违约方支付违约金后还应当继续履行义务。

10. 消除影响、恢复名誉。这是指人民法院根据受害人的请求，责令行为人在一定范围内采取适当方式消除对受害人名誉的不利影响，以使其名誉得到恢复的一种责任方式。具体适用消除影响、恢复名誉，要根据侵害行为所造成的影响和受害人名誉受损的后果决定。处理的原则是，行为人应当根据造成不良影响的大小，采取程度不同的措施给受害人消除不良影响，例如在报刊上或者网络上发表文章损害他人名誉权的，就应当在该报刊或者网站上发表书面声明，对错误内容进行更正。消除影响、恢复名誉主要适用于侵害名誉权等情形,一般不适用侵犯隐私权的情形,因为消除影响、恢复名誉一般是公开进行的,如果适用于隐私权的保护,有可能进一步披露受害人的隐私,造成进一步的影响。

11. 赔礼道歉。这是指行为人通过口头、书面或者其他方式向受害人进行道歉,以取得谅解的一种责任方式。赔礼道歉主要适用于侵害名誉权、荣誉权、隐私权、姓名权、肖像权等人格权益的情形。赔礼道歉可以是公开的,也可以私下进行;可以口头方式进行,也可以书面方式进行,具体采用什么形式由法院依据案件的具体情况作出。口头道歉是由行为人直接向受害人表示,基本不公开进行;书面道歉以文字形式进行,可以登载在报刊上,或者张贴于有关场所。行为人不赔礼道歉的,人民法院可以判决按照确定的方式进行,产生的费用由行为人承担。

本条第 2 款规定,法律规定惩罚性赔偿的,依照其规定。惩罚性赔偿是指当侵权人(义务人)以恶意、故意、欺诈等的方式实施加害行为而致权利人受到损害的,权利人可以获得实际损害赔偿之外的增加赔偿。其目的是通过对义务人施以惩罚,阻止其重复实施恶意行为,并警示他人不要采取类似行为。为了充分保护处于弱势地位的消费者的合法权益,1993 年 10 月制定的消费者权益保护法在我国首开先河规定了惩罚性赔偿,该法第 49 条规定,经营者提供商品或者服务有欺诈行为的,应当按照消费者的要求增加赔偿其受到的损失,增加赔偿的金额为消费者购买商品的价款或者接受服务的费用的一倍。2013 年修改消费者权益保护法时,将这一条的内容规定在第 55 条并作了修改:经营者提供商品或者服务有欺诈行为的,应当按照消费者的要求增加赔偿其受到的损失,增加赔偿的金额为消费者购买商品的价款或者接受服务的费用的三倍;增加赔偿的金额不足五百元的,为五百元。法律另有规定的,依照其规定。经营者明知商品或者服务存在缺陷,仍然向消费者提供,造成消费者或者其他受害人死亡或者健康严重损害的,受害人有权要求经营者依照本法第49条、第51条等法律规定赔偿损失,并有权要求所受损失2倍以下的惩罚性赔偿。1993年之后我国陆续有一些法律对惩罚性赔偿作出了规定,例如食品安全法第148条第2款规定,生产不符合食品安全标准的食品或者经营明知是不符合食品安全标准的食品,消费者除要求赔偿损失外,还可以向生产者或者经营者要求支付价款十倍或者损失三倍的赔偿金;增加赔偿的金额不足一千元的,为一千元。但是,食品的标签、说明书存在不影响食品安全且不会对消费者造成误导的瑕疵的除外。侵权责任法第47条规定,明知产品存在缺陷仍然生产、销售,造成他人死亡或者健康严重损害的,被侵权人有权请求相应的惩罚性赔偿。民法通则在承担民事责任的方式中没有规定惩罚性赔偿。民法总则审议中,有些意见建议,在民事责任中规定惩罚性赔偿。考虑到惩罚性赔偿是赔偿损失的一种特别赔偿,因此本款规定适用惩罚性赔偿应当在法律有特别规定的情况下,依照法律的规定予以适用。

本条规定了十一种承担民事责任的方式,各有特点,可以单独采用一种方式,也可以采用多种方式。例如,对单纯的财产损失,可以单独采用赔偿损失的方式;对侵害名誉权、隐私权等人格权的,既可以单独采用消除影响、恢复名誉的责任方式,也可以并用消除影响、恢复名誉和损害赔偿的责任方式。具体适用民事责任的方式应掌握的原则是,如果一种方式不足以救济权利人的,就应当同时适用其他方式。据此,本条第3款规定,本条规定的承担民事责任的方式，可以单独适用，也可以合并适用。

第一百八十条　因不可抗力不能履行民事义务的，不承担民事责任。法律另有规定的，依照其规定。

不可抗力是指不能预见、不能避免且不能克服的客观情况。

【释义】　本条是关于不可抗力的规定。

一、不可抗力的概念

各国立法对不可抗力概念的规定不尽相同，理论界、实务界对不可抗力的理解也莫衷一是。概括起来有“客观说”、“主观说”和“折中说”。“客观说”强调不能避免并不能抗拒的客观情况。“主观说”强调当事人虽尽最大努力仍不能预见的客观情况。“折中说”强调当事人尽最大谨慎也不能预见、不能防止的事件为不可抗力。本条第2款规定：“不可抗力是指不能预见、不能避免且不能克服的客观情况。”

对“不可抗力”的理解，应是根据现有的技术水平，一般对某事件发生没有预知能力。人们对某事件的发生的预知能力取决于当代的科学技术水平。某些事件的发生，在过去不可预见，但随着科学技术水平的发展，现在就可以预见。例如，现在对天气预报的准确率已达到了百分之九十以上，人们对狂风暴雨的规避能力已大大提高。

如何认识“不能避免且不能克服”，应是指当事人已经尽到最大努力和采取一切可以采取的措施，仍不能避免某种事件的发生并不能克服事件所造成的后果。“不能避免且不能克服”表明某个事件的发生和事件所造成的后果具有必然性。

二、不可抗力情形下的民事责任

不可抗力是独立于人的行为之外，不受当事人意志所支配的现象,是人力所不可抗拒的力量。行为人完全因为不可抗力不能履行民事义务,表明行为人的行为与不履行民事义务之间不存在因果关系,同时也表明行为人没有过错,如果让行为人对自己无法控制的情形承担责任,对行为人来说是不公平的。因此,很多国家和地区都将不可抗力作为免除行为人承担民事责任的事由予以规定。故本条第1款第1句规定:"因不可抗力不能履行民事义务的,不承担民事责任。"

通常情况下,因不可抗力不能履行民事义务的,不承担民事责任。但法律规定因不可抗力不能履行民事义务,也要承担民事责任的则需要依法承担民事责任。故本条第1款规定:"因不可抗力不能履行民事义务的,不承担民事责任。法律另有规定的,依照其规定。"具体什么情况下应承担民事责任、承担责任的程度等要依照法律的规定确定。例如,根据民用航空法第160条的规定,民用航空器造成他人损害的,民用航空器的经营人只有能够证明损害是武装冲突、骚乱造成的,或者是因受害人故意造成的,才能免除其责任。因不可抗力的自然灾害造成的,不能免除民用航空器经营人的责任。举例来说,民用飞机在空中遭雷击坠毁,造成地面人员伤亡。航空公司不能以不可抗力为由,对受害人予以抗辩。再如,根据邮政法第48条的规定,因不可抗力造成的给据邮件损失,邮政企业不承担赔偿责任,但因不可抗力造成的保价的给据邮件的损失除外。又如,侵权责任法第71条规定,民用核设施发生核事故造成他人损害的,只有能够证明损害是因战争等情形或者受害人故意造成的,才不承担责任。因不可抗力的自然灾害造成他人损害的,不免除核设施经营人的责任。

第一百八十一条　因正当防卫造成损害的，不承担民事责任。

正当防卫超过必要的限度，造成不应有的损害的，正当防卫人应当承担适当的民事责任。

【释义】　本条是关于正当防卫的规定。

一、正当防卫的概念

正当防卫，是指本人、他人的人身权利、财产权利遭受不法侵害时，行为人所采取的一种防卫措施。正当防卫作为行为人不承担责任和减轻责任的情形，其根据是行为的正当性、合法性，表明行为人主观上没有过错。正当防卫是法律赋予当事人自卫的权利，是属于受法律鼓励的行为，目的是保护当事人本人、他人不受侵犯。故本条规定“因正当防卫造成损害的，不承担民事责任”。在世界各国或地区的法律中，正当防卫均作为不承担责任和减轻责任的情形之一。如《德国民法典》第227条规定，正当防卫的行为不违法。正当防卫是指为避免自己或者他人受现时的不法侵害而进行的必要的防卫。

二、正当防卫的要件

正当防卫应当同时具备以下六个要件：

1. 必须是为了使本人、他人的人身、财产权利免受不法侵害而实施的。本条规定基本传承了民法通则与侵权责任法的规定，对正当防卫的内容没有明确规定，即没有明确规定是为了谁的利益而采取防卫行为。民法通则第128条规定，因正当防卫造成损害的，不承担民事责任。正当防卫超过必要的限度，造成不应有的损害的，应当承担适当的民事责任。侵权责任法第30条规定，因正当防卫造成损害的，不承担责任。正当防卫超过必要的限度，造成不应有的损害的，正当防卫人应当承担适当的责任。采取这种立法模式的还有《俄罗斯民法典》和《越南民法典》。例如,《俄罗斯民法典》第1066条规定,正当防卫所致损害,如防卫行为未逾必要限度,不应予赔偿。《越南民法典》第617条规定,正当防卫造成他人损害的,加害人不向受害人赔偿损害。防卫过当造成他人损害的,加害人必须向受害人赔偿损害。

有些国家或地区的民法明确规定了正当防卫的内容,即将正当防卫界定为使本人或者他人的人身权利、财产权利免受正在进行的不法侵犯。《德国民法典》是典型的代表。除此之外,《意大利民法典》、《日本民法典》、《埃塞俄比亚民法典》等都作了类似规定。例如,《意大利民法典》第2044条规定,为自己或他人进行正当防卫所致损害的人,不承担责任。《欧洲侵权法基本原则(草案)》仅将正当防卫的内容界定为“保护自身的利益”,该草案第7-101条规定:下列情形构成一般侵权责任的抗辩事由:(1)为保护自身利益防止非法侵犯;(2)紧急避险;(3)救济机关不能及时提供救济;(4)取得受害方的同意;或受害方同意承担受损害的风险;(5)合法授权,比如许可证。

我国刑法明确规定了正当防卫的内容。刑法第20条第1款规定,为了使国家、公共利益、本人或者他人的人身、财产和其他权利免受正在进行的不法侵害,而采取的制止不法侵害的行为,对不法侵害人造成损害的,属于正当防卫,不负刑事责任。

本条虽然没有对正当防卫的内容作出规定,但应与我国刑法的规定一致,正当防卫应是为了保护本人或者他人的人身、财产权利而实施的行为。

2. 必须有不法侵害行为发生。所谓“不法侵害行为”,是指对某种权利或者利益的侵害为法律所明文禁止,既包括犯罪行为，也包括其他违法的侵害行为。

3. 必须是正在进行的不法侵害。正当防卫的目的是制止不法侵害，避免危害结果的发生，因此，不法侵害必须是正在进行的，而不是尚未开始，或者已经实施完毕，或者实施者确已自动停止。否则，就是防卫不适时，应当承担民事责任。

4. 必须是本人、他人的人身权利、财产权利遭受不法侵害，在来不及请求有关国家机关救助的情况下实施的防卫行为。

5. 必须是针对不法侵害者本人实行，即正当防卫行为不能对没有实施不法侵害行为的第三者（包括不法侵害者的家属）造成损害。

6. 不能明显超过必要限度造成损害。正当防卫是有益于社会的合法行为，但应受一定限度的制约，即正当防卫应以足以制止不法侵害为限。

只有同时满足以上六个要件，才能构成正当防卫，防卫人才能免予承担民事责任。

三、正当防卫造成的损害

1. 遭受损害的主体。正当防卫一般仅指造成侵权人的损害。如《瑞士债法典》第 52 条第 1 项规定，实施正当防卫对侵害者造成损害的，不承担赔偿责任。我国刑法第 20 条规定，正当防卫是对“不法侵害人”造成的侵害。本条第一句“因正当防卫造成损害的”，这里的“造成损害”仅是指对侵害人造成的损害。

2. 遭受损害的客体。本条第一句“因正当防卫造成损害的”，这里的“造成损害”既包括对侵害人人身权利的损害，也包括对侵害人财产权利的损害。例如，甲在抢劫乙的过程中，乙抓伤了甲的脸，同时也撕坏了甲的衣服，乙对甲所造成的人身损失和财产损失都免予承担民事责任。

四、防卫过当的责任

本条规定，正当防卫超过必要的限度，造成不应有的损害的，正当防卫人应当承担适当的民事责任。

如何确定和理解正当防卫的必要限度，学术界有各种各样的学说。多数意见认为，从权衡各方利益的角度考虑，既要有利于维护防卫人的权益，也要考虑到对不法行为人的合法权益的保护，防卫行为应以足以制止不法侵害为必要限度。从防卫的时间上讲，对于侵害人已经被制伏或者侵害人已经自动停止侵害行为的，防卫人不得再进行攻击行为；从防卫手段来讲，能够用较缓和的手段进行有效防卫的情况下，不允许用激烈手段进行防卫。对于没有明显危及人身、财产等重大利益的不法侵害行为，不允许采取造成重伤等手段对侵害人进行防卫。

正当防卫超过必要限度，造成侵害人不应有的损害的，正当防卫人应当承担适当的民事责任。所谓“适当的民事责任”是指不对侵害人的全部损失赔偿，而是根据正当防卫人过错的程度，由正当防卫人在损失范围内承担一部分责任。

第一百八十二条　因紧急避险造成损害的，由引起险情发生的人承担民事责任。

危险由自然原因引起的，紧急避险人不承担民事责任，可以给予适当补偿。

紧急避险采取措施不当或者超过必要的限度，造成不应有的损害的，紧急避险人应当承担适当的民事责任。

【释义】　本条是关于紧急避险的规定。

一、紧急避险的概念

紧急避险，是指为了使本人或者他人的人身、财产权利免受正在发生的危险,不得已采取的紧急避险行为,造成损害的,不承担责任或者减轻责任的情形。危险有时来自于人的行为,有时来自于自然原因。不管危险来源于哪儿,紧急避险人避让风险、排除危险的行为都有其正当性、合法性,因此在所有国家都是作为不承担责任和减轻责任的情形之一。例如,《德国民法典》第228条规定,为使自己或者他人避免紧急危险而损坏或者损毁他人之物的人,如果其损坏或者损毁行为系防止危险所必要,而且造成的损害又未超越危险程度时,其行为不为违法。如果行为人对危险的发生负有过失,则应负损害赔偿义务。故本条规定:"因紧急避险造成损害的,由引起险情发生的人承担民事责任。危险由自然原因引起的,紧急避险人不承担民事责任,可以给予适当补偿。紧急避险采取措施不当或者超过必要的限度,造成不应有的损害的,紧急避险人应当承担适当的民事责任。"

二、紧急避险的要件

1.必须是为了使本人、他人的人身、财产权利免受危险的损害。本条基本沿袭了民法通则、侵权责任法的规定,对紧急避险的内容没有明确规定,即没有明确是为了谁的利益而采取紧急避险行为。民法通则第129条规定:"因紧急避险造成损害的,由引起险情发生的人承担民事责任。如果危险是由自然原因引起的,紧急避险人不承担民事责任或者承担适当的民事责任。因紧急避险采取措施不当或者超过必要的限度,造成不应有的损害的,紧急避险人应当承担适当的民事责任。"侵权责任法第31条规定:"因紧急避险造成损害的,由引起险情发生的人承担责任。如果危险是由自然原因引起的,紧急避险人不承担责任或者给予适当补偿。紧急避险采取措施不当或者超过必要的限度，造成不应有的损害的，紧急避险人应当承担适当的责任。”境外也有采取这种立法例的，例如《越南民法典》第618条规定，因紧急避险造成他人损害的，加害人不向受害人赔偿损害。超过紧急避险要求的限度造成他人损害的，加害人必须向受害人赔偿损害。引起危险情况发生从而导致损害的人，必须向受害赔偿损害。该规定没有明确紧急避险是为了谁的利益而实施。

很多国家或地区的民法典则明确规定了紧急避险的内容，即将紧急避险界定为使本人或者他人的人身权利、财产权利免受正在发生的危险。除了《德国民法典》有明确规定外，《俄罗斯民法典》第1067条规定，紧急避险所致损害，是指为了排除对本人或者他人构成威胁的危险而造成的损害，如果该危险在当时情况下不可能以其他方法排除，紧急避险所致损害应由致害人赔偿。法院可以考虑致害情况，责成因损害人的行为而受有利益的第三人负赔偿责任，或者全部或部分免除第三人或者致害人的赔偿责任。

我国刑法第21条明确规定了紧急避险的内容，该条规定：“为了使国家、公共利益、本人或者他人的人身、财产和其他权利免受正在发生的危险，不得已采取的紧急避险行为，造成损害的，不负刑事责任。紧急避险超过必要限度造成不应有的损害的，应当负刑事责任，但是应当减轻或者免除处罚。第一款中关于避免本人危险的规定，不适用于职务上、业务上负有特定责任的人。”

本条虽然没有对紧急避险的内容作出明确规定，但是应当与我国刑法的规定相一致，紧急避险应当是使本人或者他人的人身、财产和其他权利免受正在发生的危险，不得已采取的避险行为。

2. 必须是对正在发生的危险采取的紧急避险行为。倘若危险已经消除或者尚未发生,或者虽然已经发生但不会对合法权益造成损害,则不得采取紧急避险措施。某人基于对危险状况的误解、臆想而采取紧急避险措施,造成他人利益损害的,应向他人承担民事责任。

3. 必须是在不得已情况下采取避险措施。所谓不得已,是指当事人面对突然而遇的危险,不得不采取紧急避险措施,以保全更大的利益,且这个利益是法律所保护的。

4. 避险行为不能超过必要的限度。所谓不能超过必要的限度,是指在面临紧急危险时,避险人须采取适当的措施,以尽可能小的损害保全更大的利益,即紧急避险行为所引起的损害应轻于危险所可能带来的损害。

只有同时满足以上四个要件,才能构成紧急避险。行为人(避险人)免予承担民事责任。

三、紧急避险造成的损害

1. 遭受损害的主体。紧急避险行为可能造成第三人的损害。例如,甲、乙、丙是邻居,丙的房子因雷击失火,甲为了引消防车进入灭火,推倒了乙的院墙,使消防车进入后及时扑灭了丙家的大火。按照紧急避险的抗辩事由,甲对乙不承担责任,应由受益人丙对乙给予适当补偿。

本条规定的紧急避险行为也包括对避险人本人造成的损害。例如,甲、乙是邻居,乙的房子因雷击失火,甲为了引消防车进入灭火,而推倒了自己家的院墙,使消防车进入后及时扑灭了乙家的大火。按照紧急避险的抗辩事由,甲有权要求受益人乙给予补偿。

2. 遭受损害的客体。

(1)有些国家规定紧急避险损害的是他人的财产权利。如《德国民法典》第 228 条规定,为使自己或者他人避免紧急危险而损坏或者损毁他人之物的人,如果其损坏或者损毁行为系防止危险所必要,而且造成的损害又未超越危险程度时,其行为不为违法。如果行为人对危险的发生负有过失,则应负损害赔偿义务。

(2)有些国家规定紧急避险也包括损害他人的人身权利。如《越南民法典》第 618 条第 1 款规定,因紧急避险造成他人损害的,加害人不向受害人赔偿损害。这里的“他人损害”,既包括他人财产权利的损害,也包括他人人身权利的损害。

本条第 1 款第一句“因紧急避险造成损害的”,这里的“造成损害”既包括对避险者本人、第三人财产权利的损害,也包括人身权利的损害。例如,甲为了接住从楼上坠下的小孩乙,在接住乙的瞬间将同行的丙撞伤在地。甲无须对丙的损害承担责任,而应由乙的监护人对丙给予补偿。

四、紧急避险人的法律责任

1. 按照本条规定,紧急避险人造成本人或者他人损害的,由引起险情发生的人承担责任。例如,甲因在河堤上取土致使河堤决口。乙驾驶从丙处借来的农用车正巧从此经过,迫不得已将车推进决口处,决口被成功堵塞。丙的农用车的损失,应由甲承担赔偿责任。

2. 如果危险是由自然原因引起的,紧急避险人是为了他人的利益而采取了避险行为,造成第三人利益损害的,紧急避险人免予对第三人承担责任。例如,甲、乙、丙是邻居,丙的房子因雷击失火,甲为了引消防车进入灭火,推倒了乙的院墙,使消防车进入后及时扑灭了丙家的大火。按照紧急避险的抗辩事由，甲对乙不承担责任，应由受益人丙对乙给予适当补偿。

3. 如果危险是由自然原因引起的，紧急避险人是为了本人的利益而采取了避险行为，造成第三人利益损害的，紧急避险人本人作为受益人，应当对第三人的损害给予补偿。例如，甲、乙是邻居，甲的房子因雷击失火，甲为了引消防车进入灭火，推倒了乙的院墙，使消防车进入后及时扑灭了自己家的大火。甲作为受益人对乙不承担责任，但应对乙给予适当补偿。

4. 因紧急避险采取措施不当或者超过必要的限度，造成不应有的损害的，紧急避险人应当承担适当的责任。"紧急避险采取措施不当"是指在当时的情况下能够采取可能减少或者避免损害的措施而未采取，或者采取的措施并非排除险情所必需。例如，甲的汽车自燃，因燃油泄漏，火势加大。乙在帮助灭火时，采取往燃烧的汽车上浇水的措施，由于水与燃油气体混合，导致火势越来越大，将丙的房屋烧毁。由于乙采取的避险措施不当，对丙的损失，乙应承担适当的责任。

紧急避险"超过必要的限度"，是指采取紧急避险措施没有减轻损害，或者紧急避险所造成的损害大于所保全的利益。例如，甲家因雷击失火，甲的左邻乙家人帮助用水灭火。在大火已基本被扑灭的情况下，乙家人未观察火情，而是担心火势复燃，继续往废墟上浇水，导致大量污水流入甲的右邻丙家。由于乙采取的紧急避险行为超过必要的限度，对丙的损害，乙应承担适当的责任。

第一百八十三条　因保护他人民事权益使自己受到损害的，由侵权人承担民事责任，受益人可以给予适当补偿。没有侵

权人、侵权人逃逸或者无力承担民事责任，受害人请求补偿的，受益人应当给予适当补偿。

【释义】 本条是关于因保护他人民事权益而使自己受到损害的责任承担主体的规定。

民法通则第109条规定："因防止、制止国家的、集体的财产或者他人的财产、人身遭受侵害而使自己受到损害的，由侵害人承担赔偿责任，受益人也可以给予适当的补偿。"侵权责任法第23条规定："因防止、制止他人民事权益被侵害而使自己受到损害的，由侵权人承担责任。侵权人逃逸或者无力承担责任，被侵权人请求补偿的，受益人应当给予适当补偿。"本条规定与上述规定精神一脉相承。《最高人民法院关于审理人身损害赔偿案件适用法律若干问题的解释》第15条规定："为维护国家、集体或者他人的合法权益而使自己受到人身损害，因没有侵权人、不能确定侵权人或者侵权人没有赔偿能力，赔偿权利人请求受益人在受益范围内予以适当补偿的，人民法院应予支持。"民法总则规定本条的目的，在于保护见义勇为者，鼓励见义勇为行为。在民法通则和侵权责任法规定的基础上，本条补充规定了没有侵权人时，受害人请求补偿的，受益人应当给予适当补偿的内容。

在日常生活中，为保护他人民事权益被侵害而使自己受到损害的情况为数不少。例如，为了防止被抢劫的人的人身、财产遭受损失，阻止抢劫者逃逸，被抢劫犯刺伤。又如，儿童不慎落水，见义勇为者在施救中受伤，等等。为了弘扬社会主义核心价值观，鼓励和支持舍己为人的高尚行为，不让见义勇为者流血又流泪，本条规定了因保护他人民事权益而受到损害者的请求权和承担民事责任的主体。

1. 因保护他人民事权益而使自己受到损害。这主要是指为了防止、制止国家、集体的财产或者他人的人身、财产权利遭受不法侵害而使自己受到损害。在此需要强调两点:一是,受到损害的人不是为了自己的民事权益,而是为了他人的民事权益不受侵害而为的行为。二是,受到的损害既包括人身受到伤害,也包括财产受到损害。

2. 由侵权人承担责任,受益者可以给予适当补偿。由于受害人是为了保护他人的民事权益,防止、制止侵权人的侵权行为,因此,受害人所受到的损害,应由侵权人承担民事责任。考虑到受益人因受害人的付出,使自己的权益免受或者少受损害,对受害人因此所受到的损害,受益人可以给予适当的补偿。

3. 受益人应当给予适当补偿的情形。一是侵权人逃逸或者无力承担民事责任的情形。受害人是为了保护他人的民事权益不受非法侵害才遭受损害的,通常情况下,应当由侵权人承担民事责任。但是,有时会发生侵权人逃逸,根本找不到侵权人;或者虽然找到了侵权人,但是侵权人根本没有承担民事责任的能力等情形。为了公平起见,本条规定在侵权人逃逸或者侵权人无力承担民事责任的情况下,由受益人给受害人适当的补偿。这里需要注意以下几点:第一,侵权人逃逸确实找不到,或者侵权人确实没有承担民事责任的能力。这是受害人请求补偿的前提条件。如果侵权人没有逃逸、能够找到或者有承担民事责任的能力,受害人则不能向受益人提出补偿要求。第二,要有明确的受益人。如果没有明确的受益人,那么受害人就没有提出请求的对象。第三,受害人明确提出了受益人给予适当补偿的请求。补偿不是赔偿,赔偿一般是填平原则,即损失多少赔偿多少,而补偿仅是其中的一部分。本条规定是“给予适当的补偿”,表明是要根据受害人的受损情况和受益人的受益情况等因素确定补偿的数额。

按照承担民事责任的一般原理,受益人不是侵权责任人,对受害人而言不存在任何过错,对受害人所受到的损害也没有因果关系,因此不应当承担民事责任,而应当完全由侵权人承担民事责任。但是,如果不是为了受益人的利益,受害人也不会遭受损害。当侵权人逃逸、找不到或者侵权人根本无力承担民事责任时,受害人如果得不到任何赔偿或者补偿是不公平的,更不利于助人为乐、见义勇为良好社会风尚的形成,不符合公平正义精神,因此,为了较好地平衡利益、分担损失,让受益人适当给予受害人补偿是合情合理的。

二是没有侵权人的情形。因保护他人民事权益使自己受到损害的,有时并无侵权人,如舍身相救落水人员使自己受伤等。在这种情况下,受害人请求受益人给予适当补偿是合乎情理的,受益人给予适当补偿也是理所当然的。因此,本条规定体现了社会公平。目前,一些地方设立了见义勇为基金,用于鼓励见义勇为行为,也能在一定程度上弥补见义勇为者所受到的损害。

第一百八十四条　因自愿实施紧急救助行为造成受助人损害的,救助人不承担民事责任。

【释义】　本条是关于因自愿实施紧急救助行为造成受助人损害的,救助人不承担民事责任的规定。

民法总则出台前,我国法律对自愿实施紧急救助行为造成受助人损害的,救助人是否承担民事责任、如何承担民事责任没有明确规定。民法总则草案一审稿和二审稿也没有本条规定。在第十二届全国人大常委会第二十四次会议对草案二审稿进行审议和二审稿征求意见过程中，一些常委委员、全国人大代表、有关部门和单位等提出，草案第 178 条对因保护他人民事权益使救助人自己受到损害的，由侵权人承担民事责任，受益人给予补偿的规定非常必要，但是社会生活中还有一种情况，即救助人为保护他人民事权益实施紧急救助行为造成受助人损害的，救助人是否应该承担民事责任，如何承担民事责任，建议草案对这一问题作出规定。还有的常委委员提出，为匡正社会风气，化解老人倒地无人敢扶等社会问题，需要强化对见义勇为的救助行为的鼓励和保护，建议根据公平原则和诚实信用原则，对救助行为可能对受助人造成的损害，作出相应的免责规定。有的常委委员建议，在第 178 条后增加一款作为第 2 款："为保护他人民事权益而实施的救助行为造成受助人损害的，除存在重大过失外，免予承担民事责任。"经研究，在草案三审稿第 187 条增加规定：实施紧急救助行为造成受助人损害的，除有重大过失外，救助人不承担民事责任。

第十二届全国人大常委会第二十五次会议对草案三审稿进行审议，并于会后向社会公开征求意见。有的常委委员和社会公众提出，为救助他人造成损害的，重大过失还要承担民事责任，与草案说明中关于弘扬社会主义核心价值观的规定相悖。有的意见提出，"重大过失"在实际生活中不好界定，也不利于弘扬正能量。有的意见提出，有的情况下救助人不一定很专业，也不一定懂得怎么去救助，不会救和有过失两者的关系很难说清楚。在紧急情况下为保护他人实施救助的时候，救助人没有时间去考虑可能会产生什么后果，也没有时间去考虑自己会不会有所谓的重大过失。有的意见提出，弘扬社会主义核心价值观，鼓励见义勇为，在法律上不要留下遗憾，建议删除"除有重大过失外”。现阶段立法还是应该更着重鼓励和保障大家做好事,倡导见义勇为。经研究,提交大会审议的民法总则草案进一步严格限制了救助人需要承担民事责任的条件,将三审稿的规定修改为:“因自愿实施紧急救助行为造成受助人损害的,救助人不承担民事责任。但是救助人因重大过失造成受助人不应有的重大损害的,承担适当的民事责任。”

在第十二届全国人大第五次会议审议民法总则草案的过程中,一些代表提出,这一条规定具有很强的针对性,对鼓励见义勇为,保护救助人,有着积极意义。但草案中“但书”的规定不能完全消除救助人的后顾之忧,对救助人的保护不够彻底,建议修改。经研究,草案修改稿从举证责任、是否有重大过失等方面对救助人在特殊情况下承担民事责任予以进一步严格限定,将这一条修改为:因自愿实施紧急救助行为造成受助人损害的,救助人不承担民事责任。受助人能够证明救助人有重大过失造成自己不应有的重大损害的,救助人承担适当的民事责任。对此,一些代表提出,草案修改稿本条的后一句规定较草案规定虽作了进一步严格限定,针对的是在实践中可能出现的特殊情况,但仍难以免除见义勇为者的后顾之忧,不利于倡导培育见义勇为、乐于助人的良好社会风尚,建议删除。经研究,民法总则最终删除了本条后一句的规定。

一、自愿实施紧急救助行为的民事责任

本条规定,因自愿实施紧急救助行为造成受助人损害的,救助人不承担民事责任。本条规定包括以下几个方面:

(一)救助人自愿实施紧急救助行为

自愿实施紧急救助行为,是指一般所称的见义勇为或者乐于助人的行为,不包括专业救助行为。本条所称的救助人是指非专业人员，即一般所称的见义勇为或者乐于助人的志愿人员。专业救助人员通常掌握某一领域内的专业知识、专业技能，并根据其工作性质有义务救助并专门从事救助工作。专业救助人员经过专业学习或者训练，在实施紧急救助行为时应该有知识和能力避免因救助行为造成受助人不应有的损害。因此，为与专业救助人员实施救助行为相区别，本条明确了“自愿”的前提条件。

（二）救助人以救助为目的实施紧急救助行为

本条所称的救助行为应是在紧急情况下，救助人实施的救助他人的行为。救助人不承担民事责任的条件之一是救助人需以“救助”受助人为行为的主观目的。当受助人由于自身健康等原因处于紧急情况需要救助，救助人是以救助受助人为目的，为了受助人的利益实施的紧急救助行为。

（三）受助人的损害与救助人的行为有因果关系

实践中，虽然救助人是出于救助目的实施救助行为，但由于救助行为经常发生在受助人突发疾病等紧急状态，救助人一般未受过专业的救助训练，有的救助人不能很好地掌握专业救助技能，在某些情形下，可能发生因救助人的救助行为造成受助人损害的情形。适用本条规定，须受助人受到的损害与救助人的行为有因果关系，即在紧急救助过程中，因为救助人的救助行为造成受助人的损害。

（四）救助人对因救助行为造成受助人的损害不承担民事责任

根据本条规定，在紧急状况下，救助人自愿以救助为目的实施紧急救助行为，因该行为对受助人造成损害的，救助人对该损害不承担民事责任。

二、一些国家和地区关于紧急救助行为的相关规定及做法

不同国家和地区对非专业救助人救助他人，造成受助人损害的是否应当承担民事责任，在法律规定和实际做法上有所差异。

（一）美国

美国很多州都有“好撒玛利亚人法”，其主要目的是通过豁免见义勇为者在一些特定情况下的责任，鼓励见义勇为。“好撒玛利亚人法”保护的是采取“合适的措施”的救助者。如果因救助过程中有严重的疏忽导致被救助者伤病情况加重或死亡，救助者仍要承担民事责任。美国多数州的法律规定，虽然这种救助是自愿的、非强制的，但是一旦实施救助，就不能中途停止，必须满足三个目标方可离开：被救助者康复或脱离危险，有专职救护人员到达，救助者过度劳累已无法持续下去。如果不是这三个原因停止救助，都被视为“不合适的措施”而要承担民事责任。美国有的州的“好人法”因为实践中发生的案例而有了进展。2004 年，美国加州有一位叫亚历山德拉的年轻女子发生车祸被卡在车里动弹不得。另外一名女子丽莎将其救出，但由于丽莎没有专业的施救技能，导致亚历山德拉车祸后瘫痪。2008 年，亚历山德拉把丽莎告上法庭，称丽莎救助疏忽导致她瘫痪，所以丽莎要为她的瘫痪负责。2009 年，加州议会以 75∶0 票通过“好心人免责条款”，规定类似丽莎这种疏忽导致受助人受到伤害的情况可以免责。

（二）加拿大

加拿大很多省都有自己的“好人法”，但各省叫法不一。其中一些省的法律规定，施救行为对一般疏忽造成的伤害不担责。《魁北克人权宪章》规定，任何人必须救助处于危险中的人，通

过亲自救助或联系急救机构，为危险中的人提供必要的急救，认为救助过程会给自身或第三方身体造成伤害或有其他法律认可的理由除外。《2001 年安大略省好撒玛利亚人法案》第二章规定，如果救助者不收取任何报酬或奖赏而志愿提供救助，则不对救助中的疏忽造成的伤害担责，但严重疏忽除外。

（三）我国台湾地区

我国台湾地区曾发生过关于救助行为的典型案例。2000 年 9 月，台湾某高中二年级学生，热心帮助患有先天性成骨不全症（俗称玻璃娃娃）的同学下楼上体育课，因下雨楼梯湿滑，踩滑跌倒与受助者一起滚下楼梯，受助者当场死亡。救助者被法院判决有过失，赔偿死者家属 333 万元新台币。法官判决的理由是："如果因地震或雷劈而导致意外，那么责任不在救助者，但照顾残疾者需要专业能力，尤其是像救助本案受助者这样患有罕见疾病的人。救助者应该先衡量自己是否受过训练、有没有专业能力在雨天湿滑这种情况下抱受助者下楼。因此，救助者帮助他人没有'量力而为'，是有过失的，应当承担责任。"

第一百八十五条　侵害英雄烈士等的姓名、肖像、名誉、荣誉，损害社会公共利益的，应当承担民事责任。

【释义】 本条是关于侵害英雄烈士等的姓名、肖像、名誉、荣誉的民事责任的规定。

民法总则草案一审稿、二审稿和三审稿没有对本条作出规定，在十二届全国人大五次会议审议民法总则草案时增加了这一规定。在十二届全国人大五次会议审议时，有的代表提出，现实生活中，一些人利用歪曲事实、诽谤抹黑等方式恶意诋毁侮辱英烈的名誉、荣誉等，损害了社会公共利益，社会影响很恶劣，应对此予以规范。法律委员会经研究认为,英雄和烈士是一个国家和民族精神的体现,是引领社会风尚的标杆,加强对英烈姓名、名誉、荣誉等的法律保护,对于促进社会尊崇英烈、扬善抑恶、弘扬社会主义核心价值观意义重大。建议在草案修改稿增加一条规定:"侵害英雄烈士的姓名、肖像、名誉、荣誉等,损害社会公共利益的,应当承担民事责任。"之后又有代表提出,英雄烈士的范围是否过窄。有的意见建议,在中国特色社会主义建设和保卫国家中作出巨大贡献、建立卓越功勋的杰出人士也应当包括在内。综合以上意见,最终本条规定:"侵害英雄烈士等的姓名、肖像、名誉、荣誉,损害社会公共利益的,应当承担民事责任。"本条特别规定英雄烈士等的人格权益保护,有利于弘扬社会主义核心价值观和英雄烈士精神,培养爱国主义精神,增强民族凝聚力,维护社会公共利益。

一、本条保护的对象是英雄烈士等

本条保护的对象"英雄烈士等"包括为了人民利益英勇斗争而牺牲,堪为楷模的人,还包括在保卫国家和国家建设中作出巨大贡献、建立卓越功勋,已经故去的人。《烈士褒扬条例》第 8 条规定,公民牺牲符合下列情形之一的,评定为烈士:(1)在依法查处违法犯罪行为、执行国家安全工作任务、执行反恐怖任务和处置突发事件中牺牲的;(2)抢险救灾或者其他为了抢救、保护国家财产、集体财产、公民生命财产牺牲的;(3)在执行外交任务或者国家派遣的对外援助、维持国际和平任务中牺牲的;(4)在执行武器装备科研试验任务中牺牲的;(5)其他牺牲情节特别突出,堪为楷模的。《军人抚恤优待条例》第 8 条第 1 款规定,现役军人死亡,符合下列情形之一的,批准为烈士:(1)对敌作战死亡,或者对敌作战负伤在医疗终结前因伤死亡的;(2)因执行任务遭敌人或者犯罪分子杀害，或者被俘、被捕后不屈遭敌人杀害或者被折磨致死的；(3)为抢救和保护国家财产、人民生命财产或者执行反恐怖任务和处置突发事件死亡的；(4)因执行军事演习、战备航行飞行、空降和导弹发射训练、试航试飞任务以及参加武器装备科研试验死亡的；(5)在执行外交任务或者国家派遣的对外援助、维持国际和平任务中牺牲的；(6)其他死难情节特别突出，堪为楷模的。现役军人在执行对敌作战、边海防执勤或者抢险救灾任务中失踪，经法定程序宣告死亡的，按照烈士对待。

二、本条是对英雄烈士等的人格利益的保护

本条的保护对象是英雄烈士等相关人格利益。民法总则出台前，我国法律未对死者人格利益的保护作出明确规定。《最高人民法院关于确定民事侵权精神损害赔偿责任若干问题的解释》第3条规定，自然人死亡后，其近亲属因下列侵权行为遭受精神痛苦，向人民法院起诉请求赔偿精神损害的，人民法院应当依法予以受理：(1)以侮辱、诽谤、贬损、丑化或者违反社会公共利益、社会公德的其他方式，侵害死者姓名、肖像、名誉、荣誉；(2)非法披露、利用死者隐私，或者以违反社会公共利益、社会公德的其他方式侵害死者隐私；(3)非法利用、损害遗体、遗骨，或者以违反社会公共利益、社会公德的其他方式侵害遗体、遗骨。

三、侵害英雄烈士等的姓名、肖像、名誉、荣誉，损害社会公共利益的，应当承担民事责任

根据本条规定，侵害英雄烈士等的姓名、肖像、名誉、荣誉，损害社会公共利益的，应当承担民事责任。司法实践中有侵害英雄烈士等的人格权益，应当承担民事责任的相关案例。例如，

2013年第11期《炎黄春秋》杂志刊发了洪振快撰写的《"狼牙山五壮士"的细节分歧》一文。"狼牙山五壮士"中的葛振林之子葛长生、宋学义之子宋福宝认为,《"狼牙山五壮士"的细节分歧》一文,以历史细节考据、学术研究为幌子,以细节否定英雄,企图达到抹黑"狼牙山五壮士"英雄形象和名誉的目的。葛长生、宋福宝分别起诉至北京市西城区人民法院,请求判决洪振快停止侵权、公开道歉、消除影响。北京市西城区人民法院经审理认为,葛振林、宋学义均是"狼牙山五壮士"这一系列英雄人物的代表人物,"狼牙山五壮士"这一称号在全军、全国人民中已经赢得了普遍的公众认同,既是国家及公众对他们作为中华民族的优秀儿女在反抗侵略、保家卫国中作出巨大牺牲的褒奖,也是他们应当获得的个人名誉和个人荣誉。尤其是,"狼牙山五壮士"是中国共产党领导的八路军在抵抗日本帝国主义侵略伟大斗争中涌现出来的英雄群体,是中国共产党领导的全民抗战并取得最终胜利的重要事件载体。这一系列英雄人物及其事迹,经由广泛传播,在抗日战争时期,成为激励无数中华儿女反抗侵略、英勇抗敌的精神动力之一;成为人民军队誓死捍卫国家利益、保障国家安全的军魂来源之一;在和平年代,"狼牙山五壮士"的精神,仍然是我国公众树立不畏艰辛、不怕困难、为国为民奋斗终生的精神指引。这些英雄人物及其精神,已经获得全民族的广泛认同,是中华民族共同记忆的一部分,是中华民族精神的内核之一,也是社会主义核心价值观的重要内容。而民族的共同记忆、民族精神乃至社会主义核心价值观,无论是从我国的历史来看,还是从现行法上来看,都已经是社会公共利益的一部分。文章侵害的不仅仅是葛振林、宋学义的个人名誉和荣誉,也侵害了社会公共利益。文章虽然未使用侮辱性的语言,但作者采取的行为方式却是通过强调与主要事实无关或者关联不大的细节，引导读者对“狼牙山五壮士”这一英雄人物群体及其事迹产生质疑，从而否定主要事实的真实性，进而降低他们的英勇形象和精神价值。该文章经由互联网传播，在全国范围内产生了较大的影响，不仅损害了葛振林和宋学义的个人名誉和荣誉、原告的个人感情，在一定范围和程度上伤害了社会公众的民族和历史情感。由于“狼牙山五壮士”的精神价值已经内化为民族精神和社会公共利益的一部分，也损害了社会公共利益。北京市西城区人民法院判决被告构成侵权，承担相应的民事责任。

第一百八十六条　因当事人一方的违约行为，损害对方人身权益、财产权益的，受损害方有权选择请求其承担违约责任或者侵权责任。

【释义】　本条是关于违约责任与侵权责任竞合的规定。

如果一方当事人的违约行为侵害了对方的人身、财产权益，则同时构成侵权行为，即违约方的同一行为违反了两种法律义务。这时违约方既负有违约责任，也负有侵权责任，这就是违约责任与侵权责任的竞合。违约责任与侵权责任的竞合，是指义务人的违约行为既符合违约要件，又符合侵权要件，导致违约责任与侵权责任一并产生。从另一方面来说，受损害方既可以就违约责任行使请求权，也可以就侵权责任行使请求权。这就产生了两种请求权竞合的情况。在两种请求权同时存在的情况下，如果允许受损害方同时行使双重请求权，则使违约方承受双重责任，这对违约方来说显失公平；从受损害方说，受损害方获得双重补偿，又构成受损害方不当得利，也不合理。因此，根据公平原则，本条规定，受损害方可以在两种请求权中选择行使一种请求权。这意味着受损害方只能行使一种请求权，如果受损害方选择行使一种请求权并得到实现，那么另一种请求权即告消灭。但是，如果受损害方行使一种请求权未果，而另一种请求权并未因时效而消灭，则受损害方仍可行使另一种请求权。由于合同纠纷与侵权纠纷在管辖法院和适用法律方面存在区别，允许受损害方选择有利于自己的一种诉由提起诉讼，对受损害方比较方便，也有利于对受损害方的保护。对违约方来说，这两种责任无论对方要求其承担哪一种，都是合理的。

第一百八十七条　民事主体因同一行为应当承担民事责任、行政责任和刑事责任的，承担行政责任或者刑事责任不影响承担民事责任；民事主体的财产不足以支付的，优先用于承担民事责任。

【释义】　本条是关于财产优先承担民事责任的规定。

法律责任按照不同的标准可以作不同的分类，根据法律责任的类型，法律责任可以分为民事责任、行政责任和刑事责任。民事责任是自然人、法人或者非法人组织因违反民事法律、违约或者因法律规定的其他事由而依法承担的不利后果，包括侵权责任、违约责任等。行政责任是指因违反行政法律或行政法规而应当承担的法定的不利后果。刑事责任是指因违反刑事法律而应当承担的法定的不利后果。

一、民事责任和行政责任、刑事责任的竞合

法律责任竞合，是指行为人的同一行为符合两个或两个以上不同性质的法律责任的构成要件，依法应当承担多种不同性质的法律责任制度。民事责任、行政责任和刑事责任虽然是三种性质不同的法律责任，却可能因为同一法律行为而同时产生。

一个行为既违反了民法又违反了行政法或者刑法，由此同时产生民事责任、行政责任或者刑事责任，即发生责任竞合。例如，缺陷产品的致害行为，既可能依侵权责任法承担民事责任，依产品质量法承担行政责任，构成犯罪的，还要依刑法承担刑事责任。由此，经营者的一个违法行为导致了民事、行政、刑事责任竞合的情形。

二、民事主体的财产优先承担民事责任

通常情况下，民事责任、行政责任和刑事责任独立存在，并行不悖。但是在特定的情况下，某一责任主体的财产不足以同时满足承担民事赔偿责任和承担罚款、罚金及没收财产等行政或刑事责任时，三种责任就发生了冲突，难以同时承担，此时就产生哪一种责任优先适用的问题。民事责任优先原则就是解决这类责任竞合时的法律原则，即某一责任主体的财产不足以同时满足民事赔偿责任与行政责任或者刑事责任中的罚款、罚金时，优先承担民事赔偿责任，这也是本条规定的要旨所在。例如，一个企业生产伪劣产品，造成消费者人身、财产损害，并构成生产伪劣产品罪，其需要同时承担对消费者的民事责任以及生产伪劣产品罪的刑事责任，如果刑事责任包含罚金，其财产不足以同时支付对受害人的赔偿以及罚金时，对受害人的民事赔偿责任优先于罚金承担。

民事责任优先原则的确立有以下几个方面的原因：

1. 民事责任优先是实现法的价值的需要。民法、行政法、刑法虽然是三个不同的法律部门，有着各自的调整范围，但保护自然人、法人和非法人组织的合法权益却是共同的目标和任务，在同一责任主体的财产不足以同时承担民事赔偿责任和缴纳罚款、罚金、没收财产等行政、刑事责任时，如果先执行罚款、罚金或者没收财产,权利人的合法权益就难以得到有效的保护。国家和个体承受财产损失的能力差别很大,在不足以同时承担两种以上责任时,不缴纳罚款、罚金等行政、刑事责任,不会使国家发生经济上的困难,但如果不履行民事赔偿责任却可能使个体(如某个消费者)陷入极大的困难乃至绝境。民事责任优先原则,体现了三个法律部门在保护自然人、法人、非法人组织合法权益方面的一致性。在这些责任无法兼顾时,民事责任优先可以取得良好的社会效果,也更能体现法律的人道和正义。人道和正义是法的社会功能的体现,也是法所追求的主要价值所在。

2. 民事责任优先原则是维护市场经济秩序和交易安全的需要。民事主体在民事活动中依法取得的权利,应当具有法律保障。如果一方当事人对另一方当事人依法享有的损害赔偿请求权,因另一方当事人财产承担行政、刑事责任后丧失赔偿能力而无法实现,必然造成当事人在以后的民事活动中投入一定的注意力审查核对该当事人是否存在违法或犯罪行为,否则可能影响自己权利的实现,这样必然影响当事人之间进行交易的信心和速度,也不符合市场经济秩序和交易安全应具有法律保障性的要求。民事责任优先原则可以有效地克服这一弊端。

3. 罚款、罚金等行政责任、刑事责任体现的是国家对行为人的惩罚。民事责任主要是平等主体之间发生的一方依法向另一方承担的责任,目的在于弥补权利人因他人的民事违法行为而给其造成的经济损失,补偿性是民事责任的显著特征,这种补偿性的责任一旦不能承担,权利人的权利则难以实现。

4. 民事责任和行政责任、刑事责任的目的和功能不同。民事责任的主要目的是对受害人补偿损失、恢复其权利;行政责任和刑事责任的目的是惩罚行为人,维护社会秩序。在责任人的财产不足以承担两种以上责任时，不承担民事责任，民事责任的目的就无法实现。行政责任和刑事责任的责任形式涉及人身和财产，除了财产性的罚款、罚金外，还可以对责任主体进行人身制裁。与民事责任单一的财产性赔偿特征相比，行政责任和刑事责任具有人身性和财产性双重特征。在三者发生竞合时，即使民事责任优先适用，结果可能造成财产性的罚款、罚金等行政制裁或刑事制裁难以实现，但这并不影响责任人承担人身方面的行政责任和刑事责任。在一定程度上，行政责任、刑事责任还可以在对责任人人身制裁和财产制裁之间进行选择，以达到制裁责任人的最终目的。

因此，在民事责任与行政责任、刑事责任发生冲突时，应当优先承担民事责任。当然，民事责任优先原则的适用也是有条件的。第一，责任主体所承担的民事责任须合法有效，其发生的依据或者基于法律的规定或基于约定；第二，责任主体的财产不足以同时满足民事责任、行政责任和刑事责任，如果都能满足，则三种责任并行不悖，责任人同时承担三种责任，只有在财产不足以同时满足时，才出现民事责任优先的问题。

我国刑法、侵权责任法、食品安全法、产品质量法、消费者权益保护法、公司法、证券法、证券投资基金法等法律对民事责任优先原则都有所规定，规定了财产不足以同时支付民事责任、行政责任和刑事责任时民事责任优先适用。刑法第 36 条第 2 款规定："承担民事赔偿责任的犯罪分子，同时被判处罚金，其财产不足以全部支付的，或者被判处没收财产的，应当先承担对被害人的民事赔偿责任。"侵权责任法第 4 条规定："侵权人因同一行为应当承担行政责任或者刑事责任的，不影响依法承担侵权责任。因同一行为应当承担侵权责任和行政责任、刑事责任，侵权人的财产不足以支付的,先承担侵权责任。”食品安全法第147条规定:“违反本法规定,造成人身、财产或者其他损害的,依法承担赔偿责任。生产经营者财产不足以同时承担民事赔偿责任和缴纳罚款、罚金时,先承担民事赔偿责任。”消费者权益保护法第58条规定:“经营者违反本法规定,应当承担民事赔偿责任和缴纳罚款、罚金,其财产不足以同时支付的,先承担民事赔偿责任。”产品质量法第64条规定:“违反本法规定,应当承担民事赔偿责任和缴纳罚款、罚金,其财产不足以同时支付时,先承担民事赔偿责任。”公司法第214条规定:“公司违反本法规定,应当承担民事赔偿责任和缴纳罚款、罚金的,其财产不足以同时支付时,先承担民事赔偿责任。”证券法第232条规定:“违反本法规定,应当承担民事赔偿责任和缴纳罚款、罚金,其财产不足以同时支付时,先承担民事赔偿责任。”证券投资基金法第150条规定:“违反本法规定,应当承担民事赔偿责任和缴纳罚款、罚金,其财产不足以同时支付时,先承担民事赔偿责任。”

第九章 诉讼时效

诉讼时效是指权利人在一定期间不行使权利，在该期间届满后，发生义务人可以拒绝履行其给付义务效果的法律制度。诉讼时效制度的功能主要是促使权利人行使权利、稳定法律秩序、维护交易安全。

本章共十二条，主要规定了普通诉讼时效期间及其起算规则、最长权利保护期间；分期履行债务诉讼时效期间的起算；无民事行为能力人或者限制民事行为能力人对其法定代理人的请求权的诉讼时效期间的起算；未成年人遭受性侵害的损害赔偿请求权的诉讼时效期间的起算；诉讼时效期间届满的法律效果；诉讼时效的援引；诉讼时效的中止及其效力；诉讼时效的中断及其效力；不适用诉讼时效的情形；诉讼时效的法定性及时效利益不得预先放弃；仲裁时效；除斥期间的一般规定等。

第一百八十八条　向人民法院请求保护民事权利的诉讼时效期间为三年。法律另有规定的，依照其规定。

诉讼时效期间自权利人知道或者应当知道权利受到损害以及义务人之日起计算。法律另有规定的，依照其规定。但是自权利受到损害之日起超过二十年的，人民法院不予保护；有特殊情况的，人民法院可以根据权利人的申请决定延长。

【释义】　本条是关于普通诉讼时效期间及起算规则、最长权利保护期间的规定。

一、普通诉讼时效期间

本条第1款规定了普通诉讼时效期间。在民法总则起草过程中,关于普通诉讼时效期间究竟规定多长比较合适,一直存在不同的观点和认识。有的认为,为了保持法律的稳定性和持续性,建议维持民法通则第135条普通诉讼时效期间为二年的规定不变。其主要理由有:一是现代社会中,信息技术高度发展,个人与组织的身份、资格都很明确,财产变化与流转速度加快,二年的期间已经能够保障权利人实现权利。二是民法通则实施三十多年来,社会公众对民法通则规定的二年普通诉讼时效期间已经比较熟悉,实践中没有发现大的问题。三是诉讼时效制度应有利于稳定相关法律关系和社会秩序,减少法院诉累,延长普通诉讼时效期间不符合已经形成的法律观念和诉讼时效制度的价值目标,二年的普通诉讼时效期间能够督促权利人及时行使权利。有的认为,考虑到我国的实际情况,应将诉讼时效期间延长至五年。其主要理由是:民法总则草案一审稿至三审稿均规定普通诉讼时效期间为三年,这一规定具有进步性,但与实际需要相比还是较短。现在社会关系很复杂,诉讼时效期间的长短对权利人行使权利非常重要。时间太短,比较复杂的法律关系的权利人没有办法切实保护自己的合法权益,也不利于维护社会和谐稳定。有的认为,应当将普通诉讼时效期间延长到十年或者更长。其主要理由有:一是中国是熟人社会,实践中老百姓发现权利被侵害,往往不会马上到法院起诉。到决定起诉时,可能已经经过一两年,再请律师准备诉讼材料又需要一段时间,三年的普通诉讼时效期间太短了。二是诉讼时效期间过短会造成权益人的合法权利得不到充分保护,被义务人或者侵权者钻了法律的空子；也与我们提倡的“风正气顺”社会风气要求不相符，不利于人与人之间的相互信任。

经研究认为，诉讼时效是权利人在法定期间内不行使权利，该期间届满后，发生义务人可以拒绝履行其给付义务效果的法律制度。该制度有利于促使权利人及时行使权利，维护交易秩序和安全。任何一种法律制度都需要符合一国的传统，考虑社会百姓的可接受程度，都要具体地、历史地进行分析。中国社会几千年的传统是避诉的，当事人为了亲情和友情，为了社会关系的维持，往往不愿提起诉讼，在婉转表达的权利要求不能实现时，才提起诉讼，这样时间上常常比较晚。此外，近年来，社会生活发生深刻变化，交易方式与类型也不断创新，权利义务关系更趋复杂，要求权利人在二年的普通诉讼时效期间内行使权利，已不适应中国社会现状与司法实践，不利于保护债权人合法权益，不利于建立诚信社会，适当延长普通诉讼时效期间是必要的。但是，同样应当看到，督促权利人在合理期间内行使权利，公平分配权利义务关系等都是诉讼时效制度的重要功能。诉讼时效期间过长，可能使权利人主观上产生错误认识，出现“躺在权利上睡大觉”的情况。在整个社会的宏观面上降低解决纠纷的效率，使得权利义务关系较长时间地处于不稳定状态，对社会经济的健康发展是不利的。从境外的立法例看，大多数国家和地区规定的一般诉讼时效期间往往都比较长。如法国规定诉讼时效期间一般为违法行为发生时起算三十年；瑞士、意大利、墨西哥规定为十年；日本规定为五年；德国规定为三年，但允许当事人在三年至三十年之间自行约定；俄罗斯规定为三年。我国台湾地区、澳门特别行政区规定为十五年。应当看到的是，这些国家和地区的民法制定于十八九世纪，其时代背景是自由资本主义发展时期。当时的立法理念和对经济生活的判断是从自由主义出发的,强调当事人对自己权利的行使和行为后果的承担,不太关注对债务人的保护。此后的一百年间,西方国家的民事立法在坚持自由主义的同时更加注重社会义务。例如,从20世纪20年代开始,德国民事立法注重在合同中保护弱势群体的利益,在劳动法中保护雇员的利益,在租赁合同法中保护承租人的利益。反映在诉讼时效制度上,就是重新分配权利义务双方的负担,缩短普通诉讼时效期间,加强了对这部分人的保护。因此,2002年1月1日,《德国债法现代化法》将《德国民法典》规定的三十年普通诉讼时效期间缩短为三年。经过反复研究和调研论证,民法总则将民法通则规定的普通诉讼时效期间从二年延长为三年,大部分全国人大代表、司法机关、法律专家学者等对此表示赞同。

本款规定的"法律另有规定的,依照其规定",是允许特别法对诉讼时效作出不同于普通诉讼时效期间的规定。市场经济要求加快经济流转,通讯手段和交易方式的创新使得行使权利更加便利。在商事领域可能存在需要短于普通诉讼时效期间的情形。法律另有规定时,根据特别规定优于一般规定的原则,优先适用特别规定。

二、普通诉讼时效期间的起算

本条第2款规定了普通诉讼时效期间的起算。普通诉讼时效期间的起算规则,主要有两种立法例。一种是客观主义起算规则,即从请求权可以行使时,诉讼时效期间开始起算。例如,《意大利民法典》第2935条规定,消灭时效自权利得主张时起算。我国台湾地区"民法"第128条规定,消灭时效,自请求权可行使时起算。以不行为为目的之请求权,自行为时起算。我国澳门地区民法典第 299 条第 1 款规定，催告后时效受益人经过一段时间才须履行义务的，则诉讼时效期间在该段时间经过后起算。另一种是主观主义起算规则，即从权利人知道或者应当知道权利受侵害时，诉讼时效期间开始起算。例如，《德国民法典》第 199 条规定，普通消灭时效自满足下列两种情形时起算：(1)请求权产生的当年结束之时起；(2)债权人知道或在不具有重大过失的情形下应当知道产生请求权的事由及债务人时起。《俄罗斯联邦民法典》第 200 条第 1 款规定，诉讼时效期间自当事人获悉或者应该获悉自己的权利被侵犯之日起算。

民法通则第 137 条规定，诉讼时效期间从知道或者应当知道权利被侵害时起计算。可见，民法通则采取了主观主义的起算模式。本款规定延续了民法通则的立法模式，亦采取普通诉讼时效期间的主观主义起算模式，主要有两点考虑：

一是在立法技术上，诉讼时效期间与期间起算点相互影响，二者互为牵制，突出诉讼时效制度的正当性和各价值目标的平衡。客观主义起算点可以实现诉讼时效制度追求经济效益和社会安定性的价值目标，但在权利人不知道其权利受到损害、不知道向谁主张权利时，即开始时效的进行，不能为社会公众所接受，也有悖于诉讼时效制度督促权利人及时行使权利的目的。主观主义起算点权利人考虑权利人行使权利的可能性，能更好地保护权利人，但也存在权利义务双方的关系与法律地位过多依赖权利人的担忧，可能会削弱诉讼时效制度的可预期性与安定性。因此，各国在立法上往往采取两种组合，即采用较长普通诉讼时效期间的，配合以客观主义起算点；采用较短普通诉讼时效期间的，配合以主观主义起算点。这样能够最大程度地实现诉讼时效制度的各项目标。民法总则起草过程中，有的意见认为，三年普通诉讼时效期间仍不够长。采取主观主义的起算模式，可以在一定程度上延长这一期间。

二是“知道或者应当知道”是一种主观状态，很多情况下，当权利受到侵害时，受害人不一定能够马上知情。我国幅员广阔，人口众多，各地区社会经济生活差异较大。立法应当从中国的实际国情出发。采取主观主义起算点是较为公平的。因此，本款规定，诉讼时效期间自权利人知道或者应当知道权利受到损害以及义务人之日起计算。这里“知道或者应当知道权利受到损害”和“知道或者应当知道义务人”两个条件应当同时具备。

三、最长权利保护期间

采用较短普通诉讼时效期间并配合以主观主义起算点的诉讼时效制度立法模式中，考虑到如果权利人知悉权利受到损害较晚，以致诉讼时效过分迟延地不能完成，会影响制度的稳定性和宗旨。极端情况下，可能发生从权利被侵害的事实出现、到权利人知道这一事实，超过普通诉讼时效期间的情况。因此，有必要配套规定客观主义起算点的最长权利保护期间加以限制。应当指出，这种最长权利保护期间并非一种独立的期间类型，是制度设计上的一种补足，在性质上是不变期间。本款规定的“自权利受到损害之日”即为客观主义的起算标准。“二十年”的最长权利保护期间，在民法通则第 137 条中已经有规定。考虑到一是民法通则颁布实施三十多年来，出现适用二十年最长权利保护期间的情况极少；二是从民法总则规定的普通诉讼时效期间长度、我国社会生活的实际及诉讼程序的客观情况，规定二十年已经足够；三是本款规定二十年期间仍不够用，“人民法院可以根据权利人的申请决定延长”，本款仍然延续了民法通则的规定,将最长权利保护期规定为二十年。适用最长权利保护期间时,需要根据当事人的申请,人民法院才能决定。

第一百八十九条　当事人约定同一债务分期履行的,诉讼时效期间自最后一期履行期限届满之日起计算。

【释义】 本条是关于分期履行债务诉讼时效期间起算规则的特殊规定。

民法理论界和司法实务界对当事人约定同一债务分期履行时诉讼时效期间从何时起算,一直有争议。有的主张,从每一期债务履行期限届满之日起算。有的主张,从最后一期债务履行期限届满之日起算。我们认为,对于这个问题,应当首先明确何为"同一债务",即对定期履行债务和分期履行债务作出明确区分。

对非一次性完成的债务,根据发生的时间和给付方式的不同,可以分为定期履行债务和分期履行债务。定期履行债务是当事人约定在履行过程中重复出现、按照固定的周期给付的债务,如当事人约定房租三个月支付一次、工资一个月支付一次。债务人支付的每一期租金、用人单位支付的每一个月工资,都是其在一定时期内租赁房屋、用工的对价。定期履行债务的最大特点是多个债务,各个债务都是独立的。正是因为相互独立,每一个债务的诉讼时效期间应当自每一期履行期间届满之日起分别起算。

分期履行债务是按照当事人事先约定,分批分次完成一个债务履行的情况。分期付款买卖合同是最典型的分期履行债务。例如,甲、乙签订合同买卖机床,约定:总价款50万元;甲先交20万元后乙发货;乙安装调试完成后甲再交20万元;甲用该机床生产出质量合格产品后，再交剩余10万元。在这个例子中，当事人虽然约定分三次缴付50万元的总价款，但实际上是一个合同的完整履行。分期履行债务具有整体性和唯一性，系本条规定的“同一债务”。

对分期履行债务诉讼时效期间的起算，《最高人民法院关于审理民事案件适用诉讼时效制度若干问题的规定》（法释〔2008〕11号）第5条规定，当事人约定同一债务分期履行的，诉讼时效期间从最后一期履行期限届满之日起计算。该司法解释在实践中已经执行近十年，系最高人民法院在法律没有明确规定又存在现实需要的情况下作出的解释，取得了较好的司法效果，为民法总则相关制度的设计提供了实践资料。本条规定吸收了司法解释的内容，这样规定的主要理由是：

一是由同一债务的特性决定的。整体性和唯一性是“同一债务”的根本特性。在“同一债务”的履行过程中，当事人可以约定分期履行的期限和数额，可以约定每次履行的时间节点和履行条件，但不论如何分期，都是一个债务履行，债务的内容和范围在债务发生时就已经确定，不因分期偿还而发生变化，诉讼时效期间自该“一个债务”履行期限届满之日起计算。

二是符合诉讼时效制度的立法目的。诉讼时效制度的立法目的在于稳定交易秩序，而不是限制甚至剥夺权利人的权利。当事人约定分期履行债务的目的在于全面履行合同约定的义务。债权人之所以同意债务人分次偿还同一债务，有可能是当事人之间存在长期友好合作关系或是比较熟悉的关系，债权人为了使债务人能够全面履行债务，给予债务人一定的宽限期；或者是债权人为了促成合同的达成与交易的顺利完成，同意债务人分期履行义务。债权人没有及时主张权利是出于与债务人之间的信赖关系,这种信赖关系能够产生经济利益。因此,法律应尽量维持当事人之间的债权债务关系和信任关系,促进双方的友好合作。如果对分期履行的每笔债务分别计算诉讼时效,有可能导致债权人因为担心债权“过期”而频繁主张权利,不仅不利于维持当事人之间债权债务关系的稳定,还可能损害信赖利益。规定从最后一期履行期限届满之日起算诉讼时效期间,可以保护权利人的合理信赖利益。

三是减少诉累、实现诉讼效率。规定诉讼时效期间从最后一期履行期限届满之日起算,符合现实中老百姓的社会认知,也符合商事交易习惯。法律的这一规定可以避免当事人为频繁主张权利而激化矛盾,避免频繁起诉,有利于节约司法资源,减少诉累,实现诉讼效率。例如,当事人双方对某一合同约定分十期履行,履行过程中第三期至第五期违约,如果法律规定每一期债务履行期间届满之日起分别起算诉讼时效期间,权利人在第三期违约时起诉一次、第四次违约时起诉一次、第五次违约时又起诉一次,三次起诉的事实基本相似,无疑给当事人造成诉累,也增加了法院的工作负担,浪费了有限的司法资源。因此,法律规定从最后一期履行期限届满之日起,计算同一债务分期履行的诉讼时效期间,具有明显的现实意义。

四是促进交易,增加社会财富。当事人订立分期履行合同,目的在于全面履行合同约定的义务。现代社会合同标的额越来越大,如房屋买卖合同,买受方很难一次性付清全部合同价款。此外,合同履行期也不断拉长,如房屋装修合同,因装修复杂程度的不同,有的可能需要履行数月至一年的时间。因此,当事人约定同一债务分期履行,能够尽可能地促成交易达成、降低交易风险和交易成本,利用分期履行的机会检验合同履行的情况;还能够加快资金回笼，投入新一轮的生产中，这有利于市场交易的健康发展和加快社会财富的积累。法律对当事人约定同一债务分期履行的情况应当进行认可和保护，对其诉讼时效期间的起算作出明确规定。

第一百九十条　无民事行为能力人或者限制民事行为能力人对其法定代理人的请求权的诉讼时效期间，自该法定代理终止之日起计算。

【释义】　本条是关于无民事行为能力人或者限制民事行为能力人对其法定代理人的请求权的诉讼时效期间起算规则的特殊规定。

本条规定实质上旨在保障无民事行为能力人或者限制民事行为能力人对其法定代理人行使请求权。无民事行为能力人或者限制民事行为能力人须由法定代理人代为实施法律行为及行使权利，例如，某未成年人父母死亡后，人民法院在其近亲属范围内确定了一名监护人。该近亲属成为其法定代理人，在监护过程中，侵占被监护的未成年人的父母的遗产。这时被监护人与法定代理人之间出现纠纷，根据我国法律，无民事行为能力人或者限制民事行为能力人无法自己进行诉讼，需要由其法定代理人代为进行。法定代理人有可能会不承认自己侵占被代理人财产的事实，滥用代理权损害无民事行为能力人或者限制民事行为能力人的合法权益。实践中，法定代理人与被代理人之间一般是家庭近亲属关系，如父母、祖父母、配偶或者其他监护人。他们在生活中对无民事行为能力人或者限制民事行为能力人的照管上有一定优势，这种优势一方面有利于无民事行为能力人或者限制民事行为能力人的生活，但另一方面也会造成权利人无法主张其所享有的权利。在法定代理关系存续期间,无民事行为能力人的全部民事法律行为或者限制民事行为能力人主张权利的行为,本质上都依赖于法定代理人的意志。但是,他们自己主张权利在实际上是不可能的。此外,以诉讼方式主张请求权会妨害家庭团结及当事人之间的信赖关系,可能出现法定代理人不继续认真履行代理职责的情况,这对被代理人不利。当法定代理终止后开始计算诉讼时效期间不会害及无民事行为能力人或者限制民事行为能力人的利益。因此,立法有必要对这种特殊情形的请求权的诉讼时效期间起算作出特殊规定。

境外一些立法例规定了因法定代理关系存在而影响诉讼时效的情况。《法国民法典》第 2252 条规定,对未成年人以及受监护的成年人,时效停止进行;但第 2278 条所规定以及法律另有特别规定的,不在此限。第 2278 条规定,本节中规定的时效期间的计算,亦适用于未成年人与受监护的成年人,但他们有对其监护人求偿的权利。《德国民法典》第 207 条第 1 款规定,婚姻关系存续期间,配偶之间的请求权的消灭时效中止。此原则适用于:……(2)子女未成年期间,父母与子女之间以及继父母一方与其子女之间的请求权;(3)监护关系存续期间,监护人与被监护人之间的请求权……《日本民法典》第 158 条第 2 款规定,未成年人或成年被监护人对管理其财产的父母或监护人享有的权利时,自其成为行为能力人或后任法定代理人就任时起六个月内,时效不完成。我国台湾地区"民法"第 142 条规定,无行为能力人或限制行为能力人,对于其法定代理人之权利,于代理关系消灭后一年内,其时效不完成。

本条规定参考借鉴境外国家与地区的立法例。我们认为,上述所列的例子中,《法国民法典》的规定是诉讼时效停止进行制度。诉讼时效停止进行,是诉讼时效尚未开始起算,因障碍事由的出现而使时效不开始起算。这种诉讼时效停止,通常称为诉讼时效不开始或诉讼时效不进行。如果在法律规定的起算时间到来之前,当事人之间存在无法或不便行使请求权的情形,而在诉讼时效起算时间到来时,该情形仍然存在,开始诉讼时效的起算对权利人显然是不利的。我国台湾地区"民法"的规定,是诉讼时效不完成制度。诉讼时效不完成制度,是在诉讼时效开始进行后,在期间即将届满发生障碍事由时,时效并不停止进行,待障碍事由消除后,在一定期间内时效暂缓完成。这种诉讼时效停止,通常称为诉讼时效不完成。可见,诉讼时效不完成制度中,诉讼时效期间可能已经过去,但法律规定不发生时效期间届满的效果,诉讼时效于一定期间内暂缓完成,请求权人得于该期间内行使权利。如果不行使,则时效即告完成。

我国民法通则规定的诉讼时效中止制度,是时效进行过程中的中止,既不同于《法国民法典》中的诉讼时效开始前的中止(诉讼时效不进行),也不同于我国台湾地区的诉讼时效结束后的中止(诉讼时效不完成)。考虑到法律制度的规定是否具有迫切性、我国司法实践的发展情况以及社会公众对法律制度的接受程度等情况,民法总则并未规定诉讼时效不进行、诉讼时效不完成等复杂的制度,而是继承了民法通则只规定诉讼时效进行过程中中止的制度。规定无民事行为能力人或者限制民事行为能力人对其法定代理人的请求权的诉讼时效期间,自该法定代理终止之日起计算,可以化复杂为简单,能够解决我国社会生活中存在的无民事行为能力人或者限制民事行为能力人对其法定代理人提起请求的现实问题。

本法第175条规定了法定代理关系终止的主要情形:被代理

人取得或者恢复完全民事行为能力;代理人丧失民事行为能力;代理人或者被代理人死亡;法律规定的其他情形。认定本条规定的法定代理终止,应当依照本法第 175 条的规定。

第一百九十一条　未成年人遭受性侵害的损害赔偿请求权的诉讼时效期间,自受害人年满十八周岁之日起计算。

【释义】　本条是关于未成年人遭受性侵害的损害赔偿请求权的诉讼时效期间起算规则的特殊规定。

在民法总则的制定过程中,有的意见提出,当前社会存在一些未成年人遭受性侵害的情况。曾经出现过这样的案例:农村一名七周岁的未成年人的父母长期在外打工,该未成年人由祖父母抚养。村里一名一直没有娶媳妇的单身汉,哄骗诱拐该未成年人与其发生性关系。在有的案例中,未成年少女被性侵害。由于受社会传统观念影响,不少遭受性侵害的未成年人及其监护人有所顾忌,从未成年人名誉、声誉,健康成长,成年结婚等现实等角度思考,往往不愿、不敢公开寻求法律保护。受害人成年之后自己寻求法律救济,却往往已超过诉讼时效期间。这种情况虽然不多,但为了突出对未成年人的保护,给受性侵害的未成年人成年后提供寻求法律保护的机会,建议规定诉讼时效起算的特殊规则。为此,民法总则草案二次审议稿第 184 条增加规定,未成年人遭受性侵害的损害赔偿请求权的诉讼时效期间,自受害人年满十八周岁之日起计算。

也有的意见提出,民法总则增加这一条规定,对于保护未成年人,特别是保护遭受性侵害的未成年人的权利确实很好。但是,单独把性侵害列出来既不全面,也有点突兀,范围较窄,未成年人可能遭受其他人身损害的情况。例如,实践中有一些养父母虐待养子女的人身侵害，被收养的子女小时候并不敢讲，这种情况是否也要考虑使用本条规定的诉讼时效期间的特殊起算规则。为保护未成年人的人身权利，建议把“性侵害”修改为“人身侵害”，或者把“未成年人遭受性侵害的损害赔偿请求权”修改为“未成年人遭受监护人侵害的损害赔偿请求权”。

还有的意见提出，从立法本意来说，本条突出强调了对遭受性侵害的未成年人的保护，延长受害人主张权利的诉讼时效期间，能够有效保护性犯罪受害人的民事权益。但是，本条不宜写入民法总则，建议删除。其理由是：第一，不符合立法定位。民法总则是从各分编中抽出来的、具有共通性的规则。本条规定过于具体，且仅局限于特定主体的特定情形，无法指导、运用到其他各编，不符合民法总则应有的立法技术。第二，未能涵盖未成年人遭受其他人身侵害的情形。第三，在实践中举证困难难以运用。第四，与刑事诉讼的追诉时效不一致，提起刑事附带民事诉讼时，在程序法上无法适用。第五，我国已有未成年人保护法、侵权责任法等相关法律，建议将本条内容放在这些法律中规定。

经研究认为，一是为了保护未成年人利益，有必要对未成年人受性侵的损害赔偿请求权诉讼时效期间的起算作出特殊规定。世界上有些国家的民法典对这类请求权的诉讼时效期间的起算点明确作了特别规定。例如，《德国民法典》第 208 条规定，基于性的自主决定权受侵害的请求权，于受害人年满二十一周岁前，时效不开始进行。二是本条之所以限定较窄的适用范围，规定诉讼时效期间自未成年人年满十八周岁之日起计算，其着眼点在实践中未成年人遭受性侵害后，其家庭或者法定代理人“不愿或者不敢”站出来主张权利，成年后脱离家庭了，或者有自主决定能力了,愿意或者敢于主张权利时,诉讼时效期间却已经完成,这是理解本条规定的核心。除了遭受性侵害以外,未成年人遭受的其他人身侵害,如交通事故、动物致害等情况,不会出现“不愿或者不敢”主张权利的情形,未成年人遭受监护人虐待的问题,可以依照本法第36条的规定,撤销其监护人资格;也可以依照本法第190条的规定,诉讼时效期间自法定代理关系终止之日起计算来解决。因此,不需要特别地用诉讼时效期间特殊起算规则的方式进行保护。三是本条规定是从时效制度方面加强对未成年人保护的。未成年人保护法等法律,作为特别法在保护未成年人合法权益方面发挥着重要作用。但是,法律体系是丰满的、多层次的,可以对权利在不同层次和不同角度上进行保护,这些规定不但不冲突,相反还可以互相呼应与支持。本法第128条规定,法律对未成年人、老年人、残疾人、妇女、消费者等的民事权利保护有特别规定的,依照其规定。在时效制度中专门规定对未成年人遭受性侵害的损害赔偿请求权的诉讼时效期间的特殊起算规则,即贯彻了第128条的规定,也是符合法律逻辑的。

理解本条规定时还应注意两点:

一是诉讼时效是权利人在法定期间内不行使权利,该期间届满后,义务人拒绝履行其给付义务的法律制度,即诉讼时效期间是权利人可以行使权利的“最晚”期间。在权利受到损害后、诉讼时效期间届满前的时间范围内,权利人都可以主张权利。因此,未成年人遭受性侵害的,在年满十八周岁之前,其法定代理人当然可以代为行使请求权。此处的请求权应当认为是法定代理人代为向人民法院的请求,人民法院依法作出的生效判决具有既判力,受害人在年满十八周岁之后对相关处理不满意要求再次处理的，应当符合民事诉讼法等法律的规定。如果年满十八周岁之前，其法定代理人选择与侵害人“私了”的方式解决纠纷，受害人在年满十八周岁之后，可以依据本条的规定请求损害赔偿。

二是未成年人遭受性侵害的损害赔偿请求权的诉讼时效期间，自受害人年满十八周岁之日起计算。其具体的诉讼时效期间，适用本法第 188 条三年的普通诉讼时效期间的规定，即从年满十八周岁之日起计算三年；符合本法第 194 条、第 195 条诉讼时效中止、中断情形的，可以相应中止、中断。

第一百九十二条　诉讼时效期间届满的，义务人可以提出不履行义务的抗辩。

诉讼时效期间届满后，义务人同意履行的，不得以诉讼时效期间届满为由抗辩；义务人已自愿履行的，不得请求返还。

【释义】　本条是关于诉讼时效期间届满法律效果的规定。

诉讼时效期间届满产生何种法律后果，成文法系主要国家和地区民法主要有三种立法例：一是实体权利消灭主义，即实体权利义务关系直接消灭。例如，甲欠乙 10 万元，诉讼时效期间届满后，甲欠钱的事实和法律关系直接消灭，债权债务关系不再存在。境外立法例采用这种模式的以日本最为典型。《日本民法典》第 167 条规定，债权，因十年间不行使而消灭。债权或所有权以外的财产权，因二十年不行使而消灭。二是诉权消灭主义，即诉讼时效期间届满后，实体权利义务本身仍然存在，仅诉权归于消灭，实体权利转为自然权利。例如，甲欠乙 10 万元，诉讼时效期间届满后，甲欠钱的事实和法律关系仍然存在，只是法院对乙的诉讼请求不再保护和支持，乙对甲的债权从受法律保护的债权转为不受法律保护的自然债权。此时，甲可以自觉履行还款义务，也可以不履行该义务，乙无法请求法院强制甲履行义务。境外立法例采用这种模式的以法国最为典型。《法国民法典》第2262条规定，一切对物或者对人的诉讼，时效期间均为三十年。三是抗辩权产生主义，即诉讼时效期间届满后，义务人取得了拒绝履行义务的抗辩权，权利人的实体权利和诉权不消灭。例如，甲欠乙10万元，诉讼时效期间届满后，甲欠钱的事实和法律关系均存在，乙可以向法院请求甲还款，但因为诉讼时效期间届满，甲获得了在法庭上提出拒绝履行还款义务的抗辩的权利。采用这种模式立法例的代表有德国、俄罗斯等国家和我国台湾地区。《德国民法典》第214条规定，消灭时效完成后，债务人有权拒绝给付。为清偿时效已经消灭的请求权而履行的给付，虽然不知时效已经消灭，也不得请求返还。债务人以合同予以承认或者提供担保的，亦同。《俄罗斯民法典》第199条规定，关于维护被侵犯权利的请求，不论诉讼时效是否届满，法院均应受理。法院仅根据争议一方当事人在法院作出判决之前提出的申请适用诉讼时效。争议一方当事人申请适用的诉讼时效期限届满，是法院作出驳回诉讼请求的判决的依据。第206条规定，债务人或其他义务人，如在诉讼时效期限届满之后履行了义务，无权请求返还，即使在履行时不知道诉讼时效已经届满。我国台湾地区“民法”第144条规定，时效完成后，债务人得拒绝给付。请求权已经时效消灭，债务人仍为履行之给付者，不得以不知时效为理由，请求返还；其以契约承认该债务或提出担保者亦同。

诉讼时效期间届满的不同立法模式，是在不同历史时期的社会背景下产生的，其进步意义需要从当时的历史看是否有利于保护权利。随着实践的发展和保护权利要求的变化,法律制度需要符合当时的社会实践情况。实体权利消灭主义的立法模式中,诉讼时效期间届满后,权利人的权利强制性的归于消灭,如果义务人自愿履行义务,会产生义务人自愿履行的无效的后果,使法律和道德趋于紧张。如果民法总则采取该立法模式,是不符合我国社会主义核心价值观诚信的内容,也违反了意思自治的私法精神,剥夺了义务人在民事交易中的自治权。

诉权消灭主义立法模式比实体权利消灭主义的立法模式更具合理性。该种立法模式的进步意义体现在,诉权的消灭虽然使权利人的请求权丧失了法律上的救济力,不能获得法院的强制保护,但权利人的请求权仍然作为自然权利而存在,具有道德上的支持力,权利人可以运用道德力量唤醒义务人自觉履行义务的道德觉悟。在必要时,甚至可以采取一些非暴力的措施使得义务人放弃时效利益。同时应当看到,诉权消灭主义立法模式也有其弊端。在现代法制社会中,起诉权具有不可剥夺性,原则上任何人在与他人的关系上遇到纠纷,都有权向法院提起诉讼,诉讼时效期间届满不能作为权利人起诉权消灭的根据。诉权消灭主义立法模式也有违现代法治基本理念。

相比而言,抗辩权产生主义立法模式日渐成为学界的主流观点和民事立法的主流模式,具有明显优点。一是抗辩权产生主义与诉讼时效制度的价值目标相符。诉讼时效制度本身并非为了追求限制权利人的权利或者消灭权利,而是在于实现促进效率、督促行使权利、维护社会公共利益等多种价值。诉讼时效本身不是目的,只是达到目的的手段。是否行使该手段,应由义务人决定。诉讼时效完成后,是否援引时效抗辩取决于义务人的态度。二是缓和了法律与道德的紧张关系。时效期间届满,义务人取得抗辩权,可以提出不履行义务的抗辩。但基于商业诚信或良心,有的仍然自愿履行。权利人的权利虽然失去了法律的强制保护,但在客观上仍然存在,其有权接受义务人的履行,从而使道德在法律之外有了一次调整人们行为的机会,这符合我国倡导的依法治国与以德治国相结合。三是体现了意思自治,平衡了权利人与义务人的利益。诉讼时效期间届满,义务人仅取得抗辩权,法院不予主动干涉,由义务人自己决定是否行使抗辩权,这符合市场经济意思自治的理念。四是抗辩权产生主义的立法模式为大多数国家和地区所采纳。五是民法通则虽未明确采纳抗辩权产生主义,仅在第 138 条规定,超过诉讼时效期间,当事人自愿履行的,不受诉讼时效限制。但最高人民法院的一系列司法解释逐渐接受并采纳这一模式,使得我国在诉讼时效期间届满的法律效果上,实际上已经采取了抗辩权发生主义的模式。《最高人民法院关于贯彻执行〈中华人民共和国民法通则〉若干问题的意见(试行)》第 171 条规定,过了诉讼时效期间,义务人履行义务后又以超过诉讼时效为由反悔的,不予支持。《最高人民法院关于审理民事案件适用诉讼时效制度若干问题的规定》(法释〔2008〕11 号)第 22 条规定,诉讼时效期间届满,当事人一方向对方当事人作出同意履行义务的意思表示或者自愿履行义务后,又以诉讼时效期间届满为由进行抗辩的,人民法院不予支持。《最高人民法院关于适用〈中华人民共和国民事诉讼法〉的解释》(法释〔2015〕5 号)第 219 条规定:"当事人超过诉讼时效期间起诉的,人民法院应予受理。受理后对方当事人提出诉讼时效抗辩,人民法院经审理认为抗辩事由成立的,判决驳回原告的诉讼请求。"可见,最高人民法院有关司法解释系采取抗辩权产生主义的模式。该种立法模式意味着，如果义务人援引抗辩权，权利人的权利将转化为自然权利，法院不予保护；如果义务人不援引抗辩权，权利人仍然享有完整的权利，法院予以保护。

民法总则起草过程中，借鉴境外立法的经验和考虑国内的实践情况，采纳了抗辩权发生主义的立法模式，规定诉讼时效期间届满的，义务人可以提出不履行义务的抗辩。这就意味着，权利人享有起诉权，可以向法院主张其已过诉讼时效之权利，法院应当受理。如果义务人不提出时效完成的抗辩，法院将以公权力维护权利人的利益；如果义务人行使抗辩权，法院审查后会依法保护义务人的抗辩权，不得强制义务人履行义务。但是，义务人行使时效抗辩权不得违反诚实信用原则，否则即使诉讼时效完成，义务人也不能取得时效抗辩权。例如，在诉讼时效期间届满前，义务人通过与权利人协商，营造其将履行义务的假象，及至时效完成后，立即援引时效抗辩拒绝履行义务。该种行为违反诚实信用，构成时效抗辩权的滥用，不受保护。

本条第2款规定，诉讼时效期间届满后，义务人同意履行的，不得以诉讼时效期间届满为由抗辩；义务人已自愿履行的，不得请求返还。诉讼时效期间届满后，权利人虽不能请求法律的强制性保护，但法律并不否定其权利的存在。若义务人放弃时效利益自愿履行的，权利人可以受领并保持，受领不属于不当得利，义务人不得请求返还。诉讼时效期间届满后，义务人同意履行的，不得以诉讼时效期间届满为由抗辩。这是因为诉讼时效届满后，义务人可以处分自己的时效利益。此时义务人同意履行义务，属于对时效利益的放弃。义务人放弃时效利益的行为属于单方法律行为，并且是处分行为，自义务人放弃时效利益的意思表示到达权利人时即发生时效利益放弃的法律效果，不以权利人同意为条件。放弃的意思表示既可以是承认的明示方式,也可以是不主张时效利益的默示方式。对于义务人已自愿履行的情况,自愿履行意味着义务人自愿解除了债务的自然债务属性,恢复了原本可以获得司法强制执行的可能性,使权利人因时效完成而转化为自然权利回升为法律权利。因此,自愿履行的,不能再请求返还。

还应当注意的是,法律制度需要一系列的具体规定相配合。除了本条的规定外,本法第 193 条规定的人民法院不得主动适用诉讼时效、第 197 条第 2 款规定的当事人对诉讼时效利益的预先放弃无效等具体规定,都是抗辩权发生主义立法模式的题中之意。

第一百九十三条　人民法院不得主动适用诉讼时效的规定。

【释义】　本条是关于诉讼时效援引的规定。

一些主要国家和地区法律对法院主动援引诉讼时效持否定态度,规定了法院不得主动适用诉讼时效。例如,《法国民法典》第 2223 条规定,法官不得依职权援用因时效所产生的方法。《日本民法典》第 145 条规定,时效非经当事人援用,法院不能依时效裁判。《意大利民法典》第 2938 条规定,法官不得依职权提起没有主张的时效。《俄罗斯民法典》第 199 条规定,关于维护被侵犯权利的请求,不论诉讼时效是否届满,法院均应受理。法院仅根据争议一方当事人在法院作出判决之前提出的申请使用诉讼时效。争议一方当事人申请适用的诉讼时效期间届满,是法院作出驳回诉讼请求的判决的根据。

我国民法通则未对诉讼时效由谁主张作出规定。我国司法实务界曾存在法官主动援用诉讼时效的规定进行裁判的情况。诉讼时效抗辩权本质上是义务人的一项民事权利，义务人是否行使，司法不应过多干预，这是民法意思自治原则的根本要求；义务人主张抗辩，属于自由处分权利的范畴，司法也不应过多干涉，这是民事诉讼处分原则的应有之意。因此，遵循上述意思自治原则和处分原则，在义务人不提出诉讼时效抗辩的情形下，人民法院不应主动援引诉讼时效的规定进行裁判，这也与法院居中裁判的地位相适应。为此，《最高人民法院关于审理民事案件适用诉讼时效制度若干问题的规定》（法释〔2008〕11 号）第 3 条规定，当事人未提出诉讼时效抗辩，人民法院不应……主动适用诉讼时效的规定进行裁判。

民法总则将诉讼时效的客体明确为抗辩权，诉讼时效期间届满的直接效果是义务人取得抗辩权。抗辩权属于私权的一种，可以选择行使，也可以选择不行使。义务人对时效利益的处分不违反法律的规定，也没有侵犯国家、集体及他人的合法权益，人民法院不应当主动干预。在借鉴世界有关立法例的经验和吸收最高人民法院司法解释的基础上，民法总则规定诉讼时效应由当事人自主选择是否行使，人民法院不得主动适用诉讼时效的规定。

还有一个问题需要说明一下，即关于诉讼时效的释明。释明权又称为阐明权，诉讼过程中，当事人一方未提出诉讼时效抗辩，人民法院能否对诉讼时效问题进行释明，法律没有明确规定。在民法总则起草过程中，有的建议对此作出明确规定。对这个问题，各方面有不同的认识。有的意见提出，应当允许法官行使释明权。一是释明权名为权，实际上是法官负有的一项义务。当事人在陈述事实、权利主张不清楚不完整，或者忽略了对其有利的法律、事实根据，或者不正确地主张了有关权利时，法官可以进行说明、解释。法官行使释明权，既有利于事实发现与查明，保护当事人的实体权利，又可以使庭审得以顺利进行。二是考虑到我国的司法实践情况，当事人法律知识比较少，大部分老百姓的诉讼经验都不足。在遇到诉讼时，有些并不聘请律师而自己出庭应诉。这种情况下，很可能不知道时效抗辩权的存在而错失主张的机会。在诉讼过程中，允许法官说明何为诉讼时效抗辩权、主张权利的方式及后果，可以保障公平，是有必要的。三是我国坚持司法为民，在偏远地区当事人不知道诉讼时效为何物，不知道时效抗辩权为何物，根本不可能提起抗辩，这时候应该给当事人必要的释明。还有的意见提出，义务人在法院释明后一般都会主张诉讼时效抗辩权的，将会使裁判结果较之其不主张诉讼时效抗辩权的情形发生根本性变化，即将导致法院对权利人的权利不予保护。特别是在义务人无主张诉讼时效抗辩权的意思表示的情形下，如果人民法院主动对诉讼时效问题进行释明，则无异于提醒和帮助义务人逃债，有违诚实信用的基本原则，也有违法院居中裁判的中立地位。这种观点已经被最高人民法院司法解释所采纳，《最高人民法院关于审理民事案件适用诉讼时效制度若干问题的规定》（法释〔2008〕11号）第3条规定，当事人未提出诉讼时效抗辩，人民法院不应对诉讼时效问题进行释明。

鉴于该问题在实践中仍有较大争议，经过反复研究，民法总则没有规定人民法院是否可以行使释明权。宜待理论界再作深入探讨、实践，进一步摸索成熟后进行规定。

第一百九十四条　在诉讼时效期间的最后六个月内，因下列障碍，不能行使请求权的，诉讼时效中止：

（一）不可抗力；

（二）无民事行为能力人或者限制民事行为能力人没有法定代理人，或者法定代理人死亡、丧失民事行为能力、丧失代理权；

（三）继承开始后未确定继承人或者遗产管理人；

（四）权利人被义务人或者其他人控制；

（五）其他导致权利人不能行使请求权的障碍。

自中止时效的原因消除之日起满六个月，诉讼时效期间届满。

【释义】　本条是关于诉讼时效中止的规定。

一、诉讼时效中止

诉讼时效中止，是因法定事由的存在使诉讼时效停止进行，待法定事由消除后继续进行的制度。在诉讼时效进行中的某一时间内，出现了权利人主张权利的客观障碍，导致权利人无法在诉讼时效期间内行使权利，可能产生不公平的结果，因此法律规定了诉讼时效中止制度。

诉讼时效制度的目的之一是督促权利人及时行使权利，但当事人主观上没有行使权利的怠慢，却受制于客观因素无法行使权利时，如果法律规定诉讼时效期间继续进行，会导致权利人因时效经过而受损，产生不公平的结果，也与诉讼时效制度的目的相悖。各国民法时效上均设有时效中止的制度。例如，《俄罗斯民法典》第 202 条第 1 款规定了四种情况下诉讼时效中止。第 2 款规定，如果本条所列情况在时效期间最后六个月内发生或者继续存在时，诉讼时效期间的计算方可中止。而如果该时效期间等于或者少于六个月，则本条所列情况在时效期间内发生或者继续存在时，诉讼时效期间的计算可以中止。从该国规定可以看出，中止事由发生或持续消除之时，诉讼时效期间已经进行到“即将届满之时”。这是因为，如果不是在时效期间行将届满之时产生上述中止事由，在事由消除之后，权利人仍有足够时间行使权利，此时规定时效期间中止缺乏法律意义。

民法通则的立法即借鉴了这种诉讼时效期间即将届满之时才能发生中止的境外立法例经验，规定了诉讼时效中止制度。民法通则第139条规定，在诉讼时效期间的最后六个月内，因不可抗力或者其他障碍不能行使请求权的，诉讼时效中止。从中止时效的原因消除之日起，诉讼时效期间继续计算。民法通则的规定比较原则，为了在实践中加强应用，《最高人民法院关于审理民事案件适用诉讼时效制度若干问题的规定》（法释〔2008〕11号）第20条规定，有下列情形之一的，应当认定为民法通则第139条规定的“其他障碍”，诉讼时效中止：（1）权利被侵害的无民事行为能力人、限制民事行为能力人没有法定代理人，或者法定代理人死亡、丧失代理权、丧失行为能力；（2）继承开始后未确定继承人或者遗产管理人；（3）权利人被义务人或者其他人控制无法主张权利；（4）其他导致权利人不能主张权利的客观情形。该司法解释总结了我国司法实践中遇到的导致诉讼时效期间中止的情况，将民法通则第139条“其他障碍”类型化。民法总则本条规定既延续了民法通则的精神，又吸收了司法解释的规定。

二、中止时效的原因消除之后的诉讼时效期间补足

民法总则起草过程中，有意见提出，民法通则规定在中止时效原因消除后，诉讼时效继续计算。如果剩余时效期间过短，权

利人行使权利仍然很仓促，这有碍于保护权利人的权利，建议补足一段必要长度的诉讼时效期间。

经研究认为，民法通则规定了时效中止仅在时效期间进行中的最后六个月才能发生。从中止时效的原因消除之日起，诉讼时效期间继续计算，可能面临剩余诉讼时效期间不足以充分保证权利人行使权利时，民法通则并未规定如何处理。如果妨碍权利人行使权利的障碍消除后，剩余的诉讼时效期间过短，例如，在极端情况下仅剩一天的时间，要求权利人必须在一天内依法主张权利，否则诉讼时效将届满，这对权利人未免过于苛刻。诉讼时效中止制度设立的目的是将客观因素导致权利人无法行使权利的时间刨除在时效期间以外，从而保证权利人有足够的时间行使权利。如果因为剩余时效期间过短而无法行使权利，则要么会使诉讼时效制度空置，要么使该制度的效果打折扣。考察境外立法情况，很多立法例都规定了导致诉讼时效中止的原因消除后，补足诉讼时效期间情况。例如，《日本民法典》第161 条规定，于时效期间届满之际，因天灾或其他不能避免的事变，致不能中断时效时，自妨碍终止之时起两周内，时效不完成。《俄罗斯民法典》第 202 条第 4 款规定，自作为中止计算诉讼时效期限的情节终止之日起，诉讼时效的期限继续计算。如果诉讼时效期限的剩余部分少于六个月，则将诉讼时效期限的剩余部分延长至六个月；而如果诉讼时效期限等于或者少于六个月，则将诉讼时效期限的剩余部分延长至诉讼时效期限。这些精致的制度设计我国可以借鉴。同时，考虑到我国司法实践的情况、社会公众的法律知识及行使权利的需要，在不违背时效制度目标的前提下，尽可能给予权利人救济，对诉讼时效期间给予一定时间长度的补足。经过反复研究认为，规定自中止时效的原因消除之日起满六个月诉讼时效期间届满，是比较合适的，既能给权利人行使权力留下必要的准备时间，又不会造成诉讼的过分拖延和给义务人造成过分的负担。

三、引起诉讼时效中止的障碍类型

根据本条第 1 款规定，引起诉讼时效中止的障碍类型主要有：

一是不可抗力。民法通则第 139 条即规定不可抗力为引起诉讼时效中止的法定事由。不可抗力指的是不能预见、不能避免并不能克服的客观情况，如自然灾害。适用本项规定应注意，需要发生不可抗力导致权利人在客观上不能行使权利，才能引起诉讼时效中止。虽然发生了不可抗力，但并没有足以影响到权利人行使权利的，诉讼时效不为中止。

二是无民事行为能力人或者限制民事行为能力人没有法定代理人，或者法定代理人死亡、丧失民事行为能力、丧失代理权。因为无民事行为能力人或者限制民事行为能力人不能独立实施民事法律行为，法定代理人缺位会对其行使权利造成客观障碍。境外不少立法例均规定这种情况下诉讼时效中止。例如，《德国民法典》第 210 条规定，如无行为能力人或者限制行为能力人欠缺法定代理人，则自其成为完全行为能力人或欠缺法定代理人的情况中止后六个月内，不论消灭时效对其有利或不利，消灭时效皆不完成。如消灭时效期间短于六个月，则以消灭时效的期间代替该六个月期间。《日本民法典》第 158 条第 1 款规定，在时效期间届满前六个月内，未成年人或成年被监护人无法定代理人时，自其成为行为能力人或法定代理人就任时起六个月内，时效不完成。我国台湾地区“民法”第 141 条规定，无行为能力人或限制行为能力人之权利，于时效期间终止前六个月内，若无法定代理人者，自其成为行为能力人或其法定代理人就职时起，六个月内，其时效不完成。《最高人民法院关于审理民事案件适用诉讼时效制度若干问题的规定》（法释〔2008〕11号）第20条第1项对此也有明确规定。为了更好地保护无民事行为能力人或者限制民事行为能力人，使其不会因时效期间届满而利益受损，本项在立法时参考了境外立法例和吸收了司法解释的规定。

三是继承开始后未确定继承人或者遗产管理人。未确定继承人时，继承财产的权利主体没有确定，无法有效地对被继承人的债务人行使权利，被继承人的债权人也不知道向谁主张权利，被暂时划定在继承财产中的他人的财产权利也无法主张。未确定遗产管理人的，遗产的权利不能分割。这些情况都属于非因主观原因而由于权利人、义务人不存在的客观障碍导致权利无法行使，符合诉讼时效中止制度的要求。境外不少立法例对此均有规定。例如，《法国民法典》第2258条规定，有限责任继承人就继承遗产的债权，对该继承人，时效停止进行。《日本民法典》第160条规定，关于继承财产，自继承人确定、管理人选任或者破产宣告之时起六个月内，时效不完成。《最高人民法院关于审理民事案件适用诉讼时效制度若干问题的规定》（法释〔2008〕11号）第20条第2项对此也有明确规定。本项在立法时参考了境外立法例和吸收了司法解释的规定。

四是权利人被义务人或者其他人控制。例如，权利人被义务人非法拘禁等方式限制人身自由，会导致其无法主张权利，这种障碍是客观的。再如，义务人和权利人之间存在代表与被代表的关系，义务人是权利人法定代表人。权利人欲提起诉讼，需要法定代表人的签字授权或者盖取公章，但法定代表人显然不会允许对自己提起诉讼进行授权或者同意盖章。又如，权利人是义务人的控股子公司。同理，子公司无法取得控股公司的诉讼授权。这些都属于客观障碍。《最高人民法院关于审理民事案件适用诉讼时效制度若干问题的规定》（法释〔2008〕11 号）第 20 条第 3 项对此也有明确规定。本项在立法时吸收了司法解释的规定。

五是其他导致权利人不能行使请求权的障碍。民法总则充分考虑到，由于社会生活及司法实践的纷繁复杂，法律不可能逐一列举需要中止时效的事由。在列举规定类型化情形的同时，规定兜底条款，为实践的发展留有余地，并赋予法官以一定的自由裁量权。

第一百九十五条　有下列情形之一的，诉讼时效中断，从中断、有关程序终结时起，诉讼时效期间重新计算：

（一）权利人向义务人提出履行请求；

（二）义务人同意履行义务；

（三）权利人提起诉讼或者申请仲裁；

（四）与提起诉讼或者申请仲裁具有同等效力的其他情形。

【释义】　本条是关于诉讼时效中断的规定。

诉讼时效期间中断，指诉讼时效期间进行过程中，出现了权利人积极行使权利的法定事由，从而使已经经过的诉讼时效期间归于消灭，重新计算期间的制度。

一、诉讼时效中断的特征

权利人不行使权利是诉讼时效制度存在的事实基础，如果在诉讼时效期间内出现了与这一基础事实相反的事实，就必须使已经经过的时效期间归于无效，否则就背离了诉讼时效制度的设立宗旨。诉讼时效中断的特征表现为：一是发生于诉讼时效的进行中，诉讼时效尚未开始计算或者已经届满的情况下排除其适用。二是发生了一定的法定事由导致诉讼时效存在的基础被推翻。三是它使已经进行的诉讼时效重新起算，以前经过的期间归于消灭。境外立法例均规定有诉讼时效中断制度。例如，《俄罗斯民法典》第203条规定，按规定程序提起诉讼以及义务人实施证明他承认债务的行为，则诉讼时效期限中断。在诉讼时效期限中断结束之后，诉讼时效期限重新计算，在中断前的时间不计入新的诉讼时效期限。

民法通则规定了诉讼时效中断制度，第140条规定：诉讼时效因提起诉讼、当事人一方提出要求或者同意履行义务而中断。从中断时起，诉讼时效期间重新计算。这一规定比较原则，最高人民法院在总结司法实践经验的基础上，在《最高人民法院关于审理民事案件适用诉讼时效制度若干问题的规定》（法释〔2008〕11号）第10条、第13条至第19条分别对民法通则第140条的规定进行了细化。在民法总则起草过程中，对诉讼时效中断制度的设计，既继承了民法通则，又借鉴了境外立法例，还吸收了司法解释的规定。

二、引起诉讼时效中断的情形

根据本条规定，引起诉讼时效中断的情形主要有：

一是权利人向义务人提出履行请求。提出履行请求本身就意味着权利人在积极行使自己的权利，应当发生诉讼时效中断的结果。请求有诉讼请求和诉外请求两种，诉讼请求主要是起诉，诉外请求是权利人对其义务人在诉外行使权利的意思表示。这种意思表示可以表现为催促义务人履行义务，例如《最高人民法院关于审理民事案件适用诉讼时效制度若干问题的规定》

(法释〔2008〕11 号)第 10 条第 1 款规定,具有下列情形之一的,应当认定为民法通则第 140 条规定的当事人一方提出要求,产生诉讼时效中断的效力:(1)当事人一方直接向对方当事人送交主张权利文书,对方当事人在文书上签字、盖章或者虽未签字、盖章但能够以其他方式证明该文书到达对方当事人的;(2)当事人一方以发送信件或者数据电文方式主张权利,信件或者数据电文到达或者应当到达对方当事人的;(3)当事人一方为金融机构,依照法律规定或者当事人约定从对方当事人账户中扣收欠款本息的;(4)当事人一方下落不明,对方当事人在国家级或者下落不明的当事人一方住所地的省级有影响的媒体上刊登具有主张权利内容的公告的,但法律和司法解释另有特别规定的,适用其规定。这种意思表示也可以表现为权利人主动抵消债权、行使同时履行抗辩权等情形。规定权利人向义务人提出履行请求作为诉讼时效中止的情形,符合我国社会避讼的法律文化传统,契合我国熟人社会的社会实践,能够减轻当事人的诉累和人民法院的压力。

二是义务人同意履行义务。这是权利人在诉讼外行使权利的一种形式。义务人同意履行义务,表明义务人知道权利人权利的存在,并且主观上承认该权利,很多情况下是权利人向义务人主张权利时义务人作出一种承诺。这种承诺是权利人积极履行权利才能取得的结果,使得权利人与义务人之间的权利义务关系重新明确、稳定下来,义务人同意履行义务,引起权利人的信赖,权利人往往给义务人必要的时间开始准备履行义务。总之,是权利人没有怠于行使权利,法律才规定该情形可以引起诉讼时效的中断。不少境外立法例规定了权利人诉外行使权利可以引起诉讼时效中断。例如,《法国民法典》第 2248 条规定,债务人或占有人如承认时效之进行于其不利之人的权利，中断时效。《德国民法典》第 212 条规定，债务人以分期付款、支付利息、提供担保或以其他方式向债权人承认请求权时，消灭时效重新起算。《最高人民法院关于审理民事案件适用诉讼时效制度若干问题的规定》（法释〔2008〕11 号）第 16 条规定，义务人作出分期履行、部分履行、提供担保、请求延期履行、制定清偿债务计划等承诺或者行为的，应当认定为同意履行义务。该司法解释对实践中如何掌握认定义务人同意履行义务作了明确规定。

三是权利人提起诉讼或者申请仲裁。起诉是权利人在人民法院提起诉讼，请求法院强制义务人履行义务。民商事仲裁是平等主体的公民、法人和其他组织之间请求仲裁机构裁决合同纠纷和其他财产权益纠纷。劳动仲裁是当事人向劳动仲裁委员会请求裁决处理劳动争议纠纷。农村土地承包经营纠纷仲裁是就农村土地承包经营纠纷，向农村土地承包仲裁委员会申请裁决。提起诉讼、申请仲裁是权利人行使权利最有效、最强烈的方法，足以表明权利人积极行使权利，世界上主要国家和地区均把提起诉讼作为引起诉讼时效中断的事由进行规定。

关于在"提起诉讼"的情形下，诉讼时效期间应从何时中断，目前存在争议。经研究认为，我国民事诉讼法第 120 条规定，起诉应当向人民法院递交起诉状，并按照被告人数提出副本。书写起诉状确有困难的，可以口头起诉，由人民法院记入笔录，并告知对方当事人。权利人以提起诉讼的方式主张权利的，由于其请求保护权利的对象为人民法院，故只要提交起诉材料或者口头起诉，就应认定其向人民法院提出了权利主张，诉讼时效即时中断，而无须等待人民法院受理才中断。《最高人民法院关于审理民事案件适用诉讼时效制度若干问题的规定》（法释〔2008〕11 号)第 12 条规定,当事人一方向人民法院提交起诉状或者口头起诉的,诉讼时效从提交起诉状或者口头起诉之日起中断。这一规定符合诉讼时效中断制度的目的。

四是与提起诉讼或者申请仲裁具有同等效力的其他情形。实践是复杂的、发展的,法律无法穷尽规定所有引起诉讼时效中断的情形。除了第三项规定的情形外,权利人如果实施了在法律上与提起诉讼或者申请仲裁具有同样效力其他行为,能够表明在积极行使权利而非怠于行使权利,也应当引起时效中止的效力。例如,调解是与提起诉讼或者申请仲裁具有同等效力的典型情形之一。《最高人民法院关于审理民事案件适用诉讼时效制度若干问题的规定》(法释〔2008〕11 号)第 14 条规定,权利人向人民调解委员会以及其他依法有权解决相关民事纠纷的国家机关、事业单位、社会团体等社会组织提出保护相应民事权利的请求,诉讼时效从提出请求之日起中断。该条司法解释也认可了调解可以引起诉讼时效中断的效力。再如,控告也是一种与提起诉讼或者申请仲裁具有同等效力的情形,可以引起诉讼时效中断。该司法解释第 15 条第 1 款规定,权利人向公安机关、人民检察院、人民法院报案或者控告,请求保护其民事权利的,诉讼时效从其报案或者控告之日起中断。此外,该司法解释第 10 条第 1 款、第 13 条规定的申请仲裁,申请支付令,申请破产、申报破产债权,为主张权利而申请宣告义务人失踪或死亡,申请诉前财产保全、诉前临时禁令等诉前措施,申请强制执行,申请追加当事人或者被通知参加诉讼,在诉讼中主张抵销等,都属于与提起诉讼或者申请仲裁具有同等效力的情形,可以引起诉讼时效中断。

三、诉讼时效期间如何重新起算

民法通则规定,“从中断时起”诉讼时效期间重新计算。在民法总则起草过程中,有的意见提出,对于权利人向义务人提出履行请求、义务人同意履行等情况,民法通则的规定是可以的。但是对提起诉讼或者申请仲裁引起诉讼时效中断的情形,该规定有些简单。诉讼或者仲裁需要较长的时间,有些诉讼从起诉之日至终审判决作出需要数年之久。究竟是从起诉之日起诉讼时效期间重新起算,还是终审判决发生效力之日起诉讼时效期间重新起算,建议法律明确规定,以便于实践操作。

经研究认为,在重新计算诉讼时效期间的起算点上,应根据不同情况区别处理。以本条第1项规定的“权利人向义务人提出履行请求”、第2项规定的“义务人同意履行义务”等方式中断诉讼时效的,一旦履行请求到达义务人,或者义务人同意履行的意思表示到达权利人,即可以发生时效中断的效果。因此,在这两款规定的情况下,诉讼时效期间从中断时起重新计算。以本条第3项规定的“权利人提起诉讼或者申请仲裁”、第4项规定的“与提起诉讼或者申请仲裁具有同等效力的其他情形”等方式中断诉讼时效的,权利人处于依据法律程序主张权利的状态。如果规定诉讼时效期间从起诉之日或者提起仲裁之日起重新计算,可能会因法律程序烦琐、所耗费的时日过长,出现法律程序尚未终结而诉讼时效期间已经届满的情况,这在我国的司法实践中并不算少见。这一情况有违诉讼时效中断制度的目的,为了避免制度上的缺陷,对这两项规定的情形,民法总则规定从有关程序终结时起,诉讼时效期间重新计算。

第一百九十六条　下列请求权不适用诉讼时效的规定:

(一)请求停止侵害、排除妨碍、消除危险;

(二)不动产物权和登记的动产物权的权利人请求返还财产;

(三)请求支付抚养费、赡养费或者扶养费;

(四)依法不适用诉讼时效的其他请求权。

【释义】 本条是关于不适用诉讼时效的情形的规定。

根据本条规定,不适用诉讼时效的请求权包括:

1. 请求停止侵害、排除妨碍、消除危险

请求停止侵害,指的是所有权人或者其他物权人请求对物权造成侵害的人停止侵害行为或者侵害状态的权利。

请求排除妨碍,指的是所有权人或者其他物权人请求妨碍人停止妨碍、去除妨碍的权利。

请求消除危险,指的是所有权人或者其他物权人请求造成危险状态的人消除该危险的权利。

停止侵害、排除妨碍和消除危险是所有权和其他物权的功能,其目的是解决对物权权能的障碍、发挥物的效用,恢复权利人对权利客体的支配为目的。根据物权的理论,无论经过多长时间,法律不可能让侵害物权的行为取得合法性。如果请求停止侵害、排除妨碍、消除危险的权利适用诉讼时效,将会发生物权人必须容忍他人对其行使物权进行侵害的结果,这对权利人不公平,也违反物权法基本理论,不论是民法学界还是司法实务界,均认为这三种请求权不应适用诉讼时效。

2. 不动产物权和登记的动产物权的权利人请求返还财产

物可以分为不动产和动产,相应地物权可以分为不动产物权和动产物权。不动产物权价值重大、事关国计民生和整个社会稳定,一般用登记作为不动产物权享有和变动的公示方法。不动产登记部门是国家设立的,不动产一经登记具有强大的公示公信力,也就意味着不动产物权的权利人请求返还财产适用诉讼时效已不可能。原因在于,不动产登记簿上的记载就显示了物权的归属，任何人在与他人进行交易行为时，负有注意和谨慎义务，应关注不动产的登记情况。通常只要登记簿记载的权利人与实际占有不符，这就会使他人对占有人是否为真正物权人产生疑问，而且只要登记簿记载的权利人不改变，其无论经过多长期间都不会使他人对无权占有人产生信赖，认为其是合法物权人并与之发生民事法律关系。我国不动产物权采取登记生效主义，非经登记不发生效力。物权法第9条规定，不动产物权的设立、变更、转让和消灭，经依法登记，发生效力；未经登记，不发生效力，但法律另有规定的除外。如在不动产登记制度条件下仍规定已登记的物权人请求返还财产适用诉讼时效，则必然导致时效制度与不动产登记制度的自相矛盾，动摇不动产登记制度的权威性。民法总则草案一审稿至三审稿对本项的规定没有变化，均规定为“登记的物权人请求返还财产”。在民法总则草案提请第十二届全国人民代表大会第五次会议审议时，有的代表提出，目前，不少农村地区的房屋尚未办理不动产登记，为更好地保护农民的房屋产权，建议将不适用诉讼时效的范围扩大至所有不动产物权的返还请求权。法律委员会经研究，对这一项作出修改，明确不动产物权的权利人请求返还财产不适用诉讼时效。

动产以占有和交付为所有权享有和变动的公示方法。理论上讲，他人无权占有动产后，动产即与所有人分离，动产物权的权利人如果长期不请求返还财产，他人基于占有公示产生的对抗力就越来越强，第三人随着时间推移越发相信无权占有人就是事实上物的所有人，进而基于这种信赖与之发生一定的法律关系。信赖利益是民法上的重要利益。法律对信赖利益进行保护，对维护新产生的民事法律关系的效力及整个社会经济秩序的稳定均有积极意义。但是，有的意见提出，如果规定动产物权的权利人请求返还财产一概不适用诉讼时效，在理论上似乎出现一个矛盾。例如，甲占有乙价值10元的物，又向乙借款100万元。如果规定所有的动产物权的权利人请求返还财产均不适用诉讼时效，乙对价值10元的物可以长期请求返还，但对于更大价值的100万元债权，却只能在普通诉讼时效期间的三年内主张，看似法律对价值小的法益保护更重。此外，在实践中，一律规定所有的动产物权的权利人返还财产请求权不适用诉讼时效，在操作上面临很多困难，也没有必要。一般动产价值小、流动大、易损耗，如果不适用诉讼时效的规定，多年后再提起诉讼，一是因年代久远存在举证困难，二是增加诉累，三是不利于矛盾的及时解决。综合考虑，可以规定这类普通动产适用诉讼时效。船舶、航空器和机动车等动产，价值较大，被称为“准不动产”，准用不动产管理的很多规则，这类动产多进行物权登记。物权法第24条规定，船舶、航空器和机动车等物权的设立、变更、转让和消灭，未经登记，不得对抗善意第三人。由此可见，法律对船舶、航空器和机动车等动产的登记采取登记对抗主义。如果进行了登记，与不动产登记一样，产生强有力的公示公信效力，登记动产物权的权利人请求返还财产不适用诉讼时效。

综上考虑，本项规定：不动产物权和登记的动产物权的权利人请求返还财产的请求权，不适用诉讼时效的规定。

3. 请求支付抚养费、赡养费或者扶养费

抚养费指义务人基于抚养义务所支付的费用，支付对象一般是晚辈，如子女、孙子女、外孙子女等。赡养费指义务人基于赡养义务所支付的费用，支付对象一般是长辈，如父母、祖父母、外祖父母等。扶养费指义务人基于扶养义务所支付的费用，支付对象一般是平辈,如配偶、兄弟姐妹等。

受抚养、赡养或者扶养者一般都是年幼、年老或者缺乏劳动能力的人,抚养费、赡养费或者扶养费是这些人的生活来源,若无此等费用,将严重影响他们的生活。因此,民法总则规定,请求支付抚养费、赡养费或者扶养费的请求权,不适用诉讼时效的规定。

4. 依法不适用诉讼时效的其他请求权

本项属于兜底性条款。民法总则无法穷尽列举所有不适用诉讼时效的情形,法律中明确规定不适用诉讼时效的请求权,均属于本项规定的情形。

第一百九十七条　诉讼时效的期间、计算方法以及中止、中断的事由由法律规定,当事人约定无效。

当事人对诉讼时效利益的预先放弃无效。

【释义】 本条是关于诉讼时效法定性及时效利益不得预先放弃的规定。

一、诉讼时效法定性

诉讼时效制度关系到法律秩序的清晰稳定,是对民事权利的法定限制,其规范目的具有公益性,以牺牲罹于时效的权利人的利益为代价,为交易关系提供安全保障,关乎社会公共利益及法律秩序的统一,这要求诉讼时效期间及其计算方法明确且为社会知晓,诉讼时效的中止、中断的事由只能由法律作出明确规定,不能属于当事人自行处分的事宜,权利人和义务人不可以自行约定。

诉讼时效的法定性,首先是诉讼时效的期间和计算方法法定。该期间由法律明确规定,当事人必须按照法律规定的期间执行,不得改动。诉讼时效期间可以在一般法中规定,例如,本法规定的“向人民法院请求保护民事权利的诉讼时效期间为三年”,也可以在特别法中规定。再如,合同法第129条规定:“因国际货物买卖合同和技术进出口合同争议提起诉讼或者申请仲裁的期限为四年,自当事人知道或者应当知道其权利受到侵害之日起计算。”当事人不得通过约定缩短或延长诉讼时效期间。如果允许当事人约定延长,一是对义务人不利,会危及现在和将来在当事人之间形成的财产秩序。二是第三人往往不知道当事人对诉讼时效延长的约定,基于对义务人财产状况合理的信赖而进行交易,这可能对第三人造成不可预知的潜在侵害。三是当事人约定延长诉讼时效期间,不利于督促义务人及时行使权利。因此,不应该允许当事人延长诉讼时效。如果允许当事人约定缩短,权利人可能没有必需的准备时间来行使权利,对权利人保护不利,另外与诉讼时效制度的设计也是不相吻合的。同时需要注意的是,诉讼时效法定还意味着只能由法律对诉讼时效作出规定,法规、规章都不得对此进行规定。

诉讼时效的法定性,其次是诉讼时效中止、中断的事由法定。诉讼时效可以通过中止、中断进行法定变更,但相应情形由法律明确作出规定,当事人不可以创设法律没有规定的情形,使诉讼时效擅自变更。否则,诉讼时效便失去了确定性。

诉讼时效的法定性,最后是当事人擅自约定诉讼时效的效果由法律明确规定。当事人违反本款规定,擅自对诉讼时效的期间、计算方法以及中止、中断的事由进行约定的,法律也规定了其效果:约定无效。

二、诉讼时效预先放弃无效

诉讼时效放弃可以分为两种:一种是时效届满前预先放弃,另一种是诉讼时效届满后放弃。诉讼时效利益不得在时效期间届满前预先放弃。如果允许预先放弃时效利益,权利人可能会利用强势地位,损害义务人的权利。从公平保护的角度,不应该允许当事人预先约定放弃时效利益,否则等于权利人可以无期限的行使权利,违反了诉讼时效制度的法定性,与诉讼时效制度设立的目的不相吻合的,因此当事人对诉讼时效利益的预先放弃无效。但是,诉讼时效期间届满后,义务人取得拒绝履行义务的抗辩权。根据私法自治原则,当事人有权在法律规定的范围内,自由处分其权利或者利益,选择是否放弃诉讼时效利益。放弃诉讼时效是单方法律行为,自成立时发生法律效力;同时又是处分行为,须依意思表示为之。可以在诉讼中也可以在诉讼外作出;可以明示也可以默示。

基于公共利益考量,法律一方面需要强调诉讼时效的法定性,部分地限制意思自治原则;另一方面,如果过于强调诉讼时效的法定性,有可能会导致公权力对私权利的过分干预,进而破坏意思自治原则的根基。因此,需要尊重意思自治原则在民法体系中的重要地位,规定当事人不得预先放弃时效利益,但对时效期间届满的时效利益,是否提出诉讼时效抗辩乃是义务人的权利,可以自由处分。这种规定是立法在诉讼时效制度的法定性价值与意思自治原则的价值之间进行平衡。世界上主要国家和地区民法对诉讼时效的法定性和预先放弃无效多有规定。例如,《法国民法典》第 2220 条规定,时效不得预先抛弃;但在时效期间届满后得抛弃之。第 2221 条规定,抛弃时效或为明示的,或为默示的;由事实能够推定抛弃既得权利的,即为默示抛弃。《意大利民法典》第 2937 条规定,仅在时效期间届满的情况下可以放弃消灭时效。《瑞士债法典》第 114 条第 1 款规定,一方当事人不能实施事先放弃适用诉讼时效的规定。《日本民法典》第146条规定,时效的利益,不得预先放弃。《俄罗斯民法典》第198条第1款规定,诉讼时效期限及其计算办法不得由双方当事人协议变更。我国台湾地区“民法”第147条规定,时效期间,不得以法律行为加长或减短之,并不得预先抛弃时效之利益。同时,有的立法例明确规定义务人抛弃诉讼时效利益、履行义务后,不能再要求返还。例如,《德国民法典》第214条第2款规定,对时效期间届满的请求进行给付的,不能要求返还,履行时不知道时效期间已经届满的亦然。意大利、俄罗斯和我国台湾地区也有类似规定。《最高人民法院关于审理民事案件适用诉讼时效制度若干问题的规定》(法释〔2008〕11号)第2条规定,当事人违反法律规定,约定延长或者缩短诉讼时效期间、预先放弃诉讼时效利益的,人民法院不予认可。民法总则本条规定借鉴了境外立法例和我国最高人民法院的司法解释。

第一百九十八条　法律对仲裁时效有规定的,依照其规定;没有规定的,适用诉讼时效的规定。

【释义】 本条是关于仲裁时效的规定。

在我国,仲裁主要包括民商事仲裁、劳动仲裁和农村土地承包经营纠纷仲裁三种。民商事仲裁是平等主体的公民、法人和其他组织之间请求仲裁机构裁决合同纠纷和其他财产权益纠纷。劳动仲裁是当事人向劳动仲裁委员会请求裁决处理劳动争议纠纷。农村土地承包经营纠纷仲裁是就农村土地承包经营纠纷,向农村土地承包仲裁委员会申请裁决。

仲裁法第74条规定,法律对仲裁时效有规定的,适用该规定。法律对仲裁时效没有规定的,适用诉讼时效的规定。关于仲裁时效的特别规定主要有:

一是劳动争议调解仲裁法对于劳动仲裁时效有明确规定。该法第 27 条规定:“劳动争议申请仲裁的时效期间为一年。仲裁时效期间从当事人知道或者应当知道其权利被侵害之日起计算。前款规定的仲裁时效,因当事人一方向对方当事人主张权利,或者向有关部门请求权利救济,或者对方当事人同意履行义务而中断。从中断时起,仲裁时效期间重新计算。因不可抗力或者有其他正当理由,当事人不能在本条第一款规定的仲裁时效期间申请仲裁的,仲裁时效中止。从中止时效的原因消除之日起,仲裁时效期间继续计算。劳动关系存续期间因拖欠劳动报酬发生争议的,劳动者申请仲裁不受本条第一款规定的仲裁时效期间的限制;但是,劳动关系终止的,应当自劳动关系终止之日起一年内提出。”

二是合同法对仲裁时效有明确规定。该法第 129 条规定:“因国际货物买卖合同和技术进出口合同争议提起诉讼或者申请仲裁的期限为四年,自当事人知道或者应当知道其权利受到侵害之日起计算。因其他合同争议提起诉讼或者申请仲裁的期限,依照有关法律的规定。”

三是农村土地承包经营纠纷调解仲裁法对仲裁时效有明确规定。该法第 18 条规定:“农村土地承包经营纠纷申请仲裁的时效期间为二年,自当事人知道或者应当知道其权利被侵害之日起计算。”

除了上述三部法律外,没有关于仲裁时效的特别规定。因此长期以来,我国仲裁时效适用民法通则有关诉讼时效期间、中止中断等有关规定。民法总则起草过程中,有的意见提出,这一方式在实践中得到了检验,是可行的,建议民法总则继承民法通则的立法模式。我们经过反复研究,认为该种意见可以采纳。

因此，在民法总则中明确，法律对仲裁时效有规定的，依照其规定；没有规定的，适用诉讼时效的规定。这一规定既为特别法对仲裁时效作规定留有接口，也为仲裁时效准用诉讼时效的规定提供依据。

第一百九十九条 法律规定或者当事人约定的撤销权、解除权等权利的存续期间，除法律另有规定外，自权利人知道或者应当知道权利产生之日起计算，不适用有关诉讼时效中止、中断和延长的规定。存续期间届满，撤销权、解除权等权利消灭。

【释义】 本条是关于除斥期间的一般规定。

民法总则草案一审稿、二审稿曾设专节规定了“除斥期间”，即草案一审稿、二审稿第九章第二节“除斥期间”，与第一节“诉讼时效”并列。当时，“除斥期间”一节共有三个条文，分别是一审稿第 177 条（二审稿第 193 条）：“法律规定或者当事人约定的撤销权、解除权等权利的存续期间，为除斥期间。除斥期间届满，当事人的撤销权、解除权等权利消灭”。一审稿第 178 条（二审稿第 194 条）：“除斥期间自权利人知道或者应当知道权利产生之日起开始计算。法律另有规定的，依照其规定”。一审稿第 179 条（二审稿第 195 条）：“除斥期间不适用本法有关诉讼时效中止、中断和延长的规定。”

对于民法总则草案一审稿、二审稿的规定，有的意见提出，社会公众对除斥期间的概念较为生疏，草案关于除斥期间一节的规定学理性也较强，不宜在民法总则中规定。

经研究认为，除斥期间是民法总则中的一项重要制度，其目的在于促使法律关系早日确定，防止相对人因为消极等待而蒙受损害。民法理论通说认为，撤销权、解除权是适用除斥期间最典型的权利。撤销权是指民事法律行为成立时存在重大误解、欺诈、胁迫、显失公平等情形，一方当事人根据法律规定享有在一定期间内请求确认该民事法律行为自始无效的权利。解除权是指民事法律行为生效后，在出现法律规定或者当事人约定的特定事由时，当事人可以在一定期间内作出意思表示使该民事法律行为失去效力的权利。

除斥期间是民法中的重要制度。但考虑到“除斥期间”的表述确实理论性较强，一般老百姓不易理解。经过反复研究，民法总则仍保留了该制度，但在体例上进行了调整：从三审稿开始，删除“除斥期间”一节，将“除斥期间”的内容作原则性规定。经此调整后，原民法总则草案一审稿、二审稿第九章“诉讼时效和除斥期间”仅剩“诉讼时效”一节内容，无分节规定之必要，因此将民法总则草案一审稿、二审稿第九章的章名从“诉讼时效和除斥期间”修改为“诉讼时效”，将调整后的有关除斥期间的内容放在诉讼时效的最后一条进行规定。

除斥期间的起算点原则上应自权利行使无法律上的障碍时开始计算。但在权利人未必知道其权利存在的场合，法律通常规定自权利人知道其权利存在之时起开始计算。例如，根据合同法第 55 条的规定，可撤销合同撤销权的行使期间自撤销权人知道或者应当知道撤销事由时起算；根据第 75 条的规定，债权人撤销权的行使期间自撤销权人知道或者应当知道撤销事由时起算。与诉讼时效的法定性不同，除斥期间可以由当事人进行约定，甚至在法律允许的情况下，可以由一方向对方单方提出除斥期间。例如，合同法第 95 条规定，法律规定或者当事人约定解除权行使期限，期限届满当事人不行使的，该权利消灭。法律没有规定或者当事人没有约定解除权行使期限，经对方催告后在合理期限内不行使的，该权利消灭。这一规定明确了合同解除可以由法律规定除斥期间，也可以由当事人直接约定除斥期间，并允许在法律没有规定或当事人未约定期限时由对方催告确定合理期间。

除斥期间是权利预设期间，以促使法律关系尽早确定为目标，为达制度目的，需要规定除斥期间经过后，权利人的权利即归于消灭，要么使原本不确定的法律关系明确固定，要么使既有的法律关系归于消灭，都会引起实体法上效果的变化。所以除斥期间没有中断的可能性，一般也不会发生中止。

除斥期间不像诉讼时效一样可以高度抽象出共同性，因此规定比较分散。关于诉讼时效，各国一般都在法律条文中使用"诉讼时效""消灭时效"等表述，我国民事立法一贯采用"诉讼时效"的表述；而对除斥期间，虽然在法律条文中没有明确体现"除斥期间"的表述，但常常使用"撤销权消灭""作为自愿放弃权益""不行使而消灭""视为放弃""视为拒绝追认""视为权利消灭"等表述。现在仅以合同法为例，说明该法中关于除斥期间的主要规定：合同法第47条第2款规定的相对人催告后法定代理人追认权行使的一个月期限。第48条第2款规定的相对人催告后被代理人追认权行使的一个月期限。第75条规定的债权人对侵害行为行使撤销权的一年和五年期限。第95条规定的法律规定的期限为法定除斥期间；当事人约定的期限为约定除斥期间。第104条第2款规定的债权人领取提存物权利的五年期限。第158条第2款规定买受人对买卖标的物异议权行使的二年期限。第192条规定的赠与人撤销权行使的一年期限。第193条第2款规定的赠与人的继承人或法定代理人撤销权行使的六个月期限等。

第十章 期 间 计 算

期间是一种重要的法律事实，是民事法律关系发生、变更和终止的依据，包括期日和期间两种。期日是某特定的时间点，如8点、午时、6月、2017年。期间是某一期日至另一期日之间的时间段，如两小时、三天、五个月、三年。

本章共五条，主要规定了期间的计算单位；期间的起算与结束；期间结束日的顺延和期间可以法定或者约定等。

第二百条 民法所称的期间按照公历年、月、日、小时计算。

【释义】 本条是关于期间的计算单位的规定。

根据本条的规定，我国民法中规定的期间计算单位共有四种，分别是年、月、日和小时。期日为不可分的特定时间点，不发生计算的问题，但期间为一定的时间段，存在计算的问题。期间计算一般采取历法计算法和自然计算法相结合的方式。在本法规定的四种期间计算单位中，年、月采用公历的历法规则，这样每年的时间差距相差不大，既符合我国的社会实际，又符合国际通用规则，便于生产生活和国际交往。日、小时采用自然计算法，一日为二十四小时。本条规定继承自民法通则第154条的规定：民法所称的期间按照公历年、月、日、小时计算。

在民法总则起草过程中，有的意见提出，建议法律明确规定“星期”为期间的计算单位。有的意见提出，随着时间观念的变迁，在股票、期货、外汇交易等民商活动中，一分一秒都具有重大商业价值，计量时间需要精确到分和秒。我国秉持民商合一的立法体例，建议将“小时”修改为“时”，“时”可以包含小时、分、秒等单位。我们研究认为，法律规定不可能穷尽和面面俱到，需要把社会实践中最常使用的期间计算单位加以明确规定，同时在民事活动中，尊重当事人的意思自治和交易习惯，允许当事人约定期间的计算单位、计算方法。“星期”在社会生活中频繁用到，但在签订合同、履行义务、提供劳务等法律上需要计算期间时，我国社会公众很少使用“星期”作为期间计算单位使用，绝大多数情况下还是使用小时、日、月和年。而且，本法第 204 条已经作出规定，期间的计算方法可以由当事人进行约定。这就为民商事交易活动中，确需用“星期”“分”“秒”等计算计算期间留有余地。

第二百零一条　按照年、月、日计算期间的，开始的当日不计入，自下一日开始计算。

按照小时计算期间的，自法律规定或者当事人约定的时间开始计算。

【释义】 本条是关于期间起算的规定。

世界各国家和地区关于期间起算点的立法基本是一致的。例如，《德国民法典》第 187 条规定，如果期间的开始是以某一事件或者一天当中的某一时刻为起算标准的，在计算期间时，该事件或者时刻所处的当天不计算在内。如果期间的开始是以某一天的开始为起算标准的，在计算期间时，当天应计算在内。上述规定同样适用于在计算年龄时，对出生日的计算。《日本民法典》第 139 条规定，以时定期间者，即时起算。第 140 条规定，以日、周、月或者年定期间时,期间初日不算入,但期间从零时开始时,不在此限。《俄罗斯民法典》第191条规定,以期间确定的期限从日历日期的次日或作为期间开始的事件发生的次日起算。我国台湾地区“民法”第120条规定,以时定期间者,即时起算。以日、星期、月或者年定期间者,其始日不算入。《蒙古国民法典》第68条规定,如果期间按历法上的时间段计算或从某一事件的发生计算,则按年、季、月、旬、周、日、时计算,或从事件发生后的次日起算。《越南民法典》第161条规定,当期限以小时计算时,则期限以确定的小时开始。当期限以日、周、月、年计算时,则期限开始的当日不计算在期限内,期限从确定开始日的次日开始计算。

我国民法通则第154条第1款规定,民法所称的期间按照公历年、月、日、小时计算。第2款规定,规定按照小时计算期间的,从规定时开始计算。规定按照日、月、年计算期间的,开始的当天不算入,从下一天开始计算。本条规定在民法通则的基础上,作了一定的补充和完善。

一、按照年、月、日计算期间的,期间开始的当日不计入,自下一日开始计算

按日计算期间的情况,例如,甲乙双方2017年1月13日签订合同,约定第三十日交货,则签订合同的当日即2017年1月13日不算入期间,期间从2017年1月14日开始起算,2017年2月12日为第三十日,即交货日期。同样的,如果甲乙2017年2月13日签订合同,约定第三十日交货,则2017年3月15日为交货日。

按月计算期间的情况,例如,甲乙双方2017年1月13日签订合同,约定九个月后交货,则期间从2017年1月14日开始计

算九个月，到2017年10月13日为交货日。如果甲乙双方2017年12月31日签订合同，约定九个月后交货，则期间从2018年1月1日起计算九个月，到2018年9月30日为交货日。

因为一年中各自然月的天数不一致，闰年与平年的2月份天数也不一致，所以按日计算期间的情况下，相同的期间长度在不同月份、年份可能产生不同的计算结果。

按年计算期间的情况，例如，甲乙双方2016年1月13日签订合同，约定三年后交货，则期间从2017年1月14日开始计算三年，到2019年1月13日为交货日；如果约定五年后交货，则到2021年1月14日为交货日。如果甲乙双方合同从2016年8月1日生效，约定三年后交货，则期间从2016年8月2日开始计算，至2019年8月1日结束。

可见，在以年为计算单位的情况下，期间计算的结果不受一年中各自然月天数、闰年与平年的影响。

二、按照小时计算期间的，自法律规定或者当事人约定的时间开始计算

与民法通则的规定相比，本条增加了在按照小时计算期间的情况下，允许当时人约定，这是为了最大程度地尊重当事人的意思自治，尊重不同地区、不同行业的交易习惯，方便生活、促进交易。

按照小时计算期间，可以有两种起算方法：一种是自法律规定的时间开始计算，另一种是自当事人约定的时间开始计算。前一种情况下，例如，从8时开始计算三个小时，则期间应该到11时结束。又如，从8时30分开始计算二十六个小时，则期间应该到第二日10时30分结束。后一种情况下，可以允许当事人根据商业交易习惯或者双方都认可的方式约定期间起算方式，如整数计算法，不论期间从何时开始计算，都约定按照最近

将要到达的整数时间点开始计算。8 时 38 分达成交易合同,则从 9 时开始计算期间。

第二百零二条　按照年、月计算期间的,到期月的对应日为期间的最后一日;没有对应日的,月末日为期间的最后一日。

【释义】 本条是关于期间结束的规定。

在以日定期间的情况下,算足该期间之日即为期间最后一日。在按照年、月计算期间的情况下,期间结束日根据是否按照整月计算,会有两种不同的结果。在不按照整月计算的情况下,例如甲、乙二人于 2017 年 1 月 15 日签订劳务合同,约定一个月的履行期,则期间开始日为 2017 年 1 月 16 日,期间结束日为 2017 年 2 月 15 日。甲、乙二人于 2017 年 2 月 15 日签订劳务合同,约定一个月的履行期,则期间开始日为 2017 年 2 月 16 日,期间结束日为 2017 年 3 月 15 日。由此可见,期间最后一日总是到期月的签订合同的对应日。在按照整月计算的情况下,如果甲、乙二人于 2017 年 1 月 31 日签订劳务合同,约定一个月的履行期,则期间开始日为 2017 年 2 月 1 日,期间结束日为 2017 年 2 月 28 日。如果甲、乙二人于 2017 年 2 月 28 日签订劳务合同,约定一个月的履行期,则期间开始日为 2017 年 3 月 1 日,期间结束日为 2017 年 3 月 31 日。由此可见,期间最后一日总是月末日。

许多境外立法例均有这种规定。例如,《德国民法典》第 188 条规定,以日来确定期间的,期间最后一日一经届满,期间即告终止。以星期、月或者包含数月的时期(年、半年、一季度)确定期间的,在第 187 条第 1 款规定的情况下,其名称或者数目与事件或者时刻相符的、期间的最后星期或者最后月份的那一日一经届满,期间即告终止;在第 187 条第 2 款规定的情况下,其名称或者数目与期间开始之日相符的、期间的最后星期或者最后月份的那一日一经届满，期间即告终止。以月确定期间的，当最后月份没有相当之日时，该月最后一日一经届满，期间告终止。《日本民法典》第 141 条规定，以日、周、月或者年定期间时，以期间末日终了为期间届满。期间末日值大祭日、星期日或者其他休假日时，以习惯上不于其日交易情形为限，期间于其次日届满。我国台湾地区“民法”第 121 条规定，以日、星期、月或年定期间者，以期间末日之终止，为期间之终止。期间不以星期、月或年之始日起算者，以最后之星期、月或年与起算日相当日之前一日，为期间之末日。但以月或年定期间，于最后之月，无相当日者，以其月之末日，为期间之末日。

我国民法通则没有关于期间结束日的规定，但是票据法第 107 条第 2 款规定，按月计算期限的，按到期月的对日计算；无对日的，月末日为到期日。民法总则的本条规定，借鉴了境外立法的经验并参考了票据法的规定。

第二百零三条　期间的最后一日是法定休假日的，以法定休假日结束的次日为期间的最后一日。

期间的最后一日的截止时间为二十四时；有业务时间的，停止业务活动的时间为截止时间。

【释义】 本条是关于期间结束日顺延和期间末日结束点的规定。

境外不少立法例对期间最后一日的延长、期间末日的结束点有明确规定。例如，《德国民法典》第 193 条规定，应在某一确定日或者某一期间内作出意思表示或者履行给付，而该确定日或者该期间的最后一日是星期日，或者在表示地或者给付地是国家承认的普通节假日，或者是星期六的，以下一个工作日代替。《俄罗斯民法典》第193条规定，如果期限的最后一日适逢非工作日，则期限终止的日期为该非工作日之后的第一个工作日。第194条规定，如果期限的规定是为了实施某一行为，则该行为可以在期限最后一日24时之前完成。但是，如果这一行为应该在某一个组织中实施，则期限到该组织按规定终止相关业务的时间结束。我国台湾地区“民法”第122条规定，于一定期日或期间内，应为意思表示或给付者，其期日或其期间之末日，为星期日、纪念日或其他休息日时，以其休息日之次日代之。

我国民法通则第154条第3款规定，期间的最后一天是星期日或者其他法定休假日的，以休假日的次日为期间的最后一天。第4款规定，期间的最后一天的截止时间为24时。有业务时间的，到停止业务活动的时间截止。本条规定借鉴了境外立法的经验并继承了民法通则的成熟规定。

按照本法第202条的规定计算出期间最后一日，如果该日是法定休假日，对民事法律行为的产生、变更或者消灭会产生重大影响，因此法律规定期间顺延到法定休假日结束后的第一日届满。例如，2017年8月15日，甲承包的鱼塘中的鱼全部死亡。9月30日，甲得知鱼死亡是村里造纸厂排放废水造成的，其诉讼时效期间开始起算，三年后的2020年10月1日诉讼时效期间届满。但是，10月1日是国庆节假期，当年国庆节放假为10月1日至7日。甲的诉讼时效期间从10月1日顺延到10月8日，即国庆节假期结束后的第一日届满。

一日共二十四个小时，24时为一日的结束点，因此本条第2款规定，期间的最后一日的截止时间为24时。但银行、证券交易所等均有业务时间，到达业务时间，业务停止运作，在时间联系点上业务结束时间更有意义，没有必要规定到 24 时结束。因此第 2 款规定，有业务时间的，停止业务活动的时间为截止时间。这种规定是符合社会生活实际情况的。

第二百零四条 期间的计算方法依照本法的规定，但是法律另有规定或者当事人另有约定的除外。

【释义】 本条是关于期间可以法定或者约定的规定。

期间的计算方法依照法律规定，目的是使得当事人按照一种方法计算期间，从而避免误会、方便生活、促进交易，稳定法律秩序。境外立法例对此也有明确规定。例如，《日本民法典》第 138 条规定，期间的计算方法，除法令、裁判上命令或法律行为有特别规定外，按照本章的规定。我国台湾地区“民法”第 119 条规定，法令、审判或法律行为所定之期日及期间，除有特别订定外，其计算依本章之规定。

民法总则是民事领域的基本法，规定期间的计算单位、期间的起算与结束、期间结束日的顺延等基本内容。单行法对期间的计算方法如果有不同规定的，根据特殊优于一般的法理，应当适用特别法的规定。同时，民法需要充分尊重当事人的意思自治，当事人有特定交易习惯或者对期间的计算方法能够达成一致约定的，可以依照当事人的约定。例如，当事人可以约定采用周、半月等计算单位计算期间。

本条规定与本法第 201 条第 2 款的规定既有区别又有联系。第 201 条第 2 款的规定仅指在照小时计算期间的情况下，当事人可以约定期间开始的计算点。本条的规定是指当事人可以约定期间的计算方法，不仅是起算点，还有结束点。因此，在适用范围上，本条比第 201 条第 2 款更为广泛。

第十一章　附　　则

本章共二条，主要规定了有关法律术语含义和民法总则施行日期。

第二百零五条　民法所称的“以上”“以下”“以内”“届满”，包括本数；所称的“不满”“超过”“以外”，不包括本数。

【释义】 本条是关于法律术语含义的规定。

本条继承自民法通则第155条，该条规定：民法所称的“以上”“以下”“以内”“届满”，包括本数；所称的“不满”“以外”，不包括本数。与民法通则的规定相比，民法总则增加了“超过”，系因法律中出现了这一术语。

在汉语词义的解释中，“以上”指的是位置或者数目等在某一点之上；“以下”指的是位置或者数目不高于某一点；“以内”指的是介于一定的时间、数量、范围之中；“届满”指的是规定的期限已满、到期。“不满”指的是不充满，量不足；“超过”指的是高出、超出；“以外”指的是一定的限制、界限或者范围之外。从上面的基本含义可以得知，“以上”“以下”“以内”“届满”，应当包括本数；“不满”“超过”“以外”，不包括本数。

第二百零六条　本法自2017年10月1日起施行。

【释义】 本条是关于民法总则施行时间的规定。

施行时间是一部法律的必备内容。由于民法总则是民事生活领域的基本法，有些制度是对民法通则的修改和补充，有些制度是创设性的全新制度，需要在通过后宜留出一定的时间供社会各界学习、准备。但是，考虑到力争在 2020 年形成统一的民法典，在这之前，需要使民法总则施行一段时间，接受实践的检验。因此，反复研究后，全国人大法律委员会建议民法总则在 2017 年 3 月 15 日通过后，预留约五个半月的时间，自 2017 年 10 月 1 日起施行。从该日起，民法总则发生法律效力，以后发生的民事事实和行为应依照民法总则的规定；该日之前发生的民事事实和行为，民法总则不发生法律效力，即没有溯及力。但是，这些事实和行为在 2017 年 10 月 1 日后仍处于延续状态的，可以适用民法总则的规定。

在民法总则起草过程中，有的意见提出，民法总则通过后民法通则是否同时废止，应当加以明确。

我们研究认为，1986 年颁布的民法通则在我国民事立法史上具有里程碑的意义，对保护民事主体的合法权益，正确调整民事关系，维护社会经济秩序，发挥了重要作用。民法通则既规定了一些民法的基本制度和一般性规则，也规定了合同、所有权及其他财产权、知识产权、民事责任、涉外民事关系法律适用等具体内容，可以说是一部“小民法典”。民法总则以民法通则为基础，基本吸收了民法通则规定的民事基本制度和一般性规则，同时作了补充、完善和发展。民法通则规定的合同、所有权及其他财产权、知识产权、民事责任等具体内容还需要在下一步编纂民法典各分编时进行系统整合。基于此，民法总则通过后暂不宜废止民法通则，待民法典各编内容进行系统整合后，再予以废止。民法通则与民法总则的规定不一致的，根据新法优于旧法的原则，适用民法总则的规定。

此外，在民法总则草案提请第十二届全国人民代表大会第五次会议审议时，有的代表建议明确民法总则与现行合同法、物权法、侵权责任法等民事单行法的关系。法律委员会经研究认为，根据民法典编纂工作“两步走”的思路，民法总则草案经第十二届全国人民代表大会第五次会议审议通过后，下一步将进行民法典的合同编、物权编、侵权责任编等各分编的编纂工作。在各分编编纂工作完成前，合同法、物权法、侵权责任法等民事单行法的规定与民法总则不一致的，根据新法优于旧法的原则，适用民法总则的规定。

第二部分　附　　录

中华人民共和国民法总则

（2017 年 3 月 15 日第十二届全国人民代表大会
第五次会议通过　2017 年 3 月 15 日中华人民共和国
主席令第 66 号公布　自 2017 年 10 月 1 日起施行）

目　　录

第一章 基本规定

第一条 为了保护民事主体的合法权益,调整民事关系,维护社会和经济秩序,适应中国特色社会主义发展要求,弘扬社会主义核心价值观,根据宪法,制定本法。

第二条 民法调整平等主体的自然人、法人和非法人组织之间的人身关系和财产关系。

第三条 民事主体的人身权利、财产权利以及其他合法权益受法律保护,任何组织或者个人不得侵犯。

第四条 民事主体在民事活动中的法律地位一律平等。

第五条 民事主体从事民事活动,应当遵循自愿原则,按照自己的意思设立、变更、终止民事法律关系。

第六条 民事主体从事民事活动,应当遵循公平原则,合理确定各方的权利和义务。

第七条 民事主体从事民事活动,应当遵循诚信原则,秉持诚实,恪守承诺。

第八条 民事主体从事民事活动,不得违反法律,不得违背公序良俗。

第九条 民事主体从事民事活动,应当有利于节约资源、保护生态环境。

第十条 处理民事纠纷,应当依照法律;法律没有规定的,可以适用习惯,但是不得违背公序良俗。

第十一条 其他法律对民事关系有特别规定的,依照其规定。

第十二条 中华人民共和国领域内的民事活动,适用中华人民共和国法律。法律另有规定的,依照其规定。

第二章 自 然 人

第一节 民事权利能力和民事行为能力

第十三条 自然人从出生时起到死亡时止,具有民事权利能力,依法享有民事权利,承担民事义务。

第十四条 自然人的民事权利能力一律平等。

第十五条 自然人的出生时间和死亡时间,以出生证明、死亡证明记载的时间为准;没有出生证明、死亡证明的,以户籍登记或者其他有效身份登记记载的时间为准。有其他证据足以推翻以上记载时间的,以该证据证明的时间为准。

第十六条 涉及遗产继承、接受赠与等胎儿利益保护的,胎儿视为具有民事权利能力。但是胎儿娩出时为死体的,其民事权利能力自始不存在。

第十七条 十八周岁以上的自然人为成年人。不满十八周岁的自然人为未成年人。

第十八条 成年人为完全民事行为能力人,可以独立实施民事法律行为。

十六周岁以上的未成年人,以自己的劳动收入为主要生活来源的,视为完全民事行为能力人。

第十九条 八周岁以上的未成年人为限制民事行为能力人,实施民事法律行为由其法定代理人代理或者经其法定代理人同意、追认,但是可以独立实施纯获利益的民事法律行为或者与其年龄、智力相适应的民事法律行为。

第二十条 不满八周岁的未成年人为无民事行为能力人,由其法定代理人代理实施民事法律行为。

第二十一条 不能辨认自己行为的成年人为无民事行为能力人,由其法定代理人代理实施民事法律行为。

八周岁以上的未成年人不能辨认自己行为的,适用前款规定。

第二十二条 不能完全辨认自己行为的成年人为限制民事行为能力人,实施民事法律行为由其法定代理人代理或者经其法定代理人同意、追认,但是可以独立实施纯获利益的民事法律行为或者与其智力、精神健康状况相适应的民事法律行为。

第二十三条 无民事行为能力人、限制民事行为能力人的监护人是其法定代理人。

第二十四条 不能辨认或者不能完全辨认自己行为的成年人,其利害关系人或者有关组织,可以向人民法院申请认定该成年人为无民事行为能力人或者限制民事行为能力人。

被人民法院认定为无民事行为能力人或者限制民事行为能力人的,经本人、利害关系人或者有关组织申请,人民法院可以根据其智力、精神健康恢复的状况,认定该成年人恢复为限制民事行为能力人或者完全民事行为能力人。

本条规定的有关组织包括：居民委员会、村民委员会、学校、医疗机构、妇女联合会、残疾人联合会、依法设立的老年人组织、民政部门等。

第二十五条　自然人以户籍登记或者其他有效身份登记记载的居所为住所；经常居所与住所不一致的，经常居所视为住所。

第二节　监　　护

第二十六条　父母对未成年子女负有抚养、教育和保护的义务。

成年子女对父母负有赡养、扶助和保护的义务。

第二十七条　父母是未成年子女的监护人。

未成年人的父母已经死亡或者没有监护能力的，由下列有监护能力的人按顺序担任监护人：

（一）祖父母、外祖父母；

（二）兄、姐；

（三）其他愿意担任监护人的个人或者组织，但是须经未成年人住所地的居民委员会、村民委员会或者民政部门同意。

第二十八条　无民事行为能力或者限制民事行为能力的成年人，由下列有监护能力的人按顺序担任监护人：

（一）配偶；

（二）父母、子女；

（三）其他近亲属；

（四）其他愿意担任监护人的个人或者组织，但是须经被监护人住所地的居民委员会、村民委员会或者民政部门同意。

第二十九条　被监护人的父母担任监护人的，可以通过遗嘱指定监护人。

第三十条 依法具有监护资格的人之间可以协议确定监护人。协议确定监护人应当尊重被监护人的真实意愿。

第三十一条 对监护人的确定有争议的，由被监护人住所地的居民委员会、村民委员会或者民政部门指定监护人，有关当事人对指定不服的，可以向人民法院申请指定监护人；有关当事人也可以直接向人民法院申请指定监护人。

居民委员会、村民委员会、民政部门或者人民法院应当尊重被监护人的真实意愿，按照最有利于被监护人的原则在依法具有监护资格的人中指定监护人。

依照本条第一款规定指定监护人前，被监护人的人身权利、财产权利以及其他合法权益处于无人保护状态的，由被监护人住所地的居民委员会、村民委员会、法律规定的有关组织或者民政部门担任临时监护人。

监护人被指定后，不得擅自变更；擅自变更的，不免除被指定的监护人的责任。

第三十二条 没有依法具有监护资格的人的，监护人由民政部门担任，也可以由具备履行监护职责条件的被监护人住所地的居民委员会、村民委员会担任。

第三十三条 具有完全民事行为能力的成年人，可以与其近亲属、其他愿意担任监护人的个人或者组织事先协商，以书面形式确定自己的监护人。协商确定的监护人在该成年人丧失或者部分丧失民事行为能力时，履行监护职责。

第三十四条 监护人的职责是代理被监护人实施民事法律行为，保护被监护人的人身权利、财产权利以及其他合法权益等。

监护人依法履行监护职责产生的权利，受法律保护。

监护人不履行监护职责或者侵害被监护人合法权益的，应当承担法律责任。

第三十五条　监护人应当按照最有利于被监护人的原则履行监护职责。监护人除为维护被监护人利益外，不得处分被监护人的财产。

未成年人的监护人履行监护职责，在作出与被监护人利益有关的决定时，应当根据被监护人的年龄和智力状况，尊重被监护人的真实意愿。

成年人的监护人履行监护职责，应当最大程度地尊重被监护人的真实意愿，保障并协助被监护人实施与其智力、精神健康状况相适应的民事法律行为。对被监护人有能力独立处理的事务，监护人不得干涉。

第三十六条　监护人有下列情形之一的，人民法院根据有关个人或者组织的申请，撤销其监护人资格，安排必要的临时监护措施，并按照最有利于被监护人的原则依法指定监护人：

（一）实施严重损害被监护人身心健康行为的；

（二）怠于履行监护职责，或者无法履行监护职责并且拒绝将监护职责部分或者全部委托给他人，导致被监护人处于危困状态的；

（三）实施严重侵害被监护人合法权益的其他行为的。

本条规定的有关个人和组织包括：其他依法具有监护资格的人，居民委员会、村民委员会、学校、医疗机构、妇女联合会、残疾人联合会、未成年人保护组织、依法设立的老年人组织、民政部门等。

前款规定的个人和民政部门以外的组织未及时向人民法院申请撤销监护人资格的，民政部门应当向人民法院申请。

第三十七条　依法负担被监护人抚养费、赡养费、扶养费的父母、子女、配偶等，被人民法院撤销监护人资格后，应当继续履行负担的义务。

第三十八条　被监护人的父母或者子女被人民法院撤销监护

人资格后，除对被监护人实施故意犯罪的外，确有悔改表现的，经其申请，人民法院可以在尊重被监护人真实意愿的前提下，视情况恢复其监护人资格，人民法院指定的监护人与被监护人的监护关系同时终止。

第三十九条 有下列情形之一的，监护关系终止：

（一）被监护人取得或者恢复完全民事行为能力；

（二）监护人丧失监护能力；

（三）被监护人或者监护人死亡；

（四）人民法院认定监护关系终止的其他情形。

监护关系终止后，被监护人仍然需要监护的，应当依法另行确定监护人。

第三节 宣告失踪和宣告死亡

第四十条 自然人下落不明满二年的，利害关系人可以向人民法院申请宣告该自然人为失踪人。

第四十一条 自然人下落不明的时间从其失去音讯之日起计算。战争期间下落不明的，下落不明的时间自战争结束之日或者有关机关确定的下落不明之日起计算。

第四十二条 失踪人的财产由其配偶、成年子女、父母或者其他愿意担任财产代管人的人代管。

代管有争议，没有前款规定的人，或者前款规定的人无代管能力的，由人民法院指定的人代管。

第四十三条 财产代管人应当妥善管理失踪人的财产，维护其财产权益。

失踪人所欠税款、债务和应付的其他费用，由财产代管人从失踪人的财产中支付。

财产代管人因故意或者重大过失造成失踪人财产损失的，应当承担赔偿责任。

第四十四条 财产代管人不履行代管职责、侵害失踪人财产权益或者丧失代管能力的，失踪人的利害关系人可以向人民法院申请变更财产代管人。

财产代管人有正当理由的，可以向人民法院申请变更财产代管人。

人民法院变更财产代管人的，变更后的财产代管人有权要求原财产代管人及时移交有关财产并报告财产代管情况。

第四十五条 失踪人重新出现，经本人或者利害关系人申请，人民法院应当撤销失踪宣告。

失踪人重新出现，有权要求财产代管人及时移交有关财产并报告财产代管情况。

第四十六条 自然人有下列情形之一的，利害关系人可以向人民法院申请宣告该自然人死亡：

（一）下落不明满四年；

（二）因意外事件，下落不明满二年。

因意外事件下落不明，经有关机关证明该自然人不可能生存的，申请宣告死亡不受二年时间的限制。

第四十七条 对同一自然人，有的利害关系人申请宣告死亡，有的利害关系人申请宣告失踪，符合本法规定的宣告死亡条件的，人民法院应当宣告死亡。

第四十八条 被宣告死亡的人，人民法院宣告死亡的判决作出之日视为其死亡的日期；因意外事件下落不明宣告死亡的，意外事件发生之日视为其死亡的日期。

第四十九条 自然人被宣告死亡但是并未死亡的，不影响该自然人在被宣告死亡期间实施的民事法律行为的效力。

第五十条 被宣告死亡的人重新出现，经本人或者利害关系人申请,人民法院应当撤销死亡宣告。

第五十一条 被宣告死亡的人的婚姻关系,自死亡宣告之日起消灭。死亡宣告被撤销的,婚姻关系自撤销死亡宣告之日起自行恢复,但是其配偶再婚或者向婚姻登记机关书面声明不愿意恢复的除外。

第五十二条 被宣告死亡的人在被宣告死亡期间,其子女被他人依法收养的,在死亡宣告被撤销后,不得以未经本人同意为由主张收养关系无效。

第五十三条 被撤销死亡宣告的人有权请求依照继承法取得其财产的民事主体返还财产。无法返还的,应当给予适当补偿。

利害关系人隐瞒真实情况,致使他人被宣告死亡取得其财产的,除应当返还财产外,还应当对由此造成的损失承担赔偿责任。

第四节 个体工商户和农村承包经营户

第五十四条 自然人从事工商业经营,经依法登记,为个体工商户。个体工商户可以起字号。

第五十五条 农村集体经济组织的成员,依法取得农村土地承包经营权,从事家庭承包经营的,为农村承包经营户。

第五十六条 个体工商户的债务,个人经营的,以个人财产承担;家庭经营的,以家庭财产承担;无法区分的,以家庭财产承担。

农村承包经营户的债务,以从事农村土地承包经营的农户财产承担;事实上由农户部分成员经营的,以该部分成员的财产承担。

第三章 法 人

第一节 一般规定

第五十七条 法人是具有民事权利能力和民事行为能力,依法独立享有民事权利和承担民事义务的组织。

第五十八条 法人应当依法成立。

法人应当有自己的名称、组织机构、住所、财产或者经费。法人成立的具体条件和程序,依照法律、行政法规的规定。

设立法人,法律、行政法规规定须经有关机关批准的,依照其规定。

第五十九条 法人的民事权利能力和民事行为能力,从法人成立时产生,到法人终止时消灭。

第六十条 法人以其全部财产独立承担民事责任。

第六十一条 依照法律或者法人章程的规定,代表法人从事民事活动的负责人,为法人的法定代表人。

法定代表人以法人名义从事的民事活动,其法律后果由法人承受。

法人章程或者法人权力机构对法定代表人代表权的限制,不得对抗善意相对人。

第六十二条 法定代表人因执行职务造成他人损害的,由法人承担民事责任。

法人承担民事责任后,依照法律或者法人章程的规定,可以向有过错的法定代表人追偿。

第六十三条 法人以其主要办事机构所在地为住所。依法需要办理法人登记的,应当将主要办事机构所在地登记为住所。

第六十四条 法人存续期间登记事项发生变化的,应当依法向登记机关申请变更登记。

第六十五条 法人的实际情况与登记的事项不一致的,不得对抗善意相对人。

第六十六条 登记机关应当依法及时公示法人登记的有关信息。

第六十七条 法人合并的,其权利和义务由合并后的法人享有和承担。

法人分立的,其权利和义务由分立后的法人享有连带债权,承担连带债务,但是债权人和债务人另有约定的除外。

第六十八条 有下列原因之一并依法完成清算、注销登记的,法人终止:

(一)法人解散;

(二)法人被宣告破产;

(三)法律规定的其他原因。

法人终止,法律、行政法规规定须经有关机关批准的,依照其规定。

第六十九条 有下列情形之一的,法人解散:

(一)法人章程规定的存续期间届满或者法人章程规定的其他解散事由出现;

(二)法人的权力机构决议解散;

(三)因法人合并或者分立需要解散;

(四)法人依法被吊销营业执照、登记证书,被责令关闭或者被撤销;

(五)法律规定的其他情形。

第七十条 法人解散的,除合并或者分立的情形外,清算义务人应当及时组成清算组进行清算。

法人的董事、理事等执行机构或者决策机构的成员为清算义务人。法律、行政法规另有规定的,依照其规定。

清算义务人未及时履行清算义务,造成损害的,应当承担民事责任;主管机关或者利害关系人可以申请人民法院指定有关人员组成清算组进行清算。

第七十一条 法人的清算程序和清算组职权,依照有关法律的规定;没有规定的,参照适用公司法的有关规定。

第七十二条　清算期间法人存续,但是不得从事与清算无关的活动。

法人清算后的剩余财产,根据法人章程的规定或者法人权力机构的决议处理。法律另有规定的,依照其规定。

清算结束并完成法人注销登记时,法人终止;依法不需要办理法人登记的,清算结束时,法人终止。

第七十三条　法人被宣告破产的,依法进行破产清算并完成法人注销登记时,法人终止。

第七十四条　法人可以依法设立分支机构。法律、行政法规规定分支机构应当登记的,依照其规定。

分支机构以自己的名义从事民事活动,产生的民事责任由法人承担;也可以先以该分支机构管理的财产承担,不足以承担的,由法人承担。

第七十五条　设立人为设立法人从事的民事活动,其法律后果由法人承受;法人未成立的,其法律后果由设立人承受,设立人为二人以上的,享有连带债权,承担连带债务。

设立人为设立法人以自己的名义从事民事活动产生的民事责任,第三人有权选择请求法人或者设立人承担。

第二节　营利法人

第七十六条　以取得利润并分配给股东等出资人为目的成立的法人,为营利法人。

营利法人包括有限责任公司、股份有限公司和其他企业法人等。

第七十七条　营利法人经依法登记成立。

第七十八条　依法设立的营利法人,由登记机关发给营利法人营业执照。营业执照签发日期为营利法人的成立日期。

第七十九条 设立营利法人应当依法制定法人章程。

第八十条 营利法人应当设权力机构。

权力机构行使修改法人章程,选举或者更换执行机构、监督机构成员,以及法人章程规定的其他职权。

第八十一条 营利法人应当设执行机构。

执行机构行使召集权力机构会议,决定法人的经营计划和投资方案,决定法人内部管理机构的设置,以及法人章程规定的其他职权。

执行机构为董事会或者执行董事的,董事长、执行董事或者经理按照法人章程的规定担任法定代表人;未设董事会或者执行董事的,法人章程规定的主要负责人为其执行机构和法定代表人。

第八十二条 营利法人设监事会或者监事等监督机构的,监督机构依法行使检查法人财务,监督执行机构成员、高级管理人员执行法人职务的行为,以及法人章程规定的其他职权。

第八十三条 营利法人的出资人不得滥用出资人权利损害法人或者其他出资人的利益。滥用出资人权利给法人或者其他出资人造成损失的,应当依法承担民事责任。

营利法人的出资人不得滥用法人独立地位和出资人有限责任损害法人的债权人利益。滥用法人独立地位和出资人有限责任,逃避债务,严重损害法人的债权人利益的,应当对法人债务承担连带责任。

第八十四条 营利法人的控股出资人、实际控制人、董事、监事、高级管理人员不得利用其关联关系损害法人的利益。利用关联关系给法人造成损失的,应当承担赔偿责任。

第八十五条 营利法人的权力机构、执行机构作出决议的会议召集程序、表决方式违反法律、行政法规、法人章程,或者决议内容违反法人章程的，营利法人的出资人可以请求人民法院撤销该决议，但是营利法人依据该决议与善意相对人形成的民事法律关系不受影响。

第八十六条 营利法人从事经营活动，应当遵守商业道德，维护交易安全，接受政府和社会的监督，承担社会责任。

第三节 非营利法人

第八十七条 为公益目的或者其他非营利目的成立，不向出资人、设立人或者会员分配所取得利润的法人，为非营利法人。

非营利法人包括事业单位、社会团体、基金会、社会服务机构等。

第八十八条 具备法人条件，为适应经济社会发展需要，提供公益服务设立的事业单位，经依法登记成立，取得事业单位法人资格；依法不需要办理法人登记的，从成立之日起，具有事业单位法人资格。

第八十九条 事业单位法人设理事会的，除法律另有规定外，理事会为其决策机构。事业单位法人的法定代表人依照法律、行政法规或者法人章程的规定产生。

第九十条 具备法人条件，基于会员共同意愿，为公益目的或者会员共同利益等非营利目的设立的社会团体，经依法登记成立，取得社会团体法人资格；依法不需要办理法人登记的，从成立之日起，具有社会团体法人资格。

第九十一条 设立社会团体法人应当依法制定法人章程。

社会团体法人应当设会员大会或者会员代表大会等权力机构。

社会团体法人应当设理事会等执行机构。理事长或者会长等负责人按照法人章程的规定担任法定代表人。

第九十二条 具备法人条件，为公益目的以捐助财产设立的基金会、社会服务机构等，经依法登记成立，取得捐助法人资格。

依法设立的宗教活动场所，具备法人条件的，可以申请法人登记，取得捐助法人资格。法律、行政法规对宗教活动场所有规定的，依照其规定。

第九十三条 设立捐助法人应当依法制定法人章程。

捐助法人应当设理事会、民主管理组织等决策机构，并设执行机构。理事长等负责人按照法人章程的规定担任法定代表人。

捐助法人应当设监事会等监督机构。

第九十四条 捐助人有权向捐助法人查询捐助财产的使用、管理情况，并提出意见和建议，捐助法人应当及时、如实答复。

捐助法人的决策机构、执行机构或者法定代表人作出决定的程序违反法律、行政法规、法人章程，或者决定内容违反法人章程的，捐助人等利害关系人或者主管机关可以请求人民法院撤销该决定，但是捐助法人依据该决定与善意相对人形成的民事法律关系不受影响。

第九十五条 为公益目的成立的非营利法人终止时，不得向出资人、设立人或者会员分配剩余财产。剩余财产应当按照法人章程的规定或者权力机构的决议用于公益目的；无法按照法人章程的规定或者权力机构的决议处理的，由主管机关主持转给宗旨相同或者相近的法人，并向社会公告。

第四节 特别法人

第九十六条 本节规定的机关法人、农村集体经济组织法人、城镇农村的合作经济组织法人、基层群众性自治组织法人，为特别法人。

第九十七条 有独立经费的机关和承担行政职能的法定机构

从成立之日起，具有机关法人资格，可以从事为履行职能所需要的民事活动。

第九十八条　机关法人被撤销的，法人终止，其民事权利和义务由继任的机关法人享有和承担；没有继任的机关法人的，由作出撤销决定的机关法人享有和承担。

第九十九条　农村集体经济组织依法取得法人资格。

法律、行政法规对农村集体经济组织有规定的，依照其规定。

第一百条　城镇农村的合作经济组织依法取得法人资格。

法律、行政法规对城镇农村的合作经济组织有规定的，依照其规定。

第一百零一条　居民委员会、村民委员会具有基层群众性自治组织法人资格，可以从事为履行职能所需要的民事活动。

未设立村集体经济组织的，村民委员会可以依法代行村集体经济组织的职能。

第四章　非法人组织

第一百零二条　非法人组织是不具有法人资格，但是能够依法以自己的名义从事民事活动的组织。

非法人组织包括个人独资企业、合伙企业、不具有法人资格的专业服务机构等。

第一百零三条　非法人组织应当依照法律的规定登记。

设立非法人组织，法律、行政法规规定须经有关机关批准的，依照其规定。

第一百零四条　非法人组织的财产不足以清偿债务的，其出资人或者设立人承担无限责任。法律另有规定的，依照其规定。

第一百零五条　非法人组织可以确定一人或者数人代表该组织从事民事活动。

第一百零六条 有下列情形之一的,非法人组织解散:

(一)章程规定的存续期间届满或者章程规定的其他解散事由出现;

(二)出资人或者设立人决定解散;

(三)法律规定的其他情形。

第一百零七条 非法人组织解散的,应当依法进行清算。

第一百零八条 非法人组织除适用本章规定外,参照适用本法第三章第一节的有关规定。

第五章 民事权利

第一百零九条 自然人的人身自由、人格尊严受法律保护。

第一百一十条 自然人享有生命权、身体权、健康权、姓名权、肖像权、名誉权、荣誉权、隐私权、婚姻自主权等权利。

法人、非法人组织享有名称权、名誉权、荣誉权等权利。

第一百一十一条 自然人的个人信息受法律保护。任何组织和个人需要获取他人个人信息的,应当依法取得并确保信息安全,不得非法收集、使用、加工、传输他人个人信息,不得非法买卖、提供或者公开他人个人信息。

第一百一十二条 自然人因婚姻、家庭关系等产生的人身权利受法律保护。

第一百一十三条 民事主体的财产权利受法律平等保护。

第一百一十四条 民事主体依法享有物权。

物权是权利人依法对特定的物享有直接支配和排他的权利,包括所有权、用益物权和担保物权。

第一百一十五条 物包括不动产和动产。法律规定权利作为物权客体的,依照其规定。

第一百一十六条 物权的种类和内容,由法律规定。

第一百一十七条 为了公共利益的需要，依照法律规定的权限和程序征收、征用不动产或者动产的，应当给予公平、合理的补偿。

第一百一十八条 民事主体依法享有债权。

债权是因合同、侵权行为、无因管理、不当得利以及法律的其他规定，权利人请求特定义务人为或者不为一定行为的权利。

第一百一十九条 依法成立的合同，对当事人具有法律约束力。

第一百二十条 民事权益受到侵害的，被侵权人有权请求侵权人承担侵权责任。

第一百二十一条 没有法定的或者约定的义务，为避免他人利益受损失而进行管理的人，有权请求受益人偿还由此支出的必要费用。

第一百二十二条 因他人没有法律根据，取得不当利益，受损失的人有权请求其返还不当利益。

第一百二十三条 民事主体依法享有知识产权。

知识产权是权利人依法就下列客体享有的专有的权利：

（一）作品；

（二）发明、实用新型、外观设计；

（三）商标；

（四）地理标志；

（五）商业秘密；

（六）集成电路布图设计；

（七）植物新品种；

（八）法律规定的其他客体。

第一百二十四条 自然人依法享有继承权。

自然人合法的私有财产，可以依法继承。

第一百二十五条 民事主体依法享有股权和其他投资性权利。

第一百二十六条 民事主体享有法律规定的其他民事权利和利益。

第一百二十七条 法律对数据、网络虚拟财产的保护有规定的,依照其规定。

第一百二十八条 法律对未成年人、老年人、残疾人、妇女、消费者等的民事权利保护有特别规定的,依照其规定。

第一百二十九条 民事权利可以依据民事法律行为、事实行为、法律规定的事件或者法律规定的其他方式取得。

第一百三十条 民事主体按照自己的意愿依法行使民事权利,不受干涉。

第一百三十一条 民事主体行使权利时,应当履行法律规定的和当事人约定的义务。

第一百三十二条 民事主体不得滥用民事权利损害国家利益、社会公共利益或者他人合法权益。

第六章 民事法律行为

第一节 一般规定

第一百三十三条 民事法律行为是民事主体通过意思表示设立、变更、终止民事法律关系的行为。

第一百三十四条 民事法律行为可以基于双方或者多方的意思表示一致成立,也可以基于单方的意思表示成立。

法人、非法人组织依照法律或者章程规定的议事方式和表决程序作出决议的,该决议行为成立。

第一百三十五条 民事法律行为可以采用书面形式、口头形式或者其他形式;法律、行政法规规定或者当事人约定采用特定形式的,应当采用特定形式。

第一百三十六条　民事法律行为自成立时生效,但是法律另有规定或者当事人另有约定的除外。

行为人非依法律规定或者未经对方同意,不得擅自变更或者解除民事法律行为。

第二节　意思表示

第一百三十七条　以对话方式作出的意思表示,相对人知道其内容时生效。

以非对话方式作出的意思表示,到达相对人时生效。以非对话方式作出的采用数据电文形式的意思表示,相对人指定特定系统接收数据电文的,该数据电文进入该特定系统时生效;未指定特定系统的,相对人知道或者应当知道该数据电文进入其系统时生效。当事人对采用数据电文形式的意思表示的生效时间另有约定的,按照其约定。

第一百三十八条　无相对人的意思表示,表示完成时生效。法律另有规定的,依照其规定。

第一百三十九条　以公告方式作出的意思表示,公告发布时生效。

第一百四十条　行为人可以明示或者默示作出意思表示。

沉默只有在有法律规定、当事人约定或者符合当事人之间的交易习惯时,才可以视为意思表示。

第一百四十一条　行为人可以撤回意思表示。撤回意思表示的通知应当在意思表示到达相对人前或者与意思表示同时到达相对人。

第一百四十二条　有相对人的意思表示的解释,应当按照所使用的词句,结合相关条款、行为的性质和目的、习惯以及诚信原则,确定意思表示的含义。

无相对人的意思表示的解释,不能完全拘泥于所使用的词句,而应当结合相关条款、行为的性质和目的、习惯以及诚信原则,确定行为人的真实意思。

第三节 民事法律行为的效力

第一百四十三条 具备下列条件的民事法律行为有效:

(一)行为人具有相应的民事行为能力;

(二)意思表示真实;

(三)不违反法律、行政法规的强制性规定,不违背公序良俗。

第一百四十四条 无民事行为能力人实施的民事法律行为无效。

第一百四十五条 限制民事行为能力人实施的纯获利益的民事法律行为或者与其年龄、智力、精神健康状况相适应的民事法律行为有效;实施的其他民事法律行为经法定代理人同意或者追认后有效。

相对人可以催告法定代理人自收到通知之日起一个月内予以追认。法定代理人未作表示的,视为拒绝追认。民事法律行为被追认前,善意相对人有撤销的权利。撤销应当以通知的方式作出。

第一百四十六条 行为人与相对人以虚假的意思表示实施的民事法律行为无效。

以虚假的意思表示隐藏的民事法律行为的效力,依照有关法律规定处理。

第一百四十七条 基于重大误解实施的民事法律行为,行为人有权请求人民法院或者仲裁机构予以撤销。

第一百四十八条 一方以欺诈手段,使对方在违背真实意思的情况下实施的民事法律行为,受欺诈方有权请求人民法院或者仲裁机构予以撤销。

第一百四十九条 第三人实施欺诈行为，使一方在违背真实意思的情况下实施的民事法律行为，对方知道或者应当知道该欺诈行为的，受欺诈方有权请求人民法院或者仲裁机构予以撤销。

第一百五十条 一方或者第三人以胁迫手段，使对方在违背真实意思的情况下实施的民事法律行为，受胁迫方有权请求人民法院或者仲裁机构予以撤销。

第一百五十一条 一方利用对方处于危困状态、缺乏判断能力等情形，致使民事法律行为成立时显失公平的，受损害方有权请求人民法院或者仲裁机构予以撤销。

第一百五十二条 有下列情形之一的，撤销权消灭：

（一）当事人自知道或者应当知道撤销事由之日起一年内、重大误解的当事人自知道或者应当知道撤销事由之日起三个月内没有行使撤销权；

（二）当事人受胁迫，自胁迫行为终止之日起一年内没有行使撤销权；

（三）当事人知道撤销事由后明确表示或者以自己的行为表明放弃撤销权。

当事人自民事法律行为发生之日起五年内没有行使撤销权的，撤销权消灭。

第一百五十三条 违反法律、行政法规的强制性规定的民事法律行为无效，但是该强制性规定不导致该民事法律行为无效的除外。

违背公序良俗的民事法律行为无效。

第一百五十四条 行为人与相对人恶意串通，损害他人合法权益的民事法律行为无效。

第一百五十五条 无效的或者被撤销的民事法律行为自始没

有法律约束力。

第一百五十六条 民事法律行为部分无效，不影响其他部分效力的，其他部分仍然有效。

第一百五十七条 民事法律行为无效、被撤销或者确定不发生效力后，行为人因该行为取得的财产，应当予以返还；不能返还或者没有必要返还的，应当折价补偿。有过错的一方应当赔偿对方由此所受到的损失；各方都有过错的，应当各自承担相应的责任。法律另有规定的，依照其规定。

第四节 民事法律行为的附条件和附期限

第一百五十八条 民事法律行为可以附条件，但是按照其性质不得附条件的除外。附生效条件的民事法律行为，自条件成就时生效。附解除条件的民事法律行为，自条件成就时失效。

第一百五十九条 附条件的民事法律行为，当事人为自己的利益不正当地阻止条件成就的，视为条件已成就；不正当地促成条件成就的，视为条件不成就。

第一百六十条 民事法律行为可以附期限，但是按照其性质不得附期限的除外。附生效期限的民事法律行为，自期限届至时生效。附终止期限的民事法律行为，自期限届满时失效。

第七章 代　　理

第一节 一般规定

第一百六十一条 民事主体可以通过代理人实施民事法律行为。

依照法律规定、当事人约定或者民事法律行为的性质，应当由本人亲自实施的民事法律行为，不得代理。

第一百六十二条 代理人在代理权限内，以被代理人名义实施的民事法律行为，对被代理人发生效力。

第一百六十三条 代理包括委托代理和法定代理。

委托代理人按照被代理人的委托行使代理权。法定代理人依照法律的规定行使代理权。

第一百六十四条 代理人不履行或者不完全履行职责，造成被代理人损害的，应当承担民事责任。

代理人和相对人恶意串通，损害被代理人合法权益的，代理人和相对人应当承担连带责任。

第二节 委托代理

第一百六十五条 委托代理授权采用书面形式的，授权委托书应当载明代理人的姓名或者名称、代理事项、权限和期间，并由被代理人签名或者盖章。

第一百六十六条 数人为同一代理事项的代理人的，应当共同行使代理权，但是当事人另有约定的除外。

第一百六十七条 代理人知道或者应当知道代理事项违法仍然实施代理行为，或者被代理人知道或者应当知道代理人的代理行为违法未作反对表示的，被代理人和代理人应当承担连带责任。

第一百六十八条 代理人不得以被代理人的名义与自己实施民事法律行为，但是被代理人同意或者追认的除外。

代理人不得以被代理人的名义与自己同时代理的其他人实施民事法律行为，但是被代理的双方同意或者追认的除外。

第一百六十九条 代理人需要转委托第三人代理的，应当取得被代理人的同意或者追认。

转委托代理经被代理人同意或者追认的，被代理人可以就代理事务直接指示转委托的第三人，代理人仅就第三人的选任以及对第三人的指示承担责任。

转委托代理未经被代理人同意或者追认的，代理人应当对转委托的第三人的行为承担责任，但是在紧急情况下代理人为了维护被代理人的利益需要转委托第三人代理的除外。

第一百七十条 执行法人或者非法人组织工作任务的人员，就其职权范围内的事项，以法人或者非法人组织的名义实施民事法律行为，对法人或者非法人组织发生效力。

法人或者非法人组织对执行其工作任务的人员职权范围的限制，不得对抗善意相对人。

第一百七十一条 行为人没有代理权、超越代理权或者代理权终止后，仍然实施代理行为，未经被代理人追认的，对被代理人不发生效力。

相对人可以催告被代理人自收到通知之日起一个月内予以追认。被代理人未作表示的，视为拒绝追认。行为人实施的行为被追认前，善意相对人有撤销的权利。撤销应当以通知的方式作出。

行为人实施的行为未被追认的，善意相对人有权请求行为人履行债务或者就其受到的损害请求行为人赔偿，但是赔偿的范围不得超过被代理人追认时相对人所能获得的利益。

相对人知道或者应当知道行为人无权代理的，相对人和行为人按照各自的过错承担责任。

第一百七十二条 行为人没有代理权、超越代理权或者代理权终止后，仍然实施代理行为，相对人有理由相信行为人有代理权的，代理行为有效。

第三节 代理终止

第一百七十三条 有下列情形之一的，委托代理终止：

（一）代理期间届满或者代理事务完成；

（二）被代理人取消委托或者代理人辞去委托；

（三）代理人丧失民事行为能力；

（四）代理人或者被代理人死亡；

（五）作为代理人或者被代理人的法人、非法人组织终止。

第一百七十四条　被代理人死亡后，有下列情形之一的，委托代理人实施的代理行为有效：

（一）代理人不知道并且不应当知道被代理人死亡；

（二）被代理人的继承人予以承认；

（三）授权中明确代理权在代理事务完成时终止；

（四）被代理人死亡前已经实施，为了被代理人的继承人的利益继续代理。

作为被代理人的法人、非法人组织终止的，参照适用前款规定。

第一百七十五条　有下列情形之一的，法定代理终止：

（一）被代理人取得或者恢复完全民事行为能力；

（二）代理人丧失民事行为能力；

（三）代理人或者被代理人死亡；

（四）法律规定的其他情形。

第八章　民事责任

第一百七十六条　民事主体依照法律规定和当事人约定，履行民事义务，承担民事责任。

第一百七十七条　二人以上依法承担按份责任，能够确定责任大小的，各自承担相应的责任；难以确定责任大小的，平均承担责任。

第一百七十八条　二人以上依法承担连带责任的，权利人有权请求部分或者全部连带责任人承担责任。

连带责任人的责任份额根据各自责任大小确定；难以确定责

任大小的,平均承担责任。实际承担责任超过自己责任份额的连带责任人,有权向其他连带责任人追偿。

连带责任,由法律规定或者当事人约定。

第一百七十九条 承担民事责任的方式主要有:

(一)停止侵害;

(二)排除妨碍;

(三)消除危险;

(四)返还财产;

(五)恢复原状;

(六)修理、重作、更换;

(七)继续履行;

(八)赔偿损失;

(九)支付违约金;

(十)消除影响、恢复名誉;

(十一)赔礼道歉。

法律规定惩罚性赔偿的,依照其规定。

本条规定的承担民事责任的方式,可以单独适用,也可以合并适用。

第一百八十条 因不可抗力不能履行民事义务的,不承担民事责任。法律另有规定的,依照其规定。

不可抗力是指不能预见、不能避免且不能克服的客观情况。

第一百八十一条 因正当防卫造成损害的,不承担民事责任。

正当防卫超过必要的限度,造成不应有的损害的,正当防卫人应当承担适当的民事责任。

第一百八十二条 因紧急避险造成损害的,由引起险情发生的人承担民事责任。

危险由自然原因引起的,紧急避险人不承担民事责任,可以给予适当补偿。

紧急避险采取措施不当或者超过必要的限度,造成不应有的损害的,紧急避险人应当承担适当的民事责任。

第一百八十三条 因保护他人民事权益使自己受到损害的,由侵权人承担民事责任,受益人可以给予适当补偿。没有侵权人、侵权人逃逸或者无力承担民事责任,受害人请求补偿的,受益人应当给予适当补偿。

第一百八十四条 因自愿实施紧急救助行为造成受助人损害的,救助人不承担民事责任。

第一百八十五条 侵害英雄烈士等的姓名、肖像、名誉、荣誉,损害社会公共利益的,应当承担民事责任。

第一百八十六条 因当事人一方的违约行为,损害对方人身权益、财产权益的,受损害方有权选择请求其承担违约责任或者侵权责任。

第一百八十七条 民事主体因同一行为应当承担民事责任、行政责任和刑事责任的,承担行政责任或者刑事责任不影响承担民事责任;民事主体的财产不足以支付的,优先用于承担民事责任。

第九章 诉讼时效

第一百八十八条 向人民法院请求保护民事权利的诉讼时效期间为三年。法律另有规定的,依照其规定。

诉讼时效期间自权利人知道或者应当知道权利受到损害以及义务人之日起计算。法律另有规定的,依照其规定。但是自权利受到损害之日起超过二十年的,人民法院不予保护;有特殊情况的,人民法院可以根据权利人的申请决定延长。

第一百八十九条 当事人约定同一债务分期履行的,诉讼时效期间自最后一期履行期限届满之日起计算。

第一百九十条 无民事行为能力人或者限制民事行为能力人对其法定代理人的请求权的诉讼时效期间，自该法定代理终止之日起计算。

第一百九十一条 未成年人遭受性侵害的损害赔偿请求权的诉讼时效期间，自受害人年满十八周岁之日起计算。

第一百九十二条 诉讼时效期间届满的，义务人可以提出不履行义务的抗辩。

诉讼时效期间届满后，义务人同意履行的，不得以诉讼时效期间届满为由抗辩；义务人已自愿履行的，不得请求返还。

第一百九十三条 人民法院不得主动适用诉讼时效的规定。

第一百九十四条 在诉讼时效期间的最后六个月内，因下列障碍，不能行使请求权的，诉讼时效中止：

（一）不可抗力；

（二）无民事行为能力人或者限制民事行为能力人没有法定代理人，或者法定代理人死亡、丧失民事行为能力、丧失代理权；

（三）继承开始后未确定继承人或者遗产管理人；

（四）权利人被义务人或者其他人控制；

（五）其他导致权利人不能行使请求权的障碍。

自中止时效的原因消除之日起满六个月，诉讼时效期间届满。

第一百九十五条 有下列情形之一的，诉讼时效中断，从中断、有关程序终结时起，诉讼时效期间重新计算：

（一）权利人向义务人提出履行请求；

（二）义务人同意履行义务；

（三）权利人提起诉讼或者申请仲裁；

（四）与提起诉讼或者申请仲裁具有同等效力的其他情形。

第一百九十六条 下列请求权不适用诉讼时效的规定：

（一）请求停止侵害、排除妨碍、消除危险；

（二）不动产物权和登记的动产物权的权利人请求返还财产；

（三）请求支付抚养费、赡养费或者扶养费；

（四）依法不适用诉讼时效的其他请求权。

第一百九十七条 诉讼时效的期间、计算方法以及中止、中断的事由由法律规定，当事人约定无效。

当事人对诉讼时效利益的预先放弃无效。

第一百九十八条 法律对仲裁时效有规定的，依照其规定；没有规定的，适用诉讼时效的规定。

第一百九十九条 法律规定或者当事人约定的撤销权、解除权等权利的存续期间，除法律另有规定外，自权利人知道或者应当知道权利产生之日起计算，不适用有关诉讼时效中止、中断和延长的规定。存续期间届满，撤销权、解除权等权利消灭。

第十章 期间计算

第二百条 民法所称的期间按照公历年、月、日、小时计算。

第二百零一条 按照年、月、日计算期间的，开始的当日不计入，自下一日开始计算。

按照小时计算期间的，自法律规定或者当事人约定的时间开始计算。

第二百零二条 按照年、月计算期间的，到期月的对应日为期间的最后一日；没有对应日的，月末日为期间的最后一日。

第二百零三条 期间的最后一日是法定休假日的，以法定休假日结束的次日为期间的最后一日。

期间的最后一日的截止时间为二十四时；有业务时间的，停止业务活动的时间为截止时间。

第二百零四条 期间的计算方法依照本法的规定，但是法律另有规定或者当事人另有约定的除外。

第十一章　附　　则

第二百零五条　民法所称的“以上”“以下”“以内”“届满”，包括本数；所称的“不满”“超过”“以外”，不包括本数。

第二百零六条　本法自2017年10月1日起施行。

关于《中华人民共和国民法总则(草案)》的说明

——2017年3月8日在第十二届全国人民代表大会第五次会议上

全国人民代表大会常务委员会副委员长 李建国

各位代表:

我受全国人大常委会委托,作关于《中华人民共和国民法总则(草案)》的说明。

一、关于编纂民法典的任务、意义和指导思想

编纂民法典是党的十八届四中全会提出的重大立法任务。编纂民法典是对现行民事法律规范进行系统整合,编纂一部适应中国特色社会主义发展要求,符合我国国情和实际,体例科学、结构严谨、规范合理、内容协调一致的法典。编纂民法典不是制定全新的民事法律,而是对现行的民事法律规范进行科学整理;也不是简单的法律汇编,而是对已经不适应现实情况的规定进行修改完善,对经济社会生活中出现的新情况、新问题作出有针对性的新规定。

党的十八大以来,以习近平同志为核心的党中央团结带领全

党和全国各族人民，统筹推进“五位一体”总体布局，协调推进“四个全面”战略布局，全面开创了中国特色社会主义新局面，极大地提振了广大人民群众的主动性、积极性和创造性，现在我们比历史上任何时期都更加接近实现中华民族伟大复兴中国梦的目标。在这一时代背景下，编纂民法典具有重大而深远的意义。

第一，编纂民法典是体现党执政为民的根本宗旨，维护最广大人民根本利益的客观需要。尊重和保障人民群众合法权益，是建设中国特色社会主义法治体系、建设社会主义法治国家的基本原则。党的十八届四中全会提出，要实现公民权利保障的法治化。这是总结我国民主法治建设经验教训而得出的重要结论，是我们党根本宗旨的内在要求。我国宪法确立了保障公民人身权利和财产权利的原则。宪法的精神和原则必须在民事法律中予以体现和落实。通过编纂民法典，健全民事法律秩序，就是要加强对民事主体合法权益的保护，更好地维护人民群众的切身利益。

第二，编纂民法典是全面推进依法治国，实现国家治理体系和治理能力现代化的重大举措。党的十八届三中全会提出完善和发展中国特色社会主义制度，推进国家治理体系和治理能力现代化。党的十八届四中全会进一步指出依法治国是实现国家治理体系和治理能力现代化的必然要求。民法作为中国特色社会主义法律体系的重要组成部分，是民事领域的基础性、综合性法律，被称为社会生活的百科全书，它规范人身关系和财产关系，涉及社会和经济生活的方方面面，同每个民事主体都密切相关。民法与国家其他领域的法律规范一起，支撑着国家治理体系。通过编纂民法典，完善民事法律规范，就是要构建民事领域的治理规则，提高国家治理能力。

第三，编纂民法典是健全社会主义市场经济制度，完善中国特色社会主义法律体系的必然要求。社会主义市场经济本质上是法治经济。完善社会主义市场经济法律制度,是社会主义市场经济运行规律的客观要求,也是保障经济持续健康发展的现实需要。党的十八届四中全会提出,使市场在资源配置中起决定性作用,必须以保护产权、维护契约、统一市场、平等交换、公平竞争等为基本导向。我国民事立法秉持民商合一的传统,通过编纂民法典,完善我国民商事领域的基本规则,为民商事活动提供基本遵循,就是要健全市场秩序,维护交易安全,促进社会主义市场经济健康发展。

编纂民法典的指导思想是,高举中国特色社会主义伟大旗帜,全面贯彻党的十八大和十八届三中、四中、五中、六中全会精神,以马克思列宁主义、毛泽东思想、邓小平理论、“三个代表”重要思想、科学发展观为指导,深入贯彻习近平总书记系列重要讲话精神和治国理政新理念新思想新战略,贯彻统筹推进“五位一体”总体布局和协调推进“四个全面”战略布局要求,贯彻新发展理念,编纂一部具有中国特色、体现时代精神的民法典,正确调整民事关系,更好保护民事主体合法权益,维护社会经济秩序,为实现“两个一百年”奋斗目标、实现中华民族伟大复兴中国梦提供有力法治保障。

按照上述指导思想,编纂民法典工作遵循以下基本原则:一是坚持正确政治方向。坚持党的领导这一社会主义法治的最根本保证,确保党的领导、人民当家作主、依法治国有机统一,坚定不移走中国特色社会主义法治道路。二是坚持人民主体地位。坚持人民立场这一党的根本政治立场,恪守以民为本、立法为民理念,保证人民依法享有广泛的权利和自由、承担应尽的义务,实现好、维护好、发展好最广大人民根本利益。三是坚持社会主义核心价值观。将社会主义核心价值观融入全过程,弘扬中华民族传统美德,强化规则意识,增强道德约束,倡导契约精神,弘扬公序良俗。四是坚持立法的引领和推动作用。以法典化方式巩固和确认新中国成立以来特别是改革开放以来实践证明是正确的民事立法成果,同时与时俱进，完善和发展我国民事法律规范，引领经济社会发展，更好地平衡社会利益、调节社会关系、规范社会行为。

二、关于民法总则草案的起草情况

以习近平同志为核心的党中央高度重视民法典编纂和民法总则的制定。2016 年 6 月 14 日，习近平总书记主持召开中央政治局常委会会议，听取并原则同意全国人大常委会党组关于民法典编纂工作和民法总则草案几个主要问题的汇报，并作出重要指示，为编纂民法典和制定民法总则提供了重要指导和基本遵循。民法典将由总则编和各分编组成，目前考虑分为物权编、合同编、侵权责任编、婚姻家庭编和继承编等。编纂工作按照“两步走”的思路进行：第一步，编纂民法典总则编，即提请本次会议审议的民法总则草案；第二步，编纂民法典各分编，拟于 2018 年整体提请全国人大常委会审议，经全国人大常委会分阶段审议后，争取于 2020 年将民法典各分编一并提请全国人民代表大会会议审议通过，从而形成统一的民法典。按照进度服从质量的要求，具体工作安排可作必要调整。

编纂一部真正属于中国人民的民法典，是新中国几代人的夙愿。新中国成立后，党和国家曾于 1954 年、1962 年、1979 年和 2001 年先后 4 次启动民法制定工作。第一次和第二次，由于各种原因而未能取得实际成果。1979 年第三次启动，由于刚刚进入改革开放新时期，制定一部完备的民法典条件还不具备，因此，按照“成熟一个通过一个”的工作思路，确定先制定民事单行法。现行的继承法、民法通则、担保法、合同法就是在这种背景下制定的。2001 年九届全国人大常委会组织起草了《中华人民共和国民法（草案）》，并于 2002 年进行了一次审议，经讨论，仍确定继续采取分别制定单行法的办法。2003 年十届全国人大以来，又先后制定了物权法、侵权责任法、涉外民事关系法律适用法等。由此可以看出，1979 年以来我国民事立法是富有成效的，逐步形成了比较完整的民事法律规范体系，为编纂民法典奠定了较好的法律基础和实践基础。现在，编纂民法典条件已经具备。

党的十八大以来，根据党中央的决策部署，十二届全国人大及其常委会将编纂民法典和制定民法总则作为立法工作的重点任务。2016 年 6 月、10 月、12 月，全国人大常委会先后 3 次审议了民法总则草案，并且先后 3 次于会后将草案审议稿在中国人大网公布征求社会公众意见，两次将草案印送全国人大代表征求意见，还将草案印发中央有关部门、地方人大、法学教学科研机构征求意见。与此同时，全国人大常委会于 2016 年 10 月和 11 月在北京、四川、宁夏和上海召开 4 次座谈会，由张德江委员长和我分别主持，直接听取中央有关部门，各省、自治区、直辖市人大常委会和部分全国人大代表、基层立法联系点代表、法律实务工作者和专家学者等各方面的意见，并到基层进行实地调研。这次提请大会审议的民法总则草案，是在深入调查研究，广泛听取全国人大代表、全国政协委员和社会各界意见的基础上，反复修改形成的，体现了科学立法、民主立法的精神。

民法总则是民法典的开篇之作，在民法典中起统领性作用。民法总则规定民事活动必须遵循的基本原则和一般性规则，统领民法典各分编；各分编将在总则的基础上对各项民事制度作出具体规定。民法总则草案以 1986 年制定的民法通则为基础，采取“提取公因式”的办法，将民事法律制度中具有普遍适用性和引领性的规定写入草案，就民法基本原则、民事主体、民事权利、民事法律行为、民事责任和诉讼时效等基本民事法律制度作出规定，既构建了我国民事法律制度的基本框架，也为各分编的规定提供依据。

在民法总则草案起草过程中，遵循了编纂民法典的指导思想和基本原则，并注意把握以下几点：一是既坚持问题导向，着力解决社会生活中纷繁复杂的问题，又尊重立法规律，讲法理、讲体系。我国仍处于并将长期处于社会主义初级阶段。制定民法总则必须立足于这一基本国情，研究现阶段民事法律实践中存在的问题，以实践需求确定立法重点，用实践智慧破解立法难点。同时，按照民商事法律关系的内在规律，注重与民法典各分编和其他部门法的有机衔接。二是既尊重民事立法的历史延续性，又适应当前经济社会发展的客观要求。我国现行民事法律大部分规则实际可行，为人民群众所熟悉和接受。制定民法总则，必须深入总结这些法律的实施情况，对实践证明正确、可行的，予以继承，维护法律的稳定性；对不适应现实情况的内容和制度进行修改补充，对社会生活迫切需要规范的事项作出创设性规定，增强法律的可执行性，并适度体现前瞻性。三是既传承我国优秀的法律文化传统，又借鉴外国立法的有益经验。中华优秀传统文化的思想精华，包括讲仁爱、重民本、守诚信、崇正义、尚和合、求大同等核心思想理念，与民法的理念和原则是相通的。制定民法总则，必须坚定文化自信，深入挖掘和传承包括中华法律文化在内的中华优秀传统文化的时代价值，让我们的民法总则体现鲜明的民族性。同时，要有世界眼光，善于学习外国的立法经验，借鉴人类法治文明成果，但决不照搬外国法治理念和模式。

三、关于民法总则草案的主要内容

民法总则草案分为 11 章，包括基本原则、自然人、法人、非法人组织、民事权利、民事法律行为、代理、民事责任、诉讼时效、期间计算、附则，共 210 条。主要内容是：

（一）关于基本原则和法律适用规则

基本原则是民事主体从事民事活动和司法机关进行民事司法

活动应当遵循的基本准则。草案第一章以确立基本原则为核心，并就立法宗旨、法律适用规则作出规定。草案在民法通则的基础上，结合30多年来民事法律实践，进一步明确了民事主体的人身权利、财产权利以及其他合法权益受法律保护，任何组织或者个人不得侵犯，并确立了平等原则、自愿原则、公平原则、诚信原则、守法原则、绿色原则等基本原则。需要指出的是，将绿色原则确立为基本原则，规定民事主体从事民事活动，应当有利于节约资源、保护生态环境，这样规定，既传承了天地人和、人与自然和谐共生的我国优秀传统文化理念，又体现了党的十八大以来的新发展理念，与我国是人口大国、需要长期处理好人与资源生态的矛盾这样一个国情相适应。（草案第三条至第九条）

关于民事法律的适用规则，草案规定：一是处理民事纠纷，应当依照法律；法律没有规定的，可以适用习惯，但是不得违背公序良俗即公共秩序和善良习俗。二是其他法律对民事关系有特别规定的，依照其规定。著作权法、专利法、保险法等民商事特别法既涉及民事法律关系，也涉及行政法律关系，还有一些涉及特殊商事规则，这些法律很难也不宜纳入民法典，这条规则明确了民法总则与民商事特别法的关系。（草案第十一条、第十二条）

（二）关于民事主体

民事主体是民事关系的参与者、民事权利的享有者、民事义务的履行者和民事责任的承担者。草案第二章、第三章、第四章规定了自然人、法人、非法人组织3类民事主体。

关于自然人制度。草案在民法通则的基础上，对自然人制度作了以下完善：一是增加了保护胎儿利益的规定。涉及遗产继承、接受赠与等胎儿利益保护的，胎儿视为具有民事权利能力（草案第十七条）。二是下调了限制民事行为能力的未成年人的年龄标准。这样规定是为了更好地尊重未成年人的自主意识（草案第二十条)。三是完善了监护制度。监护是保护无民事行为能力人或者限制民事行为能力人的合法权益,弥补其民事行为能力不足的法律制度。草案以家庭监护为基础,社会监护为补充,国家监护为兜底,对监护制度作了完善。明确了父母子女间的抚养、赡养等义务,扩大了被监护人的范围,强化了政府的监护职能,并就监护人的确定、监护职责的履行、撤销监护等制度作出明确规定(草案第二十七条至第四十条)。

关于法人制度。法人制度是民事法律的一项基本制度。随着我国经济社会的发展,新的组织形式不断出现,法人形态发生了较大变化,民法通则关于企业法人、机关法人、事业单位法人和社会团体法人的分类已难以适应新的情况,有必要进行调整完善。草案遵循民法通则关于法人分类的基本思路,适应社会组织改革发展要求,按照法人设立目的和功能等方面的不同,将法人分为营利法人、非营利法人和特别法人3类(草案第三章第二节、第三节、第四节)。对营利法人和非营利法人,草案只列举了几种比较典型的具体类型,对现实生活中已经存在或者可能出现的其他法人组织,可以按照其特征,分别归入营利法人或者非营利法人。对特别法人,草案规定了以下几种情况:一是机关法人。机关设立的目的是履行公共管理等职能,这与其他法人组织存在明显差别。二是农村集体经济组织法人。农村集体经济组织具有鲜明的中国特色。赋予其法人地位符合党中央有关改革精神,有利于完善农村集体经济实现形式和运行机制,增强农村集体经济发展活力。三是基层群众性自治组织法人。村民委员会、居民委员会等基层群众性自治组织在设立、变更和终止以及行使职能和责任承担上都有其特殊性。四是城镇、农村的合作经济组织。这类合作经济组织对内具有共益性或者互益性,对外也可以从事经营活动,依照法律的规定取得法人资格后,作为特别法人。

关于非法人组织。随着我国经济社会的发展，在实际生活中，大量不具有法人资格的组织以自己的名义从事各种民事活动。赋予这些组织民事主体地位有利于其开展民事活动，也与其他法律的规定相衔接。据此，草案规定，非法人组织是不具有法人资格，但是能够依法以自己的名义从事民事活动的组织，包括个人独资企业、合伙企业、不具有法人资格的专业服务机构等（草案第一百零五条）。草案还规定，非法人组织的财产不足以清偿债务的，其出资人或者设立人承担无限责任。法律另有规定的，依照其规定（草案第一百零七条）。

（三）关于民事权利

保护民事权利是民事立法的重要任务。草案第五章规定了民事权利。这一章旨在贯彻落实党中央关于实现公民权利保障法治化和完善产权保护制度的要求，凸显对民事权利的尊重，加强对民事权利的保护，为民法典各分编和民商事特别法律具体规定民事权利提供依据。关于民事权利，草案规定了以下主要内容：一是人身权利。草案规定，自然人的人身自由、人格尊严受法律保护（草案第一百一十二条）；自然人享有生命权、健康权、身体权、姓名权、肖像权、名誉权、荣誉权、隐私权、婚姻自主权等权利（草案第一百一十三条第一款）。在信息化社会，自然人的个人信息保护尤其重要，草案对此作了有针对性的规定（草案第一百一十四条）。二是财产权利。草案规定，民事主体的财产权利受法律平等保护（草案第一百一十六条）。民事主体依法享有物权、债权、继承权、股权和其他投资性权利（草案第一百一十七条至第一百二十五条，第一百二十七条至第一百二十九条）。三是知识产权。为了加强对知识产权的保护，促进科技创新，建设创新型国家，草案对知识产权作了概括性规定，以统领各知识产权单行法律（草案第一百二十六条）。四是为了适应互联网和大数据时代发展的需要，草案规定，法律对数据、网络虚拟财产的保护有规定的，依照其规定（草案第一百三十一条）。五是为了规范民事权利的行使，草案规定，民事主体不得滥用民事权利损害社会公共利益或者他人合法权益（草案第一百三十五条）。

（四）关于民事法律行为和代理

民事法律行为是民事主体通过意思表示设立、变更、终止民事法律关系的行为。代理是民事主体通过代理人实施民事法律行为。草案在民法通则和合同法规定的基础上，对民事法律行为和代理制度主要作了以下完善：一是扩充了民事法律行为的内涵，既包括合法的法律行为，也包括无效、可撤销和效力待定的法律行为。这样既尊重民事主体的意愿，也强调对自己的行为负责，有利于提升民事主体的规则意识和责任意识（草案第一百三十六条）。二是增加了意思表示的规则。意思表示是民事主体希望产生法律效果的内心意愿的外在表达，是构成民事法律行为的基础。草案对其作出方式、生效和撤回等作了规定（草案第六章第二节）。三是完善了民事法律行为的效力规则。草案在规定民事法律行为有效条件的同时，对重大误解、欺诈、胁迫、显失公平等行为的撤销，恶意串通行为的无效等分别作了修改补充（草案第六章第三节）。四是完善了代理的一般规则以及委托代理制度（草案第七章）。

（五）关于民事责任和诉讼时效

民事责任是民事主体不履行或者不完全履行民事义务的法律后果。关于民事责任，草案主要作了以下规定：一是民事主体应当依照法律规定或者当事人约定履行民事义务，不履行或者不完全履行的，应当依法承担民事责任（草案第一百八十条）。二是列举了停止侵害、返还财产、恢复原状、赔偿损失、惩罚性赔偿等承担民事责任的主要方式（草案第一百八十三条）。三是为匡正社会风气，鼓励见义勇为的行为，草案规定，因自愿实施紧急救助行为造成受助人损害的，救助人不承担民事责任（草案第一百八十七条）。草案还规定，因保护他人民事权益而使自己受到损害的，由侵权人承担民事责任，受益人可以给予适当补偿。没有侵权人、侵权人逃逸或者无力承担民事责任，受害人请求补偿的，受益人应当给予适当补偿（草案第一百八十八条）。

诉讼时效是权利人在法定期间内不行使权利，权利不受保护的法律制度。关于诉讼时效，草案主要作了以下规定：一是将现行民法通则规定的二年一般诉讼时效期间延长为三年，以适应社会生活中新的情况不断出现，交易方式与类型不断创新，权利义务关系更趋复杂的现实情况与司法实践，有利于建设诚信社会，更好地保护债权人合法权益（草案第一百九十一条第一款）。二是增加了未成年人遭受性侵害后诉讼时效的特殊起算点，给受性侵害的未成年人成年后提供寻求法律救济的机会，保护未成年人利益（草案第一百九十四条）。

草案还对宣告失踪和宣告死亡、期间计算等内容作了规定。这些规定既延续了现行民事法律中科学合理的内容和制度，又吸收了行之有效的司法实践中好的做法。

这里还需要说明的一个问题是，关于民法总则与民法通则的关系。1986 年制定的民法通则在我国民事立法史上具有里程碑意义，发挥了重要作用。民法通则既规定了民法的一些基本制度和一般性规则，也规定了合同、所有权及其他财产权、知识产权、民事责任、涉外民事关系法律适用等具体内容，被称为一部“小民法典”。草案基本吸收了民法通则规定的民事基本制度和一般性规则，同时作了补充、完善和发展。民法通则规定的合同、所有权及其他财产权、民事责任等具体内容还需要在编纂民法典各分编时作进一步统筹，系统整合。据此，民法总则草案通过后暂不废止民法通则。民法总则与民法通则的规定不一致的，根据新法优于旧法的原则,适用民法总则的规定。

此外,在草案制定过程中,各有关方面还提出了其他一些意见。这些意见有的分歧较大,一时难以形成共识,还需进一步研究论证;有的涉及物权、合同、侵权、婚姻家庭、继承等内容的具体规则,可在编纂民法典各分编时统筹解决;有的涉及著作权法、专利法、保险法等民商事特别法的内容和具体操作问题,可在今后通过修改相关法律或者制定配套法律法规时予以体现。

《中华人民共和国民法总则(草案)》和以上说明,请审议。

全国人民代表大会法律委员会关于《中华人民共和国民法总则(草案)》修改情况的汇报

(2016 年 10 月 31 日第十二届全国人民代表大会常务委员会第二十四次会议)

全国人民代表大会常务委员会:

常委会第二十一次会议对民法总则(草案)进行了初次审议。会后,法制工作委员会将草案印发地方人大、中央有关部门、法学教学研究机构和有关社会团体征求意见;同时,印发各位全国人大代表征求意见。在中国人大网全文公布草案征求社会公众意见。10 月 10 日,张德江委员长在北京主持召开座谈会,听取部分省区市人大常委会负责同志、中央有关部门、民法典编纂工作参加单位和法工委基层立法联系点有关负责同志,部分全国人大代表和政协委员的意见。10 月 13 日,李建国副委员长在宁夏银川召开座谈会,听取部分省区人大常委会负责同志,部分全国人大代表、专家学者和有关基层立法联系点代表的意见,并到基层实地调研。法律委员会、法制工作委员会在北京召开多个座谈会,分别听取中央有关部门和部分专家学者的意见,到安徽、江西、湖北和浙江等地进行调研,听取地方意见。法律委员会于 10 月 11 日召开会议,根据常委会组成人员的审议意见和各方面意见，对草案进行了逐条审议。五家民法典编纂工作参加单位的有关负责同志列席会议。10月18日，法律委员会召开会议，再次进行了审议。现将民法总则（草案）主要问题的修改情况汇报如下：

一、关于维护交易安全

草案第六条第二款规定，民事主体从事民事活动，应当自觉维护交易安全。一些常委会组成人员、代表、地方、部门和社会公众提出，维护交易安全主要适用于商事活动，是否将其作为民事主体从事所有民事活动应当遵循的基本原则应进一步研究。法律委员会经研究认为，维护交易安全是从事商事活动应当遵循的基本准则，对于保护善意的交易相对人利益，建立诚实守信的市场环境，促进社会主义市场经济健康发展有着重要意义。考虑到维护交易安全主要适用于商事活动，建议将该款规定的内容移到草案营利法人一节中规定。（草案二次审议稿第八十七条）

二、关于监护

1. 关于遗嘱监护。草案第二十六条第三款规定，未成年人的父母可以通过遗嘱指定未成年人的监护人；其父、母指定的监护人不一致的，以后死亡一方的指定为准。有的代表、地方和部门提出，父、母指定的监护人不一致的，以后死亡一方的指定为准不一定有利于保护被监护人的利益，也涵盖不了父母同时死亡的情况。法律委员会经研究，建议将该规定修改为：未成年人的父母可以通过遗嘱指定未成年人的监护人；其父、母指定的监护人不一致的，应当尊重被监护人的意愿，根据最有利于被监护人的原则确定。（草案二次审议稿第二十七条第三款）

2. 关于监护人的范围。草案第二十七条对无民事行为能力或者限制民事行为能力的成年人的监护人范围作了规定。有的地方、部门和社会公众提出，草案只规定了配偶、父母、子女等可以作为成年人的监护人。现实生活中，不少无民事行为能力或者限制民事行为能力的成年人是由其兄弟姐妹等近亲属照顾，由这些近亲属作为监护人有利于保护被监护人的利益，也有利于弘扬社会主义家庭伦理美德。法律委员会经研究，建议将“其他近亲属”纳入无民事行为能力或者限制民事行为能力的成年人的监护人范围。（草案二次审议稿第二十八条）

3. 关于临时监护措施。草案第三十四条对有关人员或者组织向人民法院申请撤销监护人的监护资格作了规定。有的常委会组成人员、代表、地方和部门提出，在人民法院确定新监护人之前，为了避免原监护人对被监护人特别是对未成年人造成进一步伤害，应当指定临时监护人或者作出其他临时监护安排。法律委员会经研究，建议在该条中增加规定“安排必要的临时监护措施”。（草案二次审议稿第三十五条）

4. 关于监护人资格的恢复。草案第三十五条对监护人资格被撤销后的恢复作了规定。有的常委委员、代表、地方、部门和社会公众提出，草案规定的几种撤销监护权的情形都是严重损害被监护人利益的情形，不宜轻易恢复。同时，监护人资格撤销后再恢复，还有可能给被监护人造成二次伤害。为此，有必要将监护人资格恢复的制度限于父母确有悔改且符合被监护人意愿的情形。法律委员会经研究，建议将相关规定修改为：未成年人的父母被人民法院撤销监护人资格后，确有悔改情形的，经其申请，人民法院可以在尊重被监护人意愿的前提下，视情况恢复其监护人资格，人民法院指定的新监护人与被监护人的监护关系同时终止。（草案二次审议稿第三十六条）

三、关于农村集体经济组织的法人地位

一些常委委员、代表、地方、部门和社会公众提出，根据物权法等法律规定，农村集体经济组织是农村集体资产经营管理的主体，依法代表农民集体行使农村集体资产所有权，承担经营管理事务，明确其民事主体地位有利于其从事民事活动，有利于完善农村集体经济的实现形式和运行机制，增强农村集体经济发展活力。法律委员会经研究，建议在第三章法人第一节一般规定中增加一条规定：农村集体经济组织具备法人条件的，依法取得法人资格。（草案二次审议稿第七十六条）

四、关于法人制度

1.关于法人合并、分立后的权利义务承担与法人终止。草案第六十三条规定，法人合并、分立的，其权利和义务由变更后的法人享有和承担。有的常委委员、代表、地方、部门和法学教学研究机构建议，宜进一步细化法人分立后的债务承担规则，同时体现对法人分立前与债权人就债务清偿所作约定的尊重。有的常委委员和代表还建议明确法人终止的事由和特殊程序。法律委员会经研究，建议将该条修改为：法人合并的，其权利和义务由合并后的法人享有和承担。法人分立的，其权利和义务由分立后的法人享有连带债权，承担连带债务，债权人和债务人另有约定的除外。并增加一条规定：法人由于下列原因之一终止：(1)法人解散；(2)法人被宣告破产；(3)法律规定的其他原因。法人终止，法律规定须经有关机关批准的，依照其规定。（草案二次审议稿第六十五条、第六十六条）

2.关于营利法人的成员滥用其权利的后果。草案第七十九条对营利法人的成员滥用其权利的情形作了规定。有的地方、部门、法学教学研究机构和社会公众提出，为防止法人成员滥用其权利，维护以独立财产、独立责任为基础的法人制度，建议明确营利法人成员滥用权利的法律后果。法律委员会经研究，建议在该条中增加规定：法人的出资人滥用出资人权利给法人或者其他出资人造成损失的，应当依法承担民事责任；法人的出资人滥用法人独立地位和出资人有限责任，逃避债务，严重损害法人债权人利益的，应当对法人债务承担连带责任。同时增加一条规定，完善营利法人内部制约机制，维护法人的出资人的利益。（草案二次审议稿第八十五条、第八十六条）

3. 关于社会服务机构的法人地位。有的常委委员、代表、地方和部门提出，民办非企业单位等社会服务机构作为社会组织的一种形式，在社会生活中发挥着积极作用，明确其法人地位，有利于促进这类社会组织健康有序发展。法律委员会经研究，建议在草案相关规定中增加社会服务机构这类法人形式。（草案二次审议稿第九十五条）

五、关于个人信息的保护

有的常委委员、部门、法学教学研究机构和社会公众提出，一段时间以来，非法获取、非法出售或者非法向他人提供公民个人信息的违法行为泛滥，社会危害严重，建议进一步强化对个人信息的保护。法律委员会经研究认为，个人信息权利是公民在现代信息社会享有的重要权利，明确对个人信息的保护对于保护公民的人格尊严，使公民免受非法侵扰，维护正常的社会秩序具有现实意义。法律委员会经研究，建议增加规定：自然人的个人信息受法律保护。任何组织和个人不得非法收集、利用、加工、传输个人信息，不得非法提供、公开或者出售个人信息。（草案二次审议稿第一百零九条）

六、关于未成年人受到性侵害的诉讼时效起算规则

有的代表、地方、部门和社会公众提出，受社会传统观念影响，不少遭受性侵害的未成年人及其监护人往往不愿、不敢公开寻求法律保护。受害人成年之后自己寻求法律救济，却往往已超过诉讼时效期间。为了更好地保护受性侵害的未成年人的利益，建议规定诉讼时效起算的特别规则。法律委员会经研究，建议增加一条规定：未成年人遭受性侵害的损害赔偿请求权的诉讼时效期间，自受害人年满十八周岁之日起计算。（草案二次审议稿第一百八十四条）

还有一个问题需要汇报：草案第十八条将限制民事行为能力的未成年人的年龄下限标准规定为“六周岁”。一些常委会组成人员、代表、地方和部门提出，六周岁儿童虽有一定的学习能力，开始接受义务教育，但认知和辨识能力仍然不足，不具备独立实施相关民事法律行为的基础。有的则建议将其规定为“八周岁”。法律委员会、法制工作委员会就此听取了部分教育学、心理学、社会学等方面专家的意见，并进一步研究了国外相关立法情况。在此基础上，经反复研究，建议对草案的规定暂不作修改，继续研究。主要考虑：一是随着社会的进步和教育水平的提高，儿童的认知能力、适应能力和自我承担能力也有了很大提高，法律上适当降低限制民事行为能力的未成年人年龄下限标准，符合现代未成年人心理、生理发展特点，有利于未成年人从事与其年龄、智力相适应的民事活动，更好地尊重未成年人的自主意识，保护其合法权益。二是符合国际上的发展趋势。我国参加的《联合国儿童权利公约》规定，各国要采取措施尊重和保护儿童的自我意识。一些国家和地区将限制民事行为能力人的年龄下限规定为六周岁或者七周岁；还有一些国家和地区规定未成年人均为限制民事行为能力人。三是民

事行为能力不同于刑事责任能力。我国现行民法通则和刑法对民事行为能力和刑事责任能力的要求就是不同的。民事行为能力的年龄变化并不必然导致刑事责任能力的年龄变化，刑事责任能力年龄标准的调整，应当根据刑事领域的具体情况来确定。

此外，草案二次审议稿还对尊重成年被监护人独立处理相关事务的意愿，营利法人权力机构、执行机构和监督机构的职权，以及惩罚性赔偿的民事责任方式等内容作了进一步的规定。对草案还作了一些文字修改。相比草案，仍为 11 章，条文由 186 条增加至 202 条。

草案二次审议稿已按上述意见作了修改，法律委员会建议提请本次常委会会议继续审议。

草案二次审议稿和以上汇报是否妥当，请审议。

全国人民代表大会法律委员会关于《中华人民共和国民法总则(草案)》修改情况的汇报

(2016年12月19日第十二届全国人民代表大会常务委员会第二十五次会议)

全国人民代表大会常务委员会:

常委会第二十四次会议对民法总则(草案)进行了再次审议。会后,法制工作委员会在中国人大网全文公布草案二次审议稿征求社会公众意见。11月21日至23日,张德江委员长在四川主持召开座谈会,听取部分省区市人大常委会和全国人大常委会法工委有关基层立法联系点负责同志,部分全国人大代表和专家学者、企事业单位与法律实务工作者代表的意见,并到基层实地调研,听取基层干部群众意见。11月18日,李建国副委员长在上海主持召开座谈会,听取部分省市人大常委会和全国人大常委会法工委有关基层立法联系点负责同志,部分全国人大代表和专家学者、企事业单位、法律实务工作者与基层干部群众代表的意见。法律委员会、法制工作委员会在北京召开农村集体经济组织民事主体地位问题等座谈会,听取中央有关部门和部分专家学者的意见。法律委员会于12月1日召开会议,根据常委会组成人员的审议意见和各方面意见，对草案进行了审议。五家民法典编纂工作参加单位的有关负责同志列席会议。12 月 12 日，法律委员会召开会议，再次进行了审议。现将民法总则（草案二次审议稿）主要问题的修改情况汇报如下：

一、关于保护生态环境、节约资源，弘扬中华优秀文化、践行社会主义核心价值观

草案二次审议稿第七条规定，民事主体从事民事活动，应当保护生态环境、节约资源，促进人与自然和谐发展。一些常委会组成人员、部门、地方和单位提出，本条内容值得提倡，但不宜规定在草案基本原则一章，从民事权利行使的角度加以规定比较适当。一些常委委员提出，按照党中央关于把社会主义核心价值观融入法治建设的要求，应当强调在民事活动中弘扬中华优秀文化，践行社会主义核心价值观。法律委员会经研究，建议将该条修改为：民事主体行使民事权利，应当节约资源、保护生态环境；弘扬中华优秀文化，践行社会主义核心价值观。并作为对民事主体行使民事权利的要求，移至民事权利一章中规定。（草案三次审议稿第一百三十三条）

二、关于监护

一是，根据有些常委委员、全国人大代表、地方和基层干部群众的意见，将草案二次审议稿中关于无具有监护资格的人的情况下，监护人由被监护人住所地的居民委员会、村民委员会或者民政部门担任的规定，修改为：无具有监护资格的人的，监护人由民政部门担任，也可以由具备条件的被监护人住所地的居民委员会、村民委员会担任。（草案三次审议稿第三十一条）二是，根据有些全国人大代表和专家的意见，将草案二次审议稿中关于未成年人父

母的监护人资格被人民法院撤销后的恢复的规定，修改为：被监护人的父母或者子女被人民法院撤销监护人资格后，除对被监护人实施故意犯罪的外，确有悔改情形的，经其申请，人民法院可以在尊重被监护人真实意愿的前提下，视情况恢复其监护人资格。人民法院指定的新监护人与被监护人的监护关系同时终止。（草案三次审议稿第三十六条）

三、关于农村承包经营户的债务承担

草案二次审议稿第五十四条第二款规定，农村承包经营户的债务，以家庭财产承担。有的全国人大代表和地方提出，实践中，农户承包的农村土地有的由农户家庭的部分成员从事生产经营，建议区别情况，分别规定以家庭财产承担债务和以部分家庭成员的财产承担债务。法律委员会经研究，建议将该规定修改为：农村承包经营户的债务，以从事农村土地承包经营的农户财产承担；事实上由农户部分成员经营的，以该部分成员的财产承担。（草案三次审议稿第五十四条第二款）

四、关于居民委员会、村民委员会的法人地位

有的部门、地方和一些基层干部群众代表提出，居民委员会、村民委员会是基层群众性自治组织，为履行其职能需要从事一些民事活动。由于现行法律没有规定其民事主体地位，致使其在一些情况下不能顺利从事民事活动。民法总则应明确赋予居民委员会、村民委员会法人资格。法律委员会经研究，建议增加规定：居民委员会、村民委员会具有基层群众性自治组织法人资格，可以从事为履行职能所需要的民事活动。未设立村集体经济组织的，村民委员会可以依法代行村集体经济组织的职能。（草案三次审议稿第一百条）

五、关于增加特别法人类别

有些常委会组成人员、部门和地方提出，实践中有的法人与营利法人和非营利法人在设立、终止等方面都有所不同，难以纳入这两类法人，建议增设一类特别法人。法律委员会经研究认为，根据我国社会生活实际，具有特殊性的法人组织主要有以下几种情况：一是机关法人，其在设立依据、目的、职能和责任最终承担上，均与其他法人存在较大差别；二是基层群众性自治组织和农村集体经济组织，其设立、变更和终止，管理的财产性质，成员的加入和退出，承担的职能等等都有其特殊性；三是合作经济组织，既具有公益性或者互益性，又具有营利性。对上述这些法人，单独设立一种法人类别，有利于其更好地参与民事生活，也有利于保护其成员和与其进行民事活动的相对人的合法权益。为此，建议在法人一章中增加第四节特别法人，对上述情况作出规定。（草案三次审议稿第三章第四节）

六、关于非法人组织

草案二次审议稿第一百条第二款规定，非法人组织包括个人独资企业、合伙企业等。有的常委会组成人员和地方提出，应当尽量列举非法人组织的具体类型，实践中还有一些律师事务所、会计师事务所等，也属于非法人组织。法律委员会经研究，建议将该规定修改为：非法人组织包括个人独资企业、合伙企业、不具有法人资格的专业服务机构和其他组织。（草案三次审议稿第一百零一条第二款）

七、关于民事权利

有的常委委员、部门、全国人大代表和专家提出，应在民法总则中将民事权利规定得更充实一些，建议对民事权利的取得、权利人如何行使民事权利、有关因征收、征用而获得补偿的权利等作出原则性规定。法律委员会经研究，建议增加下列规定：民事权利可以依据民事法律行为、事实行为、法律规定的事件或者法律规定的其他方式取得；（草案三次审议稿第一百三十条）民事主体按照自己的意愿依法行使民事权利，不受干涉；（草案三次审议稿第一百三十一条）为了公共利益的需要，依照法律规定的权限和程序征收、征用不动产或者动产的，应当给予公平、合理的补偿。（草案三次审议稿第一百一十七条）

八、关于民事责任

有的常委委员和全国人大代表提出，为匡正社会风气，鼓励和保护见义勇为行为，应在民法总则中明确为保护他人而实施救助行为，造成受助人损害的，救助人应免于承担民事责任。法律委员会经研究，建议增加规定：实施紧急救助行为造成受助人损害的，除有重大过失外，救助人不承担民事责任。（草案三次审议稿第一百八十七条）

此外，对草案二次审议稿还作了其他一些完善和文字修改。相比草案二次审议稿，仍为11章，条文由202条增加至210条。

草案三次审议稿已按上述意见作了修改。法律委员会认为，民法总则规定民事活动的基本原则和一般性规则，在民法典中起统率性、纲领性作用，对调整民事关系，保护民事主体的合法权益，维护社会和经济秩序，具有十分重要的意义。常委会第二十一次会议、第二十四次会议对民法总则（草案）进行了认真深入的审议，张德江委员长、李建国副委员长分别主持召开了四次座谈会并深入基层开展调研，听取了中央有关部门，各省、自治区、直辖市人大常委会，部分全国人大代表和各方面人士的意见，对草案作了进一步修改完善。法律委员会建议,草案经本次常委会会议审议后,由常委会提请第十二届全国人民代表大会第五次会议审议。

草案三次审议稿和以上汇报是否妥当,请审议。

第十二届全国人民代表大会法律委员会关于《中华人民共和国民法总则(草案)》审议结果的报告

(2017 年 3 月 12 日第十二届全国人民代表大会第五次会议主席团第二次会议通过)

十二届全国人大五次会议主席团：

3 月 10 日，各代表团全体会议、小组会议审议了民法总则草案。代表们普遍认为，编纂民法典是党的十八届四中全会提出的重大立法任务，对于维护最广大人民群众的根本利益，实现国家治理体系和治理能力现代化，完善中国特色社会主义法律体系具有重大意义。制定民法总则是编纂民法典的第一步。民法总则草案的指导思想明确，工作思路清晰，立足我国国情和实际，适应中国特色社会主义发展要求，坚持问题导向，坚持理论与实践的统一，坚持继承与创新相结合，在民法通则等民事法律的基础上，进一步完善和发展了民事基本制度。从总体上看，草案体例科学、结构严谨、规范合理、内容协调一致，能够起到统领民法典的作用。草案经过全国人大常委会广泛调研、深入研究、反复修改，并经常委会三次审议，较好地吸收了各方面的意见，积极回应了社会各界的关切，充分贯彻了科学立法、民主立法的精神，已经比较成熟，建议经本次会议审议修改后表决通过。同时，代表们也对草案提出了一些修改意见。法律委员会于3月11日召开会议，对草案进行了认真审议，对代表们提出的修改意见逐条研究，尽可能予以采纳。全国人大内务司法委员会、最高人民法院、最高人民检察院、国务院法制办公室、中国社会科学院、中国法学会有关负责同志列席了会议。根据各代表团的审议意见以及政协委员和有关方面的意见，对草案共作了126处修改，其中实质性修改55处。草案修改后，仍为11章，共207条。主要修改是：

一、草案第一章章名为“基本原则”。有的代表提出，第一章的内容既包括民事法律的基本原则，也包括立法目的、调整范围、法律适用规则等内容，“基本原则”的章名难以涵盖这些内容，建议修改。法律委员会经研究，建议将这一章的章名修改为“基本规定”。（草案修改稿第一章）

二、草案第九条对民事主体的民事权利以及其他合法权益受法律保护作了规定。有的代表提出，民事权利受法律保护是民法的基本精神，统领整部民法典和各民商事特别法，建议进一步突出民事权利受法律保护的理念。法律委员会赞成上述意见，建议将草案第九条移至第二条之后。（草案修改稿第三条）

三、草案第二十条规定限制民事行为能力人的年龄下限为六周岁。一些代表提出，六周岁的儿童虽然有一定的学习能力，开始接受义务教育，但认知和辨识能力仍然不足，在很大程度上还不具备实施民事法律行为的能力，建议改为八周岁为宜。也有的代表建议维持现行十周岁不变；还有的代表赞成下调为六周岁。法律委员会经研究，按照既积极又稳妥的要求，建议在现阶段将限制民事行为能力人的年龄下限修改为八周岁。（草案修改稿第二十条）

四、草案第八十四条规定，法律对营利法人的组织机构、法定代表人另有规定的，依照其规定。草案第八十九条规定，本节没有规定的，适用公司法等有关法律的规定。有的代表提出，草案第十二条已对特别法规定优先适用作了统一规定，没有必要再作重复规定，建议删除这两条。法律委员会经研究，建议删除上述规定。

五、草案第九十条第一款规定，为公益目的或者其他非营利目的成立，不向其出资人或者设立人分配所取得利润的法人，为非营利法人。有的代表提出，本条中的“出资人或者设立人”难以涵盖社会团体法人会员的情况，建议修改。法律委员会经研究，建议将这一款修改为：为公益目的或者其他非营利目的成立，不向出资人、设立人或者会员分配所取得利润的法人，为非营利法人。（草案修改稿第八十八条）

六、草案第九十二条规定，具备法人条件，为实现公益目的设立的事业单位，经依法登记成立，取得事业单位法人资格；依法不需要办理法人登记的，从成立之日起，具有事业单位法人资格。有的代表提出，按照事业单位改革的要求，事业单位主要是国家举办的提供公益服务的法人组织，与一般的公益性非营利法人不完全相同，建议对上述规定中有关表述再斟酌。法律委员会经研究，建议将草案第九十二条中的“为实现公益目的设立的事业单位”修改为“为适应经济社会发展需要，提供公益服务设立的事业单位”。（草案修改稿第八十九条）

七、草案第一百二十六条第二款中规定了知识产权的定义。有的代表提出，知识产权的最重要特征是赋予权利人在法律上享有排除他人非法利用相关知识产权客体的专有权利，建议对有关表述再推敲。法律委员会经研究，建议将这一款有关知识产权的定义修改为“知识产权是权利人依法就下列客体享有的专有的权利”。（草案修改稿第一百二十四条）

八、草案第一百四十九条第一款规定，以虚假意思表示实施的民事法律行为无效，但是不得对抗善意第三人；第一百五十五条规定因重大误解、欺诈、显失公平致民事法律行为被撤销的，不得对抗善意第三人。有的代表提出，民事法律行为无效或者被撤销后对第三人产生的法律后果，情况比较复杂，不宜一概规定不得对抗善意第三人，宜区分情形由民法典的物权编、合同编等分编作具体规定。法律委员会经研究，建议将草案第一百四十九条第一款修改为：行为人与相对人以虚假的意思表示实施的民事法律行为无效。并相应删去第一百五十五条。（草案修改稿第一百四十六条）

九、有些代表提出，违反法律、行政法规强制性规定或者违背公序良俗的民事法律行为无效的规定，是防止民事主体滥用权利，维护社会公共利益的重要手段，也是司法机关判断民事法律行为是否无效的主要裁判依据，建议恢复草案三次审议稿的相关规定。法律委员会经研究，建议在草案第一百五十六条后增加一条规定：违反法律、行政法规的强制性规定的民事法律行为无效，但是该强制性规定不导致该民事法律行为无效的除外。违背公序良俗的民事法律行为无效。（草案修改稿第一百五十三条）

十、草案第一百八十七条规定，因自愿实施紧急救助行为造成受助人损害的，救助人不承担民事责任。但是救助人因重大过失造成受助人不应有的重大损害的，承担适当的民事责任。一些代表提出，这一条规定具有针对性，对鼓励见义勇为，保护救助人，有积极意义。但草案中"但书"的规定不能完全消除救助人的后顾之忧，对救助人的保护不够彻底，建议修改。法律委员会经研究，建议从举证责任、是否有重大过失等方面对救助人在特殊情况下承担民事责任予以严格限定，将这一条修改为：因自愿实施紧急救助行为造成受助人损害的，救助人不承担民事责任。受助人能够证明救助人有重大过失造成自己不应有的重大损害的，救助人承担适当的民事责任。（草案修改稿第一百八十三条）

十一、有的代表提出，现实生活中，一些人利用歪曲事实、诽谤抹黑等方式恶意诋毁侮辱英烈的名誉、荣誉等，损害了社会公共利益，社会影响很恶劣，应对此予以规范。法律委员会经研究认为，英雄和烈士是一个国家和民族精神的体现，是引领社会风尚的标杆，加强对英烈姓名、名誉、荣誉等的法律保护，对于促进社会尊崇英烈，扬善抑恶，弘扬社会主义核心价值观意义重大。据此，建议增加一条规定：侵害英雄烈士的姓名、肖像、名誉、荣誉等，损害社会公共利益的，应当承担民事责任。（草案修改稿第一百八十五条）

十二、草案第二百条第二项规定，登记的物权人请求返还财产不适用诉讼时效。有的代表提出，目前，不少农村地区的房屋尚未办理不动产登记，为更好地保护农民的房屋产权，建议将不适用诉讼时效的范围扩大至所有不动产物权的返还请求权。法律委员会经研究，建议对这一项作出修改，明确不动产物权和登记的动产物权的权利人请求返还财产不适用诉讼时效。（草案修改稿第一百九十七条）

这里有一个问题需要说明：有的代表建议明确民法总则与现行合同法、物权法、侵权责任法等民事单行法的关系。法律委员会经研究认为，根据民法典编纂工作“两步走”的思路，民法总则草案经本次会议审议通过后，下一步将进行民法典的合同编、物权编、侵权责任编等各分编的编纂工作。在各分编编纂工作完成前，合同法、物权法、侵权责任法等民事单行法的规定与民法总则不一致的，根据新法优于旧法的原则，适用民法总则的规定。

此外，一些代表还提出了一些其他意见。这些意见，有的涉及合同、物权、侵权责任、婚姻家庭、继承等内容，可以在编纂民法典各分编时统筹考虑；有的涉及登记、备案等具体操作问题，可以通过制定配套法律法规予以解决；有的涉及的问题在草案起草阶段和常委会审议期间，作了反复研究，还存在重大分歧，可以采取循序渐进的方式,继续研究,逐步推进。有些代表提出,民法总则与人民群众的生产生活息息相关,建议加大宣传力度。法律委员会建议,民法总则出台后,各有关方面应当作出安排,通过多种方式加大宣传和普法力度,使民法总则的精神和内容融入人民群众的日常生活,成为指导民事主体从事民事活动的行为准则。

此外,根据代表们的审议意见,还对草案作了一些文字修改和条款顺序调整。

草案修改稿已按上述意见作了修改,法律委员会建议经主席团审议通过后,印发各代表团审议。

民法总则草案修改稿和以上报告,请审议。

第十二届全国人民代表大会法律委员会关于《中华人民共和国民法总则（草案修改稿）》修改意见的报告

（2017年3月14日第十二届全国人民代表大会第五次会议主席团第三次会议通过）

十二届全国人大五次会议主席团：

3月12日，各代表团对民法总则草案修改稿进行了审议。代表们普遍认为，草案修改稿在认真听取代表意见的基础上，对代表意见认真研究并予以充分吸收，能采纳的尽可能采纳，作了许多重要修改；对未采纳的意见，也向代表们作了解释和说明，并在审议结果报告中作出积极回应，充分体现了对代表主体地位的尊重，贯彻了科学立法、民主立法的精神。代表们普遍赞同草案修改稿，赞成将草案提请本次大会表决通过。同时，一些代表还提出了一些修改意见。法律委员会于3月13日召开会议，对草案修改稿进行了认真审议，继续本着尽可能予以采纳的精神，对代表们提出的意见逐条研究。全国人大内务司法委员会、最高人民法院、国务院法制办公室、中国社会科学院、中国法学会有关负责同志列席会议。法律委员会认为，草案修改稿是可行的。同时，根据各代表团的审议意见，提出以下修改意见：

一、草案修改稿第十条对民事主体行使权利时应当履行法律规定的和当事人约定的义务作了规定。有的代表提出，这一条规定属于对民事主体正确行使民事权利的要求，建议移至“民事权利”一章，集中作出规定。法律委员会赞成上述意见，建议将草案修改稿第十条移至第一百三十一条后作规定。（草案建议表决稿第一百三十一条）

二、草案修改稿第四十九条规定，被宣告死亡的人，人民法院判决确定的日期视为其死亡的日期；判决未确定死亡日期的，判决作出之日视为其死亡的日期。有的代表提出，死亡日期的确定在保险理赔、继承等方面至关重要，建议强化宣告死亡日期的确定性。法律委员会经研究，建议将这一条规定修改为：被宣告死亡的人，人民法院宣告死亡的判决作出之日视为其死亡的日期；因意外事件下落不明宣告死亡的，意外事件发生之日视为其死亡的日期。（草案建议表决稿第四十八条）

三、草案修改稿第一百七十六条第二款规定，民事主体不履行或者不完全履行民事义务的，应当依法承担民事责任。有的代表提出，公平责任、无过错责任等在侵权责任法中作了规定，建议民法总则的规定涵盖这类情形。法律委员会经研究，建议将这一条修改为：民事主体依照法律规定和当事人约定，履行民事义务，承担民事责任。（草案建议表决稿第一百七十六条）

四、草案修改稿第一百七十八条对连带责任作了规定。有的代表提出，连带责任是两个或者两个以上的债务人共同向债权人承担民事责任，是一种较为严厉的责任方式，除当事人有约定外，宜由法律作出规定。法律委员会赞成上述意见，建议在这一条增加一款作为第三款：连带责任，由法律规定或者当事人约定。（草案建议表决稿第一百七十八条第三款）

五、草案修改稿第一百八十四条规定，因自愿实施紧急救助行为造成受助人损害的，救助人不承担民事责任。受助人能够证明救助人有重大过失造成自己不应有的重大损害的，救助人承担适当的民事责任。一些代表提出，草案修改稿的后一句规定较草案规定虽作了进一步严格限定，针对的是在实践中可能出现的特殊情况，但仍难以免除见义勇为者的后顾之忧，不利于倡导培育见义勇为、乐于助人的良好社会风尚，建议删除。法律委员会经研究，赞成这一意见，建议删除这一内容。（草案建议表决稿第一百八十四条）

六、草案修改稿第一百九十六条规定，对连带债权人或者连带债务人中的一人发生诉讼时效中断的，中断的效力及于全部连带债权人或者连带债务人。有的代表提出，债权人向一个连带债务人提出履行债务的请求，导致诉讼时效对该连带债务人中断是合理的，但能否导致对其他连带债务人的诉讼时效中断，目前理论上和实践中争议较大，建议再斟酌。法律委员会经研究，建议删除这一条规定。

此外，根据代表们的审议意见，还对草案修改稿作了一些文字修改。法律委员会同时建议，本法自 2017 年 10 月 1 日起施行。

草案建议表决稿已按上述意见作了修改，建议经主席团审议通过后，提请本次会议表决。

民法总则草案建议表决稿和以上报告，请审议。

后　　记

《中华人民共和国民法总则》已由十二届全国人大五次会议通过，自2017年10月1日起施行。为了更好地宣传民法总则，使社会各界对民法总则内容有全面、准确的了解，保证民法总则的顺利实施，全国人大常委会法制工作委员会民法室的同志编写了这本《中华人民共和国民法总则释义》。本书对《中华人民共和国民法总则》进行了逐条释义，力求简明扼要、通俗易懂，便于准确把握立法原意。

本书由全国人大常委会法制工作委员会主任李适时同志任主编，副主任张荣顺同志任副主编，参加本书撰写工作的作者还有贾东明、杜涛、石宏、段京连、庄晓泳、刘振、孙娜娜、李恩正、朱书龙、宋江涛、孙艺超等。

作　者

2017年4月6日

图书在版编目(CIP)数据

中华人民共和国民法总则释义 / 李适时主编. -- 北京:法律出版社, 2017.4(2018.11 重印)

(中华人民共和国法律释义)

ISBN 978-7-5197-0689-0

Ⅰ. ①中… Ⅱ. ①李… Ⅲ. ①民法-总则-法律解释-中国 Ⅳ. ①D923.15

中国版本图书馆 CIP 数据核字(2017)第 045771 号

中华人民共和国民法总则释义
ZHONGHUA RENMIN GONGHEGUO MINFA ZONGZE SHIYI

李适时 主编

策划编辑 麦 锐 陶玉霞
责任编辑 麦 锐 陶玉霞
装帧设计 李 瞻

出版 法律出版社
总发行 中国法律图书有限公司
经销 新华书店
印刷 北京玺诚印务有限公司
责任印制 吕亚莉

编辑统筹 法规出版分社
开本 850 毫米×1168 毫米
印张 23
字数 500 千
版本 2017 年 4 月第 1 版
印次 2018 年 11 月第 5 次印刷

法律出版社/北京市丰台区莲花池西里 7 号(100073)
网址/www.lawpress.com.cn
投稿邮箱/info@lawpress.com.cn
举报维权邮箱/jbwq@lawpress.com.cn
销售热线/010-83938336
咨询电话/010-63939796

中国法律图书有限公司/北京市丰台区莲花池西里 7 号(100073)
全国各地中法图分、子公司销售电话:
统一销售客服/400-660-6393
第一法律书店/010-83938334/8335 西安分公司/029-85330678 重庆分公司/023-67453036
上海分公司/021-62071639/1636 深圳分公司/0755-83072995

书号:ISBN 978-7-5197-0689-0 **定价:**68.00 元